*Hassert, Kurt*

# Beitraege zur physischen Geographie von Montenegro

*Hassert, Kurt*

**Beitraege zur physischen Geographie von Montenegro**

*Inktank publishing, 2018*

*www.inktank-publishing.com*

*ISBN/EAN: 9783750134058*

Beiträge

zur

# physischen Geographie von Montenegro

mit besonderer Berücksichtigung des Karstes.

Von

**Dr. Kurt Hassert,**

Privatdocenten der Erdkunde an der Universität Leipzig.

Mit 4 Tafeln und 1 Skizze im Text.

(ERGÄNZUNGSHEFT No. 115 ZU „PETERMANNS MITTEILUNGEN".)

GOTHA: JUSTUS PERTHES.

1895.

# INHALT.

---

## KARTEN:

# I. Die Litteratur und Erforschungsgeschichte von Montenegro.

Es möchte vielleicht überflüssig erscheinen, der geographischen Schilderung eines Gebiets die Besprechung der einschlägigen Litteratur vorauszuschicken; allein dieselbe erfüllt nicht blofs den Zweck, die Anzahl und Beschaffenheit der vorhandenen Arbeiten festzustellen und dadurch spätern Forschern eine erwünschte Stütze zu gewähren, sondern sie ist zugleich ein treues Spiegelbild der Entdeckungs- und Erforschungsgeschichte eines Landes und darf schon aus diesen Gründen in jeder wissenschaftlichen Abhandlung einen Platz beanspruchen. Aufserdem ist die Litteratur oft weit zerstreut und sehr schwer zugänglich, und es waren vier Jahre saurer Mühe notwendig, um die im Folgenden aufgeführten Bücher und Aufsätze über Montenegro zusammenzusuchen. Zwar veröffentlichte in neuester Zeit M. Dragović eine in serbischer Sprache verfafste montenegrinische Bibliographie, und auch Rovinski verspricht eine solche für den inzwischen erschienenen zweiten Band seines umfassenden Werkes. Beide verfolgen jedoch nicht ausschliefslich geographische Zwecke und erwähnen hauptsächlich die serbischen und russischen Arbeiten, so dafs ihre Angaben eben so unvollständig sind wie die von mir versuchte Zusammenstellung, in der die slavische Litteratur nur eine untergeordnete Rolle spielen konnte. Immerhin beweist die Zahl von rund 270 Abhandlungen, dafs die textliche Litteratur über die Schwarzen Berge im Gegensatz zu den kartographischen Arbeiten eine sehr reichhaltige ist, und es läge kein Bedürfnis vor, die bereits vorhandenen Veröffentlichungen noch um eine neue zu vermehren, wenn die überwiegende Menge der erschienenen Arbeiten nicht eine sehr einseitige Richtung verfolgte und eine den neuesten Forschungen entsprechende landeskundliche Darstellung vermissen liefse. Obgleich viele Werke von zweifelhafter Brauchbarkeit sind und besser ungeschrieben geblieben wären, so ist es nicht möglich, in dieser kurzen einleitenden Betrachtung jedes einzelne seinem Inhalt und Werte nach wiederzugeben und die guten von den schlechten zu scheiden. Einige allgemeine Bemerkungen und eine kurze Erörterung der wichtigsten Erscheinungen mögen genügen, und sie lassen erkennen, dafs die meisten Schriftsteller mit Vorliebe das Volk und die Geschichte seiner Jahrhunderte langen Kämpfe gegen die Türken feierten, des Landes aber gar nicht oder nur flüchtig gedachten.

Durchblättert man die Bücher von Delarue, Paić und v. Scherb, Ubicini, Frilley und Vlahović, Denton, Marmier, Yriarte, Lenormant oder Rasch, so findet man vielfach dieselben Schilderungen und Gedanken, die nur zum Teil oder überhaupt nicht aus eigener Anschauung entspringen und die Geduld des Lesers auf eine harte Probe stellen, da sie stets die gleichen Thatsachen wiederholen und wenig Neues bringen. Die Erklärung für diese auffällige Erscheinung liegt in der Beschaffenheit der bis zum letzten Kriege 1877/78 verhältnismäfsig dürftigen Quellen, die blofs für die Sitten und Geschichte des Volkes genügenden Stoff boten und, weil in russischer oder serbischer Sprache verfafst, den wenigsten verständlich waren. Deshalb benutzte man für den historischen Teil in erster Linie die französisch geschriebene Arbeit von Vaclik, die deutsche von Andrić und die italienische

Ausgabe der montenegrinischen Geschichte von Milaković, dem ethnographischen Teil dienten die Berichte Viallas, Petters und Karadžićs zur Grundlage, und man scheute sich nicht, manche Stellen fast wörtlich aus den kompilatorischen Arbeiten seiner Vorgänger zu entnehmen und die gröfsere Hälfte seines Buches mit geschichtlichen Bemerkungen auszufüllen. Bedauerlicherweise blieben die zeitgenössischen Reisewerke von Stieglitz, Ebel und Wilkinson, die für die Geographie der Schwarzen Berge sehr viel neues Material lieferten, fast unbeachtet. Deshalb nahm in allen oben erwähnten Kompilationen, die gleichwohl als mafsgebende Werke hingestellt wurden, die Beschreibung des Landes nur einige Seiten ein, und man konnte sich aus dieser keine oder höchstens unklare, falsche Vorstellungen machen [1]).

Glücklicherweise war die Zahl der älteren, aus abgeleiteten Quellen schöpfenden Arbeiten gering, und die ewigen Kriege, die hochgradige Unsicherheit und die Schwierigkeiten der Reise trugen dazu bei, dafs sich nicht allzu viele Montenegro als Reiseziel erkoren. Nachdem aber die neue Fahrstrafse nach Cetinje ausgebaut war und der russisch-türkische Krieg das kleine Fürstentum dem gebildeten Europa nähergebracht hatte, wagten viele Besucher Dalmatiens auch einen Abstecher von Cattaro nach Cetinje, und in rascher Folge entstanden neue Reisewerke, in denen, dem Titel nach zu urteilen, die Crna Gora eine wichtige Rolle spielen mufste. Aber weit gefehlt! Denn der Ausflug jener Touristen umfafste nur die sogenannte Allerweltstour nach Cetinje oder die Dampferfahrt nach Antivari und Dulcigno. Über dieselbe hinaus ins Innere des Landes, nach Rijeka und Podgorica vorzudringen, getraute sich unter Hunderten erst einer, weil die Furcht vor den vermeintlichen Raubgelüsten der Eingeborenen noch immer nicht erloschen war und weil nunmehr die behagliche Kutschenfahrt mit der Fufswanderung oder dem Saumtierritt auf den erbärmlichen einheimischen Pfaden vertauscht werden mufste [2]). Aufserdem verweilten die flüchtigen Wanderer selten länger als zwei Tage in der Landeshauptstadt; aber ihr Zweck war erreicht, sie konnten der Aufschrift ihrer Bücher mit Stolz eine „Reise nach oder durch Montenegro" zufügen und ihre Erlebnisse mit zahlreichen Bemerkungen in einem Kapitel oder in einer ganzen Reihe von Kapiteln der staunenden Mitwelt kundthun. Statt sich bescheiden auf eine Wiedergabe der gewonnenen Eindrücke zu beschränken, wie es Noë, van Hees und Passarge in sehr anziehender Weise thaten, mafsten sich die meisten ein Urteil über Land und Volk an, das sie bei der Kürze ihres Aufenthaltes gar nicht gewinnen konnten und das sie bei der Ausarbeitung ihrer Werke durch das Studium einiger der oben genannten Kompilationen zu erweitern suchten. Diese Quellen benutzten sie jedoch in einer so wenig kritischen Art, dafs sie längst veraltete und vergessene Bräuche als noch heute bestehend annahmen, den Fortschritt übersahen, Vergangenheit und Gegenwart rücksichtslos durcheinandermischten und, statt Klarheit zu bringen, die ohnehin herrschende Verwirrung noch vermehrten. Zugleich enthielten ihre Arbeiten so wenig positive Daten, dafs ihr wissenschaftlicher Wert ein ziemlich zweifelhafter blieb [3]), und gerade solchen Verfassern wie Sermet, Bauron, Joanne, Topchi, Creagh, Evans, Minchin u. a. haben es die Montenegriner zuzuschreiben, dafs ihre Beurteilung seitens des Auslandes noch immer eine so geteilte und verkehrte ist [4]). Die älteren Werke hatten immerhin das Gute, dafs sie die Crnogorcen in ihrer damaligen Rohheit und Ursprünglichkeit richtig schilderten. Die neuen Reisenden dagegen glaubten das, was sie in Cetinje gesehen, auf das ganze Fürstentum übertragen zu müssen und

[1]) Chopin-Ubicini, Provinces Danubiennes etc., 1854, I, 156. M. P., Fürstentum Montenegro, 1874, S. 13.

[2]) Während die Fahrstrafse von Cattaro nach Cetinje 1879 fertiggestellt ward, wurde ihr weiterer Ausbau nach Rijeka und Podgorica erst 1882 fortgesetzt.

[3]) Ametling, Die neuen Erwerbungen Österreich-Ungarns, 1879, XVIII, 440. — Schwarz, Montenegro. Reise durch das Innere, 1888, S. 82.

[4]) Diesen Büchern kann man noch Sp. Gopčević's „Montenegro und die Montenegriner" hinzufügen, dem Schwarz eine sehr herbe, aber im allgemeinen richtige Kritik zu teil werden läfst. Schwarz a. a. O., S. 350. 351.

meinten, dafs seine Bewohner noch auf derselben niedrigen Kulturstufe ständen wie ehedem. So kommt es, dafs die einen die Söhne der Schwarzen Berge in überschwenglichen Worten als ritterliche Vorkämpfer des Christentums und todesmutige Helden preisen, und dafs die andern nur tadelnswerte Eigenschaften an dem verwahrlosten Räubergesindel finden, während man sich über den Charakter des Landes so wenig klar wurde, dafs Montenegro noch immer als eine trostlose Karstwüste galt und dafs man von den landschaftlichen Schönheiten der Schieferzone des Ostens keine Ahnung hatte.

Wie überhaupt derartige Bücher zusammengeschrieben wurden, das hat E. Gelcich treffend an Baurons „Rives Illyriennes: Istrie, Dalmatie, Monténégro" nachgewiesen [1]). Der Verfasser fuhr im Wagen nach Cetinje und kehrte zwei Tage später auf demselben Wege und in derselben Weise nach Cattaro zurück, daher der vielverheifsende Titel „Monténégro"! Einen grofsen Teil der Seereise verschlief er und schrieb, um das Versäumte nachzuholen, ganze Seiten aus dem dickleibigen Buche des alten Fortis ab, ohne zu bedenken, dafs in den hundert Jahren, die seit Fortis' Tode verstrichen sind, Dalmatien irgendwelche kulturellen Fortschritte gemacht haben könnte.

Man kann also Schwarz beistimmen, wenn er die Litteratur über Montenegro bis zum Erscheinen seines Buches als gänzlich unzureichend bezeichnet, denn es waren in der That nur wenige brauchbare und dem jeweiligen Standpunkte der Wissenschaft entsprechende Arbeiten vorhanden. Seine Behauptung jedoch, das kleine Ländchen sei bis in die neueste Zeit völlig unbeachtet geblieben und blofs von Heinrich Barth 1865 auf einer kurzen Grenzwanderung durchstreift worden, findet in der Erforschungsgeschichte der Schwarzen Berge keine Bestätigung, und ebenso wird sein geringschätziges Urteil, es lägen kaum ein halbes Dutzend einschlägiger Werke oder vielmehr Werkchen vor, die noch dazu jüngsten Datums seien und wie an Quantität so auch an Qualität viel zu wünschen übrig liefsen [2]), durch einen Vergleich der bis 1878 veröffentlichten Abhandlungen sofort widerlegt.

Der älteste Reisende, von dem wir Kunde haben, ist der venezianische Nobile Bolizza, der zu Anfang des 17. Jahrhunderts die serbisch-albanesischen Bezirke des Paschaliks Scutari durchstreifte und seiner Regierung einen ausführlichen Bericht über die dortigen Zustände entwarf. Die später angebahnten freundschaftlichen Beziehungen zu Rufsland waren ausschliefslich diplomatischer Art, und es verging eine geraume Zeit, bis im 19. Jahrhundert die Arbeiten von Vialla de Sommières, Petter und Karadžić als Ergebnisse kleiner Vorstöfse und Erkundigungen erschienen. Ihnen schlossen sich bis zum Ausbruch des unglücklichen Krieges von 1862 die Reisen von Stieglitz, Ebel und Wilkinson [3]), von Kovalevski, Popov und Delarue, sowie die Grenzwanderungen Boués, Hecquards, Lejeans, v. Hahns, Sax' und Blaus an, doch wurde auf letzteren das eigentliche Alt-Montenegro nicht betreten. Leider fanden jene Forschungen nicht die ihnen zukommende Würdigung und gerieten bald wieder in Vergessenheit, so dafs erst nach dem Berliner Vertrage, der den ewigen Kriegen auf der Balkanhalbinsel ein Ziel setzte, die wissenschaftliche Entdeckung Montenegros begann. Ein russischer Gelehrter, P. Rovinski, erkor sich die Schwarzen Berge zu seiner neuen Heimat und lernte sie während eines fast fünfzehnjährigen Aufenthaltes auf zahllosen Kreuz- und Querzügen wie kein andrer vor oder nach ihm kennen. Gleichzeitig durchzogen Tietze und L. Baldacci, v. Kaulbars und Schwarz

---

[1]) Mitteil. d. K. Geogr. Ges. Wien, 1890.

[2]) Schwarz a. a. O., S. 2. 340. 348. 351. — Von den bis zu seiner Zeit erschienenen Reisewerken über Montenegro kannte Schwarz nur die Arbeiten von Rasch, Stefanović v. Vilovo, Paić und v. Scherb, Koner, Amerling, Frilley und Vlahović, Gopčević und v. Sterneck. Die wichtigen Berichte Ebels, Stieglitzs, Wilkinsons und ihrer Zeitgenossen waren ihm völlig unbekannt geblieben!

[3]) Ebel und Stieglitz durchwanderten nur die Riječka und Crmnička Nahija, Wilkinson dagegen lernte auf seinem Marsche von Cetinje nach Čevo, Kloster Ostrog, Orjaluka und Rijeka fast die ganze Westhälfte Alt-Montenegros kennen. Hier sei auch der Reise F. v. Richthofens von Cetinje nach Virpasar und Budua gedacht, die er in der Mitte der fünfziger Jahre ausführte.

das Fürstentum, erstere zu geologischen, letztere zu allgemein geographischen Zwecken. Ihnen folgten die Topographen Baumann[1]) und Wünsch, die Botaniker Pantocsek und Pančić (beide schon 1873), Szyszylowicz[2]) und A. Baldacci[3]), der mit der Absteckung des montenegrinischen Eisenbahnnetzes betraute Ingenieur Lelarge, und in die Jahre 1891 und 1892 fielen die beiden Reisen des Verfassers.

Die Reisenden, welche seit dem Ende des letzten Krieges an der Erschliefsung Montenegros mitgewirkt, haben die Ergebnisse ihrer Untersuchungen in zahlreichen Schriften und Karten niedergelegt, die teils eine wertvolle Ergänzung der ältern Werke sind, teils einen wesentlichen Fortschritt bedeuten. Geradezu mustergültige Abhandlungen besitzen wir auf dem Gebiete der montenegrinischen Geologie, Botanik und Volkskunde, während es zusammenfassende landeskundliche Darstellungen nur zwei, die Arbeiten von Schwarz und Rovinski, giebt.

Es ist nicht zu leugnen, dafs B. Schwarzs Montenegro eine empfindliche Lücke in der geographischen Litteratur ausgefüllt hat und, wie das Erscheinen einer zweiten Ausgabe 1888 beweist, noch heute die wichtigste Orientierungsschrift des deutschen Lesers bildet. Versteht es doch der Verfasser, in gewandter, fesselnder Redeweise, der nur manchmal ein salbungsvoller, pastoraler Satz unterläuft, eine anschauliche Schilderung seiner Erlebnisse zu geben und ein übersichtliches Bild des Landes und seiner Bewohner zu entrollen! Wenn er aber seine Forschungen als das Resultat einer mehrwöchentlichen eingehenden Reise durch das ganze Fürstentum ausgiebt (S. 1), so mufs dem gegenüber betont werden, dafs sein Aufenthalt in Montenegro vom Abmarsch aus Cattaro bis zur Rückkehr dorthin im ganzen 25 Tage in Anspruch nahm, von denen drei Rasttage auf Cetinje, drei auf Dulcigno fielen, und dafs für die eigentliche „Reise durch das Innere" blofs eine Woche verwendet wurde[4]). Von einer eingehenden Reise durch das ganze Gebiet konnte daher keine Rede sein, und in die Nähe des montenegrinischen Hochgebirges, des Durmitor und Kom, geschweige denn auf einen Berggipfel, ist Schwarz gar nicht gekommen, zumal er seine Wanderung schon im Mai, also in einer Jahreszeit ausführte, in der die Hochebenen noch unter mächtigen Schneemassen begraben sind. Dafs er sich manchmal darin gefällt, die Gefährlichkeit und Mühsal seiner Streifzüge ins geeignete Licht zu setzen (S. 86, 191, 200, 209), ist vom menschlichen Standpunkte aus begreiflich und verzeihlich. Weniger zutreffend ist dagegen das Lob, welches er der montenegrinischen Gastfreundschaft spendet (S. 121, 451), weil die Ehrungen, die das Volk seinem im ganzen Lande bekannten und beliebten Begleiter Rovinski erwies, sich naturgemäfs auch auf ihn übertragen mufsten (S. 97) und ihm zu Behauptungen Veranlassung gaben, von denen andre Reisende sehr oft das Gegenteil bestätigt fanden. Solche und ähnliche Kleinigkeiten, die sich bei jedem Reisenden wiederfinden und in seiner subjektiven Auffassung begründet sind, würden jedoch Schwarzs Buche keinen Abbruch thun, wenn er sich auf eine einfache Reiseschilderung beschränkt und auf den „Entwurf einer Geographie des Landes" verzichtet hätte. Für den letztern fehlte ihm der Überblick und die Bekanntschaft mit der Litteratur (vgl. S. 3, Anmerk. 2), und so beruht der zweite, rein geographische Teil seines Werkes vornehmlich

[1]) O. Baumann unternahm zwei Fufswanderungen durch Montenegro, die eine im Sommer 1883, die andre im Sommer 1889.

[2]) Szyszylowicz verweilte 1886 einen Monat in Montenegro und durchforschte das Kuči-Land und das montenegrinisch-albanesische Grenzgebiet.

[3]) A. Baldacci unternahm drei Reisen nach Montenegro (1886, 1890, 1891).

[4]) Von Podgorica aus wurde folgender Weg eingeschlagen (1883):

14. Mai: Podgorica—Danilovgrad.
15. „ Danilovgrad—Nikšić.
16. „ Nikšić—Šavnik.
17. „ Šavnik—Somina Planina.
18. „ Somina Planina—Kolašin—Kloster Morača.
19. „ Kloster Morača—Trmanje.
20. „ Trmanje—Podgorica.

auf den mündlichen und brieflichen Mitteilungen seines bewährten, sprachkundigen Gefährten Rovinski, ohne dessen thatkräftige Unterstützung seine Durchwanderung Montenegros und sein Bestreben, „die ihm zur Verfügung stehenden Wochen möglichst im Interesse einer soviel als thunlich umfassenden Durchforschung des montenegrinischen Gebietes zu verwenden" (S. 50), wohl schwerlich von Erfolg gekrönt worden wäre. Deshalb erforderte es zum mindesten die Pflicht der Dankbarkeit, die Mitarbeiterschaft Rovinskis nach Verdienst hervorzuheben; allein sein Name, der im ersten, erzählenden Teile so oft erwähnt wird, tritt uns im landeskundlichen Teile nirgends entgegen, und aus seinem vor wenigen Jahren erschienenen Originalwerke geht sehr bald hervor, wie ausgiebig Schwarz die Bemerkungen seines Gewährsmannes Rovinski als seine eigenen verwertet hat.

Zum Schlusse noch einige Worte über die von Schwarz gewählte Schreibweise der serbischen Namen (S. 355, 356). Die cyrillische Schrift, deren sich die Crnogorcen wie die meisten slavischen Völker bedienen, besitzt für eine Anzahl ihr eigentümlicher Zischlaute besondere Zeichen, die wir, da sie dem Deutschen fremd sind, durch Umschreibung wiedergeben müssen. Es liegt nun nichts näher, hierfür die Buchstaben ć, č, š, ž, dj (gj) und dž des Kroatischen zu benutzen, da dieses ebenfalls ein rein serbischer Sprachstamm ist, nur dafs es statt der cyrillischen die lateinischen Schriftzeichen angenommen hat. Die Aussprache jener Zischlaute ist rasch zu erlernen und leicht zu behalten, und wenn auch Schwarz allerlei Bedenken gegen deren Einführung geltend macht, so ist sie seinem phonetischen System vorzuziehen, weil sie über die richtige Schreibweise der serbischen Namen keinen Zweifel obwalten läfst, während man z. B. bei der Transskription Spusch oder Nikschitsch nicht weifs, ob diese dem serbo-kroatischen Spuš oder Spuž und Nikšić oder Nikžić entspricht. Warum will Schwarz ferner in allen den Fällen das c mit z vertauschen, in denen es wie k gesprochen werden könnte, da das Serbische sowohl ein c wie ein k besitzt, die beide niemals anders als c und k lauten? Daher die Verwirrung, die eine solche Methode im Gefolge hat, und daher der doppelte Fehler, den Schwarz mit so vielen andern begeht, wenn er die Montenegriner mit ihrem einheimischen Namen Crnagorzi nennt, während die einzig richtige Form Crnogorci ist. Jedenfalls liegt kein Grund vor, die ausgezeichnete Transskription der cyrillischen Buchstaben, nämlich diejenige mittels des kroatischlateinischen Alphabets, durch eine andre zu ersetzen. —

Nach den gemachten Andeutungen hält es nicht schwer, sich ein Urteil von dem reichen, gediegenen Inhalte des grofsangelegten Rovinskischen Buches „Černogorija" zu bilden, in dem zum erstenmal die Früchte ausgedehnter litterarischer Studien mit den Ergebnissen jahrelanger eigener Forschungen zu einer umfangreichen Übersicht von Montenegro verarbeitet worden sind. Leider ist dieses in mehr als einer Beziehung grundlegende Werk wenig bekannt und gewürdigt worden, da es in russischer Sprache geschrieben ist und noch keinen Übersetzer gefunden hat. Durch Zufall glückte es mir, in Wien eine sehr schlechte handschriftliche Übersetzung der wichtigsten Kapitel zu erlangen, und das Verständnis der übrigen Abschnitte wurde mir durch die gütige Hilfe des Herrn stud. phil. G. Popović aus Maria-Theresiopel wesentlich erleichtert.

Das ganze Werk, das auf Kosten der Kaiserl. Russ. Akademie der Wissenschaften zu St. Petersburg gedruckt wurde, zerfällt in zwei Bände, von denen der erste die physische Geographie und Geschichte, der zweite, erst kürzlich herausgegebene die Archäologie, Ethnographie und die Darstellung der gegenwärtigen Zustände enthält. Die Altertums- und Volkskunde bildet überhaupt das eigentliche Arbeitsfeld des weitgereisten Verfassers, der vor seiner Übersiedelung nach Montenegro Nord-Amerika, Sibirien und die Mongolei durchwanderte und aufser seiner Muttersprache das Französische, Deutsche und Serbische vollständig beherrscht. Daher geht die allgemein geographische Beschreibung oft über eine trockene Aneinanderreihung von Namen und Zahlen und über eine peinlich genaue Erwähnung selbst der unbedeutendsten Bäche und Weiler nicht hinaus, die für Montenegro so eigentümlichen Karst-Erscheinungen werden, entsprechend ihrer Bedeutung und Verbreitung, nicht genug hervorgehoben, und der die Geologie behandelnde Abschnitt beruht nur zum allerkleinsten Teile auf eigenen Untersuchungen, weshalb er sehr wenig Neues bringt. Übrigens nimmt die Geographie blofs die kleinere Hälfte des ersten Bandes ein; aber auf den 320 Seiten, die sie umfafst, ist eine Fülle von Thatsachen zusammengedrängt, die nur ein langjähriger Beobachter sammeln konnte. So ist, um einiges herauszugreifen, die Schilderung des Scutari-Sees und des Kom eine so klare und abwechselungsvolle, dafs man sie stets mit Vergnügen und nie ohne reiche Belehrung lesen wird, und die sieben Jahre lang durchgeführten meteorologischen Aufzeichnungen enthalten unschätzbare Beiträge zu der noch sehr wenig bekannten Witterungskunde des Fürstentums. Schade, dafs Rovinski die zahlreichen Quellenschriften, die er am Schlusse des zweiten Bandes zusammenstellt und in den einleitenden Kapiteln der verschiedenen Abschnitte öfters anführt, durch Hinweise und Angaben unter dem Text, wie wir es bei wissenschaftlichen Arbeiten gewohnt sind, nicht ausgiebiger benutzt hat. Wie aber seine Karte die Grundlage für alle späteren Karten und insbesondere für die österreichische Spezialkarte von Montenegro bildete, so mufs auch sein mit grofser Begeisterung für die Wissenschaft und mit einem wahren Bienenfleifs ausgearbeitetes „Montenegro" als ein Quellenwerk ersten Ranges gelten.

Soviel zur Charakteristik und Würdigung der älteren, neueren und neuesten montenegrinischen Litteratur, deren einzelne Erscheinungen wir nunmehr in alphabetischer Reihenfolge aufzählen wollen. Hierbei können wir uns nicht ausschliefslich auf das Gebiet der Geographie und auf das Fürstentum allein beschränken, sondern müssen die hercegovinischen und albanesischen Grenzlande ebenfalls in den Kreis unsrer Betrachtungen ziehen, da sie, wenn auch ursprünglich zum Osmanischen Reiche gehörend und von den älteren Reisenden als türkische Provinzen beschrieben, durch die Bestimmungen des Berliner Vertrags grofsenteils den Crnogorcen zuerkannt wurden.

## I. Bibliographie.

1. M. Bokulovski, Literatura o Serbij i Černogorij, Petersburg Vjedomosti 1880, Nr. 163.
2. M. Dragović, Pokušaj za bibliografiju o Crnoj Gori, Cetinje 1893.
3. C. Tondini de Quarenghi, Notice sur la bibliographie du Monténégro. (C.-R. Travaux Congr. Bibliogr. Internat., Paris 1889.)
4. G. Valentinelli, Bibliografia della Dalmazia e del Montenegro. Saggio. Zagabria 1855.
5. , Supplementi al Saggio bibliografico della Dalmazia e del Montenegro, Zagabria 1862.

## II. Geschichte[1]).

6. Ali Suavi, Le Monténégro, Paris 1876.
7. A. Andrić, Geschichte des Fürstentums Montenegro bis 1852, Wien 1853.
8. D. Bakić, Černogorija pod upravleniem vladik. (Jurn. Min. Narod. Prosv., 1878, Bd. 198.)
9. B. Brunswick, Recueil de documents diplomatiques relatifs au Monténégro, Pera 1876.
10. G. Chiudina, Storia del Montenero da'tempi antichi fino a'nostri, Spalato 1882.
11. E. Deniker, Les Krivosciens à propos de l'insurrection de la Dalmatie. (La Nature, April 1882.)
12. Ž. Dragović, Černogorija i eja otnošenija ka Rossij va carstvovanje Imperatora Pavla 1797—1801. (Russk. Star., Bd. 35, 1882.)
13. Sp. Gopčević, Der turko-montenegrinische Krieg, Wien 1878, 3 Bde.
14. , Die Kämpfe der Montenegriner mit den Franzosen 1806—14. (Jahrbücher für die deutsche Armee und Marine, Berlin 1879, XXXII.)
15. G. Hertzberg, Montenegro und sein Freiheitskampf. Vortrag, Halle 1855.
16. Maton, Histoire du Monténégro, 1881.
17. M. Medaković, Povjestnica Crne Gore, Semlin 1850.
18. D. Milaković, Istorija Crne Gore, 1856, übersetzt von A. Kasnačić als Storia del Montenegro, Ragusa 1877.
19. D. Milutinović, Istorija Crne Gore od iskona do novijega vremena, Belgrad 1835.
20. V. v. Neuwirth, Über die Notwendigkeit der Okkupation von Bosnien u. der Hercegovina sowie der Besetzung des Sandžaks von Novibazar. (Organ d. milit.-wissenschaftl. Vereine Wien, XVIII, 1879.)

[1]) Vgl. auch die Arbeiten von Pajević und Gopčević (Türkische Taktik &c.).

21. B. Petrović, Geschichte von Montenegro, Moskau 1754 (russisch); vgl. B. Petrovitch, Notice historique sur le Monténégro. (Revue de l'Orient 1862.)

22. J. Popović Lipovac, Rossija i Černogorija so vremena Petra I, Petersburg 1883.

23. Ščerbak, Montenegro und der Unabhängigkeitskrieg, Petersburg 1879/80, 2 Bde. (russisch).

24. Südslavische Pläne. Denkschrift über die gegenwärtige Bewegung in der Hercegovina, Bosnien, Montenegro nebst Schilderungen der historischen, politischen, socialen, religiösen und militärischen Zustände dieser Länder. Wien 1861.

25. W. Tomaschek, Die vorslavische Topographie der Bosna, Hercegovina, Crnagora und der angrenzenden Gebiete. (Mitteil. d. K. K. Geogr. Ges. Wien, 1880.)

26. J. Vaclik, La souveraineté du Monténégro et le droit des gens modernes de l'Europe, Leipzig 1858.

27. Rasko Vasa, Esquisse historique sur le Monténégro, 1879.

## III. Sprache, Volkslieder, Gesetze.

28. V. Bogišić, Opšti Imovinski Zakonik za Knjaževinu Crnu Goru, Paris 1888. — Deutsch: A. Schek, Allgemeines Gesetzbuch über Vermögen für das Fürstentum Montenegro, Berlin 1893. — Französisch: R. Dareste et A. Rivière, Code général des biens pour la principauté du Monténégro, Paris 1892.

29. T. Cojković, Pevanja crnogorska i hercegovacka, Leipzig 1837.

30. V. Jagić, Der erste Cetinjer Kirchendruck vom Jahre 1494. Eine bibliographisch-lexikologische Studie, Wien 1894.

31. V. Stefanović Karadžić, Heldenlieder aus Montenegro.

32. —, Narodne srpske poslovice, Cetinje 1836.

33. —, Srpske Narodne pripovetke, Wien 1853.

34. M. Kostić, Sovremmenoe sostojanie škola va Černogorij. (Jurn. Minist. Narod. Prosv., Petersburg 1876.)

35. F. S. Kraufs, Das neue Gesetzbuch von Montenegro. (Ausland 1889.)

36. S. Ljubić, Pripovesti Crnogorska i Primorske, Ragusa 1875.

37. F. Radičević, Gusle Crnogorske, 1872.

38. Ein neues serbisches Volkslied (Die montenegrinische Nationalhymne). (Ausland 1879.)

39. Vrčević, Narodne satir-zanimal podrugačice, skupio ih po Bocchi, Crnojgori, Dalmaciji etc.

40. —, Narodne humoristice gatalice i varalice, skupio etc.

41. —, Narodne basne, skupio etc.

42. —, Niz Srpskih pripovetaka, vecinom o narodnom sucenju no Bocchi, Crnojgori i Hercegovini, 1881.

43. Zakonik Knjaza Danila I. — Deutsch: Gesetzbuch Danilos I., Fürsten von Montenegro und Brda, Wien 1858.

## IV. Geologie.

44. L. Baldacci, Étude des gîtes minéraux du Monténégro. Rapport à Son Altesse le Prince du Monténégro 1887. Nur handschriftlich. — Serbische Übersetzung in: Prosvjeta, list za crkvu, školu i pouku, Cetinje 1890.

45. A. Boué, Esquisse géologique de la Turquie d'Europe, Paris 1840[1].

46. H. Hecquard, Sur la découverte d'un gisement de houille au Monténégro. (Annales des Mines, Paris, XIX, 1861.)

47. J. Kovalevski, Aperçu géologique du Monténégro. (Annales de la Géologie, Paris, X, 1842/43.)

48. Lipold, Die geologischen Verhaltnisse zwischen Cattaro und Cetinje. (Verh. d. K. K. Geol. Reichsanstalt, 1859.)

49. E. Tietze, Geologische Übersicht von Montenegro. (Jahrb. d. K. K. Geologischen Reichsanstalt 1884.)

## V. Flora und Fauna.

50. P. Ascherson et A. Kanitz, Catalogus Cormophytorum et Anthophytorum Serbiae, Bosniae, Hercegovinae, Montis Scodri, Albaniae hucusque cognitorum, Claudiopolis 1877.

51. A. Baldacci, Biljke Cetinskoga Polja, Glas Crnogorca 1886.

52. —, La Stazione delle Doline. Studi di geografia botanica sul Montenegro e su gli altri paesi ad esso finitimi. (Nuovo Giornale Botanico Italiano, XXV, 1893.)

53. —, Contribuzio alla conoscenza della Flora Montenegrina, Albanese, Epirota e Greca. (Ebenda, Nuova Serie 1, 1894[2]).)

54. G. Beck et J. Szyszylowicz, Plantae a Dr. Szyszylowicz in itinere per Cernagoram et in Albania adjacente anno 1886 lectae, Cracoviae 1888.

55. E. Carteron, Exploitation forestière du Monténégro. Les ressources, son avenir. De l'utilité de la construction d'un chemin de fer, Paris 1892.

56. M. Katurić, Ribe iz crnogorskih sladkih voda, Prosvjeta, Cetinje 1894.

57. J. Pančić, Elenchus plantarum vascularium, quas aestate a. 1873 in Crna Gora legit Dr. J. Pančić, Belgrad 1875.

---

[1]) Ist ein selbständig erschienener Teil seiner Turquie d'Europe. — Vgl. auch die andern Arbeiten von Boué.

[2]) Vgl. auch die andern Arbeiten des Verfassers, sowie die Werke von Biasoletto und Ebel.

58. A. Pantocsek, Adnotationes ad floram et faunam Hercegovinae, Crnagorae et Dalmatiae, Prefsburg 1874.

59. F. Steindachner, Über montenegrinische Süfswasserfische. (Abh. d. K. K. Akad. d. Wiss. Wien, Bd. 86, 1882.)

60. R. de Visiani, Supplemento alla Flora Dalmatica aggiuntevi le piante della Bosnia, dell' Erzegovina e del Montenegro. (Atti R. Istit. Veneto di Scienze, Lettere ed Arti Venezia III, 1876/77.)

61. ——, Florae Dalmaticae supplementum alterum adjectis plantis in Bosnia, Hercegovina et Montenegro, Venezia 1877.

## VI. Militär-Geographisches.

62. Der Aufstand in der Hercegovina, Süd-Bosnien und Süd-Dalmatien 1881—82, Wien 1883. (Generalstabswerk.)

63. Sp. Gopčević, Türkische Taktik im montenegrinischen Kriege. (Organ d. milit.-wiss. Vereine Wien. XVII, 1878.)

64. F. C. v. Hötzendorf, Einiges über den südhercegovinischen Karst in militärischer Hinsicht. (Ebenda, XXIV, 1882.)

65. R. Musil, Über den Einflufs, den die im dinarischen Karste zu lösenden militärischen Aufgaben auf die Ausbildung der Truppe üben. (Ebenda, XXIII, 1881.)

66. Militärgeographische Blicke in das Land der Montenegriner. (Internationale Revue über die gesamten Armeen und Flotten, VIII, 1889.)

67. E. Rüffer, Eine strategische Studie über Dalmatien, Montenegro, Bosnien und die Hercegovina. Prag 1870.

68. J. F. Šestak und F. v. Scherb, Militärische Beschreibung des Paschaliks Hercegovina und des Fürstentums Crnagora, Wien 1862.

## VII. Allgemein geographische Werke.

69. V. Afanasev, Iz Černogorij, Petersburg 1878.

70. J. G. A(merling), Südslavisches Land und Volk. (Ausland 1882, 1883.)

71. ——, Die neuen Erwerbungen Österreich-Ungarns an der albanesischen Küste. (Organ d. milit.-wiss. Vereine, XVIII, 1879, XIX, 1879.)

72. P. Ascherson, Der Berg Orjen an den Bocche di Cattaro. (Ztschr. d. Ges. f. Erdk. Berlin 1868.)

73. Aufnahmen an der türkisch-montenegrinischen Grenze. (Globus, Bd. 36, 1879.)

74. D. Bakić, Černogorija novjišago vremeni. (Graždanin, 1878, Nr. 14—23, 25.)

75. A. Baldacci, Le Bocche di Cattaro ed i Montenegrini: Impressioni di viaggio e notizie per servire per intraduzione alla flora della Crnagora, Bologna 1886.

76. ——, Nel Montenegro, Cenni ed Appunti intorno alla Flora del Montenegro. (Giornale Malpighia 1890, 1891.)

77. ——, Altre Notizie intorno alla Flora del Montenegro, Genova 1893.

78. W. Baring, Report on a journey in Montenegro. (Parliamentary Paper 1888, C. 5253.)

79. H. Barths unveröffentlichte Reisetagebuchblätter, enthalten in Nr. 231.

80. O. Baumann, Reise durch Montenegro. (Mitteil. d. K. K. Geogr. Ges. Wien, 1883.)

81. ——, Zur Kartenskizze des Durmitor. (Ebenda, 1884.)

82. ——, (Zweite) Reise durch Montenegro. (Ebenda. 1891.)

83. ——, Podgorica. (Aus allen Weltteilen, XVI, 1885.)

84. ——, Über Tuzi nach Scutari. (Globus, Bd. 45, 1884.)

85. L. Bauron, Les Rives Illyriennes: Istrie, Dalmatie, Monténégro, Paris 1888.

86. H. de Beaumont, Esquisse de l'Herzégovine et du Monténégro, Paris 1861.

87. B. Biasoletto, Viaggio del Re Federico Augusto di Sassonia nell' Istria, Dalmazia e Montenegro, Trieste 1841.

88. O. Blau, Reisen in Bosnien und der Hercegovina. Topographische und pflanzengeographische Aufzeichnungen. Berlin 1877.

89. V. Bogišić, Die slavisierten Zigeuner in Montenegro. (Ausland. 1874.)

90. M. Bolizza, Relazione e descrizione del Sangiacato di Scutari, dove si ha piena contezza delle città e siti loro, villaggi, case e habitatori (1614), enthalten in Nr. 183.

91. M. Borschanski, Liste des différents points du Monténégro dont les altitudes ont été determinées en 1879/80. (Revue de Géogr. Paris 1881.)

92. A. Boué, La Turquie d'Europe, Paris 1840. — Deutsch: Die Europäische Türkei, neu herausgegeben Wien 1889, zwei Bände.

93. ——, Recueil d'itinéraires dans la Turquie d'Europe. Détails géographiques, topographiques et statistiques sur cet empire. 2 Bde., Wien 1854.

94. ——, Die Karte der Hercegovina, des südlichen Bosniens und Montenegros des Herrn de Beaumont. (Sitz.-Ber. d. K. K. Akad. d. Wiss. Wien, Bd. 45, 1861.)

95. ——, Der albanesische Drin und die Geologie Albaniens, besonders seines tertiären Beckens. (Ebenda, Bd. 49, 1864.)

96. ——, Mineralogisch-geognostisches Detail über einige meiner Reiserouten in der Europäischen Türkei. (Ebenda, Bd. 61, 1870.)

97. ——, Appendice sur l'état actuel du Monténégro et de l'Herzégovine. (Le Globe, Journ. Soc. Géogr. Genève, II, 1861.)

98. ——, Notes sur les frontières de la Bosnie, de l'Herzégovine et du Monténégro. Excursion au Kom et au Dormitor. (Ebenda, XV, 1874.)

99. A. Boulongne, Monténégro et ses habitants. (Mém. de Médecine et Chirurgie militaires, XXI, 1868. Vgl. Globus, Bd. 50, 1886, S. 335 und Nr. 250.)

100. A. Boulongne, Le Monténégro, le pays et ses habitants, Paris 1869.
101. W. Carr, Montenegro. (Stanhope Essays. Oxford 1884.)
102. v. C., Unter Montenegrinern und Muselmännern. (Gartenlaube 1876.)
103. Cetinje, Leben und Treiben in . (Ausland, 1881.)
104. Cetinje. (Ausland, 1890.)
105. Va Černogorij, Očerki. (Russkij Mir 1880.)
106. S. Chikoff, Eine Reise in Süd-Dalmatien, Montenegro und in der Herzegovina. (Mitteil. d. Deutsch. u. Österr. Alpenvereins, 1889.)
107. Chopin et Ubicini, Provinces Danubiennes et Roumaines, Paris 1856.
108. Christmas in Montenegro. (Vacation Tourists 1862.)
109. E. Cortambert, Coup d'oeil sur le Monténégro, Paris 1861.
110. J. Creagh, Over the borders of Christendom and Eslamiah, a journey through Hungary, Slavonia, Servia, Bosnia, Herzegovina, Dalmatia and Montenegro, to the North of Albania, in the summer of 1875. 2 Bde., London 1875.
111. Cyrille, La France au Monténégro d'après Vialla de Sommières et H. Delarue, Paris 1876.
112. Durch Dalmatien nach Montenegro. (Stimmen der Zeit, 1861.)
113. M. v. Déchy, The ascent of Maglich. (Alpine Journal, 1889.)
114. H. Delarue, Voyage au Monténégro. (Revue de l'Orient, de l'Algérie et des Colonies, Paris, XIV, 1862.)
115. ——, Le Monténégro, histoire, description, mœurs, usages, législation, constitution. Paris 1862
116. J. Denizet, Nicolas Ier et le Monténégro. L'Exploration. Paris 1877.
117. W. Denton, Montenegro, its people and their history, London 1877.
118. S. Drossard, Černogorija, Petersburg 1877.
119. N. Dučić, Mitteilungen über Montenegro. (Glasnik der Belgrader Gelehrten Gesellschaft, Bd. 40, 1874 [serbisch]. (Ein Auszug aus ihm ist Nr. 217.)
120. ——, Černogorija. Slavanskij Ežegodnik 1878.
121. A. Dupré, Mémoire sur le Monténégro. (Annales des Voyages, XV, 1811.)
122. W. Ebel, Bericht über seine Reise in Montenegro. (Monatsber. d. Ver. f. Erdk. Berlin 1842.)
123. ——, Montenegro und dessen Bewohner. (Ebenda, Neue Folge, IV, 1847.)
124. ——, Zwölf Tage auf Montenegro, 2 Hefte (das zweite botanischen Inhalts), Königsberg 1842.
125. A. J. Evans, Illyrian Letters. A revised selection of correspondence from Bosnia, Herzegovina, Montenegro, Albania etc. London 1878.
126. A. Farkas, Montenegro. (Kolosvári [Klausenburg] Közlöny, 1858.)
127. F. Ferrière, Le Monténégro. (Le Globe, XX, 1881 u. XXI. 1882.)
128. J. B. Fenvrier, Étude météorologique sur le plateau de Cettigne, Vesoul 1878.
129. Fortschritte in Montenegro. (Globus, Bd. 46, 1884.)
130. M. Freemann, Montenegro. (Macmillans Magazine, Cambridge 1876.)
131. Frilley et Vlahovitch, Le Monténégro contemporain, Paris 1876.
132. R. A. Fröhlich, Montenegro und die Montenegriner. (Gegenwart, 1846.)
133. B. Gjurašković, Njesto o Valdinoće. (Glas Crnogorca, 1884, 30. IV.; 7. V.; 14. V.)
134. Sp. Gopčević, Reiseblätter aus Montenegro und Albanien. (Heimat 1878/79.)
135. ——, Montenegro und die Montenegriner, Leipzig 1877; auch französisch: Le Monténégro et les Monténégrins.
136. ——, Ober-Albanien und seine Liga. Ethnographisch-politisch-historisch. Leipzig 1881.
137. Grlica (Turteltaube). Montenegrinischer Staatskalender, herausgegeben von D. Milaković. Cetinje 1835 f.
138. J. S. v. Hahn, Albanesische Studien, Wien 1853.
139. J. Hann, Zum Klima von Cetinje. (Meteorologische Zeitschrift 1893.)
140. K. Hassert, Zur Beurteilung von Montenegro. (Sonntagsblatt des Naumburger Kreisblattes, 1891.)
141. ——, Die Oberflächengestaltung Montenegros. (Globus, Bd. 61, 1892.)
142. ——, Der Scutari-See. (Ebenda, Bd. 62, 1892.)
143. ——, Der Durmitor. Wanderungen im montenegrinischen Hochgebirge. (Ztschr. d. Deutsch. u. Österr. Alpenvereins, 1892.)
144. ——, Eine Fußwanderung durch Montenegro. (Deutsche Rundschau für Geographie und Statistik, 1892.)
145. ——, Reise durch Montenegro, nebst Bemerkungen über Land und Leute. Wien, Pest, Leipzig 1893.
146. ——, Zweite Reise durch Montenegro. (Globus, Bd. 65, 1894.)
147. ——, Montenegro auf Grund eigener Reisen und Beobachtungen. (Verh. d. Ges. f. Erdk. Berlin, 1894.)
148. ——, Die Besteigung der Prutaš im Durmitor. (Aus allen Weltteilen, 1894.)
149. ——, Die Landschaftsformen von Montenegro. (Geogr. Mitteilungen, 1894.)
150. H. Hecquard, Les Vassoevitchs, tribu habitant la Haute-Albanie. (Revue de l'Orient etc., II, 1855.)
151. ——, Aperçu géographique de la Haute Albanie. (Bull. Soc. Géogr. Paris, XIII, 1857.)
152. ——, Mémoire sur le Monténégro. (Ebenda, IX, 1865.)
153. ——, Géographie générale du Pachalik de Scutari. (Nouv. Ann. des Voyages Paris, IV, 1858.). Ist die getreue Wiedergabe des ersten Kapitels von:
154. ——, Histoire et description de la Haute Albanie ou Guégarie, Paris 1858.
155. M. van Hees, Eine Ersteigung des Lovćen in Montenegro. (Mitteil. d. Deutsch. u. Österr. Alpenvereins, 1891.)
156. Holeček, Montenegro im Frieden. Prag, Schmichow, 1888 (böhmisch).
157. M. Hoernes, Die Westgrenze Montenegros. (Ausland, 1867.)

158. H. Howorth, The spread of the Slaves, II: The Southern Serbs, Bosnians, Montenegrins and Herzegovinians. (Journ. Anthrop. Inst., VIII, 1878.)

159. A. Humbert, Une mission de la Croix-Rouge au Monténégro. (Le Globe, VII, 1868.)

160. P. Joanne, Etats du Danube et des Balkans: Hongrie méridionale, Adriatique, Dalmatie. Monténégro, Bosnie et Herzégovine, Paris 1898.

161. A. Jovičević, S puta is Polja u Manastiru Dobrilovinu. (Glas Crnogorca, 2. IV. 1894.)

162. Jurien de la Gravière, Délimitation du Monténégro. (Revue des deux Mondes, Paris 1878.)

163. K. Kandelsdorfer, Montenegro. (Mitteil. d. K. K. Geogr. Ges. Wien, 1889.)

164. F. Kanitz, Die montenegrinische Rijeka. (Globus, Bd. 21, 1872.)

165. S. Kapper, Das Fürstentum Montenegro. (Unsere Zeit, 1875.)

166. ———, Montenegrinische Skizzen. (Deutsche Rundschau, VII, VIII, IX, 1876.)

167. N. v. Kaulbars, Zamjetki o Černogorij, Petersburg 1881.

168. Kesselmeyer und Stossich, Bilder aus Montenegro. (Aus allen Weltteilen, 1878.)

169. M. Kohl, Reise nach Istrien, Dalmatien und Montenegro, Dresden 1851; zwei Bände.

170. W. Koner, Zur Karte von Montenegro. (Ztschr. f. Allgem. Erdk., Berlin 1862.)

171. J. Kovalevski, Četyri Miesiatsa va Černogorij, Petersburg 1841.

172. E. P. Kovalevski, Černogorija i slavjanskija zemli, Petersburg 1872.

173. V. Krasinski, Montenegro and the Slavonians of Turkey. (Readings for travellers. London 1853.)

174. A. Krentl, Reiseskizzen aus Dalmatien und Montenegro. (Ausland, 1888.)

175. A. Kutschbach, Erlebnisse eines Kriegsberichterstatters in Montenegro und der Herzegowina während der Insurrektion im Jahre 1876, Chemnitz 1880. — Auch erschienen unter dem Titel: ——, In Montenegro und im Insurgentenlager der Herzegowiner. Reiseskizzen eines Kriegsberichterstatters. Dortmund 1877.

176. Die Kutschi. (Globus, Bd 36, 1879.)

177. W. Lambl, Správa o Černe Horže a o Černohorcih. (Časopis českeho Museuma, IV, 1850.)

178. A. Lavrovski, Černogorija i Černogorci, Besjeda 1874.

179. A. Leist, In der Herzegovina und Montenegro. (Globus, Bd. 9, 1865.)

180. G. Lejean, Voyage en Albanie et au Monténégro. (Tour du Monde, I, 1860.)

181. G. Loiarge, Les voies de communication du Monténégro. (Nouvelles Géographiques, 1892.)

182. ———, Le Lac de Scutari et la Boiana. (Ebenda, 1892.)

183. F. Lenormant, Turcs et Monténégrins, Paris 1866.

184. W. A. Lindau, Dalmatien und Montenegro nach Sir J. Gardner Wilkinson. Zwei Bände. Leipzig 1849. (Ist die Übersetzung von Nr. 259.)

185. G. M. Mackenzie and A. P. Irby, The Turks, the Greeks and the Slavons. Travels in the Slavonic Provinces of Turkey. London 1867.

186. V. Makušev, Dnevnik putešestvija is Dubrovnika va Černogoriju. (Russkij Vjestnik 1867.)

187. Malte-Brun, Esquisse géographique sur le Monténégro. (Nouv. Ann. des Voyages, IV, 1856.)

188. Mamler, Lettres sur l'Adriatique et le Monténégro.

189. H. Marmier, Lettres sur l'Adriatique et le Monténégro, Paris, 1. Aufl. 1854; 2. Aufl. 1884.

190. Massieu de Clerval, Les Turcs et le Monténégro. (Revue des deux Mondes, XV, 1858.)

191. J. G. Minchin, The growth of freedom in the Balkan Peninsula. Notes of a traveller in Montenegro, Bosnia, Servia, Bulgaria and Greece. London 1886.

192. Moeurs et coutumes des Monténégrins. (L'Athénaeum Français.)

193. Montenegro und die Montenegriner. Ein Beitrag zur Kenntnis der Europäischen Türkei und des Serbischen Volkes. Stuttgart und Tübingen 1837. — Als Verfasser gilt allgemein V. St. Karadžić.

194. Montenegro. (Ztschr. f Schulgeogr., VI, 1885.)

195. ———, Zur Kenntnis von ———. Taschenbuch zur Verbreitung geogr. Kenntnisse, herausg. von J. G. Sommer. Prag 1845.

196. ———. (Globus, Bd. 32, 1877.) (Ist ein Auszug aus Nr. 131 und 260.)

197. Montenegro and the Slavonic Populations of Turkey. (Macmillans Magazine, Cambrige 1862.)

198. J. Müller, Albanien, Rumelien und die österreichisch-montenegrinische Grenze, Prag 1844.

199. F. Neigebaur, Die Südslaven und deren Länder in Bezug auf Geschichte, Kultur und Verfassung, Leipzig 1851.

200. S. Neyrat, Quelques jours en Dalmatie et au Monténégro. (Mém. Ac. des Sciences etc., Lyon 1879.)

201. Novibasar und Kossovo (das alte Rascien). Eine Studie. Wien 1892.

202. G. Ottolenghi, Il Montenegro prima i dopo il trattato di Berlino, Roma 1881.

203. Paić und v. Scherb, Cernagora. Eine umfassende Schilderung des Landes und der Bewohner. 2. Aufl. Agram 1851.

204. A. Pajević, Iz Crne Gore i Hercegovine. Uspomene vojevanja za narodno oslobođenje 1876. Novi Sad (Neusatz) 1891.

205. Das Paschalik von Scutari. Bericht des Preußischen Konsulats zu Ragusa. (Preuß. Handelsarchiv, 2. Hälfte, 1865.)

206. L. Passarge, Ein Maibesuch in Montenegro. (Allg. Zeitung, München, 19—21. VI. 1889.)

207. Ch. Pelerin, Excursion artistique en Dalmatie et au Monténégro. Wien.

208. K. Petković, Černogorija i Černogorci. Očerki. (Petersburg 1877.)

209. F. Petter, Skizze von Montenegro. (Sommers Geogr. Taschenbuch, 1832.)

210. ———, Compendio geografico della Dalmazia con un appendice sul Montenegro, Zara 1834.

211. A. Popov, Putešestvi va Černogorij. Petersburg 1847.

212. J. Popović Lipovac, Černogorskija Ženstini. Petersburg, 3. Aufl.

213. E. Pricot de St. Marie, Les populations frontières du Monténégro. (Revue Orientale, I, 1875.)

214. E. Pricot de St. Marie, Le Monténégro. (Nouvelle Revue, Paris, Bd. 34, 1885.)
215. Prince des Vassoevitches, Notice abrégée sur les tribus de la Haute Albanie. (Bull. Soc. Géogr. Paris 1841[1].)
216. K. P., Crnagora pod wzgledem geograficznym, statystycznym i historicznym, Lemberg 1869.
217. M. P. (in Zombor), Das Fürstentum Montenegro. (Globus, 1874.) (Ist ein Auszug aus Nr. 112.)
218. G. Rasch, Vom Schwarzen Berge. Montenegrinische Skizzen, Bilder u. Geschichten. Dresden 1875.
219. A recent visit to Montenegro and its capital. (Blackwoods Magazine, 1877.)
220. J. Reinach, Études sur les peuples slaves: Serbie et Monténégro. Paris 1875.
221. Frhr. v. Reinsberg-Düringsfeld, Bemerkungen über Montenegro und die Montenegriner. (Globus, Bd. 5, 1864.)
222. C. Robert, Les Slaves de Turquie. 2 Bde., Paris 1852. — Deutsch von M. Fedorowitsch: ———, Die Slaven der Türkei oder die Montenegriner, Serbier, Bosniaken, Albanesen und Bulgaren. 2 Bde., Dresden und Leipzig 1844.
223. J. Roskiewicz, Studien über Bosnien und die Herzegovina, Leipzig und Wien 1868.
224. P. A. Rovinski, Mirovozzrenie černogorskago naroda. (Izvestija Imp. Russk. Geogr. Obščestva 1886, 1887.)
225. ———, Černogorija vъ eja prošlom i nastojaščem. Geografija, Istorija, Etnografija, Archeologija, Sovremennoe Položenie. 2 Bde., Petersburg 1888, 1893.
226. S. Rutar, Die neuesten Höhenmessungen in Süd-Dalmatien, Montenegro und in der Hercegovina. (Ztschr. f. Schulgeographie, VI, 1885.)
227. R—c, Novi podaci za opis i istoriju Mrkojevića (y Barskom okružju), Prosvjeta 1894.
228. J. V. Saveljev, Černogorija. Čtenie dlja soldat 1880.
229. C. Sax, Reise von Serajewo nach dem Dormitor und durch die mittlere Hercegowina nach Montenegro. (Mitteil. d. K. K. Geogr. Ges. Wien, 1870.)
230. B. Schwarz, Montenegro. Land und Leute auf Grund einer Bereisung im Innern. (Verh. d. Ges. f. Erdk. Berlin, 1883.)
231. ———, Montenegro. Schilderung einer Reise durch das Innere nebst Entwurf einer Geographie des Landes. Leipzig, 1. Aufl., 1883; 2. Aufl., 1888.
232. Der See von Scutari. (Globus, Bd. 36, 1879.)
233. M. Sermet, Au Monténégro. Un pays sous les armes. Paris 1889.
234. A. Serristori, La Costa Dalmata e il Montenegro durante la guerra del 1877. Note di viaggio. Firenze (Florenz) 1877.
235. Sobiesky, Le Monténégro. Étude géographique et militaire. (Revue française de l'Étranger et des Colonies, Paris, XVII, 1893.)
236. Sovremennaja Černogorija. Semejn. Večera 1876.
237. v. Stein-Nordheim, Die montenegrinischen Frauen. (Nord und Süd, 1883.)
238. H. v. Sterneck, Geographische Verhältnisse, Kommunikationen und das Reisen in Bosnien, der Herzegovina und Nord-Montenegro, Wien 1877.
239. H. Stieglitz, Ein Besuch auf Montenegro, Stuttgart und Tübingen 1841.
240. Lady Strangford, The eastern shores of the Adriatic in 1863, with a visit to Montenegro, London 1864.
241. A. Ströhr, Die bosnisch-hercegovinische Landesgrenze. (Organ d. milit.-wiss. Vereine Wien, XXII, 1881.)
242. A. Studitski, Černogorija. (Moskov. Medic. Gazeta, 1880.)
243. E. Svešnikovoj, Černogorija, Bosnia i Gercegovina. (Etnograf. Očerki. Sbornik statej i rasskazov dlja junošestva 1877.)
244. E. Tergesti, I porti del Montenegro. (Rivista marittima, Januar 1881.)
245. M. Tedeschi, Notice médicale sur le Monténégro.
246. Tupchi, A travers l'Orient. Récit de huit années de voyage en Espagne, Portugal, Grèce, Monténégro, Turquie, Bulgarie etc. Paris 1888.
247. A. Ubicini, Les Serbes de Turquie. Études historiques, statistiques et politiques sur la principauté de Serbie, le Monténégro et les pays serbes adjacents. Paris 1865.
248. V. Vannutelli, Zernagora. Il Montenegro. Roma, 1. Aufl. 1886; 2. Aufl. 1893.
249. Vedovi, Cenni sul Montenegro, Mantova 1859.
250. Védrènes, Sur la trépanation du crâne dans la principauté du Monténégro (Revue d'Anthrop. 1888.)
251. Venukoff, Liste des altitudes déterminées au Monténégro par M. Borschansky. (Bull. Soc. Géogr. Paris, 1881.)
252. L. C. Vialla de Sommières, Voyage historique et politique au Monténégro, contenant l'origine des Monténégrins, peuple autochthone ou aborigène et très-peu connu. 2 Bde., Paris 1820. — Eine deutsche Übersetzung erschien 1821 in Jena.
253. J. Vilovski Stefanović von Vilovo, Wanderungen durch Montenegro, Wien 1880.
254. ———, Einiges über den Ursprung des topographischen Namens Crnagora. (Ausland, 1885.)
255. M. Vukosavović, Put kroz Rijeki Tari i opis sela Tepaca. (Glas Crnogorca, 7. V. 1894.)
256. V., Od Durmitora do Pilitora. Putnička Crtica. (Glas Crnogorca, 22. V. 1893.)
257. E. Wiet, Itinéraire en Albanie et en Roumélie. (Bull. Soc. Géogr. Paris, 1868.)
258. W. E. Wingfield, A tour in Dalmatia, Albania and Montenegro, London 1859.
259. Sir J. Gardner Wilkinson, Dalmatia and Montenegro. 2 Bde., London 1848. — Vgl. Nr. 184.

[1] Ein früherer, auch A. Boué bekannter Offizier des türkischen Generalstabes, der 1845 getötet wurde, als er in Montenegro eindringen wollte.

260. Ch. Yriarte, Le Monténégro. (Tour du Monde, I, 1877.)
261. — —, Les bords de l'Adriatique et le Monténégro, Paris 1878.
262. F. Zverina, Aus dem Sennerleben der Herzegovina. (Gartenlaube, XXII.)
263. L. Jovanović, Putopisna crtica od Brskuta do Maglić. (Glas Crnogorca, 27. VIII. 1894.)
264. Z. Dragović, Gradja za geografiju Crne Gore. (Letopis Matice Srpske, Belgrad 1888.)
265. J. F. Ivanišević, Iz Crne Gore. Putopis kroz Male Cuce. (Ebenda, 1888.)
266. Béla Erödi, Montenegro. (Földrajzi Közlemények, 1876.)
267. A. Strausz, Cettinje. (Ebenda, 1886.)
268. W. H. Cozens-Hardy, Montenegro and its borderlands. (Geographical Journal 1894.)
269. K. Hassert, Zur kartographischen Kenntnis von Montenegro. (Mittell. d. K. K. Geogr. Ges. Wien, 1894.)
270. L. Jovović, Kratki opis Gluhog Dola, s geografskog i istorijskog gledišta. (Glas Crnogorca, 15. X. 1894.)
271. R. J. Kennedy, Montenegro and its borderlands, London 1894.
272. A. Reumont, Reiseschilderungen und Umrisse aus südlichen Gegenden: Montenegro und die Montenegriner, Stuttgart 1835—38.
273. P. A. Rovinski, Petar II. Njegoš, Fürst von Montenegro 1830—51, St. Petersburg 1889 (russisch).
274. J. Szyszylowicz, Une excursion botanique au Monténégro (Bull. Soc. Bot. de France 1889.)

## VIII. Originalkarten.

(Zeitlich geordnet.)

1. L. C. Vialla de Sommières, Carte du Monténégro, dressée d'après les notes et remarques faites sur les lieux, 1820 (enthalten in Nr. 252[1]).)
2. F. de Karaczay, Carte du pays de Monténégro, dressée d'après des opérations géodétiques sur les lieux et recherches les plus soigneuses. 1 : 288 000, Wien 1838.
3. J. Kovalevski, Karte von Montenegro, 1841[2]).
4. F. Petter, Karte von Montenegro, 1845 (enthalten in Nr. 195).
5. J. G. v. Hahn, Übersichtskarte von Albanien (und Süd-Montenegros), 1853 (enthalten in Nr. 138).
6. H. Hecquard, Carte de la Haute Albanie (und Süd-Montenegros), 1858 enthalten in Nr. 153 und 154).
7. L. Sittwell, Map of Montenegro, 1 : 200 000, London 1860.
8. J. Paulini, Carta di Montenegro (Crna Gora) coi confini descritti della comissione austriaca, inglese e francese negli anni 1859 e 1860, 1 : 300000, Vienna 1860.
9. Esquisse de l'Herzégovine et du Monténégro extraite des meilleurs documents par H. B. de Beaumont, revue et corrigée par A. Boué, 1861 (enthalten in Nr. 94).
10. H. Delarne, Carte pour servir à l'histoire du Monténégro d'après les travaux de Kiepert Karaczay, Hecquard, Voukovitch et Jubain, 1862 (enthalten in Nr. 115).
11. H. Kiepert, Das Fürstentum Zrnagora oder Montenegro, 1 : 500 000, 1862 (enthalten in Nr. 170).
*12. F. Bykoff, Karte von Montenegro, 1 : 15000, St. Petersburg 1866/67; neu herausgegeben 1874/76 als Carte du Monténégro, 1 : 84000[3]).
13. J. Roskiewicz, Karte der Hercegovina (und Nord-Montenegros), 1868 (enthalten in Nr. 223).
14. C. Sax, Karte zur Reise von Serajewo zum Dormitor, 1 : 400 000, 1870 (enthalten in Nr. 229).
*15. Končicki, Tiefenkarte des Scutari-Sees, 1 : 150000, Wien 1870[4]).
16. Ali Suavi, Carte du Monténégro (französisch und türkisch), 1876 (enthalten in Nr. 6).
17. O. Blau, Karte der Hercegovina im Jahre 1861, 1 : 500000. (Ztschr. f. Allgem. Erdk. Berlin, XI, 1861, wo das Quellenmaterial der Karte angegeben ist.)
18. H. v. Sterneck, Übersichtskarte von Bosnien, Hercegovina und Nord-Montenegro, 1 : 1 000 000, 1877 (enthalten in Nr. 238).
*19. Aufnahmen der russisch-türkischen Grenzkommission 1879—82:
   a) Frontières du Monténégro, 1 : 100000, 1880.
   b) Délimitation du Monténégro, 1 : 50000, 1882.
*20. Trigonometrische Aufnahme von Montenegro durch den russischen Generalstab, 1 : 42000, 1879—82[5]).
21. N. v. Kaulbars, Karte von Südost-Montenegro, 1 : 420 000, 1881 (enthalten in Nr. 167).
22. Karta Crnogorske Knjaževine, 4 Blatt, 1 : 168 000, St. Petersburg 1880.
23. H. Schwarz, Montenegro, 1 : 600 000, 1883 (enthalten in Nr. 231)[6]).
24. O. Baumann, Kartenskizze des Durmitor, 1 : 150000, 1883 (enthalten in Nr. 80).
25. E. Tietze, Geologische Karte von Montenegro, 1 : 450000, 1884 (enthalten in Nr. 49).
26. L. Baldacci, Carte géologique du Monténégro, 1886 (enthalten in Nr. 44; nur handschriftlich).
27. K. Kandelsdorfer, Orographische Karte von Montenegro, 1 : 750000, 1889 (enthalten in Nr. 163).

---

[1]) Die Zahlen beziehen sich auf die Nummern des Litteraturnachweises.
[2]) Die Karte erschien 1841 ohne Jahreszahl, Druckort und Namen des Verfassers.
[3]) Ein * bedeutet, daß die Karte geheim gehalten wird und im Buchhandel nicht zu erlangen ist.
[4]) Die Lotungen sind teilweise in den Karten Nr. 32 und 35 verwertet.
[5]) Stark verkleinerte und veränderte Kopien dieser Karte sind die Karten Nr. 21, 22 und 28.
[6]) Beruht hauptsächlich auf Karte Nr. 22.

28. P. A. Rovinski, Karta Knjažestva Černogorskago, 1 : 294000, 1888 (enthalten in Nr. 225).
29. O. Baumann, Karte von Nord-Montenegro, 1 : 150000, 1891 (enthalten in Nr. 83).
30. G. Lelarge, Voies de communication du Monténégro, 1 : 1000000, 1892 (enthalten in Nr. 181)[1].
31. ———, Le lac de Scutari, 1 : 500000, 1892 (enthalten in Nr. 182)[2].
32. K. Hassert, Tiefenkarte des Scutari-Sees, 1 : 150000, 1893 (enthalten in Nr. 142).
33. ———, Allgemeine Übersichtskarte von Montenegro, 1 : 500000, 1895 (enthalten in Nr. 144 und Nr. 145)[3].
34. H. Kiepert, Bosnien, Herzegovina, Dalmatien, 1 : 800000; Karton: Montenegro, 1 : 500000. Hand- und Reisekarten, herausgegeben vom Geographischen Institut zu Weimar.
35. Generalkarte des Adriatischen Meeres nach den Aufnahmen der K. u. K. Österreichischen und K. Italienischen Kriegsmarine, 4 Blatt, 1 : 850000, 1867—73.
*36. Spezialkarte der Hercegovina, Montenegros und Süd-Dalmatiens, herausgegeben vom K. u. K. militärgeographischen Institut, 10 Blatt, 1 : 75000.
37. Generalkarte von Zentral-Europa, herausgegeben vom K. u. K. militärgeographischen Institut, 1 : 300000; Blätter: Ragusa und Scutari.
38. Spezialkarte von Österreich-Ungarn, herausgegeben vom K. u. K. militärgeographischen Institut, 1 : 75000; Blätter: Gacko, Bilek, Trebinje und Risano, Cattaro, Spizza[4].
39. Spezialkarte von Montenegro, herausgegeben vom K. u. K. Landesbeschreibungsbureau, 19 Blatt, 1 : 75000, 1893[5].

---

[1]) Enthält das Fahrstraßennetz und die geplanten Eisenbahnlinien.
[2]) Enthält die geplanten Regulierungsanlagen am Scutari-See und an der Bojana.
[3]) Beruht auf Karte Nr. 39.
[4]) Die Montenegro betreffenden Gebiete sind in Skizzenmanier ausgezeichnet.
[5]) Der Verfasser würde es dankbar begrüßen, wenn ihm zur Vervollständigung des Litteratur- und Kartennachweises weitere Mitteilungen zugehen.

# II. Geologische Übersicht von Montenegro.

Die abwechselungsvollen Formen der Erdoberfläche verdanken ihre Entstehung in erster Linie den zerstörenden, umlagernden und neubildenden Naturkräften. Je nach der Beschaffenheit und Widerstandsfähigkeit des Gesteins ist aber die Wirkung der chemischen und mechanischen Erosion eine sehr verschiedene, und um den äuſsern Bau in seinem Werden und Vergehen richtig auffassen zu können, ist die Kenntnis seines Untergrundes unerläſslich. Ehe wir daher mit der orographischen Betrachtung beginnen, müssen wir die geologische Zusammensetzung Montenegros kennen lernen.

Wie die physische Geographie des Fürstentums, so ist auch sein innerer Aufbau erst in neuester Zeit Gegenstand eingehender wissenschaftlicher Untersuchungen geworden. Wohl hatten bereits ältere Reisende, wie Kovalevski und Boué, der Geologie des Landes einige Aufmerksamkeit geschenkt. Da jedoch der erstere nur einen Teil Alt-Montenegros, der letztere bloſs dessen Grenzgebiete durchforschte, so blieben ihre Beobachtungen so unvollkommen, daſs Boué zu der Vermutung kam, Montenegro innerhalb seiner engeren Grenzen bestände lediglich aus Kreidekalken [1]. Im übrigen zeigt seine geologische Übersicht in ihren allgemeinen Umrissen schon manche Übereinstimmung mit der heute eingeführten Gliederung und läſst sich ungefähr folgendermaſsen zusammenfassen: Die auſserordentlich durchlässigen Kalke und Mergel der alt-montenegrinischen Kreideformation umsäumt eine sandige Zone, die vom Kloster Morača südwärts bis über die Quellflüsse der Mala Rijeka hinausläuft. Unmittelbar an diesen schmalen Streifen schlieſsen sich die abgedachten Thonschieferberge von Vasojevići und gewisse Schiefergesteine in der Umgebung des Kom und bei Kolašin an, die man als chloritisch-talkige, aber nicht als echte Chlorit- und Talkschiefer bezeichnen kann, weil ihnen deren charakteristische Merkmale fehlen. Die Hochgebirgsketten des Durmitor und Kom bestehen aus Kalk und Dolomit, die den Schiefern aufgelagert zu sein scheinen, und die von Boué mehrfach wahrgenommenen Diorite und Serpentine kommen nach seinem Gewährsmanne Kovalevski in der Nachbarschaft des Kom ebenfalls vor [2].

Jahrzehnte verflossen, ehe die inzwischen veralteten Untersuchungen Boués wieder aufgenommen wurden, denn seine Nachfolger interessierte nur das Leben und die Geschichte des kleinen Bergvolkes, das durch seinen heldenmütigen Verzweiflungskampf gegen die türkische Übermacht im Jahre 1862 die Sympathien Europas gewann. Erst nachdem der letzte russisch-türkische Krieg den unhaltbaren Zuständen auf der Balkanhalbinsel ein

---

[1] Boué, Esquisse géologique de la Turquie, 1840, S. 59. — Tietze, Geologische Übersicht von Montenegro, 1884, S. 76.

[2] Boué, Die Europäische Türkei, 1889, I, 179. 180. — Wie vortrefflich diese ältern Beobachtungen teilweise mit den neuen Entdeckungen übereinstimmen, geht daraus hervor, daſs die sandige Zone (Werfener Schiefer) im Quellgebiete der Mala Rijeka der Wirklichkeit durchaus entspricht. Thonschiefer sind in ganz Ost-Montenegro vertreten, und die Eruptivgesteine zeigen stellenweise Übergänge in Serpentin: eine Erscheinung, die bei den Grünsteinen Montenegros allerdings sehr selten ist. — Tietze a. a. O., S. 20.

Ende gemacht hatte und für das Fürstentum eine bis jetzt nicht getrübte Zeit des Friedens anbrach, wagten sich wissenschaftlich gebildete Forscher in größerer Zahl nach Montenegro, und einer der ersten war der rühmlichst bekannte Geolog E. Tietze. Kurz vorher hatte er gemeinsam mit Bittner, Neumayr und v. Mojsisovics die geologische Aufnahme des Okkupationsgebietes durchgeführt, und als Fürst Nikola die österreichische Regierung um einen Fachmann bat, der sein Land in gleicher Weise untersuchen sollte, wurde Tietze als die geeignetste Kraft hierzu bestimmt. Auf einer nahezu zweimonatlichen Wanderung durchstreifte er 1881 das ganze Land, und wenn er natürlich auch nicht alle Teile desselben sehen konnte, so kam ihm beim Verarbeiten seines überreichen Materials eine staunenswerte Kombinationsgabe zuhilfe. Seine Karte, der mit Ausnahme der spärlichen Angaben von Boué, Kaulbars und Schwarz jede Unterlage fehlte, bedeutete eine wissenschaftliche Entdeckung im wahrsten Sinne des Wortes und bildete den Grund, auf dem spätere Reisende sicher weiterbauen konnten. Zwar trug sie, wie der Verfasser ausdrücklich betont, vielfach einen provisorischen Charakter, zumal in den Gegenden, die von ihm aus Zeitmangel oder wegen der albanesischen Nachbarschaft nicht betreten wurden, und in der Folge bot sich oft Gelegenheit, neue Thatsachen zu verzeichnen oder die alten zu ergänzen. Aber trotz alledem betreffen die Veränderungen meist nur Einzelheiten, und die Grundzüge des allgemeinen Bildes sind fast genau so geblieben, wie sie Tietze vor 13 Jahren festgelegt hat. Um einiges hervorzuheben, konnte er den geologischen Bau des Landstreifens zwischen Kolašin und der Tušina, der Gegend zwischen Šavniki und Kloster Piva und des Gebietes zwischen Bijela und Nikšić blofs auf Grund der Vermutungen einzeichnen, die sich dem Buche Schwarzs entnehmen liefsen. Für den Thallauf der tief eingegrabenen, also die besten Aufschlüsse gewährenden Cañonflüsse Komarnica und (mittlere) Morača standen ihm gar keine Angaben zu Gebote, manche Eruptivstöcke, deren Dasein die massenhaften Flufsgerölle verrieten, konnten nur ihrer ungefähren Lage nach auf der Karte angedeutet werden, und endlich erschwerte die topographische Unbekanntheit Montenegros das Eintragen der geologischen Details ungemein[1]).

Um die Erzlagerstätten, deren bereits Tietze einige entdeckt hatte, genauer zu erforschen und auf ihren wirtschaftlichen Nutzen zu prüfen, unternahm der italienische Bergingenieur L. Baldacci fünf Jahre später im Auftrage des Fürsten eine neue geologische Reise durch Montenegro. Seine achtwöchigen Kreuz- und Querzüge führten ihn ebenfalls durch das ganze Land, und obwohl er im Gegensatz zu Tietze vorwiegend bergmännische und hüttentechnische Untersuchungen anstellte, denen der zweite Teil seiner „Étude des gîtes minéraux du Monténégro“ gewidmet ist, so hat er Tietzes Karte, die ihm bei seinen Arbeiten wertvolle Dienste geleistet, nicht unwesentlich verbessert. Der hauptsächlichste Unterschied zwischen ihm und seinem Vorgänger besteht in der weiten Verbreitung des Jura, den er im Durmitor-Gebiet und überall längs der Grenze der Werfener Schiefer und Triaskalke nachzuweisen sucht. Leider hat er die Ergebnisse seiner Forschungen nicht veröffentlicht, und erst 1890 erschien eine serbische Übersetzung seines dem Fürsten handschriftlich überreichten Berichts in der montenegrinischen Zeitschrift „Prosvjeta“. Die schwere Zugänglichkeit dieser Quelle und der Umstand, dafs sie in einer den meisten unverständlichen Sprache geschrieben ist, brachte es mit sich, dafs seine Verdienste nicht bekannter wurden, und deshalb war es mir doppelt willkommen, als Herr Baldacci mir sein Manuskript in liebenswürdigster Weise zur Verfügung stellte. Ihm und Herrn Obergrat Dr. Tietze, die mir durch ihre reiche Erfahrung die Bestimmung der gesammelten Handstücke und die Deutung der schwierigen geologischen Verhältnisse wesentlich erleichterten, sei an dieser Stelle mein aufrichtigster Dank dargebracht.

Auf beide Arbeiten, die einander vortrefflich ergänzen, stützt sich der geologische

[1]) Tietze a. a. O., S. 16. 24. 26. 35. 36. 43. 46. 74.

Abriſs, den Rovinski in seiner „Landeskunde von Montenegro“ entwirft[1]) und der, von einigen Zusätzen abgesehen, nichts Neues bringt, da Rovinski von Haus aus kein Geologe war. Auch er hebt rühmend hervor, daſs seine Berichtigungen an den von Tietze geschaffenen Grundlagen nicht viel geändert haben und daſs es sich bei allen Verbesserungen überhaupt nur um Kleinigkeiten handeln könne[2]). Baumann fand deren eine ganze Zahl, der Botaniker A. Baldacci stellte ebenfalls einige Irrtümer fest, und endlich war es dem Verfasser vergönnt, in bescheidenem Maſse an der geologischen Erforschung Montenegros mitzuwirken[3]). Obwohl die Geologie nicht mein eigentliches Arbeitsfeld bildete, ging doch mit den topographischen Aufnahmen die Untersuchung des Bodenbaues Hand in Hand. Im albanesischen Grenzgebiete, in Mittel-Montenegro und in denjenigen Landesteilen, die Tietze und Baldacci nicht besucht hatten, fand ich manches Neue und verarbeitete es unter sorgfältiger Benutzung des bisher vorhandenen Materials zu einer geologischen Karte von Montenegro, die augenblicklich wohl als die vollkommenste gelten darf.

Urgesteine fehlen in Montenegro gänzlich. Dagegen sind Schichtgesteine aller Formationen vom Paläozoicum bis zum Quartär vertreten, von denen die mesozoische Formation, insbesondere die Kreide, den weitaus gröſsten Teil des Fürstentums einnimmt. Vulkanische Gesteine, die in beträchtlicher Anzahl, aber selten massig entwickelt Ost-Montenegro durchsetzen, sind fast ausschlieſslich mit den älteren Schiefern vergesellschaftet und werden im Bereiche der Kalke nur einmal (im Bresno Polje) angetroffen. Der Mangel an Leitfossilien macht die Gliederung der ausgedehnten Schichtkomplexe ungemein schwierig, teilweise sogar unmöglich, so daſs zur Altersbestimmung die Eruptivgesteine und Werfener Schiefer oder lediglich petrographische Gründe und Vergleiche mit den besser bekannten Formationen der Nachbarländer maſsgebend waren. Die Geologie von Montenegro ist überhaupt sehr schwer und wird noch manche harte Nuſs zu knacken geben, und man muſs sich hier mit weniger sicheren Resultaten begnügen, als sie bei gleichem Zeit- und Arbeitsaufwand in anderen Gebieten erreicht werden können.

Die im Folgenden durchgeführte Einteilung schlieſst sich mit unwesentlichen Abweichungen an diejenige von Tietze und Baldacci an. Nur für die ihrem Alter nach zweifelhaften Schiefer um den Durmitor wurde der Name Durmitor-Schiefer gewählt, und die Kreideschiefer erhielten nach ihrem typischsten Fundorte, den Duga-Pässen, die Bezeichnung Duga-Schiefer. In bezug auf das Auftreten der Schichtkomplexe besteht ein auffallender Gegensatz zwischen der westlichen und östlichen Landeshälfte. Erstere ist mit Ausnahme des Küstenlandes und der Alluvialebenen durchaus einförmig und wird ganz aus Kreidekalken aufgebaut. Der Osten zeigt eine bunte Abwechselung von Schiefern und Kalken der verschiedensten Formationen und von Eruptivgesteinen, und je nach dem Vorherrschen des einen oder andern Gesteins kann man scharf zwischen einer Schiefer-, Kalk- (oder Karst-) und Alluvial-Landschaft unterscheiden.

Die paläozoischen Formationen umfassen an räumlicher Ausdehnung den kleinsten Teil des Fürstentums und beschränken sich auf seine östlichen Bezirke zwischen der Tara, der Linie Medjureč-Rikavac Jezero und der türkischen Grenze. Auſserdem dringen die Ausläufer des bosnischen Paläozoicums in den tiefen Cañons der Tara und Piva ein beträchtliches Stück stromaufwärts vor, die Bukovica hat an ihrer Mündung alte Schiefer bloſsgelegt, und auf einem gänzlich isolierten Reste derselben lagern die Kalke des Taraboš und des Festungsberges von Scutari. Die wohlentwickelten Fluſsthäler bieten überall vortreffliche Aufschlüsse dar, auf den Nachbarbergen des Kom und in der anmutigen Lijeva Rijeka-Schlucht kann man die starke Faltung und Fältelung, die der gebirgsbildende Schub

[1]) Rovinski, Černogorija, 1888, S. 143—159.
[2]) Rovinski a. a. O., S. 158. 159.
[3]) Die geologische Übersicht in Schwarzs Buche ist einem vorläufigen Bericht Tietzes in den Verh. d. K. K. Geol. Reichsanstalt (1881) entnommen. Schwarz, Montenegro. Reise durch das Innere &c., 1888, S. 389. 390.

hervorrief, deutlich wahrnehmen, und ebenso sind auf der Wasserscheide zwischen Lijeva Rijeka und Tara die paläozoischen und Werfener Schiefer innig ineinander gefaltet. Das vorwaltende Gestein ist ein glimmerglänzender und sehr glimmerreicher Thonschiefer, aber kein Glimmerschiefer, von grauer, roter und noch häufiger dunkelbrauner oder schwarzer Farbe, der untergeordnet Talk- und Quarzitschiefer[1]), ferner Einlagerungen von Kalk- und Sandstein, sowie von den keinem montenegrinischen Flusse als Gerölle fehlenden Konglomeraten enthält. Dazu gesellen sich Gänge von Diabasporphyriten und weiſse oder rote Quarzadern[2]), die einen groſsen Teil der Fluſsgerölle liefern. Die Schichtkomplexe, die stellenweise so mächtig sind, daſs man von den Thalsohlen bis fast zur Gipfelhöhe weiter nichts als Schiefer antrifft, haben vielfache Störungen erlitten, streichen aber im allgemeinen von Südwest nach Südost, also in der Hauptrichtung der bosnisch-montenegrinischen Bodenplastik. Sie bilden die Fortsetzung der bosnischen Schiefer von Fojnica und Kreševo, die an der Drina und Ćehotina typisch entwickelt und in den Flüssen des mittlern Lim-Gebietes ebenfalls nachgewiesen sind. Obwohl in den Schiefern der Opasanica-Rinne fucoidenähnliche Spuren von Organismen entdeckt wurden, so sind dieselben so schlecht erhalten, daſs sie über das Alter des Gesteins keinen Fingerzeig geben; und da andere Versteinerungen bis jetzt nicht entdeckt wurden, so ist man über das Alter und die spezielle Gliederung der paläozoischen Schichtenreihen noch völlig im Unklaren. Baldacci stellt sie ihrem Aussehen nach mit den Silurschiefern von Sicilien, Sardinien und Elba auf eine Stufe, während sie Tietze vorbehaltlich den Resultaten späterer Forschungen für jünger, nämlich für karbonisch hält, weil die schwarzen Schiefer von Trebaljevo auffallend denjenigen Gesteinen glichen, die bei Tergove in Kroatien im Niveau des Karbon anstehen. Dunkle, stark glänzende glimmerige Schiefer von gneiſsähnlichem Aussehen, die an den unteren Abhängen des Lim- und Zlorječica-Thales vorherrschen und denen die dunklen, ebenfalls für karbonisch gehaltenen Schiefer des Kom-Massivs aufgelagert sind, sprach Tietze allerdings als älter an.

Die Sandsteine, die auf dem Bač, im obern Lim-Gebiet, an der obern Morača (vom Kloster bis zur Grenze der Werfener Schiefer), längs der Lijeva Rijeka &c. die Schiefer getreulich begleiten und sich durch ihre dunkelschwarze[3]), hellgraue oder rote Farbe nicht auffallend von ihnen abheben, sind oft reich an Glimmer und haben zuweilen ein schieferiges oder faseriges Gefüge. Die Korngröſse ist beträchtlichen Schwankungen unterworfen, und das Gestein wird dort, wo es ein kieseliges Bindemittel besitzt, so fest, daſs es in quarzitischen Sandstein oder in förmlichen Quarzit übergeht. Sehr schön offenbart sich diese Erscheinung auf der Plateauhöhe von Slatina (bei Andrijevica), die in steilen Wänden abstürzt und das landschaftliche Bild durch ihre malerischen Felsen wirkungsvoll beeinfluſst[4]).

Noch häufiger sind die Schiefer mit Kalken vergesellschaftet, und zwar muſs man die dem Schiefersystem eingelagerten paläozoischen wohl von den aufgelagerten Triaskalken scheiden. Ob die Kalke der Gebirgsstöcke beiderseits des Lim und der Zlorječica trotz ihrer Auflagerung ebenfalls der paläozoischen Formation angehören, ist noch eine offene Frage, und Baldacci, der sie aufwirft, führt selbst an, daſs sie ihrem Aussehen nach den Triaskalken durchaus

---

[1]) Erstere stehen an unweit des Dorfes Krnjed, letztere finden sich unterhalb Mateševo, auf dem Bač, an der oberen Gradišnica, bei Crnuni, am Lim unterhalb Lage und Murino &c.

[2]) Quarzadern sind massenhaft in den Schiefern des Trešnjevik, Bač, Krivi Do und in den Uferbergen der Zlorječica vorhanden.

[3]) Solche schwarze Sandsteine stehen jedenfalls, nach den Geröllen zu urteilen, die in der Ebene von Podgorica gefunden werden, in den Quellflüssen der Cijevna an. Rovinski a. a. O., S. 94.

[4]) Pančić, Elenchus Plantarum etc., 1875, S. V. — v. Mojsisovics, Tietze, Bittner, John und Neumayr, Grundlinien der Geologie von Bosnien-Hercegovina. (Jahrb. d. K. K. Geol. Reichsanstalt, 1880, S. 197, 198.) — Tietze a. a. O., S. 14. 15. 16. 19. 68. 76. 77. — L. Baldacci, Étude des gîtes minéraux du Monténégro, 1887, I, 9. 23. 24. 27. 30. 31. — Baldacci, Cenni ed Appunti etc., 1890—1891, S. 58. — Baldacci, Altre Notizie etc., 1893, S. 59.

glichen, für die ich sie in Übereinstimmung mit Tietze am ehesten halten möchte. Für letztere Deutung spricht auch die Analogie mit den Bergketten des linken Peručica-Ufers, deren Kalke und Dolomite wohl zweifellos triadisch sind. Der Berg Hasanac ist bis jetzt der einzige Fundort, dessen crinoidenführende kristallinische Kalke mit den paläozoischen Kalken von Cecuni übereinzustimmen scheinen. Aus demselben Grunde ist das Alter der beiden Kalkinseln streitig, die unter dem Namen Mali und Veliki Krš auf der Hochebene zwischen Andrijevica und dem Kom ruhen und schon aus der Ferne als scharf ausgeprägte Kuppen erkennbar sind. Tietze vermutet in ihnen eine Fortsetzung der paläozoischen Kalke von Cecuni, ich glaube jedoch, dafs sie der Trias angehören, da sie genau in der Streichrichtung der Kom-Kalke liegen, eine nicht unbeträchtliche Meereshöhe (1300—1400 m) besitzen und sich entschieden als Auflagerungen charakterisieren.

Aber nicht nur dafs die Altersbestimmung der aufgelagerten Kalke Schwierigkeiten bereitet, auch die einem viel tieferen Niveau angehörenden Kalkinseln gelten nicht immer mit Sicherheit als paläozoisch, und so stehen sich betreffs der Kalke von Kolašin die Ansichten wiederum gegenüber. Die Kalke des Ključ sind allgemein als triadisch aufgefafst, und da Tietze in den beiderseits der Tara bei Kolašin anstehenden Kalken eine Verlängerung der ersteren sieht, so rechnet er sie ebenfalls der Trias zu. Baldacci dagegen vermutet in ihnen paläozoische Kalke, da sie, obwohl am linken Tara-Ufer auf den alten Schiefern ruhend, dieselben jenseits des Flusses untertenfen, so dafs dort zu unterst paläozoische Kalke, darüber Schiefer und über diesen die Triaskalke des Ključ lagern.

Abgesehen von diesen strittigen Fällen sind die Kalklinsen an der Lijeva Rijeka, am Lim und seinen Zuflüssen, bei Kloster Morača, Bare-Djurdjevina &c. zweifellos paläozoisch, und die Kalke von Mateševo sind deutlich als sattelförmige Einlagerung im paläozoischen Schiefer erkennbar. Das dickbankige, unvollkommen geschichtete Gestein, das mitunter Übergänge in steil geschichtete, grünliche Kalkschiefer zeigt[1]) und sich bei Andrijevica durch Breccienstruktur auszeichnet, hat ein krystallinisches, zuweilen spätiges Gefüge, ein mittleres, wenig gleichmäfsiges Korn und eine schwarze, blaugraue oder rötliche Farbe. Das Rot wird durch Eisenoxyd bedingt, das bei der Gesteinsfärbung überhaupt eine wesentliche Rolle spielt und dem Berge Maleč ein charakteristisches Gepräge verleiht. Dieser besteht aus einem dunklen, durch Eisenoxyd verkitteten Kalk-Konglomerat, aus zahllosen Bruchstücken eines roten Kalkes und wird von tiefroten Quarzbändern durchzogen. Rote oder weifse Kalkspat- und Quarzadern werden auch sonst häufig angetroffen. Mit Ausnahme der crinoidenführenden Kalke von Cecuni scheinen jedoch in diesen Kalksteinen Versteinerungen gänzlich zu fehlen. In ihrem Aussehen weichen die einzelnen Gesteinskomplexe wenig von einander ab, und ihre Gleichförmigkeit ist eine so ausgesprochene, dafs man die Kalke des Tara- und Morača-Thales nicht von denen des Lim-Gebietes unterscheiden kann. Wegen ihrer grofsen Härte leisten sie den Naturkräften viel länger Widerstand als die leicht verwitterbaren Schiefer, und wo sie an die Flüsse herantreten, engen sie ihre Betten stets zu schroffwandigen Klammen ein, die sich in der finstern Bisibaba-Schlucht (bei Cecuni), in dem schmalen Veruša-Spalte (bei Han Garandžić) und vor allem in der Sučeska-Enge des Lim (oberhalb Andrijevica) als wildromantische Landschaften entrollen[2]).

An die paläozoische Formation schliefsen sich die viel verbreiteteren mesozoischen Schichtenreihen der Trias, des Jura und der Kreide. Sie bestehen gröfstenteils aus Kalk, der $^4/_5$ Montenegros zusammensetzt, während die Schiefer insgesamt nur $^1/_5$ des Fürstentums einnehmen[3]).

---

[1]) Bei Bare-Djurdjevina und in der Bistrica-Schlucht unweit Kolašin.

[2]) Tietze a. a. O., S. 14. 15. 16. 17. 19. 20. — L. Baldacci a. a. O., I, 23. 25. 26. 27. 28. 29. — Rovinski a. a. O., S. 149.

[3]) L. Baldacci a. a. O., I, 9. — Rovinski a. a. O., S. 149.

Die Trias, der älteste Schichtenkomplex des montenegrinischen Mesozoicums, setzt sich aus Kalken zusammen, die konkordant auf Werfener Schiefern und Grödener Sandsteinen ruhen und einigemal von Wengener Schichten überlagert werden. Dazu gesellen sich zahllose Stöcke und Gänge von Eruptivgesteinen, die schon mit den paläozoischen, viel enger aber mit den Werfener Schiefern vergesellschaftet sind.

Die Werfener Schiefer trennen als Basisstufe der triadischen Schichtenreihe die Triaskalke von den paläozoischen Schichten, und ein Blick auf die Karte zeigt, dafs sie sich mit Vorliebe an der Grenze zwischen beiden Formationen einstellen, nur einmal eine massige Entwickelung aufweisen und meist einen schmalen Saum oder wenig mächtige Zwischenlagen bilden. Ihr Hauptverbreitungsgebiet sind die erst in neuester Zeit bekannter gewordenen Fluren Mittel-Montenegros, in denen schon Tietze ihr Vorhandensein vermutete. In den tiefen, cañonartigen Flufsrinnen sind sie vorzüglich blofsgelegt und greifen von dort aus, z. B. im Mokro-Bache, an der Bijela, an der oberen Morača &c., sehr oft auf die Hochebenen über. Sie bedingen die Existenz der zahllosen Quellen und Bäche, der kleinen Weiher zwischen Šavniki und Pošćenje und der so lange geheimnisvollen Meeraugen Kapetanovo und Brničko Jezero.

Von Mittel-Montenegro strahlt ein schmaler Schiefergürtel nach Osten aus, ein zweiter, der an der Mrtvica eine aufserordentliche Mächtigkeit erlangt und einen Ausläufer in die Lukavica vorschiebt, dringt in südöstlicher Richtung zum Rikavac-See vor. Dieser Streifen, den Tietze im Kuči-Lande viel zu weit nach Westen verlegte, stellt sich in Wirklichkeit erst an dem eben genannten Binnensee ein und vermittelt, das von Tietze schon ganz dem Bereiche der alten Schiefer zugewiesene Žijovo-Gebirge und die Alpenweiden von Kostića im Kalkgebiete belassend, die Verbindung mit den Schiefern der Lijeva Rijeka. In der kaum 2 km breiten Zone sind die Werfener Schiefer sehr gut als Auflagerungen erkennbar, denn auf den dunklen Schiefern von paläozoischem Habitus, die beim Aufstieg vom Rikavac Jezero nach Širokar anstehen, lagert eine hellfarbige Kalkdecke, und wo dieselbe von den Atmosphärilien abgetragen ist, kommen überall sandige Schiefer vom Typus der Werfener Schiefer zum Vorschein. Endlich setzen sie sich in den Schluchten der Piva und Tara[1]), wie es scheint, ununterbrochen nach Norden fort und hängen eng mit den entsprechenden Gebilden Süd-Bosniens zusammen.

Die Werfener Schiefer treten im Fürstentum noch mehrmals auf und haben als lachende Oasen inmitten der Karstwüste eine hohe wirtschaftliche Bedeutung. Nicht minder wichtig sind sie für die Wissenschaft, da sie bei der Gliederung der Formationen einen beachtenswerten Fingerzeig an die Hand geben und einen allerdings sehr dürftigen Ersatz für die nicht allzu häufigen Leitfossilien darbieten. An der Gračanica und in der Mulde Ponikvica, auf der Hochebene von Gvozd und Bukovik bilden sie kleine Inseln, dem Quellgebiet der Plužinje verleihen sie seine landschaftlichen Reize, und ebenso bedingen sie die Fruchtbarkeit der Crmnička Nahija. Die Randberge der gesegneten Alluvialebene bestehen in ihren unteren Gehängen aus den leicht verwitterbaren Schiefern, die hoch über die sie durchsetzenden Eruptivmassen hinausgehen und, über den Sutorman-Pafs fortstreichend, einen Sattelaufbruch darstellen. Auch im Küstengebirge sind sie verschiedentlich gefunden, aber nirgends zeigen sie eine typischere Entwickelung und nirgends kehren sie in einer solchen Ausdehnung und Mächtigkeit wieder wie auf den Hochebenen und in den Flufsthälern Mittel-Montenegros.

Für die Altersbestimmung der Werfener Schiefer waren nicht Versteinerungen — denn diese hat man in Montenegro bisher vergebens gesucht —, sondern lediglich stratigraphische und petrographische Gesichtspunkte mafsgebend. Wie schon hervorgehoben, stehen die Wer-

[1]) An der Tara erwähnt v. Sterneck das Auftreten thoniger Schiefer, die denen von Mokro am Vojnik entsprechen (also Werfener Schiefer sind, d. Verf.), noch bei Dobrilovina und Nefertara.

fener Schichten Montenegros und Bosniens in engen Beziehungen zu einander, und ihre Übereinstimmung mit den untertriadischen Gebilden der Alpen ist eine so augenfällige, daſs Boué schon vor mehr als 25 Jahren auf sie hinwies. Seine Vermutung war richtig, denn bei der geologischen Aufnahme des Okkupations-Gebietes wurden in der Sučeska-Enge unweit der Kaserne Suha typische Petrefakte, wie Avicula Clarai und Myacites fassaensis, beobachtet, so daſs über die Zugehörigkeit dieser Schiefer zur unteren Trias kein Zweifel mehr obwaltet. Baumann glaubte zwar auf Grund seiner Rudistenfunde in den aufgesetzten Kalkbergen, die Schiefer der Lukavica und des Kapetanovo-Sees seien kretaceisch, allein ihr Äuſseres, das von dem der charakteristischen Duga-Schiefer gänzlich abwich, sprach entschieden für ihre Identität mit den Werfener Schiefern, und auſserdem stellten sie nicht wie jene Zwischenlagerungen zwischen den Kreidekalken dar, sondern bildeten das Liegende derselben.

Die Werfener Schiefer streichen mit geringem Wechsel in der Richtung von Nordwest nach Südost, zeigen aber hierbei vielfach eine sehr gestörte Lagerung. Die Mannigfaltigkeit und der rasche Wechsel ihres petrographischen Habitus macht eine genaue Begrenzung ungemein schwierig, denn das Gestein ist bald sandig oder thonig, glimmerreich oder glimmerarm, dünnblätterig oder unvollkommen schieferig und trägt obendrein die verschiedensten Färbungen zur Schau. Gelb, Gelbrot und Grau herrschen vor, graue oder grüne Töne sind ebenfalls nicht selten, und zuweilen nehmen sie ein so helles Gelbgrau oder ein so tiefes Schwarz an, daſs man sie schwer von den Kreideflysch- oder paläozoischen Schiefern unterscheiden kann. Durch diese Ähnlichkeit getäuscht, hielt Tietze die hellen Schiefer, die ihm sein Begleiter Regenspursky aus dem Gračanica-Thale beschrieb, für Flysch, während die im Fluſsbett massenhaft vorhandenen Porphyr-Gerölle von vornherein auf ältere Schiefer deuteten, die Baldacci einige Jahre später wirklich entdeckte. Ebenso muſs ich die in meinem Reisewerke ausgesprochene Behauptung, die Ausfüllungen der Becken von Medun und Ubli gehörten den Werfener Schiefern an, zurücknehmen, weil sie aus hellen Kreideflysch-Schiefern bestehen. Auch von den Wengener und jurassischen Schiefern lassen sie sich nicht immer trennen, und so kommt es, daſs Baldacci dunkle glimmerige Schiefer bei Antivari für paläozoisch und darüber liegende hellere Schiefer für Werfener Schichten ansieht, während Tietze in den ersteren Werfener, in letzteren Wengener Schiefer erblickt. Umgekehrt faſst Tietze die schwarzen Schiefer bei Žirovac als paläozoisch auf, während Baldacci dort nur Werfener Schiefer vermutete. Immerhin ist es nicht unmöglich, daſs sie paläozoisch sind und die alten Schiefer fortsetzen, welche durch die tief eingeschnittene Bukovica-Mündung aufgeschlossen sind.

Noch schwieriger werden die Lagerungsverhältnisse in denjenigen Gebieten, in welchen alte und Werfener Schiefer unmerklich ineinander übergehen und wo die letzteren einen paläozoischen Habitus besitzen. Sämtliche Bergspitzen Südost-Montenegros ruhen als isolierte Kalkfetzen auf der Schieferunterlage, und bei vielen von ihnen, z. B. bei der Höhe Širokar (vgl. S. 19), bei der Vučje und den andern Gipfeln der Moračko Gradište, läſst sich nachweisen, daſs zwischen die Kalke und paläozoischen Schiefer Werfener Schichten eingeschaltet sind. Man möchte deshalb voraussetzen, daſs diese Zwischenlage bei allen ost-montenegrinischen Gebirgen wiederkehrt, aber gerade beim höchsten, dem Kom, sind die Ansichten hierüber geteilt. Tietze glaubte feststellen zu können, daſs die schroffen Kalkmauern unmittelbar den alten Schiefern aufgesetzt seien, während Baldacci die schwärzlichen sandig-thonigen Schiefer des obersten Horizontes für untertriadisch hielt. Pančić hatte schon 1875 denselben Gedanken ausgesprochen, denn er sagt in der Einleitung zu seinem Elenchus: „Lapidi calcareo subsunt schisti: calcareus (Kalkschiefer) sub monte Javorje, argillaceus (Thonschiefer) in valle Moračae et Tarae, micaceus (glimmeriger Schiefer) in monte Kukuraj et in jugo Jelića Platno sub Kom.“ Handstücke, die ich Herrn Obergrat Tietze von den Hochebenen Carine und Štavna am Süd- und Nordfuſse des Kom vorlegte, bezeichnete er ebenfalls als Werfener Schiefer, so dafs sie, wenn auch in geringer Mächtigkeit, den Kalk überall zu unterlagern scheinen. Was diese Vermutung unterstützen könnte, ist der Umstand, dafs bei Carine Verrucano gefunden wurde, der nach Tietze im Verbreitungsbereiche der Werfener Schiefer mehrmals auftritt[1]), und endlich stehen auf dem Plateau die mit ihnen eng verknüpften Eruptivgesteine an, von denen die zahlreichen Geschiebe der Drcka Rijeka herrühren.

Lassen sich also Kalk und Schiefer durch die Gegensätze ihrer Farbe, Verwitterungsformen und Pflanzenbekleidung leicht unterscheiden, so ist es um so schwieriger, die Schiefer und Kalke der einzelnen Formationen unter sich zu trennen. An der oberen Bukovica und Plačnica, bei Medjureč, Boguto᷊v Do, Jablan und am Rikavac-See merkt selbst das ungeübteste Auge, dafs hier ein ganz anderes Gestein dem Kalke Platz macht. Im Morača-Thal dagegen gehen alte und Werfener Schiefer allmählich ineinander über, und obwohl die Grenze zwischen beiden schon zwei Stunden oberhalb des Klosters Morača verläuft, kann man erst beim Dorfe Jablan mit Sicherheit wahrnehmen, dafs man die Zone der Werfener Schiefer betreten hat.

Stellenweise sind die Schiefer von grün- und graublauen Thonbänken und Mergeln begleitet, die mehr oder minder schieferig werden (Tušina) und grofse Gipskristalle enthalten. Vielleicht haben wir in diesen Gebilden einen Anklang an das alpine Salzgebirge, das den unteren Teilen der Trias angehört. Ein aufmerksamer Beobachter wie Ebel beschrieb sie schon vor 50 Jahren aus der Umgebung von Brčele, und spätere Reisende trafen die schuttig-schieferigen Massen, die auch als Bachgerölle häufig sind, in der Crmnica noch mehrmals an. Nach Rovinski setzen sie den gröfsten Teil der quellenreichen Mulde Ponikvica zusammen; im allgemeinen aber kommen sie ebenso wenig zur Geltung wie die hier und da gefundenen Verrucano-Konglomerate[2]).

Bemerkenswerter sind die Sandsteine, die von Tietze als ein Äquivalent der untertriadischen Grödener Sandsteine aufgefafst wurden. Bei Stitarica zeigt nämlich ein durch einen Bach aufgeschlossenes Profil eine Schicht hochroten Sandsteins, die zwischen schwarze paläozoische Sandsteine und Triaskalke eingeschaltet ist. Nicht minder gut sind rote Sandsteine als Einlagerungen der Werfener Schiefer beim Kloster Piva nachgewiesen, und der Sandstein am Grunde des Tara-Cañons bei Tepca ist wegen seines tiefen Niveaus entschieden älter als der hellfarbige Sandstein auf den Hochebenen um den Durmitor[3]).

Eine wichtige Rolle spielen ferner die weit verbreiteten Eruptivmassen, die in den älteren Schiefern ungemein häufig sind, im Jura dagegen nur einmal auftreten und der Kreide ganz fehlen. Sie sind gewöhnlich mit Hornsteinen und roten Jaspissen vergesellschaftet, vor allem an die Werfener Schiefer gebunden und gehen nie über deren Horizont hinaus, so dafs man aus dem Vorhandensein der letzteren meist auch auf die Gegenwart von Eruptivgesteinen schliefsen kann. Ihr Ausbruch fand demnach vor dem Absatze der

---

[1]) Hassert, Reise durch Montenegro, S. 168. — Tietze a. a. O., S. 78. — In den Alpen gehört ein Teil des Verrucano dem Perm, ein andrer der Trias an. Daher wurden von Tietze solche Gebilde in Montenegro und Bosnien (Verrucano, Grödener Sandstein), deren Zugehörigkeit zu der einen oder andern Formation sich nicht feststellen liefs, provisorisch unter der Ausscheidung der Werfener Schiefer zusammengefafst.

[2]) Verrucano bei Virpazar, Carine, an der obern Morača und Tara, auf der Javorje Planina, im Durmitor, an der Plošinja, bei Bukovik und Lukovo, an der Bijela.

[3]) Andre Fundstätten gibt es in dem an Aufschlüssen reichen Lijeva Rijeka-Thale, an der Morača, auf der Ivica Planina, dem Ključ &c. — v. Richthofen reihte in seiner Monographie über Predasso (1860) den Grödener Sandstein der untern Trias ein, während ihn neuerdings viele zum Perm zählen. — Ebel, Zwölf Tage auf Montenegro, 1842, S. 77. — Boué, Mineralogisch-geognostisches Detail über einige meiner Reiserouten, 1870, Separatum, S. 19. — Pančić a. a. O., S. V. — v. Sterneck, Geographische Verhältnisse in Bosnien und Nord-Montenegro, 1877, S. 19. 20. — v. Mojsisovics, Tietze, Bittner, John, Neumayr a. a. O., S. 314. — Tietze a. a. O., S. 13. 14. 16. 19. 20. 21. 22. 26. 32. 35. 36. 44. 60. 61. 64. 78. — Schwarz a. a. O., S. 103. 298. — L. Baldacci a. a. O., I. 11. 14. 15. 16. 17. 18. 22. 23. 24. 30. 31. 32. 33. 35. 39. — Rovinski a. a. O., S. 76. 95. 109. 148. 149. 158. 159. — Baumann, (Zweite) Reise durch Montenegro, 1891, S. 4. 6. 7. 8. — Baldacci, Altre Notizie etc., S. 37. 38. 40. 42. — Hassert, Reise durch Montenegro, 1893, S. 74. 119. 149. 150. 169. 170. 198. — Hassert, Zweite Reise durch Montenegro, 1894, S. 339.

Triaskalke statt, und wie diese überall auf den Werfener Schichten ruhen, so hat mit wenigen Ausnahmen kein Porphyr oder Diabas die Kalkdecke durchsetzt. Die Eruptivgänge von Limljani, an der Gradanica, auf der Ivica und dem Ključ werden sogar hoch hinauf vom Schiefer überlagert, und das einzige Vorkommnis, welches für ihren Durchbruch durch den Kalk zu sprechen scheint, ist der irgendwo am Rande des Bresno Polje aufsetzende Porphyr. Da man denselben aber noch nicht gefunden hat und seine Anwesenheit blofs aus den im Becken zerstreuten, Geröllen voraussetzen kann, so bleiben erst nähere Forschungen abzuwarten, und schon jetzt steht fest, dafs die Kalke des angrenzenden Vojnik und des nahen Komarnica-Schlundes von Werfener Schiefern unterteuft werden. Auch die Porphyre des Gradanica-Thales, die Tietze nicht besuchte und für jünger hielt, fand Baldacci mit untertriadischen Schiefern verknüpft, und somit ist der Porphyrit des Jablanov-Sees der einzige, dessen jugendliches Alter einigermafsen sicher erwiesen werden kann. Die Eruption des grauen, äufserlich stark verwitterten und im Innern etwas frischeren Gesteins erfolgte am Ende der Trias oder gar während der Jura-Periode, da die Sandsteine und Schiefer, die mit ihm am Jablanov und Crno Jezero aufgeschlossen sind, von Tietze als Wengener Schichten und von Baldacci als jurassische Schiefer gedeutet werden (vgl. S. 28). Pančić erwähnt dieses Eruptivgestein zuerst und bezeichnet es als Trachyt, und weil er auf den ausgedehnten Hochebenen nirgends eine Spur von Schieferbildungen zu Gesicht bekam, so glaubte er, die kleinen Weiher um den Fufs des Durmitor seien samt und sonders durch eine solche Trachyt-Unterlage bedingt [1]).

Anfänglich fafste man die Eruptivgesteine Montenegros gemeinhin als Grünsteine zusammen, bis v. Foullons petrographische Untersuchungen darthaten, dafs sie in sieben wohlunterscheidbare Gruppen, in Quarzporphyre und quarzfreie Porphyre, in Olivindiabase, Diabasporphyrite, Quarzdiabasporphyrite und Dioritporphyrite, endlich in Augit-Andesite zerfallen [2]). Sie alle haben als vorherrschende Farbe ein grünliches Grau oder ein schmutziges Grün, wobei sich die kaolinisierten Feldspate als weifse Flecken von der dunklen Grundmasse abheben, und sind meist stark zersetzt. Als Umwandelungsprodukt hat man in seltenen Fällen Serpentin beobachtet (vgl. S. 14, Anm. 2). Die Grünsteine verwittern zu sanften, rundlichen Formen und sind, wenn sie in gröfserer Entwickelung auftreten, für den Verkehr nicht unwichtig, indem sie einen verhältnismäfsig bequemen Abstieg in die schwer zugänglichen Cañons der Tara und Piva ermöglichen. Aus ihren unverkennbaren Beziehungen zu den älteren Schiefern erhellt, dafs sie nur in Ost-Montenegro, vornehmlich im Gebiet der Drina-Zuflüsse, und im Küstenlande heimisch sind. Aber trotz ihrer Häufigkeit — man zählt gegen 40 Vorkommnisse — bilden sie stets wenig mächtige Gänge, die gegenüber den Schiefern das landschaftliche Bild kaum beeinflussen, und der Porphyrit von Stitarica ist der einzige, der den Charakter eines massigen Ausbruches an sich trägt. Er beginnt östlich von Trebaljevo und durchquert in einer Breite von 3 km die Tara, um erst auf dem Gipfel des Jablanov Vrh wieder zu verschwinden. Unter den Flufsgeröllen werden solche von Eruptivgesteinen ebenfalls in grofser Menge angetroffen, und prüft man den Abstammungsort derselben, so sieht man oft Kontaktwirkungen zwischen ihm und dem anstofsenden Kalke. Beispielsweise haben die Porphyre von Bukovik (in der Crmnica) und die Andesite von Limljani die benachbarten Kalkschichten in Hornblendefels umgewandelt [3]).

---

[1]) Pančić a. a. O., S. V. VI: Trachitem, unico quidem loco m. Durmitor, sub jugo Stulac, e solo eluctavit, ejus tamen praesentiam aut vicinitatem portendunt imo probabilem reddunt multi lacus, qui pascuis circa m. Durmitor dispersis nomen „Jesera“ mutuarunt. — E pluribus visis ups unius lacus Jablan Jesaro est omni vegetatione denudata ac constat detrita trachitico, cui probabiliter et alii lacus alveos suos impermeabiles debent.

[2]) Beispiele sind für Gruppe 1: Sotoniči, Gradanica, Bresna; 2: Bukovik; 3: Kloster Piva; 4: Jablanov Jesero, Andrijevica; 5: Obere Morača, Stitarica; 6: Peručica; 7: Limljani.

[3]) Boué, Die Europäische Türkei, I, 235. — Tietze a. a. O., S. 17. 18. 20. 21. 23. 26. 28. 31. 32. 35.

Wir verlassen nunmehr das Schiefergebiet und treten in den Bereich der Kalke ein, die als zusammenhängende Decke über die nördlichen, westlichen und südlichen Provinzen des Fürstentums gebreitet sind und deren außerordentliche Einförmigkeit nur selten durch unbedeutende Einlagerungen schieferiger und Verwitterungserde liefernder Gesteine einige Abwechselung erfährt. Die Eintönigkeit wird um so größer, als die Kalke der verschiedenen mesozoischen Formationen ziemlich das gleiche Aussehen haben, überall die Spuren starker Verkarstung tragen, denselben Wassermangel, dieselbe Pflanzenarmut aufweisen und von dem einen Ende ihrer Erstreckung bis zum andern ein verschwommenes, schmutziges Weißgrau als Hauptfarbe erkennen lassen. Man sucht zwar feine petrographische und stratigraphische Unterschiede bei ihrer Gliederung geltend zu machen, allein die äußere Übereinstimmung ist so groß, daß wir sämtliche Kalksteine der sekundären Formationen in einem gemeinsamen Überblicke zusammenfassen können.

Die Kalke Montenegros haben eine weiße oder graue, nicht selten auch eine gelbliche, bläuliche und rote Färbung, die sich meist in lichten Tönen bewegt und nur durch ein Heer von Flechten, die sich mit Vorliebe auf dem Kalke einnisten, und durch die schwärzliche Verwitterungsrinde ein dunkles Aussehen erhalten. Wird diese Kruste abgeschlagen oder beim Wegebau abgesprengt, so kann man den auffälligen Kontrast zwischen ihr und dem leuchtend weißen Bruche des frischen Gesteins schon aus weiter Ferne erkennen, und da die hellen Farbennuancen sich überall wiederholen, so hält es schwer, die einzelnen Kalk-Varietäten einer ganz bestimmten Schichtenreihe zuzuschreiben. Man kann höchstens und auch dann nur mit bedingter Genauigkeit und unter Zugrundelegung der Leitfossilien behaupten, daß der Trias vorzugsweise blaue und rötliche, dem Jura gelbliche und graue und der Kreide helle Kalke eigentümlich sind.

Im Gegensatze zu den paläozoischen und tertiären weisen die mesozoischen Kalke eine mehr oder minder deutliche Schichtung auf, deren Mächtigkeit stellenweise so abnimmt, daß weite Gebiete aus kaum faustdicken Platten zusammengesetzt sind. Diese Lagen werden mitunter noch dünnblätteriger und gehen in Kalkschiefer über, die bei Dobrsko Selo, am Sedlo (Durmitor), bei Kosarica, auf der Javorje Planina, an der Bijela und inmitten der Werfener Schiefer anstehen, mitunter tiefrot gefärbt sind und wegen ihres Thongehalts kleinen Wasserfäden das Leben geben. Leicht zerreibliche ockerige oder thonige Kalke, in welche die Zisternen des Lukovo Polje und von Dolnja Crkvica (untere Piva) eingegraben sind und in denen die ergiebige Quelle von Osječenica entspringt, treten seltener auf. Vielmehr walten kristallinische, zuckerkörnige, spätige oder dichte Kalke vor, die oft magnesiahaltig sind, in den Spitzen des Kom, der Vučje und andrer Gipfel in wirklichen Dolomit übergehen und in der Kreide vielfach mit Dolomitbänken wechsellagern. Letztere sind zuweilen so hart, daß sie aus den Kalken als kleine Hügel herauswittern, das Sickerwasser auf seinem Wege ins Erdinnere aufhalten und es zu oberirdischem Abflusse zwingen. Im allgemeinen ist auch der Kalk außerordentlich hart und spröde und giebt beim Zerschlagen einen hellen Klang, wie Porzellanscherben. Rote oder weiße Kalkspatadern, die aber selten eine scharfe Begrenzung haben, sondern im umgebenden Gestein verfließen, und Kristalldrusen (besonders schön bei Mirkojevići in den Banjani und an der Quelle Stubica bei Jovanovići) durchsetzen das Gestein, in den Vertiefungen und Sprüngen sammelt sich als unlöslicher Zersetzungsrückstand die terra rossa an, und Bruchstücke von Kreidekalk entwickeln öfters einen bituminösen Geruch oder zeigen

36. 40. 60. 61. 79—82. — Schwarz a. a. O., S. 298. — L. Baldacci a. a. O., I, 10. 16. 25. 29. 30. 31. 33. 35. 39. — Rovinski a. a. O., S. 109. 149. 150. — Pančić a. a. O., S. IV. V. — Baumann a. a. O., S. 4. 7. 8. — Baldacci, Cenni ed Appunti etc., S. 42. — Baldacci, Altre Notizie etc., S. 79. — Hassert, Reise durch Montenegro, S. 32. 84. 85. 86. 87. 93. 94. 97. 143. 148. 169. 176. 227. — Es würde zu weit führen, alle die Gebiete aufzuzählen, in denen Eruptivgesteine gefunden wurden. Sie sind auf der Karte sämtlich angegeben, wobei die ihrer Lage nach zweifelhaften Vorkommnisse mit einem Fragezeichen versehen wurden.

asphaltische Ausschwitzungen. Endlich ist allen Kalken die kolossale Zerklüftung ihres Innern und die merkwürdige Ausbildung ihrer Oberfläche gemeinsam, der man den Namen Karst gegeben hat. In dieser Eigenschaft und in ihrer Verbreitung schliefsen sie sich völlig den bosnisch-dalmatinischen Kalken an und sind wie diese petrographisch von solcher Einförmigkeit und paläontologisch von so grofser Armut, dafs es oft unmöglich ist, die einzelnen Formationen von einander zu trennen und jede für sich in Unterabteilungen zu gliedern. So unmerklich vollzieht sich der Übergang von der Trias zum Jura und vom Jura zur Kreide, dafs ein älterer Beobachter, Ebel, meinte, die Kalke der Julischen und Dinarischen Alpen gehörten überhaupt nur einer einzigen Formation an[1]).

Der Kalk ist in zahllosen Bruchstücken von seiner ursprünglichen Lagerstätte auf ein tieferes Niveau abgebröckelt und dort zu Breccien verbacken. Am Sutorman-Passe, am Steilabfall des Plateaus von Stijena, am Ostrog, Treskavac und Maleć kann man die scharfeckigen, unregelmäfsig gestalteten und in ihrem Durchmesser aufserordentlich wechselnden Brocken gut erkennen, die ein helles oder durch Eisenoxyd rot gefärbtes Bindemittel aus fein zerriebenem Kalk- und Dolomitmaterial nicht allzu fest zusammenhält. Andre Breccien, vornehmlich die des Durmitor, sind wohl als Reibungsbreccien aufzufassen. Die gebirgsbildenden Kräfte, die im Durmitor besonders thätig waren, verschoben die benachbarten Gesteinsmassen und zertrümmerten sie an den Reibungsflächen, wobei Bruchmaterial erzeugt und nachträglich wieder verkittet ward.

Auf die Konglomerate, die im Bereiche der Kalke und Schiefer häufig entwickelt sind, werden wir bei der Besprechung des Quartärs zurückkommen und wollen hier nur die Kalktuffe und Travertine erwähnen. Diese können sich nur dort ausscheiden, wo kalkhaltige Gewässer hervorbrechen, und sind deshalb auf wenige Gebiete beschränkt. Am Eingange der Duga-Pässe bei der mächtigen Quelle von Vir und bei den Quellen unterhalb Presjeka sind sie als braunrote, feinkörnige Oolithe ausgebildet. Zahllose Wasserfäden, die in der Umgebung von Polje und Kloster Morača Einlagerungen paläozoischen Kalkes berühren, setzen die mitgeführten Lösungen als zellige und röhrige Tuffe wieder ab. Dieselben fanden beim Bau des Klosters ausgiebige Verwendung, und nicht minder oft begegnet man ihnen in den Mauern der Weinberge von Gradjani. Auch im Tušina-Gebiet sind sie nicht selten und haben vielleicht der Tušina ihren Namen gegeben, da Tušina im Serbischen „Tufflager" heifst[2]).

Die Triaskalke, denen Tietze auf Kosten der Juraschichten eine viel weitere Verbreitung als Baldacci zuschrieb, setzen die Nordhälfte Ost-Montenegros zusammen und kehren in gröfserer Ausdehnung in den Hercegovinischen Alpen und im Küstengebirge wieder. Es ist nicht unwahrscheinlich, dafs sie sich einst als zusammenhängende Decke über ganz Ost-Montenegro ausbreiteten; dieselbe wurde jedoch bis auf spärliche Reste abgetragen, und die zackigen Kämme des Kom, die in ihren oberen Teilen aus horizontal gelagerten hellgrauen Kalken und Dolomiten, in ihren unteren aus deren rötlich gefärbten Abarten bestehen, der Ključ, die Vučje, die Wasserscheide zwischen Tara und Lijeva Rijeka, das Plateau Širokar und seine Nachbarberge, sie alle gehören nebst zahllosen kleineren Kalkfetzen der Trias an. Obwohl Versteinerungen dieser Formation gänzlich fehlen, machen stratigraphische

---

[1]) Wessely, Das Karstgebiet Militär-Kroatiens und seine Rettung, dann die Karstfrage überhaupt, 1844, S. 89. 93. 195. — Beyer, Tietze, Pilar, Die Wassernoot im Karste der kroatischen Militärgrenze, 1874, S. 96. — W. Putick, die unterirdischen Flufsläufe von Inner-Krain: das Flufsgebiet der Laibach. (Mitteil. d. K. K. Geogr. Ges. Wien, 1887, S. 563.) — K. Moser, Ein Frühlingsausflug nach Istrien. (Ztschr. d. Deutsch. u. Österr. Alpenvereins, 1883, S. 498.) — Moser, Der Karst, in naturwissenschaftlicher Hinsicht geschildert. (Jahresber. d. K. Gymnasiums Triest, 1890, S. 14. 15.) — Boué a. a. O., I, 180. — Lipold, Die geologischen Verhältnisse zwischen Cattaro und Cetinje, 1859, S. 25. 26. — v. Mojsisovics, Tietze, Bittner, John, Neumayr a. a. O., S. 200. — Ebel a. a. O., S. 129. — Tietze a. a. O., S. 16. 18. 22. — L. Baldacci a. a. O., I, 10. 11, 12. — Brunnsen a. a. O., S. 9.

[2]) Pančić a. a. O., S. V. VI. — Tietze a. a. O., S. 17. 45. 47. 64. — L. Baldacci a. a. O., I, 25. 37. — Rovinski a. a. O., S. 129. 150. — Baldacci, Cenni e Appunti etc., S. 50. 51. — Hassert, Reise durch Montenegro, S. 25. 36. 40. 162. 117.

Gründe und die Anwesenheit der Werfener Schiefer ihre Deutung nicht gar zu schwierig. Nur über das Alter der Kalke von Kolašin ist man nicht sicher und kann blofs soviel sagen, dafs die in unmittelbarer Nachbarschaft der Stadt die alten Schiefer unterteufenden Kalke paläozoisch sind, während die weiter Tara-abwärts hinziehenden und die romantische Propran-Enge bildenden Kalkschichten wegen ihrer Auflagerung auf den Grödener Sandsteinen von Stitarica triadisch sind (vgl. S. 18). Dagegen bestehen die Bergketten beiderseits der obern Morača wohl zweifellos aus Triaskalk, denn dort reichen die dicht mit Wald und Wiesen bedeckten Werfener Schiefer fast bis zur Plateauhöhe hinauf und sind scharf gegen die nackten Kalkzinnen abgesetzt, deren Trümmerwerk die zahlreichen Wildbäche in ihren steilen Betten haufenweise der Morača zuführen.

Während der Jurakalk in Nord-Montenegro durch die Forschungen Baldaccis gegenüber der Trias einigermafsen an Ausdehnung gewonnen zu haben scheint, mufs er im Küstenlande nach den neuesten Aufnahmen v. Bukowskis auf eine viel schmälere Zone beschränkt werden als bisher. Er nimmt überhaupt den kleinsten Teil des Fürstentums ein, schiebt sich in Gestalt mehrerer isolierter Parzellen, deren umfangreichste durch das Durmitor-Gebiet gebildet wird, zwischen Trias und Kreide ein und umschliefst aufser schlecht erhaltenen, daher schwer bestimmbaren Versteinerungen einige wenig mächtige Schiefereinlagerungen[1]).

Weitaus den gröfsten Teil Montenegros, eine Fläche, die doppelt so grofs wie das von Trias und Jura zusammen bedeckte Gebiet ist, nimmt die Kreide ein, und die ganze westliche Landeshälfte wird von ihren weifsen oder graublauen dolomitischen Kalken beherrscht, die in den Banjani die unmittelbare Fortsetzung der hercegovinischen Kreidekalke sind. Sie erscheinen in ihrer Lagerung wenig gestört und treten mit Vorliebe als dünnplattige Schichten auf, deren Mächtigkeit in den Bergen der Prokornica, auf der Stražište, bei Seljani, Čevo, Nikšić &c. so gering wird, dafs man an den stark verwitterten Gehängen wie auf roh ausgearbeiteten Treppenstufen emporsteigen kann. Die Kreide ist lokal überreich an ihren typischsten Leitfossilien, den Rudisten. Schade nur, dafs dieselben sehr unregelmäfsig verteilt sind, denn in gewissen Bänken stellen sie sich geradezu massenhaft ein, während andere vollkommen versteinerungslos sind[2]). Auf Grund dieser Funde glaubte Baldacci wenigstens zwei Horizonte, das Urgonien und Turonien, den untern durch Sphärulithen, den obern durch Hippuriten charakterisiert, unterscheiden zu können und findet auch hier treffliche petrographische und stratigraphische Analogien mit den Kreidekalken Italiens und Siciliens. Vielleicht geben die eingelagerten Kreideschiefer ein weiteres Hilfsmittel zur Gliederung des mächtigen Schichtenkomplexes an die Hand[3]).

Der Rudistenkalk der Duga-Pässe ruht überall auf feinblätterigen, sandig-thonigen Schiefern von rotbrauner, hellgrauer oder grünlicher Farbe, die oft sehr kalkig werden

[1]) Aufser den Versteinerungen macht Baldacci noch die auffallende Übereinstimmung der Jurakalke Montenegros mit den gleichalterigen Kalken Siciliens und des Apennins geltend, eine Übereinstimmung, die ihn im Durmitor geradezu überraschte.

[2]) Die wichtigsten Fundstätten der Rudisten sind: Fahrstrafse von Cetinje über Rijeka und Danilovgrad nach Nikšić, Dobrsko Selo, Džinovići, Sinjac, Gradac, Komana, Gornji Kokot, Plateau von Orani Do und Čevo, die Hügel des Nikšićko Polje, die Duga-Pässe, Gebiet zwischen Nikšić, Grahovo und Cetinje, Umgebung von Bijelica, der Garač, die Sušica-Quelle und die Glišica-Höhe bei Danilovgrad, Donji Tupanj, Berghang von Kloster Ostrog über Dobrsko, Slatina, Kloster Ćelija und Stijena nach Zavala, von Nikšić nach Lukovo, Piasnik, Hrmičko und Kapetanovo-See, Ledenica (Plakinje), Morača-Thal von Zlatica über Bijoče nach Kloster Duga, Peter Brijeg, Klopot, Weg von Doljani nach Medun, Kržanje, Sutorman-Pafs, Kneta (Bojana), Orjaluka. Die Rudisten von Orani Do und Danilovgrad sind nicht selten daumengrofs; auf dem Friedhofe des letztern Ortes beobachtete Schwarz auch Reste von Exogyra columba. — Tietze a. a. O., S. 47. 82. 85. — L. Baldacci a. a. O., I, 14. 18. 19. 20. 22. 37. 38. 40. 41. — Schwarz a. a. O., S. 262. — Baumann a. a. O., S. 4. 7. — Hassert a. a. O., S. 24. 25. 40. 42. 116. 117. 155. 159. 182. 213.

[3]) Ebel a. a. O., S. 101. — Lipold a. a. O., S. 25. 26. — Tietze a. a. O., S. 13. 14. 15. 18. 19. 20. 21. 22. 49. 54. 55. 56. 59. 69. 76. 77. 83. 84. 85. 86. — L. Baldacci a. a. O., I, 11. 12. 15. 17. 18. 23. 24. 30. 62—64. 85. — Baumann a. a. O., S. 4. 7. — G. v. Bukowski, Reisebericht aus dem südlichen Dalmatien. (Verh. d. K. K. Geol. Reichsanstalt, 1893, S. 249.) — Ein krystallinischer Kalk, der zwischen Rijeka und Siudjon einen schmalen, senkrechten Spalt in den dünnbankigen Kreidekalken ausfüllt und sich dann über dieselben auszubreiten scheint, wurde von Tietze und Stache als ein Süfswasserkalk, vielleicht als eine Andeutung der Cosina-Schichten oder ein noch jüngerer Süfswasserkalk, angesprochen. Hassert a. a. O., S. 12.

und infolge ihrer Überlagerung durch die Kalksteine zwischen den verfallenen Festungen Zlostup und Krstac ganz verschwinden, um erst jenseits der letztern wieder in gröfserer Mächtigkeit aufzutauchen. Durch die Art ihrer Verwitterung bedingen sie die leichte Gangbarkeit und den Wasserreichtum der viel benutzten Handelsstrafse, und da sie nirgends so typisch und in solcher Ausdehnung entwickelt sind wie hier, so dürfte man sie nach ihrem charakteristischsten Fundorte als Dugaschiefer bezeichnen. In ihrer nördlichen und südlichen Fortsetzung und ebenfalls als Zwischenlagerungen zwischen den kretaceischen Kalken liegen die unbedeutenden Schiefervorkommnisse in der Ledenica und im Latiöno, am Westrande des Nikšićko Polje, auf der Terrasse von Crnci und Stijena, ober- und unterhalb Medun, in dem von Albanesen bewohnten Kesselthale Radovči und bei Ploča (Rijeka)[1]. — Die Kreide umschliefst aufserdem Flyschbildungen, die aber mit dem tertiären Küstenflysch nicht identisch sind, sondern eine eigentümliche Facies der Kreide darstellen. Endlich sind Bohnerze und bituminöse Ausschwitzungen zu nennen, deren wir bei der Besprechung der montenegrinischen Bodenschätze ausführlicher gedenken werden.

Wir haben bei dieser flüchtigen Übersicht die Verteilung der mesozoischen Formationen Montenegros kurz dargelegt und müssen nunmehr die Gesichtspunkte erörtern, die uns bei ihrer Begrenzung geleitet haben. Bei dem fühlbaren Mangel an Versteinerungen, die gerade dort fehlen, wo ihre Gegenwart am erwünschtesten wäre, mufste die Scheidelinie oft ganz willkürlich gezogen werden, und so können die auf der Karte eingezeichneten Grenzen keinen Anspruch auf unbedingte Genauigkeit machen, da sie je nach der persönlichen Auffassung eines seinem Alter nach zweifelhaften Kalkes hin- und herschwanken müssen.

Die meisten Schwierigkeiten bereitete in dieser Beziehung die Sonderung der Trias- und Jura-Formation. Tietze ging von der Erwägung aus, dafs die versteinerungslosen Kalke, welche unmittelbar über den Werfener Schiefern und unmittelbar unter den Rudistenkalken lagerten, triadisch seien, und wies dieser Formation ganz Ost-Montenegro zu, soweit es nicht von den paläozoischen Schiefern aufgebaut ist. Als oberjurassisch nahm er nur die dünnschichtigen, roten Kalke von Milkovci an, die Ammoniten aus der Gruppe der Planulaten enthielten, während er die kleinen Kalkinseln von Lipova Ravna und Lukovo aus petrographischen Gründen dem Jura zuwies. Als Baldacci jedoch einige Jahre später den Spuren Tietzes folgte, fand er im Durmitor-Gebiet, vor allem bei Pašena Voda und zwischen Nedajno und Kulići, ferner bei Kloster Piva, Lukovo, Jablan (Vjeternik) und an der Lijeva Rijeka deutliche Reste von Nerineen und Ellipsactinien, weshalb er die betreffenden Kalke als oberjurassisch ansprach. Nun sind aber jene Versteinerungen nicht nur dem obersten Jura (Titon), sondern auch der untersten Kreide eigentümlich; Felix und Lenk rechnen sie in Mexiko der untersten Kreide zu, und Philippson stellte fest, dafs im Kalk von Cheli Ellipsactinien und Rudisten zusammen vorkommen[2]. Zu seinen Gunsten führt Baldacci ferner an, dafs ihn gewisse Kalke der Crmnica, die schlecht erhaltene Spuren von Phasionellen und Chemnitzien enthielten, durch ihren Habitus auffallend an gewisse unterjurassische Kalke Italiens und Siciliens erinnerten, die reich an jenen Fossilien sind, und alle diese Funde führten ihn zu der Ansicht, der Kreidekalk überlagere in Montenegro nirgends direkt die Triasschichten, sondern werde stets durch einen zusammenhängenden Jurastreifen von ihnen getrennt[3].

Übrigens stand Baldacci mit seiner Meinung nicht allein. Schon Biasoletto, der Reisebegleiter des sächsischen Königs Friedrich August, glaubte, ganz Montenegro bestände

[1]) Pančić wies die Anwesenheit von Kreideschiefer — argilloschistus, wie er ihn nannte — schon 1874 bei Ploča nach, Tietze aber war der erste, der die grofse Verbreitung desselben im Innern Montenegros, vornehmlich in den Duga-Pässen, feststellte. — Pančić a. a. O., S. IV. — Tietze a. a. O., S. 47. 48. — L. Baldacci a. a. O., I, 15. 37. — Hassert a. a. O., S. 40. 42. 43. 50. 117. 159.

[2]) A. Philippson, Der Peloponnes. Versuch einer Landeskunde auf geologischer Grundlage, 1892, S. 42. 53. 61. 390.

[3]) Tietze a. a. O., S. 39. 43. 46. 84. 85. — L. Baldacci a. a. O., I, 22. 35. 36. 38.

aus Jurakalk, weil er auf seinem Wege von Cattaro nach Cetinje eine Zone desselben durchquert hatte. Der russische Oberst v. Kaulbars war in seiner Annahme vorsichtiger, denn er wies nur die Landeshälfte östlich der Linie Rikavac Jezero—Prekornica—Duga-Pässe dem Jura, die andern aber der Kreide zu und sprach zugleich die Vermutung aus, es könnte doch der Kreidekalk unmittelbar an die Triaskalke anstoßen, weil die dolomitischen Gipfel der aufgesetzten Kalkgebirge auf Trias deuteten und weil ein irgendwo (wo, giebt er nicht an) gefundener, schlecht erhaltener Ammonit ebenso gut ein triadischer wie ein jurassischer sei [1]).

Was Nord-Montenegro anbetrifft, so scheint das Durmitor-Massiv vielleicht aus Jura zu bestehen, und dasselbe gilt von der Hochebene von Drobnjak, deren fast horizontal gelagerte Kalke Ellipsactinien und Nerineen führen &c. Es müßte denn sein, daß ähnlich wie am Untersberg und in einigen Gegenden Nord-Steiermarks Nerineen und Ellipsactinien führende Jurakalke auf ziemlich rätselhafte Weise in Kalkmassen eingelagert sind, die der Hauptsache nach der Trias angehören. Gewisse rote Kalke, die man beim Aufstieg zum Durmitor und in Mittel-Montenegro mehrmals antrifft, deuten vielleicht an, daß jüngere Kalke lappenartig über die triadischen Schichtkomplexe ausgebreitet sind; doch brauchen erstere durchaus nicht immer rot zu sein, sondern können in Übereinstimmung mit den geologischen Verhältnissen des Untersberges genau das Aussehen und die Beschaffenheit der Triaskalke besitzen und sich lediglich durch ihre Versteinerungen von ihnen unterscheiden [2]). Auf jeden Fall schreibt Baldacci dem Jura eine viel zu weite Verbreitung zu. Das Ivica-Plateau, unter dessen Kalken Werfener Schiefer und Eruptivgesteine zum Vorschein kommen, ist sicher triadisch. Im Durmitor selbst, der nicht, wie Baldacci will, aus nahezu horizontal gelagerten Kalken zusammengesetzt ist, sondern die intensivsten Faltungen und Überkippungen zeigt und wahrscheinlich auch von einer gewaltigen Verwerfung betroffen wurde, sind die Schichten eng ineinander gefaltet und gleich den paläozoischen und Werfener Schiefern auf der Wasserscheide zwischen Tara und Lijeva Rijeka zu einem untrennbaren Ganzen zusammengeschoben. Zahlreiche Vorkommnisse von Verrucano-Konglomeraten, die sowohl auf den höchsten Spitzen des Durmitor, auf der Ćirova Pećina, der Prutaš, am Štit &c., als auch in den Ebenen gefunden werden, machen die gleichzeitige Anwesenheit von Triaskalken nicht unwahrscheinlich. Ferner tritt an den unteren Hängen der Prutaš unweit eines kleinen Teiches im Todorov Do neben dem Verrucano ein sehr glimmeriger dunkler Schiefer mit Hornsteinen auf, der ebenfalls auf Trias deutet (vgl. S. 20).

Ein Kranz gelbgrauer, leicht zerreiblicher Schiefer, die sich durch ihr sandsteinartiges Gefüge und ihre lichten Farbentöne von den Werfener Schiefern unterscheiden und im Gegensatz zu ihnen den Triaskalk überlagern, umgiebt rings den Durmitor und begünstigt durch seine Wasserundurchlässigkeit die Existenz der kleinen Seen und Teiche jenes Gebietes. Dieselben Bildungen stellen sich auf der Javorje Planina (unweit des Semolj-Sumpfes) und auf dem Südabhange des Sutorman-Passes ein, und Tietze faßte sie insgesamt als ein Äquivalent der obertriadischen Wengener Schichten auf. Allerdings hatte er für seine Vermutung keine anderen Anhaltspunkte als die Lagerungsverhältnisse, da nach den Untersuchungen v. Mojsisovics' die meisten obertriadischen Sandsteine der Alpen dem Niveau der Wengener Schichten angehörten. Nachdem aber Baldacci die Kalke von Drobnjak als oberjurassisch erkannt hatte, mußte er für die schieferigen Einlagerungen ein viel jüngeres Alter annehmen. Doch auch hier scheint Vorsicht geboten zu sein, denn es ist nicht ausgeschlossen, daß die Schiefer am Crno und Jablanov Jezero obertriadisch sind. Der

[1]) Bissoletto, Viaggio nell' Istria, Dalmazia e Montenegro, 1841, S. 112. — v. Kaulbars, Zamjetki o Černogorij, 1881, S. 44. 48.

[2]) Nach brieflichen Mitteilungen des Herrn Oberbergrat Dr. E. Tietze. — A. Bittner, Über die Plateaukalke des Untersberges. (Verh. d. K. K. Geol. Reichsanstalt, 1885, S. 366 f.) — Bittner, Ein neues Vorkommen nerineenführender Kalke in Nord-Steiermark. (Ebenda, 1887, S. 300.)

4*

Schwarze See bezeichnet die tiefste Stelle der Hochebenen östlich des Durmitor, und seine sandig-schieferige Unterlage hängt mit derjenigen seines Nachbarweihers eng zusammen. Dort tritt aber ein porphyritisches Gestein zu tage, und wenn dieses auch jünger ist als die mit den Werfener Schichten verknüpften Eruptivmassen, so gelangte es wohl eher am Ende der Trias als während der Jura-Periode zum Ausbruch, da letztere nur ganz vereinzelt von vulkanischen Erscheinungen begleitet wurde. Dazu kommen die aufserordentlichen Störungen, die der Gebirgsbau des Durmitor durchgemacht hat, und möglicherweise ist ein Teil der Schiefereinlagerungen ebenfalls älter als jurassisch, zumal die dunkelgrauen glimmerigen Schiefer am Sedlo und in der Hochmulde Dobri Do, zu denen sich in halber Höhe des Tara-Cañons echte Werfener Schiefer gesellen, sehr grofse Ähnlichkeit mit jenen zeigten und vielleicht die untertriadischen Schiefer der Ivica Planina fortsetzen. Daher habe ich diese in ihrem Alter zweifelhaften Gesteine[1]), soweit sie den Durmitor umgeben, unter dem Namen Durmitor-Schiefer zusammengefafst und sie provisorisch dem Jura zugewiesen. So lange aber für die sandig-schieferigen Gebilde der Javorje Planina und des Küstenlandes kein jüngeres Alter nachgewiesen ist, kann man sie mit Tietze noch immer als Wengener Schichten bezeichnen, zumal v. Bukowski in dem benachbarten Süd-Dalmatien ähnliche Bildungen ebenfalls angetroffen hat[2]).

Nicht minder schwierig als die Lagerungsverhältnisse des Durmitor-Gebietes ist der geologische Aufbau seiner westlichen Fortsetzung von der Piva bis zu den Hercegovinischen Alpen. Am Thalschlufs des Sinjac-Baches sind Schiefer und rote Sandsteine blofsgelegt, die fast bis auf das Plateau hinaufreichen und wegen ihrer Verknüpfung mit Diabasen als untertriadisch angesprochen wurden. Dieselben Schiefer stehen in einem rechtsseitigen Nebenbache der Plužinje und in dieser selbst an, sie umgeben überhaupt die Hercegovinischen Alpen auf allen Seiten, und die am Sinjac beobachteten Eruptivgesteine treten zugleich mit Hornsteinen und Verrucano als charakteristische Begleiterscheinungen der Werfener Schiefer in den Geröllmassen der genannten Wasserläufe auf. Deshalb mufs die Hochebene von Goransko und Mratinje entschieden der Trias zugerechnet werden, und wenn auch Baldacci betont, dafs die Kalke zwischen dem Sinjac und der Ledenica auf ihrer stark verwitterten Oberfläche die bekannten Jura-Versteinerungen zeigen, so sind sie jedenfalls ein Ausläufer der nahen Jurakalkzone von Milkovci, die dem Triaskalke ebenso aufgesetzt ist wie der aus Jurakalk bestehende Kamm der Hercegovinischen Alpen. Die Umgebung der obern Plužinje wird ebenfalls von mächtig entwickelten Werfener Schiefern beherrscht, die noch im Gebiete von Medjedje auftreten und dann scharf gegen die Kalke der Ledenica abstofsen. Da diese aber auf Grund von Rudistenfunden und durch das Hervorschiefsen roter und grauer Dugaschiefer in einem schmalen, von einem spärlichen Bächlein durchflossenen Karstthale unzweifelhaft kretaceisch sind, so grenzt hier die Kreide unmittelbar an die Trias, und es fragt sich nur, wie die Scheidelinie zwischen beiden Formationen weiterhin verläuft. Die Kalke werden nämlich bald von einer ausgedehnten Kreideflysch-Zone unterteuft, die sich nach Bittners Untersuchungen bis zum Čemerno-Sattel fortsetzt und unmerklich in die Werfener Schiefer übergeht. Wie schon früher hervorgehoben, lassen sich beide Gebilde wegen ihrer Ähnlichkeit schwer unterscheiden, dazu kommt, dafs das Gestein vollständig unter einem grünen Wald- und Wiesenteppich verschwindet, und es blieb deshalb nichts übrig, als die Trennungslinie zwischen Kreideflysch und Werfener Schiefern ganz willkürlich zu ziehen[3]).

---

[1]) Sollten die Nerineen- und Ellipsactinienkalke Montenegros — entsprechend den Vorkommnissen in Mexiko und Griechenland (vgl. S. 20) — gar als unterkretaceisch erkannt werden, so könnte man die gelblichsandigen Einlagerungen nur für Kreideflysch (dessen Beschaffenheit vgl. S. 33) halten, sofern man sie nicht mit Tietze nach wie vor den Wengener Schichten zurechnet.

[2]) Tietze a. a. O., S. 21. 22. 26. 27. 28. 29. 33. 84. 85. — Schwarz a. a. O., S. 282. — L. Baldacci a. a. O., I, 10. 11. 23. 33. 34. 35. 36. 88. — Baumann a. a. O., S. 8. — v. Bukowski a. a. O., S. 740. — Hassert, Besteigung der Prutaš im Durmitor, 1894, S. 180. — Baldacci, Cenni ed Appunti etc., S. 38.

[3]) Boué a. a. O., I, 235. — Boué, Mineralogisch-geognostisches Detail über einige meiner Reiserouten, Sep.,

Die Jurakalke setzen sich in südöstlicher Richtung fort, aber nicht in Gestalt eines zusammenhängenden Streifens, sondern als isolierte Lappen von mehr oder minder großer Ausdehnung, denen z. B. die durch Tietzes Ammonitenfunde bekannten roten Kalke von Rudenica, Milkovci und Bukovac angehören. Möglich ist es, daß auch die oberen Gehänge des 2000 m hohen Vojnik in Übereinstimmung mit dem Durmitor und den Hercegovinischen Alpen aus Jurakalk bestehen. Doch scheint es nicht angebracht, das Vojnik-Gebiet samt und sonders dem Jura zuzuteilen, da sein Gestein im Gegensatz zu den an Fossilien nicht gerade armen Juraschichten versteinerungslos ist, auf dem aus Werfener Schiefern zusammengesetzten Plateau von Mokro ruht und am Rande des Kesseltbales von Bresna einen Porphyrstock umschließt, der petrographisch mit dem Porphyr von Virpazar nahe verwandt ist. Übrigens bemerkt Baldacci, daß die Kalke immer mehr den Kreidekalken ähneln, je näher man der Ebene von Nikšić kommt, und im Lukovo Polje haben sie einen so ausgesprochenen kretaceischen Habitus, daß man auch ohne die in ihnen vorhandenen Rudisten ihr Alter mit Sicherheit bestimmen könnte. Die roten Kalke, die östlich des Dorfes längs eines trockenen Bachrisses anstehen und Spuren von Ellipsactinien und Nerineen enthalten, dürften die einzigen Vertreter des Jura sein, und es liegt um so weniger ein Grund zur Annahme einer zusammenhängenden Juradecke vor, als stellenweise Werfener Schiefer auftreten, die das triadische Alter der sie überlagernden Kalke mindestens wahrscheinlich machen. Obwohl vom Kalk vielfach überlagert, sind sie beim Han Gvozd deutlich als Werfener Schiefer erkennbar, aus ihnen bestehen die Häusermauern von Bukovik, zahllose Trümmer erfüllen im Verein mit Hornsteinen und Verrucano das eben genannte Trockenthal, und mitunter sind sie fest mit den dunklen Kalken verkittet. Da aber hier Werfener Schiefer, dort Rudistenkalke angetroffen werden, so wurde die Grenze zwischen beiden Formationen an den Südostrand des Lukovo Polje verlegt, in dessen Nähe sie schon Tietze mit bewundernswertem Scharfsinn vermutete[1]).

Je tiefer wir ins Herz Montenegros eindringen, um so größere Hindernisse stellen sich den Deutungsversuchen in den Weg, weil nur wenige Reisende das schwer zugängliche Berggewirr zwischen der Lukavica und Morača besuchten. Baldacci schiebt deshalb das Bereich des Jura, Tietze die Trias bis zu den Quellen der Mrtvica und Bijela vor, und bloß die tiefen Flußthäler und einige ausgedehntere Mulden weisen beide der liegenden Schieferzone zu. Im allgemeinen ist Tietzes Auffassung richtiger als diejenige Baldaccis, indem nur wenige ihrem Alter nach zweifelhaften Kalkberge auf eine Zugehörigkeit zum Jura schließen lassen.

Die Flyscheinlagerungen, welche Tietze nach den Angaben Regenspurskys im mittlern Gračanica-Thale einzeichnete, wurden von Baldacci als Werfener Schiefer erkannt. Ihre Verbreitung erwies sich überhaupt für größer, als beide vermutet hatten, und es lag nahe, die überlagernden versteinerungslosen Kalke nach der allgemeinen Auffassung der Trias zuzuzählen. Nun fand aber Baumann am Kapetanovo- und Brničko-See und in den Bergen zwischen der Lukavica und der Mulde Ponikvica deutliche Spuren von Rudisten, weshalb er die dort anstehenden und sich zur Mrtvica-Schlucht fortsetzenden Schiefer als kretaceisch ansprach, obwohl sie nicht die geringste Ähnlichkeit mit den Dugaschiefern besaßen. Im Gegenteil, sie hatten ganz und gar das Aussehen der Werfener Schiefer, und eine genaue Prüfung der mitgebrachten Handstücke ergab dasselbe Resultat, so daß die Annahme Tietzes, der neben Baumanns Kreideschiefern das gleichzeitige Auftreten älterer Schiefer unbedingt voraussetzte, zur Gewißheit ward. Seine Karte war in diesem Gebiet gleichfalls recht zutreffend, wurde aber von Baumann zu sehr verallgemeinert,

S. 19. — v. Mojsisovics, Tietze, Bittner, John, Neumayr a. a. O., S. 214. 239. — Tietze a. a. O., S. 35. 36. — L. Baldacci a. a. O., I, 35. — v. Déchy, Ascent of Maglich, 1889, Sep., S. 3.

[1]) Tietze a. a. O., S. 40. 43. — Schwarz a. a. O., S. 283. — L. Baldacci a. a. O., I, S. 36. 38. — Hassert, Reise durch Montenegro, S. 149. 150.

zumal der Habitus, die stark verworfene Lagerung und die Verknüpfung der Schiefer von Ponikvica mit Eruptivgesteinen auf ein untertriadisches Alter hinwiesen. Dazu kommt, dafs nicht blofs die Schiefer, sondern auch die unteren Horizonte der aufgelagerten Kalke stark gefaltet sind, während die rudistenführenden Schichten sehr wenige Störungen zeigen. Da ein ähnlicher Lagerungsgegensatz auch am Berge Žurim wiederkehrt, so geht man wohl nicht fehl, wenn man die unteren Kalkschichten für triadisch, die oberen für kretaceisch hält. Wo bleibt dann aber der Jura, dem Baldacci hier eine so weite Verbreitung gab? Juraversteinerungen wurden in unserm Gebiete bis jetzt nicht gefunden, und deshalb kann man nicht ohne weiteres glauben, dafs sich zwischen die Trias- und Kreidekalke eine Zwischenlage von Jurakalk einschiebt. Jurassisch sind höchstens die roten Kalke, welche die Umgebung des Planinik, die Zebalac-Kette und die Randberge der Lola zusammensetzen und Veranlassung zu dem in Montenegro sehr häufigen Namen Crveno Ždrijelo [1]) gaben. Umgekehrt will Baumann die rosafarbigen Kalke des Planinik der Kreide zurechnen, weil sie den oberkretaceischen Kalken der adriatischen Küstenländer gleichen [2]), während anderseits die Unterteufung der dunkelroten Zebalac-Kalke durch Werfener Schiefer ein triadisches Alter vermuten läfst [3]).

Verfolgen wir die Formationsgrenze im Süden Montenegros und denken wir uns eine Linie vom Brotnik über Pelev Brijeg nach Orahovo gezogen, so gehört das ganze Gebiet westlich derselben der Kreide an. Einlagerungen von Dugaschiefern und Flyschsandstein, bituminöse Ausschwitzungen und Rudisten, die noch beim Kloster Duga, bei Klopot und Pelev Brijeg gefunden wurden, stellen das kretaceische Alter der betreffenden Kalke aufser Frage, und man kann deren Grenze, die Tietze noch völlig unbestimmt lassen mufste, hinreichend genau angeben. Welcher Formation gehören aber die mächtigen Gesteinskomplexe östlich der gedachten Linie an? Mit Ausnahme einiger undeutlichen Versteinerungen zwischen Ubli und Kržanje verschwindet in den Kalken jede Spur von Organismen, und Tietze rechnete die breite Austrichzone zwischen den Kreideschichten und den Werfener Schiefern, die er allerdings nur auf dem Wege von Podgorica nach Lijeva Rijeka durchquerte, der Trias zu. Bei Jablan, der klassischen Stelle, an der jeder Reisende den plötzlichen Gesteinswechsel mit lebhafter Freude begrüfst, weil er nunmehr aus der öden Karstwüste in die anmutige Schieferlandschaft gelangt, unterteufen die Schiefer den Kalk, doch verläuft die Grenze nicht entsprechend der Streichrichtung, sondern die Kalke entwickeln sich zum Teil in der westlichen Fortsetzung der Schiefer. Baldacci, der 1886 diese Gegenden ebenfalls besuchte, stellte zunächst fest, dafs Tietze der Trias auf Kosten der Kreide eine zu weite Verbreitung nach Westen zugeschrieben hatte; dann aber fand er auf dem Berge Vjeternik, auf dem die Achse einer grofsen von Nordost nach Südwest gerichteten Synklinale läuft, oberjurassische Ellipsactinien und Nerineen, so dafs nun auch die Anwesenheit des Jura nachgewiesen war. Ob dieser eine zusammenhängende Decke oder nur inselförmige Auflagerungen darstellt, wage ich nicht zu entscheiden, doch ist mir letzteres wahrscheinlicher [4]).

Das letzte Gebiet, das die geologische Zusammensetzung Mittel-Montenegros im kleinen wiederholt und auf der Karte ein abwechselungsvolles, buntfarbiges Bild, in der Natur aber

---

[1]) Roter Pafs. Vgl. die Crvena Greda im Durmitor, die eisenschüssigen Verwitterungsprodukten des Kalkes ihren Namen „Rote Klippen" verdankt. Tietze a. a. O., S. 27.

[2]) Hiermit stimmt das Alter der rosafarbigen Kalke zwischen Ubli und Kržanje überein, die undeutliche Fossilien (Rudisten?) enthielten und wegen der Einlagerung von Duga-Schiefern in dem nahen Becken von Rudoš wohl der Kreide angehören. Hassert a. a. O., S. 160.

[3]) Tietze a. a. O., S. 44. — L. Baldacci a. a. O., I, S. 39. — Horinski a. a. O., S. 75. 78. 79. 159. — Baumann a. a. O., S. 4. 5. 6. 7.

[4]) Der Bemerkung A. Baldaccis, der kalkige Untergrund des steilwandigen Trockenthales zwischen Ubli und Kržanje habe ein anderes Aussehen als die Kalke der Umgebung, lassen sich keine sichern Daten entnehmen. Vielleicht sind die von mir erwähnten rosafarbigen Kalke gemeint. — Tietze a. a. O., S. 13. 73. 74. 75. — L. Baldacci a. a. O., I, 13. 21. 22. — Baldacci, Altre Notizie etc., S. 32. — Hassert a. a. O., S. 182.

eine ziemlich einförmige Landschaft darstellt, ist das Küstengebirge. Nur sein Westabhang bietet einige Mannigfaltigkeit. Beim Aufstieg von Murić zur Bijela Skala durchwandert man stark verkarsteten, schütterbewaldeten Kalk, in dem als kleine Oasen die lachenden Fluren von Unter-, Mittel- und Ober-Murić verborgen sind. Beim Abstieg nach Antivari stellen sich sehr bald Kalkschiefer, helle Wengener Sandsteine und glimmerige Werfener Schichten ein, die leicht zu sanften, runden Bergformen verwittern, reich an Quellen und Bächen sind und von tiefen Schluchten durchfurcht werden. Dazu kommen die gewaltigen Verwerfungen und Faltungen, die vom Meere aus einen grofsartigen Anblick gewähren.

Von Nordnordwest nach Südsüdost verlaufend, bildet das Küstengebirge einen schmalen Hauptkamm, der, von einigen undeutlichen Nebenkämmen begleitet, unmerklich in das montenegrinische Karstplateau übergeht. Entsprechend dieser allmählichen Abdachung ist auch der Wechsel der geologischen Formationen ein sehr unauffälliger, und Tietze zog die Trias- und Kreidegrenze ganz willkürlich, wenngleich nicht gerade unrichtig, da die zwischen Grahovo und Cetinje öfters vorhandenen Rudisten nördlich von Bijelica das alleinige Anstehen von Kreidekalken verraten. Die hellen Korallenkalke des Lovćen, die teilweise mit grauen Mergelkalken verbunden sind und sich bis Scutari fortsetzen, wurden von Lipold und Höfer schon 1859 als triadisch gedeutet. Ersterer fand nämlich bei einem Ausfluge von Cattaro nach Cetinje die rhätische Stufe der oberen Trias durch Megalodus und Lithodendren vertreten, und Lipold wies bei dem aufgelassenen Grenzfort Stanjević Crinoiden und Aptychen, also oberjurassische Versteinerungen, in roten Kalken nach, die scharf gegen steil aufgerichtete, ebenfalls der rhätischen Stufe zugerechnete und bis Bijeloši streichende Kalke abstiefsen. Unter diesen Umständen kann man Baldacci kaum beistimmen, der nicht blofs den Lovćen, sondern den ganzen Gebirgskamm von Dide bis zur Crmnica als jurassisch auffafst. Übrigens haben auch die neuesten Forschungen v. Bukowskis dargelegt, dafs der Jura im Küstenlande eine sehr untergeordnete Rolle spielt und sich auf einige wenig mächtige Vorkommnisse beschränkt. Die Kalke östlich von Cetinje sind auf Grund ihrer stratigraphischen Verhältnisse und durch Rudisten als kretaceisch gekennzeichnet, und somit erscheint der Aufbau der nördlichen Hälfte des Küstengebirges nicht allzu schwierig[1]).

Die auf den Werfener Schiefern der Crmnica ruhenden Kalke sind triadisch, und demselben Alter kann man wohl diejenigen Schichten zurechnen, welche die nördliche Fortsetzung der auf paläozoischen Schiefern lagernden Kalke von Scutari bilden. Verfolgt man die bequeme Fahrstrafse von Virpazar nach Antivari, so findet man die unteren Gehänge des Sutorman-Passes noch immer aus Triaskalk zusammengesetzt, und Ebel entdeckte dort zahlreiche Stengelglieder eines Encriniten (vielleicht Encrinus moniliformis), welche die Eingeborenen für versteinertes Geld hielten. Zugleich stellt sich auf halber Pafshöhe ein fremdartiges System von thonigen Schiefern und Sandsteinen ein, in die undeutliche Korallen- und Muschelreste eingebettet sind. Baldacci spricht die Sandsteine als tertiäre Einlagerungen in den thonigen Schiefern an, Tietze aber hält sie auf Grund von Spiriferinenfunden (Spiriferina fragilis des Muschelkalkes?) für triadisch und zwar für Wengener Schichten, deren Äquivalente v. Bukowski in Süd-Dalmatien mehrmals antraf und die in Gesellschaft mit Werfener Schiefern und Eruptivgesteinen gleich oberhalb Antivari als schmale Streifen wieder auftreten (vgl. S. 20). Je höher man also am Sutorman-Passe emporklimmt, der tektonisch einer Mulde entspricht, um so jünger werden die Schichtenkomplexe, bis die höchsten Spitzen aus dolomitischen Rudistenkalken bestehen. Vielleicht gehört auch der Rumija-Kamm der Kreide an, obwohl diese Formation sich nach v. Bukowskis Aufnahmen weniger an der Zusammensetzung des Gebirges beteiligt, als man bisher

[1]) Lipold a. a. O., S. 25. 26. — Tietze a. a. O., S. 54. 55. 56. 67. — L. Baldacci a. a. O., I, 14. 40. — Baumann a. a. O., S. 4. — v. Bukowski a. a. O., S. 249.

annahm. In den Randbergen und der Ebene von Dulcigno kommt sie, wie Rudisten bezeugen, noch einigemal inmitten der Tertiär- und Quartärgebilde zum Vorschein, z. B. bei Zoganj und Kneta. Sonst waltet die Trias, und zwar die obere Trias, entschieden vor, und der Jura, dem Baldacci im Küstenlande ebenfalls eine gröfsere Verbreitung zuschrieb, beschränkt sich auf wenige unwesentliche Fundstätten bei Godinje, Spič und Antivari [1]).

Durch eine scharf abgeschnittene Scheidelinie, die jedenfalls eine gewaltige Verwerfung bezeichnet, werden die mesozoischen Formationen Montenegros vom Tertiär getrennt. Es steht nach Ausdehnung und Mächtigkeit weit hinter den älteren Sedimentablagerungen zurück und beschränkt sich auf den schmalen Küstenstreifen von Antivari bis Dulcigno, wobei es genau die Nordwest — Südost-Streichrichtung der entsprechenden Bildungen Süd-Dalmatiens fortsetzt. Ursprünglich war das montenegrinische Tertiär über einen ungleich gröfseren Flächenraum ausgebreitet als heute; allein die Brandungswellen des Meeres und tektonische Störungen zertrümmerten die wenig widerstandsfähigen Schichten, und nur aus den hier und da am Gestade anstehenden Resten kann man erkennen, dafs diese einst in ununterbrochenem Zusammenhange standen.

Schon das landschaftliche Bild weist auf den unplötzlichen Formationswechsel hin, denn statt des steilen Hochgebirges setzt ein sanft gewelltes Hügelland ein, dessen niedrige Ketten unter sich und mit dem Rumija-Kamme parallel laufen und somit die Hauptrichtung der montenegrinischen Bergketten wiederum zur Geltung bringen. Noch mehr zeigt die geologische Zusammensetzung den Unterschied gegenüber den Gebieten älterer Gesteine, indem sich Nummulitenkalke (Eocän), Flysch (Oligocän) und marines Neogen (das entweder miocän oder pliocän ist) an dem Aufbau des Küstenlandes beteiligen. Ihnen schliefsen sich flyschartige Gebilde an, die man im Innern Montenegros häufig trifft; doch gehören sie höchstwahrscheinlich nicht dem Tertiär an, sondern stellen eine eigentümliche Entwickelungsform der Kreide dar.

Obwohl die Kalke unseres Gebietes sehr selten — bei Snerč und Reč an der Bojana und bei Kunje — Nummuliten enthalten, die übrigens in Griechenland, Epirus, Kreta und Klein-Asien gemeinsam mit Rudisten schon in den obersten Etagen der Kreide vorkommen [2]), so sind sie nicht blofs wegen der Petrefaktenfunde, sondern auch deshalb als Nummulitenkalke erkannt worden, weil sie in der Verlängerung der gleichalterigen Kalke von Cattaro liegen. Sie haben einen muscheligen Bruch, eine weifse oder graue Farbe, sind bald dicht, bald breccienhaft oder thonig (bei Kruci) und beherbergen in ihren Höhlungen tiefrote terra rossa.

Die Kalkrücken der Velujica, Možura und Bijela Gora sind gleichsam das Knochengerüst für die Flyscheinlagerungen, welche die langgestreckten Mulden ausfüllen. Der Küstenflysch besteht aus dunkelgrünen, thonigen Schiefern, die mehr oder minder schuppig und blätterig sind, Fucoidenreste und glimmerige Sandsteine enthalten und in ihrem Aussehen oft an Werfener Schiefer erinnern. Gemäfs ihrer Zusammensetzung verwittern die leicht ablösbaren und zerbröckelnden Massen viel schneller als der Kalk, und dieser Gegensatz verursacht die abwechselungsvollen Küstenformen, indem einspringende Buchten und vorragende Felszungen, diese im Kalk, jene im Schiefer gelegen, sich beständig aneinanderreihen. Ferner ist der Kalk arm, der Flysch dagegen reich an Erde, Pflanzen und Wasser, und zahllose Rinnsale durchziehen die schuttigen Massen mit einem unentwirrbaren Netz von Rinnen und Thälchen. Je höher sich die drei Flyschbecken über die Adria erheben und je weiter sie von ihr entfernt sind, um so gröfser ist die Mächtigkeit des sie ausfüllenden Materials, während die Mulden in der Nachbarschaft von Dulcigno, die das Meer

[1]) Ebel a. a. O., S. 101. — Boué, Die Europäische Türkei, I, 177. — Tietze a. a. O., S. 61. 62. 63. 64. 68. 69. 74. 85. — L. Baldacci a. a. O., I, S. 14. 15. 16. 17. 18. 43. — Rovinski a. a. O., S. 151. — v. Bukowski a. a. O., S. 249. — Hassert a. a. O., S. 198. 202. 224. 227.

[2]) Philippson a. a. O., S. 392 f.

beim Vordringen zuerst bedeckte und beim Zurückweichen zuletzt verliefs, ihrer Schieferhülle fast ganz beraubt sind.

Am raschesten von den Fluten zerstört und daher nur noch in spärlichen Überbleibseln erhalten sind die Neogen-Ablagerungen, die den hügeligen Untergrund und den Hafen von Dulcigno zusammensetzen. Sie werden von Nulliporenkalken und in der unmittelbaren Umgebung der seichten, engen Bucht von gelbbraunen, thonigen und mergeligen Sandsteinen gebildet, die wiederum Bänke von Nulliporenkalken und Muschelschalen der Gattungen Ostrea und Pecten umschliefsen. Bei den 7 km nordöstlich liegenden Dorfe Pistola stellen sich am Fufse der Možura Planina dieselben Ostrea- und Pectenschichten nochmals ein und überlagern mehrere Adern eines abbauwürdigen Lignits.

Von dem Küstenflysch sind die flyschähnlichen Gebilde streng zu scheiden, die im Gebiete der Kreide öfters auftreten und aus mehr als einem Grunde eine gewisse Sonderstellung beanspruchen. Obwohl sie bald den Werfener Schiefern (Povija), bald dem Küstenflysch gleichen (Radovce), zeigen sie so auffallende Verschiedenheiten gegenüber den untertriadischen und tertiären Schiefern, dafs es geraten erscheint, sie von beiden zu trennen und als eine eigentümliche Facies der Kreide aufzufassen. Sie finden sich gewöhnlich als hellgelbe Sandsteine, Sandsteinschiefer und Mergel, sind häufig mit roten oder grünen Schiefern vergesellschaftet und gehen zuweilen (Zlatica, Slano Jezero) in hieroglyphenführenden Sandstein über. Die Mergel des Kesselthales von Radovce lassen Fucoidenreste erkennen, und zuweilen wurden auch rote oder grüne Thone mit schönen Gipskristallen beobachtet.

Aber nicht nur dafs der Habitus dieser Schiefer und Sandsteine ein andrer als derjenige der entsprechenden Küstenbildungen ist und Tietze vielfach an den Flysch der Karpathen erinnerte, noch mehr weisen die Lagerungsverhältnisse darauf hin, dafs ihre Zugehörigkeit zum Eocän, die u. a. Baldacci annimmt, nichts weniger als feststeht. Erstens sind sie in isolierten, zusammenhangslosen Partien über die Kreide zerstreut, und wenn sie auch wie der Küstenflysch mit Vorliebe Becken ausfüllen, so bedecken sie nicht wie jener den ganzen Boden, sondern nur einen kleinen Teil desselben. Überdies wird man bei genauerer Prüfung gewahr, dafs die scheinbaren Einlagerungen in Wirklichkeit Zwischenlagerungen sind, die gleich dem Kreideflysch von Čemerno und Ulog in den Kalk eingeschaltet sind. Das versteinerungslose Kalkmassiv des Ostrog ruht auf den Rudistenkalken des gleichnamigen Klosters, die unteren Abhänge des Zeta-Thales sind durch Rudisten ebenfalls als kretaceisch gekennzeichnet, und zwischen beiden Kalkkomplexen kommen bei Povija dünnblätterige Flyschbildungen zum Vorschein. Ähnliches wiederholt sich am Slano Jezero, im Polje von Radovce, bei Gostilje &c., und da die benachbarten Kalke nirgends grofse Schichtstörungen durchgemacht haben, so liegt kein Grund für die Vermutung vor, dafs der Flysch eocän sei und sich in überstürzte Falten der Kreidekalke eingeklemmt habe. Am ehesten könnte man noch die Flyschsandsteine des Zeta-Thales für eocän halten, weil dieses an seinem höchsten Punkte nur 80 m über dem Meeresspiegel liegt; doch spricht das Aussehen der dünnblätterigen, hellen Gesteine nicht für eine Zugehörigkeit zum Küstenflysch. Was endlich die schieferigen Bildungen von Lješevica und Crni Kuk, die mergeligen, mit Säuren brausenden, hellgrünen Einlagerungen zwischen Grahovo und Dobragora [1]) und die grünen, chloritischen, mehr oder minder schieferigen Kalke bei Bijelica angeht, so hält es vom rein petrographischen Standpunkte schwer, sie als Kreideflysch oder Kreideschiefer zu deuten, ihrem Alter nach sind sie aber wohl zweifelsohne kretaceisch [2]). Flysch und Schiefer sind als wasserundurchlässige Schichten

---

[1]) Vielleicht meint Tietze das Gebiet von Izvor, dessen Name „Quelle“ auf das Vorhandensein einer solchen und somit auch auf die Anwesenheit einer undurchlässigen Schicht hinweist.

[2]) Boué a. a. O., I, 180. — v. Mojsisovics, Tietze, Bittner, John, Neumayr a. a. O., S. 239. — G. Stache, Übersicht der geologischen Verhältnisse der Küstenländer von Österreich-Ungarn, 1889, S. 16. 17. — Tietze a. a. O., S. 44. 45. 50. 53. 65. 66. 72. 73. 86—89. 91. 93. — L. Baldacci a. a. O., 1, 12. 13. 20. 41. 42. — v. Déchy a. a. O., S. 9. — Baumann a. a. O., S. 4. — Rovinski a. a. O., S. 129. — Hassert a. a. O., S. 361.

nicht unwichtig und bilden die einzige Abwechselung in dem ermüdenden Einerlei der Kreidekalke.

Vor dem Berliner Vertrage war Montenegro ausschliefslich Gebirgsland und besafs nur einige unbedeutende Ebenen. Erst seit 1878 erfreut es sich eines ausgedehnten Niederungsgebietes, und so nimmt heute das Quartär in hervorragendem Mafse am geologischen Bau des Fürstentums teil. Sehen wir von den Zersetzungsrückständen des Kalkes, der sogenannten terra rossa, und von der Verwitterungskrume der Schieferzone ab, so wird das Quartär hauptsächlich durch Alluvionen vertreten, die je nach ihrer Gröfse in Konglomerate und feines Erdreich zerfallen. Sie zeigen in ihrer Zusammensetzung manche Abweichung, indem sie blofs aus Kalktrümmern oder aus den Rollstücken aller derjenigen Schicht- und Eruptivgesteine bestehen, die der Flufs auf seinem Wege zum Meere angeschnitten und mit fortgeführt hat. Endlich können wir die Einschwemmungsprodukte nach ihren Vorkommnissen in drei grofse Gruppen scheiden: in das Tiefland um den Scutari-See, die Konglomeratbänke der Flüsse und die Bodenausfüllungen der blinden Karstthäler.

Die Ebenen um den Scutari-See, die einen Flächenraum von 1500 qkm einnehmen und sich jenseit der Bojona weit nach Süden fortsetzen, stellen die ausgedehnteste Entwickelung des Quartärs in Montenegro dar. Ursprünglich waren sie von den Gebirgsketten der Rumija und Albanesischen Alpen bedeckt, aber gewaltige Katastrophen schufen das bekannte Adriatische Einbruchsbecken, ein Meerbusen drang tief ins Innere vor und von den Gebirgen blieben blofs vereinzelte Kuppen übrig, die als Inseln aus den Fluten emporragten. Da diese Klippen hier und da Petrefakten enthalten — Nummuliten in den Hügeln von Šinkol und Reč, Kreideversteinerungen in der Zanosirak Gora und in den Bergkuppen bei Gradiska — oder wie die Triaskalke des Festungsberges von Scutari auf paläozoischen Schiefern ruhen, so ist tertiäres, kretaceisches und triadisches Alter unzweifelhaft, und aus ihrer Anwesenheit geht zugleich hervor, dafs der Einbruch erst nach Ablagerung der Nummulitenkalke stattfand. Die Schuttausfüllung begann demnach ebenfalls im Tertiär und dauert bis in unsere Tage fort. Die untersten Schichten, die mit Sandsteinen und Thonen wechsellagern, kann man wohl sicher als pliocän auffassen, und die darüber folgenden Absätze rechnet Tietze zum Diluvium, Boué mit geringem Altersunterschied zum ältern Alluvium [1]). Über diese breiten sich die Rollsteine und Humuslagen, welche die Flüsse noch heute absetzen, und vor allem ist es die Morača, welche den Ebenen kolossale Trümmermassen zuführt, während die träge dahinschleichenden Ströme Rijeka, Zeta und Bojana vorzugsweise feines Erdreich liefern.

Mit der Zeit verlandete die ausgedehnte Bucht wieder, indem die einmündenden Flüsse den Boden mit ihren Sinkstoffen ausfüllten, und an die Stelle der einstigen Gebirge trat ein fast horizontales Tiefland, in dem die Kalkinseln jetzt als isolierte Klippen emporragen. Die ablagernde Thätigkeit des Wassers ging hierbei in zwei getrennten Gebieten vor sich; denn die Randgebirge des Scutari-Sees treten bei Scutari ganz nahe aneinander und lassen für die Bojana nur einen schmalen Ausweg frei, der wohl nicht durch jene tektonische Katastrophe, sondern erst später durch die Erosion der eingeschlossenen Fluten geschaffen wurde. Zugleich mit der Aufschüttung des Drin-Golfes fand also diejenige der Ebene um den Scutari-See statt, und die wenig gestörte Schichtung der Konglomerate beweist, dafs sie in dem ruhigen Wasser eines Binnensees und nicht am Grunde eines aufgeregten Meeres abgesetzt wurden.

---

204. 213. — Die Kreideflysch-Vorkommnisse sind sämtlich auf der Karte angegeben, weshalb ihre Aufzählung überflüssig ist.

[1]) Boué glaubte anfangs, dafs ein Teil der Konglomeratmassen den Leitha-Gebilden angehöre, und ein anderes Mal erörterte er sogar die Frage, ob man es hier nicht mit Glacialbildungen zu thun habe. Da er seine Reiseergebnisse mit bewundernswertem Scharfsinn dem jeweiligen Standpunkte der Wissenschaft anzupassen verstand, so gab er auch diese Theorie wieder auf, weil er nirgends erratische Blöcke fand und weil den Konglomeraten das wirre Durcheinander des Moränenschuttes fehlte.

Die Tiefe des alten Wasserbeckens, das von Scutari bis zur Einmündung der Zeta in die Morača, wenn nicht gar bis über Spuž hinausreichte, scheint eine nicht unbeträchtliche gewesen zu sein und ist hier und da noch gut erkennbar. Verbackene Geröllmassen, die den jeweiligen Grund des Wasserspiegels anzeigen, bilden bei Scutari förmliche Hügel oder überziehen andere mit einer mehr oder minder dicken Kruste. Einzelne Bergkuppen südlich des Hoti Hum, die 150 m über der Ebene liegen, besitzen ebenfalls eine solche Konglomeratdecke, und endlich wird der 60 m hohe Bergzug von Pistola von ihnen gekrönt. Wo sich günstige Profile darbieten, kann man die Mächtigkeit der Konglomeratausfüllungen, die man auf 75 m geschätzt hat, auch im Flachlande wahrnehmen. Die Flüsse, die sich steilwandige Betten in das lockere Erdreich gewühlt haben, schliefsen erst im nördlichsten Teile der Ebene, von der Vezirbrücke (Vezirov Most) an aufwärts, die unterlagernden Kreidekalke auf, während die 25 m hohen Uferränder der Morača bei Podgorica (am verfallenen Kastell und an der Fähre) ausschliefslich von Konglomeraten zusammengesetzt werden und nirgends die liegende Kalkzone blofsgelegt haben. Auch die Cijevna engen schroffe, stark unterhöhlte Ufer ein, aber bei ihr und der Morača läfst sich leicht feststellen, dafs die verkitteten Rollsteinbänke flufsabwärts immer mehr an Mächtigkeit verlieren, um schliefslich unter einer in gleichem Verhältnis anwachsenden Humusschicht zu verschwinden.

Diese im landschaftlichen Bilde sofort bemerkbaren Gegensätze — nördlich der Linie Hum-Žabljak eine steppenhafte, unfruchtbare Konglomeratfläche, südlich derselben eine von wogenden Maisfeldern und grünen Wiesen bedeckte Aue — sind nicht schwer zu erklären. Da die endlose Niederung, d. h. der Grund des einstigen Sees, bis zum Gebirgsfufs unter Wasser stand und nur geringe Höhenunterschiede aufwies, so mufsten die reifsenden Bergströme beim Eintritt in die Ebene aufserordentlich an Geschwindigkeit und Transportfähigkeit verlieren und ihre gröberen Geschiebe unmittelbar am Beckenrande ablagern, während sich die leichten Humusteilchen erst viel später niederschlugen. Je mehr Gerölle die Wasserläufe mitbrachten, um so weiter schoben sich ihre Schuttkegel vor und wurden mit der Zeit verfestigt. Als nun der See einen Ausweg fand und zurückwich, schnitten sich die Flüsse tief in ihre eigenen zu Konglomeraten gewordenen Schotter ein und schoben ihre Geröllmassen während des Hochwassers bis zum Skadarsko Jezero, dem letzten Reste des alten Sees, vor, der als Klärungsbecken wirkte und nur noch die feinen Sinkstoffe weiter fortführte. Die Erscheinung läfst sich bei der untern Morača noch sehr gut beobachten, denn im Sommer ist sie ein mehrere hundert Meter breiter, hell leuchtender Geröllstreifen, der nur hier und da kleine Wassertümpel enthält; im Winter aber gleicht sie einem majestätischen Strome und reifst zahllose Trümmer mit sich fort. Die Bojana bekommt ihre Geschiebe ausschliefslich von den verlegten Flufsarmen des Drin und Kiri, die montenegrinischen Ströme und der Scutari-See dagegen bedingen ihren Reichtum an erdigem Material. — Die Ebene dacht sich unmerklich nach Süden ab; daher hielt sich dort das Wasser am längsten, und die feinen Sinkstoffe konnten sich ungestört in ihm niederschlagen. Je näher man der tiefsten Stelle des weiten Beckens, dem Skadarsko Jezero, kommt, um so mächtiger wird die Humusschicht, und die Flüsse, die sich 2, 3 und mehr Meter tief eingegraben haben, legen nirgends die Geröllbänke oder gar das anstehende Gestein blofs.

Dieselbe Bodenzusammensetzung zeigt das Niederland des Drin und der Bojana, das ebenfalls von einem grofsen See überflutet und von den Alluvionen beider Ströme ausgefüllt ward. Auch hier umsäumen verbackene Konglomerate das Gebirge, und über sie lagert sich eine Erdhülle, in der ein Stein so selten wie im Karste ein Humusfleckchen ist und in der die tief eingeschnittenen Flüsse nur beim Durchbrechen der quer zu ihrem Laufe streichenden Hügelreihen den anstehenden Kalk erkennen lassen [1]).

---

[1]) Boué a. a. O., I, 177. 191. 192. — v. Hahn, Albanesische Studien, 1853, S. 112. — Boué, Der albanesische Drin, 1864, S. 7 8. — Die Kutschi, 1879, S. 367. — v. Kaulbars a. a. O., S. 48. 49. — Baumann,

Gegenüber den quartären und rezenten Ablagerungen in den Ebenen treten die Konglomerate, aus denen die kleinen Ebenen von Andrijevica, Kolašin, Kloster Morača und Komarnica bestehen, und die sich beiderseits der Flüsse zu hohen Mauern aufgehäuft haben, entschieden zurück. Es ist eine Eigentümlichkeit der meisten montenegrinischen Wasserläufe, ihr Bett mit mächtigen Schottermassen zu umsäumen, sich dann wieder in dieselben einzuwühlen und endlich in tiefer Furche die Konglomeratschichten der Niederungen zu durchziehen. Eine Ausnahme macht die Rijeka, denn sie ist kein Bergstrom, sondern ein fast stillstehender Arm des Scutari-Sees, und die verbackenen Geschiebe im Unterlaufe der Zeta[1] sind wohl eher Absätze des alten Sees, der einst das ganze Thal erfüllte.

Weil die montenegrinischen Ströme ihre Thäler noch nicht vollkommen ausgearbeitet haben, so schiefsen sie pfeilschnellen Laufs dahin und schleppen beträchtliche Geröllmengen mit fort. Während der Schneeschmelze und nach heftigen Niederschlägen erreicht ihre Geschwindigkeit, Wasser- und Schuttführung einen aufserordentlichen Betrag, und dann schwellen auch die periodischen Flüsse vom Typus der Mala Rijeka, die im Sommer vollständig wasserlos sind, zu reifsenden Wildbächen an. Früher waren die Rinnsale ergiebiger und beständiger als jetzt, so dafs der Absatz ihrer Geschiebe viel gleichmäfsiger vonstatten gehen konnte. Mit der Entwaldung nahmen aber Wasser und Transportkraft ab, und die Flüsse konnten selbst im Winter die Trümmer nicht beseitigen. Daher grub sich in die allmählich cementierten Massen derselbe Strom, der sie herbeigeschafft, ein neues Bett, so dafs er nun seine erodierende Arbeit nicht mehr an den eigentlichen Thalwänden ausüben kann. Er mufs zuerst den Konglomeratmantel beseitigen und in die Ebene führen, weshalb deren lose oder verfestigte Geschiebe zu einem guten Teile von jenen abgesetzten, wieder losgelösten und vertragenen Geröllbänken herrühren.

Da sich die Geschiebe durch ihre Menge und das starke Gefäll rasch abschleifen, so werden die Schottermauern von nufs- oder eigrofsen, seltener kopfgrofsen oder noch gröfseren Rollstücken aufgebaut, die je nach der geologischen Zusammensetzung des Zuführgebiets aus Kalk oder aus allen den Gesteinsarten bestehen, die der Flufs nebst seinen Bachen angeschnitten hat. Nach der Geschwindigkeit des Wassers und der Entfernung von der ursprünglichen Lagerstätte richtet sich ebenfalls der Durchmesser der Gerölle, die bei den Bergströmen mehr oder minder grob sind, während in der Zeta-Niederung feiner Dolomitkies lagert, über den sich eine tiefgründige Humusschicht breitet. Die undeutlich oder nicht geschichteten Bänke besitzen ein kalkiges oder ockeriges Bindemittel, das grau, gelb oder rot gefärbt und nicht sonderlich fest ist. Nur von den runden, glatten Kalkkonglomeraten bei Ugni (Crmnica) berichtet Schwarz, dafs sie an Härte dem Kalke nichts nachgeben. Daher sind die Uferwände leicht zerstörbar, und Blöcke aller Formen und Gröfsen, darunter solche von Haushöhe, liegen in den Flüssen zerstreut, während die obern Schichten von Höhlen erfüllt werden, die an der Morača als Viehställe dienen.

Die Höhe der diluvialen Schotter über dem heutigen Wasserspiegel ist eine nicht unbedeutende. An der Drina-Fähre bei Foča beträgt sie 35 m, an der Tušina unterhalb Bohan 45 m und beim Monastir Morački sogar 60 m. Die kleine Konglomeratebene, auf der das Kloster ruht, ist eine senkrecht zur Morača abstürzende Schotterterrasse und geht samt ihren Gebäuden unaufhaltsam dem Untergang entgegen, da die lose verkitteten, unterwühlten Rollsteine der Erosion keinen nachhaltigen Widerstand leisten. Bereits liegen

---

Reise durch Montenegro, 1881, S. 601. — Baumann, Podgorica, 1885, S. 29. — Schwarz a. a. O., S. 183. 235. 246. 252. — Tietze a. a. O., S. 70. 71. 73 f. 89. 225. — L. Baldacci a. a. O., I, 42; II, 13. — Rovinski a. a. O., S. 116. 117. 119. 264. — Boué, Recueil d'itinéraires, 1854, II, 164. — Baumann, Über Tuzi nach Scutari, 1884, S. 106. 107. — Th. Fischer in Kirchhoff, Länderkunde von Europa, 1891, II, 130. — Jovičević, Nješto o Zeti, 9. VII. 1894.

[1] Die Zeta-Konglomerate haben in den alten türkischen Pflasterwegen (Kaldrma) bei Spuž eine ausgiebige Verwendung gefunden.

mächtige Blöcke in den brausenden Fluten, und zahlreiche Quellen und Kaskaden, die im Verein mit dem Strome eine gewaltige, aber gänzlich unbenutzte Wasserkraft liefern, arbeiten unaufhaltsam an der Zerstörung des leicht abbröckelnden Untergrundes. Die Morača ist überhaupt von allen Strömen Montenegros durch massenhafte, nachträglich verkittete Flußabsätze ausgezeichnet, die schon im Quellgebiet beginnen und erst unweit des Scutari-Sees aufhören. Besonders originell ist der Mittellauf, wo das schäumende Gebirgswasser eine perlenschnurartige Beckenkette durchbrach und mit seinem Schutt ausfüllte, um sich dann wieder in letztern einzusägen. Die längst beseitigten Querriegel sind so schmal, daß zwischen ihnen nur der Fluß Raum hat, während ein kümmerlicher Pfad sich an den steilen Wänden hinzieht. Die launischen Krümmungen des Bettes zwingen den Wanderer zu unliebsamen Umwegen, und obwohl sich die Morača 10, 15 und mehr Meter tief in die Konglomerate eingewühlt hat, ist nirgends das unterlagernde Gestein bloßgelegt. Die Becken haben ein wenig anheimelndes Äußere, weil unter der spärlichen Bodenkrume überall die verbackenen Gerölle zum Vorschein kommen, und die im Strome zerstreuten Trümmer vollenden das traurige Bild der Zerstörung.

Wie die Morača, so ist auch die Drina nebst ihren Zuflüssen reich an Konglomeraten, die nach Boué das Niveau eines alten Sees zwischen Šćepangrad und Foča anzeigen. Mag man an der Tara bei Mateševo, Kolašin oder Tepca stehen, mag man die Piva beim gleichnamigen Kloster oder in ihrem Oberlauf bei Bohan erblicken und mag man das Lim-Gebiet betreten, wo man will, überall begegnen einem die schroffen Schotterwände, und sie sind so charakteristische Erscheinungen, daß sie es wohl verdienen, als solche auf der Karte hervorgehoben zu werden [1]).

Die Dolinen sind wegen ihrer anbaufähigen Humusausfüllung die Oasen des Karstes genannt worden, aber noch besser paßt diese Bezeichnung für die ausgedehnten Kesselthäler inmitten der öden Kalkwüste. Die Horizontalität des Bodens, der unvermittelte Übergang vom weichen Erdreich zum nackten Berghang und die Anwesenheit von Rollstücken machen es unzweifelhaft, daß wir in letzteren ausgetrocknete Karstseen vor uns haben, und die Eigentümlichkeiten, die ein Polje aufweist, kehren in den andern mit auffallender Gleichmäßigkeit wieder. Die strandlinienartigen Streifen und die Brandungserscheinungen, die man im Becken von Nikšić und Komarnica beobachten kann, finden sich auch in den andern Poljen, und fast alle werden zur Hochwasserzeit von periodischen Überschwemmungen und Seebildungen heimgesucht. In den Kesselthälern von Cetinje und Grahovo bestehen die obersten Ablagerungen aus einer Humusdecke; darunter folgen feine kiesartige Gerölle, die immer gröber werden und sich zu Konglomeraten befestigen [2]), indem die vom Sickerwasser aufgelösten Mineralbestandteile in der Tiefe wieder zur Ausscheidung gelangen. Wo die Erdschicht nicht zu dünn ist, hält sie die Feuchtigkeit länger zurück, liefert gutes Ackerland und gibt Anlaß zum Absatz von Raseneisenstein (z. B. bei Danilovgrad, Trebješka Gora im Nikšićko Polje); ist sie nur wenig mächtig, so bleibt der Boden dürr und unfruchtbar, weil die Niederschläge rasch versinken und sich zum Grundwasser aufstauen. Daher ist die Ebene von Nikšić nicht allzu sehr bebaut, zumal, nach der Tiefe der städtischen Zisternen zu urteilen, der Grundwasserspiegel erst 10—15 m unter der Oberfläche liegt. Aus demselben Grunde sind die Flüsse, die auch hier die leicht zerstörbaren Ufer unterwühlen, den Sommer über trocken. Denn obwohl sie sich in den lose

---

[1]) Boué, Recueil d'itinéraires, II, 153. 193. 195. — Boué, Mineralogisch-geognostisches Detail über einige meiner Reiserouten, S. 19. — Tietze a. a. O., S. 15. 20. 24. 70. 74. 75. 89. — L. Baldacci a. a. O., I, 13. 25. 29. 30. — Schwarz a. a. O., S. 101. 320. 321. 409. — Hassert, Reise durch Montenegro, S. 20. 77. 86. 96. 100. 105. 118. 121. 147. 149. 178. 179. 181. 183. — Hassert, Zweite Reise durch Montenegro, S. 340. — v. Kaulbars a. a. O., S. 48. — Rovinski a. a. O., S. 156. 240. 260.

[2]) Man kann im Cetinjsko Polje auch an der Oberfläche Konglomerate beobachten, denn man findet oft rötliche, bläuliche, graue und weiße Kalkbröckchen von Stecknadelkopf- bis Haselnußgröße, die durch ein leicht zerreibliches Bindemittel aus feinen Kalk- und Humusteilchen nicht übertrieben fest verkittet sind.

verbundenen Schotter, der vorwaltend aus Kalk und Dolomit, und soweit er aus der Gračanica stammt, auch aus Eruptivgesteinen und Werfener Schiefer besteht, mehrere Meter tief eingegraben haben, so sind sie mit ihrem Bett noch nicht bis zum Grundwasser gelangt. Anderseits kann der Boden trotz einer mehr oder minder ergiebigen Humusdecke dennoch wasserlos sein, weil die Niederschläge im klüftigen Gestein verschwinden, und darum ist das hochgelegene Becken von Trmanje (1000 m) gänzlich wasserlos. Wir werden später auf die blinden Thäler ausführlicher zurückkommen und können uns hier mit diesen kurzen Bemerkungen begnügen [1].

Mit natürlichen Bodenschätzen — um auch diesen noch einige Worte zu widmen — ist Montenegro nur in geringem Maße ausgestattet, und seine geologische Zusammensetzung gibt wenig Hoffnung, außer den bereits bekannten Fundorten noch viele andre zu entdecken. Zum allergrößten Teile besteht das Fürstentum aus Karstkalk. Der Karst aber ist im allgemeinen und besonders im Mittelmeergebiet arm an nutzbaren Produkten, und wenn man hier und dort ein abbauwürdiges Erz- oder Minerallager aufgeschlossen hat, so würde sich seine Ausbeute bei der Abgelegenheit und Unzugänglichkeit der Gegend und bei dem heutigen Stande der Marktpreise kaum lohnen. Solange die landesüblichen Wege nicht durch Fahrstraßen oder Eisenbahnen ersetzt sind, und ehe nicht der bequeme und billige Wagentransport an Stelle des teuren und unzureichenden Saumtiertransports tritt, ist an einen gewinnbringenden Bergbau nie zu denken, und überdies bleibt abzuwarten, ob sich die Hoffnungen verwirklichen, die man an die neuerdings gefundenen Erz- und Kohlenlager geknüpft hat. Alle bisher unternommenen Abbauversuche, die, wie Reste alter Werkzeuge im Schlamm der Petroleumquellen von Bukovik und alte Stollen in den Schwefelkieslagern der Lovička Greda und des Durmitor beweisen, schon früh angestellt wurden, gingen wieder ein, und von den fabelhaften Reichtümern an Gold, Silber, Eisen, Kupfer, Schwefel und Vitriol, deren sich die Crmnica nach den Angaben des leichtgläubigen Vialla erfreuen sollte, sind in Wirklichkeit nur einige Erzlager, Malachitinkrustate und Petroleumquellen vorhanden.

Die Hauptrolle im Haushalte der Eingebornen spielt jedenfalls der Kalk, der als Baumaterial und Straßenschotter verwendet wird. Auch seine bekannte und gesuchte Abart, der Marmor, fehlt nicht, aber die ungenügenden Verkehrsverhältnisse und die hohen Löhne stehen seiner Verarbeitung hindernd entgegen. Gipsflötze, Achatdrusen und Granaten, letztere besonders häufig in der Orahoštica, haben wegen ihrer beschränkten Verbreitung keinen Nutzen, und ebenso ist der auf dem Sutorman-Paß entdeckte Malachit viel zu unbedeutend, um irgendwelche Wichtigkeit zu erlangen [2]. Abgesehen von diesen Vorkommnissen gliedern sich die wichtigsten Bodenschätze Montenegros in folgende Gruppen: 1) Limonitlager, 2) Manganitlager, 3) Schwefelkieslager, 4) Goldfunde, 5) Mineralquellen, 6) Petroleum und Asphalt, 7) Kohlenlager.

Hämatit (Roteisenstein) und Limonit (Braun- oder Raseneisenstein, Bohnerz) sind die verbreitetsten montenegrinischen Eisenerze und wurden als wenig mächtige Bildungen schon von Boué und Kovalevski in Vasojevići beobachtet. Durch ihre rotbraune Farbe und ihre bald dichte, bald körnige Beschaffenheit heben sie sich leicht vom hellen Kalke ab, und deshalb hat man sie wohl so oft bemerkt. Überall, in den Banjani, im Durmitor, auf dem Ključ und der Bjelasica, an der Bukovica, zwischen Štitovo und Morakovo, in der Lukavica, der Mulde Ponikvica, in den Randbergen der Crmnica, im thonigen Alluvium der Zeta, im feuchten Boden der Becken von Nikšić und Grabovo &c., ist ihre Gegenwart festgestellt worden. Da sie aber nur dünne Überzüge bilden oder als schwache

---

[1] v. Kaulbars a. a. O., S. 49. — Tietze a. a. O., S. 23. 24. 40. 52. 55. — L. Baldacci a. a. O., I, 18. 29. 37. 40. — Rovinski a. a. O., S. 87. — Hassert, Reise durch Montenegro, S. 20. 24. 180.

[2] Vialla de Sommières a. a. O., II, 206. 210. 211. — Tietze a. a. O., S. 62. — L. Baldacci a. a. O., I, 9. 17. 21; II, 1. 16. 21. — Rovinski a. a. O., S. 150. 151. 155.

Trümmer die Klüfte ausfüllen, sehr oft mit Schwefelkies vergesellschaftet und obendrein von schlechter, unreiner Qualität sind, so geht ihnen jeder Wert ab, und es bleiben blofs fünf Fundstätten übrig, die in Zukunft vielleicht von einiger Bedeutung werden können.

Der Limonit der Sozina Planina (Crmnica) besitzt einen Eisengehalt von 51% und der Brauneisenstein von Čelina (obere Morača) einen solchen von 50%. In dieser Beziehung genügen also beide den Ansprüchen der Technik, und dazu kommt, dafs sie sehr rein und vor allem frei von Schwefelkiesbeimengungen sind, deren Anwesenheit die Verwendbarkeit des Eisenerzes stark beeinträchtigt. Geringer, 48%, ist der Eisengehalt des Limonits der Duga-Pässe, und noch weniger, 30%, beträgt er nach beiläufiger Schätzung in den Bohnerzen der Prekornica und der Široka Korita, die ohne Regelmäfsigkeit als Körner und Knollen im Humus- und Terra rossa-Boden jener Mulden zerstreut sind. Auch diese Erze sind ziemlich rein und würden bei uns voraussichtlich abgebaut werden; in Montenegro dagegen fehlen fast sämtliche Bedingungen zu einer gewinnbringenden Verarbeitung, und die erforderlichen Einrichtungen und Geräte müssen erst aus dem Auslande herbeigeschafft werden. Nun sind aber die Duga-Pässe und die Sozina Planina des Hochwaldes gänzlich beraubt, die Prekornica und Široka Korita entbehren der notwendigen Wasserkraft, und nur die Umgebung von Čelina bietet die Möglichkeit dar, die Erze an Ort und Stelle zu verhütten. Am ausgedehntesten scheint der Raseneisenstein der Sozina Planina zu sein; ihm folgen die 2½ bis 3 m mächtigen Eisenoolithbänke von Vir und Presjeka (Duga-Pässe), die nach den Rändern zu immer ärmer und schlechter werden. In der Prekornica (oberhalb Staro Selo) tritt das rostbraune, mit erbsen- oder stecknadelkopfgrofsen Kügelchen besetzte Gestein überall in den Dolinen zu Tage, und die in der Široka Korita schon oberhalb Orahovo massenhaft zerstreuten Bohnerze sollen nach Aussage der Eingebornen in der Nachbarschaft von Andrijevica noch viel häufiger sein.

Eine verheifsungsvollere Zukunft können die Manganit- und Pyrolusitfunde von Boljeviči haben, weil von hier aus eine bequeme Fahrstrafse zum Meere führt und weil Brennmaterial und Wasserkraft reichlich vorhanden sind. An der Kontaktzone zwischen Diabasen, Werfener Schiefern und Kalken bemerkt man kleine schwarze Körnchen jenes Erzes in Gesellschaft mit dünnen Blättchen von Antimonnickelglanz, und die während meiner Anwesenheit angestellten Versuche versprachen betreffs der Mächtigkeit des Lagers günstige Resultate. In nicht allzu grofser Höhe über der Crmnica-Niederung wurde ein Stollen in den Berghang getrieben, und neuern Berichten des Glas Crnogorca zufolge waren auch diese Arbeiten von Erfolg begleitet. Doch liesen die in Paris ausgeführten Analysen eine sehr abweichende Zusammensetzung erkennen, indem einmal 90%, ein andermal nur 4% Mangan in den eingesandten Erzen gefunden wurden, und bevor aufser der Mächtigkeit nicht auch die gute Qualität des Erzes nachgewiesen ist, darf man noch keine allzu kühnen Pläne schmieden. — Die unbedeutenden Pyrolusitvorkommnisse am Zusammenflusse der Zlorječica und Perućica und bei Ceouni seien blofs der Vollständigkeit halber erwähnt.

Viel geringere Aussichten hat der Abbau der Schwefelkiese, die hin und wieder am Durmitor, als Inkrustationen und Knollen in den Kalken von Popoviči (Piperi) und im Kreideflysch des Beckens von Radovce auftreten. Scharf ausgebildete messinggelbe Pyritkryställchen in den Schiefergeröllen der Lim-Zuflüsse verrieten den Umwohnern schon längst das Vorhandensein eines gröfsern Lagers, und Baldacci entdeckte ein solches in den paläozoischen Schiefern der Bäche Babo und Bradavac. Leider wird es dem Lande wohl kaum einen Vorteil bringen, da jene Gegend wegen der Nachbarschaft der Albanesen sehr unsicher ist, und da der Kies keine Spuren von andern Metallen, besonders von Nickel, Kobalt oder Kupfer, enthält, um derentwillen er überhaupt abgebaut werden könnte. Es müfste denn gelingen, dafs die chemische Untersuchung in ihm das kostbarste aller Metalle, das Gold, feststellt, wie es nach v. Foullons Analysen in den Schwefelkiesen der paläozoischen Schiefer Bosniens der Fall war [1].

Auch die Schwarzen Berge haben ihre Goldfundstätten. Nach einer allgemein verbreiteten Meinung sollen auf der Prutaš (Durmitor) große Schätze verborgen sein, die nur ein Fremder heben und mit fortnehmen kann. Deshalb sahen die abergläubischen, in dürftigen Verhältnissen lebenden Eingebornen meine Prutaš-Besteigung nicht gerade gern, wie sie mich überhaupt öfters für einen Goldsucher hielten. Treten wir aus dem Reiche der Fabel in die Wirklichkeit, so lernen wir im Durmitor ein an Erzen und nutzbaren Mineralien außerordentlich armes Gebirge kennen, während die klaren Wasseradern, die auf dem Bać und in der Mulde Krivi Do entspringen, unter ihren Geröllen sehr feine Flitterchen von Waschgold führen. Die paläozoischen Schiefer jenes Gebiets werden von einer Unmenge weißer und roter Quarzgänge durchsetzt, die eine ziemliche Mächtigkeit erlangen und den Flüssen, vornehmlich der Gradišnica, die Hauptmasse ihrer Geschiebe liefern. Auf diesen bemerkt man öfters Äderchen von Eisenstein und hier und da auch wohl ein sehr kleines Goldblättchen, so daß es scheint, als ob die Quarzgänge das Muttergestein des edlen Metalls sind, das zunächst durch Auswaschen des Flußsandes als Seifen- oder Waschgold gewonnen werden könnte, zumal Holz und Wasser auf dem Bać jederzeit genügende Triebkräfte liefern [2]).

Neben den Erzen und Metallen kommt in Montenegro noch andern Vertretern des Mineralreichs eine mehr oder minder bedeutsame Rolle zu. Schon einige Jahre nach dem letzten Kriege faßte man den Plan, die Hafenstadt Dulcigno wegen ihrer geschützten Lage und ihres milden Klimas in einen Luftkurort umzuwandeln, ein Plan, der um so weniger von der Hand zu weisen ist, als in der Nähe Quellen entspringen, die einen schwefeligen Geruch ausströmen und angeblich heilkräftige Wirkungen besitzen. Der Alluvialboden bei Dulcigno ist reich an organischen, besonders an kohligen Substanzen, und von den Schwefelwasserstoffgasen, die sich bei der Verwesung jener Stoffe entwickeln, rührt jedenfalls der charakteristische Geruch her. Ob indes die Heilkraft der Quellen sich bestätigt, bedarf noch der Prüfung. Tietze berichtet, daß nach den Versicherungen der Eingebornen an der obern Tušina eine Mineralquelle sein sollte, die Baldacci vergebens suchte. Nach Rovinski soll das kalte Wasser des Srablje-Sees (Durmitor) als Mittel gegen die Krätze dienen, und ebenso machten mich die Bewohner von Goransko auf eine Quelle an der Komarnica (bei Seljani) aufmerksam, die bei Krankheitsfällen gute Dienste leiste. Die chemische Untersuchung ihres Wassers in der K. K. Geologischen Reichsanstalt zu Wien stellte jedoch fest, daß es gewöhnliches Quellwasser mit einem verhältnismäßig hohen Kochsalzgehalt war, und da auf 10 Liter Wasser nur 4 Gramm feste Bestandteile kommen, so läßt sich der Geschmack des Chlornatriums beim Trinken natürlich nicht wahrnehmen. Auch Rovinski erwähnt, daß es hier und da schwach eisen-, salz- und schwefelhaltige Quellen gibt, während das Quellwasser des Lovćen Arsen enthalten soll [3]). Die jenen Quellen zugeschriebene Heilkraft besteht demnach nur im Volksaberglauben, und es scheint höchstens soviel sicher zu sein, daß früher Soolquellen mehrmals auftraten. Wenigstens sollen die Ortschaften Slatina bei Danilovgrad und Andri-

---

1) Boué, Die Europäische Türkei, I, 179. 180. — Tietze a. a. O., S. 33. 47. 51. 53. 73. — L. Baldacci a. a. O., I, 15. 16. 20. 25. 26. 30. 31. 33. 37. 39. 40; II, 15. 16. 17. 18. 19. 22. — Schwarz a. a. O., S. 391 f. — Baumann, (Zweite) Reise durch Montenegro, S. 9. — Rovinski a. a. O., S. 76. 109. 151. 153. — Glas Crnogorca, 9. XI. 91. — Hassert a. a. O., S. 24. 33. 43. 59. 227. — Hassert, Zweite Reise durch Montenegro, S. 339.

2) Tietze a. a. O., S. 17. — L. Baldacci a. a. O., I, 28; II, 19. 20. — Rovinski a. a. O., S. 151.

3) Tietze a. a. O., S. 24. — L. Baldacci a. a. O., I, 32. 36. — Rovinski a. a. O., S. 154. 208. 289. — Hassert, Reise durch Montenegro, S. 36. — Die Analyse jener Quelle, die auch L. Baldacci besuchte, ergab die gewöhnlichen Bestandteile der Brunnenwässer: Kalk, Natron, etwas Magnesium, Spuren von Kieselsäure, Thonerde und Eisen, Kohlensäure, ziemlich viel Chlor und wenig Schwefelsäure. — Wasseranalysen der Cetinjer Wasserleitung bringt der Glas Crnogorca in der Nr. vom 30. I. 93.

jevics von ihnen ihre Namen bekommen haben. Heute wird im Binnenlande nirgends Salz gefunden, und als Montenegro noch nicht ans Meer grenzte, mufste es seinen ganzen Bedarf aus Österreich und der Türkei beziehen. Nach der Erwerbung eines Küstenstreifens hätte es sich das Salz selbst bereiten können; nirgends aber sind Salzpfannen angelegt, und selbst das Salz, das beim Vertrocknen des Seewassers am Strande zurückbleibt, wird kaum benutzt, so dafs Österreich noch immer der Hauptlieferant des für Montenegro so wichtigen Artikels ist. Der Unterhalt der Herden, die Zubereitung des Salz- und Räucherfleisches (Kastradina) und das Trocknen der Fische erfordern beträchtliche Mengen Salz, das Staatsmonopol ist und von Cattaro oder Risano unter starker Begleitung österreichischer Zollbeamter bis zur Grenze und von dort in die Magazine von Grahovo, Virpazar, Rijeka, Plavnica &c. geschafft wird[1]).

Zu einigen Hoffnungen berechtigen die Petroleumquellen von Bukovik und Smrdel, deren Analyse ein sehr befriedigendes Resultat ergab und die von Schwarz günstig beurteilt wurden, während sich Tietze und vor allem Baldacci weniger zuversichtlich aussprechen. Sie scheinen schon seit alter Zeit bekannt zu sein, denn Werkzeuge und Reste von Schachtzimmerungen, die man in ihnen fand, werden den Venetianern zugeschrieben, und Vialla erwähnt in seinem 1820 erschienenen Buche einige Vitriolquellen, deren Lage und Beschreibung entschieden auf die Umgebung von Bukovic und auf Erdöl weist.

Die Brunnen liegen auf dem der Crmnica-Niederung zugewandten Abhange des Küstengebirges in einem Sattelaufbruche der Werfener Schiefer; zwei von ihnen entspringen in einer von waldigen Hügeln begrenzten Grasmulde, der dritte ist einige Minuten von ihnen entfernt. Überhaupt scheint die ganze Gegend von flüssigen Kohlenwasserstoffen förmlich durchtränkt zu sein, denn rings ist der Boden aufgeweicht, und ein aus den bituminösen Kalken der viel südlicher gelegenen Sozina Planina hervorsickerndes Wässerchen enthält ebenfalls geringe Spuren von Petroleum. Die schmutzigen Tümpel und der grauschwarze, zähe Schlamm des Thalgrundes werden von einem bläulichen oder hellgrünen Fetthauche überzogen, dessen unangenehmer Petroleumgeruch und -geschmack unverkennbar ist. Menschen und Tiere meiden das warme, trube Wasser, das Salz dagegen, der ständige Begleiter des Erdöls, der hier als Imprägnation der Schiefer auftritt, wird von den Herden gern geleckt.

Ohne auf die verschiedenen Theorien über die Entstehung des Petroleums näher einzugehen, sei hier nur erwähnt, dafs sich jetzt die Ansicht die meiste Geltung verschafft hat, nach der das Erdöl ein Verwesungsprodukt tierischer Organismen ist. Die gewaltigen Ablagerungen von Muscheln, Fischen und andern Seebewohnern, die auf ein ausgedehntes Tierleben in den Meeren der Vorzeit hindeuten, wurden an bestimmten Stellen zusammengeschwemmt und durch den Druck der sich darüber absetzenden Schlammschichten erwärmt, wobei sich, wie Engler neuerdings experimentell nachgewiesen hat, das tierische Fett in Petroleum verwandelte. Was das Petroleum von Bukovik betrifft, so vertritt Schwarz diese Ansicht und benutzt sie zugleich zum Beweis dafür, dafs der Scutari-See kein Karstsee, sondern ein abgedämmter alter Meerbusen, also ein Reliktensee sei[2]).

Viel einfacher und den natürlichen Verhältnissen eng angepafst ist die Erklärung Baldaccis. Nach ihm ist das Erdöl von Bukovik weder ein Verwesungsrückstand tierischer oder pflanzlicher Stoffe, noch gelangte es durch Aufbrüche und Spalten an die Erdoberfläche, sondern es verdankt sein Dasein den Tagwässern, die im kluftigen Kalke bis auf die undurchlässigen Schiefer durchsickern und dabei die fein verteilten bituminösen und Kohlenwasserstoffe, an denen der Kalk jenes Gebiets reich ist, in Lösung mit fortführen. Die Petroleumquellen sprechen demnach eher für die allgemeine Verbreitung von Bitumen

[1]) Paić und v. Scherb, Cernagora, 1851, S. 233. — Frilley et Vlahovitch, Le Monténégro contemporain, 1876, S. 122. — Rovinski a. a. O., S. 152. 199. — Schwarz a. a. O., S. 223.
[2]) Schwarz a. a. O., S. 410.

im Kalk als für ein tief im Erdinnern gelegenes Erdöl-Reservoir und stehen ihrem Ursprung nach auf derselben Stufe wie die theerigen und asphaltischen Ausschwitzungen, die in den Kalken der adriatischen Küstenländer so oft beobachtet werden[1]).

Diese Ausschwitzungen, die besonders den Kreidekalken eigen zu sein scheinen und als kleine Tröpfchen oder klebriger Überzug an der Gesteinsoberfläche haften, setzen die Anwesenheit fein verteilter bituminöser Imprägnationen voraus und können nur dort von technischem Werte werden, wo sie in größerer Menge vorhanden sind. Man trifft sie häufig an der untern Morača zwischen Zlatica und Bijoče, bei Džinovići, Ploča, Gradac, Dulcigno &c.; doch bilden sie bloß bei den letzten beiden Orten abbauwürdige Einlagerungen. Eine 400 m lange und 0,25 m mächtige Kalkschicht bei Gradac (Vranica) ist reich an theerigen und öligen Substanzen und setzt sich noch ein gutes Stück fort, steht aber mit den Asphaltlagern von Ploča und Džinovići in keinem Zusammenhange, da jedes der drei Lager einem andern Niveau angehört. Wichtiger sind die asphaltischen Nummulitenkalke des Hügels Baš Bulink, die von einer dicken, ockerigen Erdhülle überlagert werden, sonst aber frei zu Tage liegen. Wie Bohrungen an mehreren weit entfernten Stellen des langgestreckten Hügels und neue Entdeckungen im Jahre 1891 andeuten, hat es eine nicht unerhebliche Ausdehnung und ist allem Anschein nach die ergiebigste Asphaltfundstätte Montenegros, die noch dazu fast unmittelbar ans Meer grenzt und leicht auszubeuten ist, zumal es auch an Holz und Wasser nicht fehlt. Leider besitzt das kleine Fürstentum nicht die Mittel zur Beschaffung der erforderlichen Einrichtungen, und so ist der Abbau auch heute noch nicht in Angriff genommen, wiewohl Baldacci seine Rentabilität zahlenmäßig nachgewiesen hat[2]).

Zuweilen wechsellagert der bituminöse Kalk mit Kohlenschiefern, die sich wegen ihrer innigen Zusammengehörigkeit mit den theerigen Ausschwitzungen, mit denen sie auf den eben genannten Fundstätten teilweise vergesellschaftet sind, ebenfalls auf die Kreide beschränken. Die Anschürfung von Kohle in einem an natürlichen Hilfsquellen so armen Lande wie Montenegro gab stets zu den gespanntesten Erwartungen Anlaß, und man war leicht geneigt, an ein unwesentliches Vorkommnis übertriebene Hoffnungen zu knüpfen. Die Kohlenschätze, die nach Viallas Angaben in der Crmnica verborgen sein sollten, entpuppten sich als kühne Phantasiegebilde, und die umfangreichen Anthracit- und Cannelkohlenlager, die Denton von dort erwähnt, sind in Wirklichkeit unbedeutende Einlagerungen einer unreinen, kohligen Substanz, die bei Gluhi Do vielleicht brennbares Material enthalten könnte, für den Augenblick aber viel zu wenig Anhaltspunkte betreffs ihrer Mächtigkeit und Güte darbietet, als daß man zu einem Abbau raten dürfte. Die grauschwarzen Bruchstücke dagegen, die Schwarz auf seiner Wanderung vom Sutorman-Paß nach Antivari und Baldacci bei Sustaš gezeigt wurden, waren weiter nichts als stark bituminöse, unverbrennbare Kieselschiefer (Lydit), und denselben Charakter möchte ein Teil der vermeintlichen Kohlen tragen, deren Spuren man in jenen Gegenden jüngst mehrmals aufgefunden haben will. Jedenfalls haben wir es mit stark kohligen Thonen und Kalkschiefern zu thun, die beim Zerreiben einen unangenehmen Geruch verbreiten, weshalb man sie auch Stinkstein genannt hat. Solche Stinksteine sind die feinblätterigen, leicht in kleine Stückchen zerfallenden Schichten, die als 2—5 mm mächtige Lagen die Kreidekalke von Parci durchziehen und von Rovinski anfangs für Lignit gehalten wurden. Er

---

[1]) Hecquard, Mémoire sur le Monténégro, 1865, S. 310. — Vialla a. a. O., II, 210. 211. — Tietze a. a. O., S. 60. 61. — L. Baldacci a. a. O., I, 15. 17; II, 10. 11. — Schwarz a. a. O., S. 111 f. 391 f. — Schwarz, Montenegro, Land und Leute, 1883, S. 215. — Rovinski a. a. O., S. 153. — Was die Ansicht Baldaccis unterstützen könnte, ist der Umstand, daß die Formation, in der das montenegrinische Petroleum auftritt, bisher nirgends Petroleum geliefert hat. Ferner teilt mir Herr Oberbergrat Dr. Tietze mit, daß ihm vor einigen Jahren jemand eine Flasche aus den Petroleumquellen von Bukovik mitbrachte, deren Inhalt sich als ein durch organische Reste stinkend gewordenes Quellwasser entpuppte.

[2]) Denton, Montenegro, S. 28. — Tietze a. a. O., S. 59. — L. Baldacci a. a. O., I, 18. 19. 41; II, 3. 4. 5. 6—10. — Rovinski a. a. O., S. 150. 156. — Glas Crnogorca, 9. XI. 1891.

merkte jedoch bald seinen Irrtum und widerrief seine Entdeckung noch in den Nachträgen zum ersten Bande seines Werkes.

Viel bekannter ist die Kohlenmine von Ploča geworden, ja sie hat wegen der Erwartungen, die man von ihr hegte, und die sich aus einem Buche über Montenegro ins andre fortpflanzten, um schließlich einer herben Enttäuschung Platz zu machen, eine gewisse Berühmtheit erlangt. Inmitten des Kalkes und der ihn begleitenden Kreideschiefer und vergesellschaftet mit bituminösen Imprägnationen tritt am rechten Ufer der Rijeka dicht unter der Erdoberfläche und unmittelbar über dem Wasserspiegel auf kurze Strecke ein schwarzes, schiefriges Gestein zu Tage. Hecquard, dem es zuerst auffiel und der in ihm eine ausgezeichnete Kohle vermutete, knüpfte die weitgehendsten Zukunftspläne an seine Entdeckung, weil der für Dampfer fahrbare Fluß der Verschiffung des gewonnenen Materials keine Schwierigkeiten bereitete. Fast 20 Jahre lang wiegte man sich in schönen Träumen, man sah die montenegrinische Kohle in der Adria-Schiffahrt bereits eine Rolle spielen und wartete nur die Umgestaltung der politischen Verhältnisse ab, um mit dem Abbau zu beginnen. 1878 wiesen indes Kesselmeyer und Stossich nach, daß der Kohlenstoffgehalt viel zu gering sei, um den Namen Braunkohle zu rechtfertigen, und 1881 stellte Tietze endgültig fest, daß das Gestein überhaupt kein brennbares Material enthalte, sondern ein asphaltischer Brandschiefer mit 52,25 % Asche und 47 % organischer Substanz, vorwiegend schweren Ölen, sei, dem jede Spur von Pflanzenresten fehlte. Baldacci, der die Einlagerung nochmals untersuchte, erkannte sie ebenfalls als einen mit Bitumen durchtränkten Kreideschiefer, dessen Ausbeute sich schon deshalb nicht lohnte, weil große Vorkehrungen gegen Überschwemmungen getroffen werden müßten und man dabei noch Gefahr liefe, daß die Grube vom Hochwasser ersäuft werden könnte. Da überdies die Menge der kohligen Beimengungen nicht bedeutend ist, so beschränkt sich der eigentliche Lignit auf zwei Vorkommnisse, von denen nur eines eine lohnende Einnahmequelle zu werden verspricht.

Während die Lager unreinen Lignits in den Asphaltkalken von Džinovići keinen wirtschaftlichen Wert haben, da sie nicht sehr ergiebig zu sein scheinen, setzt selbst ein so vorsichtiger und gewissenhafter Beobachter wie Baldacci auf die Kohlenmine von Pistula einige Hoffnungen. Am Fuße eines niedrigen Hügels, dessen Gipfel von lose verbundenen Konglomeraten gebildet wird und der auf einer ganz aus Pecten- und Ostrea-Resten bestehenden Bank ruht, befindet sich ein flaches Becken, das mit einem pliocänen oder postpliocänen plastischen Thon ausgefüllt ist. Die Thonbank wird von drei Lignitflötzen durchzogen, die sich noch weit fortzusetzen scheinen, eine durchschnittliche Mächtigkeit von 0,30 m haben und nur 30 m über dem Meeresspiegel liegen. Leider läßt ihre Güte wegen der großen Menge von Schwefelkiesen, welche die Braunkohle ebenfalls untauglich machen, mancherlei zu wünschen übrig, und die unterste Ader scheint noch die beste zu sein. Sonst würden die Nähe des Meeres und die leichte Verbindung mit Dulcigno dem Abbau kein Hindernis in den Weg legen, und es ist möglich, daß in der humus- und pflanzenreichen Ebene noch mehrere Braunkohlenlager verborgen sind, da nach einem Berichte des Glas Crnogorca über die neuern Mineralfunde hier und da Spuren von Lignit bemerkt wurden [1]).

Im ganzen genommen ist Montenegro ein an Hilfsquellen außerordentlich armes Land, dessen Wohlstand nie von seinen Bodenschätzen, sondern einzig und allein von einer vernünftigen Wald- und Viehwirtschaft abhängen wird. Und wie das Fürstentum der Mineral-

---

[1]) Hecquard a. a. O., S. 310. — Hecquard, Découverte d'un gisement de houille au Monténégro, 1861, S. 435. — Pančić a. a. O., S. IV. V. — Frilley et Vlahovitch a. a. O., S. 111. — Kesselmeyer und Stossich a. a. O., S. 104. — Ilwston a. a. O., S. 28. — Tietze a. a. O., S. 58. — L. Baldacci a. a. O., I, 14. 16. 19. 42; II, 2. 3. 12—14. — Schwarz, Montenegro, Reise durch das Innere &c., S. 127. 391. — Hovinski a. a. O., S. 150. 318. — Glas Crnogorca, 9. XI. 1891.

4*

reichtümer entbehrt, so bietet auch sein geologischer Bau kein allzu buntes Bild dar. Zwar möchte ein Blick auf die Karte, die insgesamt 15 Farbenunterscheidungen enthält, das Gegenteil lehren; die vom Kalke beherrschten Gebiete zeigen jedoch überall dieselben abwechselungslosen Karstgebilde, die Fluren um den Scutari-See sind monotone Alluvialebenen, und nur die Schieferzone erfreut sich einiger Mannigfaltigkeit in ihrer geologischen Zusammensetzung. Fassen wir die einzelnen Formationen nochmals zusammen, so gliedern sie sich in folgende vier Hauptgruppen, zu denen sich im Bereiche der paläozoischen und Werfener Schiefer ältere Eruptivgesteine mit roten Jaspissen gesellen:

I. Paläozoische Formationen — stark dislociert:
   1) Glimmerige Schiefer und Sandsteine (Silur, Karbon?),
   2) Kalke der paläozoischen Schichten.

II. Mesozoische Formationen — Trias und Jura stark, Kreide weniger stark gefaltet
   a) Trias,
      3) Werfener Schiefer und Grödener Sandstein,
      4) Triaskalke (untere und obere Trias),
      5) Wengener Schichten,
   b) Jura,
      6) Jurakalke (unterer und oberer Jura),
      7) Durmitorschiefer,
   c) Kreide,
      8) Kreidekalke und Dolomite (Urgonien, Turonien),
      9) Dugaschiefer,
      10) Kreideflysch.

III. Neozoische Formationen:
   a) Tertiär,
      11) Nummulitenkalk (Eocän),
      12) Flysch (Oligocän),
      13) Marines Neogen.
   b) Quartär,
      14) Diluvium und Alluvium.

## III. Die Oberflächengestaltung Montenegros.

In geologischer, tektonischer und orographischer Beziehung bildet Montenegro mit Dalmatien und Bosnien ein Ganzes, und da diese untrennbar mit den südlichen Kalkalpen und dem Karste verbunden sind, so wird die nordwestliche Balkanhalbinsel von einem Faltengebirge durchzogen, dessen Hauptstreichrichtung von Nordwest nach Südost verläuft. Nach E. Sueſs' bahnbrechenden Untersuchungen werden die Umrisse der Kettengebirge durch das Vorhandensein älterer Schollen bedingt, an denen sich der Faltenwurf des jüngern Gebirges staute, und in der That besteht zwischen dem Westen und Osten der Balkanhalbinsel ein auffallender Gegensatz, da die Osthälfte derselben das serbisch-makedonische Hügelland und das Schollenland des Balkans umfaſst, ein Gebiet, das während der Periode der Trias und des untern Jura von Süd-Ungarn bis Rumelien reichte und schon von ältern Geologen als orientalisches Festland bezeichnet wurde. Die starre Scholle zwang die Falten des Karstes, ihre ursprüngliche Richtung in eine südöstliche umzuändern, und zugleich stauten sie sich an dem Hindernis auf, indem wahrscheinlich von der Adria her, nach der hin die meisten Falten überschoben sind, ein horizontal wirkender seitlicher Druck erfolgte. So entstand ein 150 km breites Faltengebirge, das durch den Felsenwall des Šar-Dagh im Durchbruchsgebiet des Drin eine Zusammenschnürung auf 70 km erlitt und eine neue Ablenkung nach Südsüdost erfuhr. Die Faltung erfaſste in erster Linie die obern Schichtenkomplexe der bisher abgelagerten Formationen und war räumlich wie zeitlich verschieden. Denn ihre Intensität richtet sich, wie Philippson treffend hervorhebt, nicht bloſs nach der Beschaffenheit des Gesteins — die in ihren einzelnen Teilchen leichter beweglichen Schiefer wurden stärker gefaltet als die spröden Kalke —, sondern sie ist auch innerhalb desselben Gesteins verschieden, indem die dünnbankigen Kalke viel mehr von ihr ergriffen werden als dickbankige, undeutlich geschichtete Kalkmassen. Der Durmitor, der nichts weniger als ein Schollengebirge ist, zeigt die Wirkungen des gebirgsbildenden Schubes in Gestalt kolossaler Aufrichtungen, Überkippungen, Knickungen, Fächerstellungen und Doppelschlingen, die meist von Ost nach West geneigt sind und an der Prutaš, am Štit, am Sedlo, an der Uvita Greda und im Vališnicathale die mannigfachsten Formen aufweisen. Nicht minder deutlich sind die Faltungen auf der Wasserscheide zwischen Tara und Lijeva Rijeka, wo Werfener und paläozoische Schiefer eng ineinander geschoben wurden, und im Lijevathal selbst zu beobachten. Auch die Kalke des Küstengebirges und die dünnblätterigen alten Schiefer auf dem schmalen Kamme zwischen Maglić und Kurlaj sind stark, ja bis zur Überkippung gefaltelt, und die Intensität der Faltungen geht daraus hervor, daſs allein auf dem schmalen dalmatinischen Küstenstreifen sechs Parallelfalten erkennbar sind, von denen drei auf die Inseln kommen, während die letzte und höchste den Kamm bildet, dem u. a. Orjen, Lovćen und Rumija aufgesetzt sind.

Der horizontale Schub äuſserte seine Wirkung am stärksten während der Ablagerung der Jurakalke, da die Kreidekalke in Montenegro eine viel flachere Lagerung besitzen als die Trias- und Jurakalke. Auch bei diesen wurden die untern Schichten weniger gestört als die obern, und das Einfallen derselben ist vorwiegend binnenwärts, d. h. nach Nordost gerichtet. Mit der flachen Schichtenstellung hängt der Plateaucharakter Montenegros und der Hercegovina eng zusammen, und die Flüsse, welche das ausgedehnte Tafelland durchschneiden, haben sich tiefe, schroffwandige Cañons ausgewühlt.

Die nordwest-südöstliche Streichrichtung beherrscht nicht unumschränkt das dinarische Alpensystem. Untergeordnet stellen sich nordsüdliche, ostwestliche und sogar nordost-südwestliche Richtungen ein, z. B. bei Nikšić, in den Duga-Pässen, an der obern Morača, im Žijovogebirge &c., Gegensätze, die auch in den Nachbarländern wiederkehren und um so häufiger werden, je weiter man nach Süden vordringt. Sie sind Beweise für die verwickelten Druckrichtungen, unter deren Einfluſs sich die Gebirge der nordwestlichen Balkanhalbinsel bildeten, und es ist möglich, daſs der Šar-Dagh, der die ursprüngliche Streichrichtung ablenkte, zu diesen Abweichungen ebenfalls Veranlassung gab. Sehr deutlich kann man das Zusammenstoſsen der verschiedenen Richtungslinien an der Pivamündung beobachten. Die Hauptspalte, die durch die Tara und ihre Verlängerung, die Drina, bezeichnet wird, verläuft von Nordwest nach Südost; zu ihr gesellt sich die meridional streichende Pivaklamm, und fast senkrecht zu beiden strömt einige Kilometer fluſsabwärts die erst von Südwest nach Nordost und dann von West nach Ost das Gebirge durchbrechende Suceska in die Drina.

Mit der Faltung war die Gebirgsbildung nicht abgeschlossen. Die Erosion begann sofort ihre zerstörende Thätigkeit auszuüben, und Längsbrüche, die vom Isonzo bis Antivari festgestellt sind, wahrscheinlich aber noch viel weiter südwärts reichen und in gleicher Ausdehnung und Regelmäſsigkeit in Europa nirgends wiederkehren, stellten sich parallel den Falten ein. Diese Dislokationslinien, die für den Bau der ostadriatischen Länder von maſsgebender Bedeutung wurden, sind durchweg Flexuren, deren südwestlicher Schenkel abgesunken ist, und somit vollzieht sich das treppenförmige Absitzen des dinarischen Gebirgszuges gegen das Adriatische Meer hin. Die Küste selbst ist eine longitudinale, durch Längsbrüche bedingte Steilküste; sie besteht aus einer Reihe von Becken, deren Südwestwand abbrach, während die übrigen Einfassungen mehr oder weniger erhalten blieben, und die Auflösung der niedrigsten Landstufe in Inseln ist nur eine Begleiterscheinung jenes Senkungsprozesses. Die Bildung des adriatischen Einsturzbeckens, das auf der einen Seite vom dalmatinischen Küstengebirge, auf der andern von dem ihm parallelen Apennin umrahmt wird, geschah in verhältnismäſsig junger geologischer Vergangenheit, vielleicht erst im Jungtertiär, da viele Kalkklippen des alten Drin-Golfes aus Nummulitenschichten bestehen.

Wie aber das dinarische Gebirgssystem südwestlich nach dem adriatischen Senkungsfelde abbricht, so findet auch auf der nordöstlichen Seite, und wiederum durch nordwest-südöstlich verlaufende Bruchlinien bedingt, ein staffelförmiges Absinken der einzelnen Falten zum groſsen ungarischen Einbruchsbecken statt. Die Hochgebirgszone des Kom und der Gradište, des Durmitor und der Hercegovinischen Alpen, die eine nordwest-südöstlich gerichtete Linie darstellt, bezeichnet den höchsten Kamm der scheinbar regellos und bei näherer Prüfung doch nach streng geotektonischen Gesetzen angeordneten Gebirgszüge, und von ihm senkt sich das mit Faltengebirgen besetzte Plateau terrassenartig ab, um in steilen Wänden an der Adria und in der ungarischen Tiefebene zu enden [1]).

---

[1]) v. Mojsisovics, Tietze, Bittner, John, Neumayr, Geologie v. Bosnien-Hercegovina, S. 185. 354. 431. — G. Stache, Die Wasserversorgung von Pola. (Jahrb. d. K. K. Geol. Reichsanstalt 1889, S. 86.) — W. Putick, Die unterirdischen Fluſsläufe von Inner-Krain: Das Fluſsgebiet der Laibach, 1887, S. 562. — E. Sueſs, Die Entstehung der Alpen, 1875, S. 91. 92. — Sueſs, Das Antlitz der Erde, 1885, I, 344. — Th. Fischer in Kirchhoff, Länderkunde von Europa, 1891, II, 130. — A. Supan in Kirchhoff, a. a. O., 1889, I, 282. 303. 309. — E. Tietze, Der geologische Bau der österr. Küstenländer. (Monatsblätter d. Wissensch. Klubs Wien, 1885, Nr. 7.) — M. Hoernes, Dinarische Wanderungen, 1888, S. 7. 8. — Philippson, Peloponnes, S. 424. — J. Cvijić, Das Karstphänomen. Versuch einer morphologischen Monographie. (Pencks Geogr. Abhandlungen, 1893, S. 98.) — S. Ruter, Die neuesten Höhenmessungen in Süd-Dalmatien, Montenegro und in der Hercegovina. (Ztschr. f. Schulgeographie, 1885, S. 65. 66.) —

Verfolgen wir einige dieser Dislokationen, soweit sie für Montenegro charakteristisch sind, so müssen wir vor allem derjenigen gedenken, die Bittner am Fuſse des Volujak nachgewiesen hat. Die berühmte Flyschzone von Čemerno ist der abgesunkene Teil eines Gebirges und fällt längs der Linie des Steilabfalles der Triaskalke denselben zu, als wollte sie unter den Kalk hinabtauchen. Sie setzt sich ein gutes Stück nach Montenegro fort, und man könnte auf Grund der nordöstlichen Fallrichtung der Kreideschichten südwestlich des Durmitor eine gröſsere Bruchlinie vermuten, die in der Verlängerung der eben genannten Verwerfung liegt. Wegen der unzusammenhängenden Beobachtungen über die Schichtenstellung und der noch nicht genau festgelegten Grenze zwischen Trias und Kreide läſst sich Bestimmtes nicht behaupten, soviel aber dürfte wahrscheinlich sein, daſs die senkrechten, auſserordentlich stark gefalteten Mauern des Škrk Do im Durmitor auf eine gewaltige Verwerfung zurückzuführen sind. Allerdings ist dieselbe erst noch nachzuweisen, und man muſs der Erosion, die den 500 m tiefen Sušica-Cañon aushöhlte, bei der Bildung dieses Thales ebenfalls einen wesentlichen Anteil zuschreiben[1]). Die Sušica-Rinne ist unbedingt als eine reine Erosionsschlucht aufzufassen und trägt neben dem Karstcharakter überall die Spuren einer solchen an sich. Auſserdem stehen ihre beiderseitigen Plateauränder nicht in dem Verhältnis von verworfenen Schollen zu einander, sondern die horizontalen Kalkschichten des einen Ufers entsprechen denjenigen der jenseitigen Uferwand. Dazu kommt, daſs bei Nedajno hüben wie drüben in gleicher Höhe Quellen austreten, und diese Korrespondenz, die sich an der obern Piva und am Sinjac wiederholt, weist auf die Forterstreckung gewisser undurchlässiger Schichten hin, deren Zusammenhang späterhin durch die Erosion, nicht durch Verwerfungen oder Verschiebungen gestört wurde. Darf man also aus den orographischen Verhältnissen einer Gegend nicht ohne weiteres auf eine Dislokation schlieſsen, so lassen sich anderseits die 800 m hohen Umfassungsmauern des Škrk Do durch die Wasserwirkung allein schwer erklären, zumal dann das Thal, anstatt unvermittelt in vertikalen Wänden zu endigen, mit einer sanfter geböschten Furche zum Gebirgskamm laufen würde. Vielleicht geben die im Thal zerstreuten Sandsteine nähere Aufschlüsse an die Hand, denn sie gleichen durchaus nicht den dunklen (Werfener?) Schiefern des benachbarten Dobri Do und Sedlo, sondern scheinen einem viel höhern Horizonte anzugehören.

Denken wir uns die Verwerfung am Volujak und Durmitor nach Südost fortgesetzt, so schneidet sie ein drittes Gebiet tektonischer Störungen, das obere Tušinathal. Wenigstens glaubt Tietze zwischen Zirovac und der obern Morača einen Abbruch festgestellt zu haben, dem zufolge nordöstlich von dem triadischen Kalkkomplex mit seinen Einlagerungen von Wengener Schichten wieder die ältern Werfener Schiefer auftauchen, während unweit Zirovac schwarze paläozoische Schiefer, die Baldacci aber für untertriadisch hält, unmittelbar an den Triaskalk grenzen. (Vgl. Kap. II, 20.)

Ob die breite, tiefeingeschnittene Zetafurche, die eine Verlängerung des Drin-Golfes, also des adriatischen Einsturzbeckens ist, tektonischen Störungen oder lediglich der Faltung und dem Karstprozeſs ihre Entstehung verdankt, ist eine Frage, die heute noch nicht mit Gewiſsheit beantwortet werden kann und spätern Forschern zu endgültiger Lösung überlassen werden muſs.

Um so sicherer hat Tietze eine Verwerfung oder vielmehr die Fortsetzung einer solchen bei Antivari nachgewiesen. Wie in der Nachbarschaft von Cattaro, so grenzen hier an die stark gefalteten und gestörten Triaskalke, die nach dem Meer zu wandartig abstürzen und binnenwärts, d. h. nach Nordost fallen, ohne Zwischenlagerung mesozoischer

Tietze, Geol. Übersicht v. Montenegro, S. 14. 77. — L. Baldacci, Gîtes minéraux du Monténégro, I, 6. 9. 33. — Boué, Der albanesische Drin, S. 3. 5. — Chikoff, Reise in Süd-Dalmatien, Montenegro &c., 1869, S. 156. — Hassert, Reise durch Montenegro, S. 130. 133. 144. 165. 167. 202. — Hassert, Besteigung der Prutaš im Durmitor, S. 177. 180.

[1]) Vgl. A. Geistbeck, Die Seen der deutschen Alpen. (Mitteil. d. Vereins f. Erdk. Leipzig. 1884, S. 230 f.)

Schichten tertiäre Gebilde, die ebenfalls nach Nordost, in der Richtung auf das ältere Gebirge hin, einfallen. Diese scharf abgesetzte Formationsscheide spricht entschieden für eine Dislokationslinie, an der die tertiären Flyschschiefer und Nummulitenkalke abgesunken sind, und sie verläuft von Nordwest nach Südost, weil ein ziemlich starkes Erdbeben, das Tietze am 4. Juli 1881 in Antivari erlebte, von Nordwest kam und seine Wirkungen längs der vermuteten Bruchlinie äufserte. Diese mit Verwerfungen zusammenhängenden Beben, die Antivari öfters heimsuchen — Rovinski erwähnt zwei aufeinander folgende Beben vom 2. und 3. August 1881 —, sind ein untrügliches Zeichen dafür, dafs die Gebirgsbildung noch nicht abgeschlossen ist. Nicht zu verwechseln mit ihnen sind die Karstbeben, die durch den Einsturz unterirdischer Hohlräume entstehen und in Cetinje, wie im Kalkgebirge überhaupt, öfters beobachtet werden. Sie fanden in Cetinje am 3. August 1881 und am 9. September 1892 statt und sollen sich nach Frilley und Vlahović einmal, nach v. Kaulbars sogar durchschnittlich zweimal im Jahre ereignen, wobei sie, eine ebenfalls leicht erklärliche Thatsache, vornehmlich während der Regenzeit oder nach anhaltenden Niederschlägen eintreten[1]).

So zeigen der innere Bau und die geologische Geschichte, dafs die Schwarzen Berge ein untrennbares Glied der Dinarischen Alpen sind und alle Eigentümlichkeiten derselben erkennen lassen. Wir sehen ferner, dafs Montenegro vielmehr ein Plateau- als ein Gebirgsland ist, und hätten sich die Ströme nicht tiefe Rinnen eingegraben oder fehlten die aufgesetzten Bergketten, so würde die Crna Gora eine eintönige, ungegliederte Hochfläche darstellen. Allein sie trägt einige Gegensätze zur Schau, die nicht ohne Einflufs auf das landschaftliche Bild bleiben. Die westliche oder adriatische Hälfte besteht aus Karstland, in dem die Gebirge gegenüber den Hohlformen zurücktreten, während sich in der binnenländischen Osthälfte die einzelnen Rücken viel schärfer von ihrem Untergrunde abheben. Überall aber fällt einem die parallele Anordnung und die vorherrschende nordwest-südöstliche Streichungsrichtung auf, die auch im Karst nicht verloren geht. Hat man vom Meere oder von der Zeta-Niederung aus die Höhe erklommen, so sieht man, dafs das vermeintliche Kettengebirge in eine Hochebene übergeht. Zugleich bemerkt man ein dem ersten paralleles Gebirge, dem wiederum ein Plateau folgt, und so wechseln sich beide in buntem Wechsel ab, um im Durmitorgebiet ihre bedeutendste Höhe zu erreichen. Das scheinbar regellose Chaos der montenegrinischen Bergsysteme entwirrt sich also zu einem ziemlich einfachen und einheitlichen Bilde, das durchaus dem einförmigen geologischen Aufbau entspricht[2]). Ehe wir jedoch mit unsern vergleichenden Betrachtungen beginnen, seien einige Bemerkungen über die Meeresküste, die natürliche Eingangspforte eines jeden Landes, vorausgeschickt.

Da das Küstengebirge auf allen Seiten steil abstürzt und von keinem gröfsern Strome durchbrochen wird, so bildet es einen schwer zugänglichen Felswall. Die wenigen ins Meer mündenden Giefsbäche üben nur eine untergeordnete erodierende und aufschüttende Thätigkeit aus, und deshalb ist längs der montenegrinischen Steilküste die Sinkstoffzufuhr so gering, dafs sie der fortschreitenden Senkung des Landes nicht das Gleichgewicht halten kann. Der geschlossene Uferrand ist arm an gröfseren Buchten, die, z. B. die Baien von

---

[1]) v. Kaulbars, Zamjetki o Černogorij, S. 47. — Frilley et Vlahovitch a. a. O., S. 408. — Tietze a. a. O., S. 22. 32. 39. 65. — Rovinski, Černogorija, S. 148. 178. 179. — Glas Crnogorca 5. IX. 1892. — Hassert, Reise durch Montenegro, S. 133. — F. X. Hlubek, Die Bewaldung des Karstes. (Wochenblatt d. K. K. Steiermärk. Landwirtschafts-Ges. Graz, 1857, S. 7.) — Noë, Der Aufbau des Karstes und die Bedingungen seiner Höhlenwunder. (Natur 1891, S. 398.) — F. Wahnschaffe, Der Charakter der Karstlandschaft. (Naturwiss. Wochenschrift, 1889. III, 156.) — F. v. Hauer, Die Geologie und ihre Anwendung auf die Kenntnis der Bodenbeschaffenheit der Österr.-Ungar. Monarchie, 1878, S. 17. — A. de Lapparent, Traité de Géologie, 1885, S. 326.

[2]) v. Mojsisovics, Tietze, Bittner, John, Neumayr a. a. O., S. 354. 431. — J. Roskiewicz, Studien über Bosnien und die Herzegovina, 1868, S. 6. 55. — Hoernes, Dinarische Wanderungen, S. 168 f. — Hoernes, Die Westgrenze Montenegros. (Ausland 1887.) — J. v. Asboth, Bosnien und die Herzegovina, 1888, S. 332. — Boué, Die Europäische Türkei, I, 12. — L. Baldacci a. a. O., I, 4. 5. 36. — v. Dechy, Ascent of Maglich, S. 9. 10 — Schwarz, Montenegro. Reise durch das Innere &c., S. 374. — Schwarz, Montenegro. Land und Leute, S. 209.

Dulcigno, Antivari, Castel Lastua und Budua, nirgends tief ins Gebirge eindringen und wenig Schutz bieten, so dafs unter diesen Umständen die Bocche di Cattaro doppelt wichtig werden. Sie sind drei untergetauchte und in Buchten (Valloni) verwandelte Längsthäler, die durch enge Kanäle, z. B. den Canale di Combur und die bekannten Catene, unter sich und mit dem Meere in Verbindung stehen. Insgesamt 13 kleinere Busen umschliefsend erinnern sie in ihrem Aussehen an den Vierwaldstätter See, mit dem sie oft verglichen werden. Wäre bei den obengenannten Buchten von Dulcigno &c. infolge tektonischer Störungen die der Adria zugewendete Wand nicht abgesunken, so stellten sie ebensolche Kessel dar wie die Bocche, die einer der schönsten Häfen Europas und trotz ihres unwegsamen, öden Hinterlandes das eigentliche Eingangsthor Montenegros sind. Kein Wunder, dafs die Crnogorcen von jeher nach ihrem Besitze strebten und dafs die glücklichen Eigentümer, die Österreicher, nie daran denken werden, sich derselben gutwillig zu entäufsern.

Wo wasserreiche Flüsse in die Valloni einmünden, füllen sie diese mit ihren Geröllen aus, und die im Flysch und in den Wengener Schichten der Rumija entspringenden Küstenbäche Želesnica und Rikavac schleppten im Laufe der Zeit so viel Sedimente ins Meer, dafs sie die geräumige Bucht von Antivari gröfstenteils verlandet haben [1]). Die Trümmermassen sind schon so weit in die Adria vorgedrungen, dafs tiefgehende Schiffe gegen 1000 m vom Strande entfernt auf offener See Anker werfen müssen. Südlich von Antivari wird der Küstentypus ein andrer. Flysch und Nummulitenkalk, die bisher nur in spärlichen Erosionsresten erhalten waren, lagern sich als breiter Gürtel vor die Ausläufer der Rumija und erinnern in ihren Umrissen an die bogenförmig aufgeschlossene, durch Felskaps getrennte Steilküste (Lappenküste). Indem die Brandung den leichter zerstörbaren Flysch schneller zertrümmerte als den härtern Kalk, arbeitete sie kleine Busen aus, die von Felsvorsprüngen umsäumt werden und sich zu einer buchtenreichen Steilküste zusammenschliefsen. Die zahllosen Schlupfwinkel sind zu einem Hinterhalt für Seeräuber wie geschaffen und bildeten in der That den Stützpunkt der albanesischen Piraten von Dulcigno, die Jahrhunderte lang die Adria-Gestade bis hinüber nach Sicilien unsicher machten. Jede der kleinen Buchten nimmt ein Rinnsal auf, das aber im Sommer meist trocken ist und dem unaufhaltsamen Vordringen der Wogen nicht entgegenzuarbeiten vermag. Ginge der Senkungs- und Zertrümmerungsprozefs schneller von statten, so hätten wir bei Dulcigno eine ähnliche Erscheinung wie bei den untergetauchten Valloni von Cattaro. Das Meer würde ein Längsthal ausfüllen, während kurze Querthäler, die von den Gehängen der Mendra herabkommen, sich in enge Meeresarme verwandelten. Der kleine versandete Hafen von Dulcigno ist der untergetauchte Ausläufer eines solchen Querthales; eine andre Senke dagegen, das der Adria parallel laufende Val di Noce, endigt in einer zweiten Bucht, die für Dulcigno denselben Wert wie Gravosa für Ragusa besitzt. Sie übertrifft an Umfang und Tiefe den eigentlichen Pristan (Hafen) der Stadt bedeutend und wird im montenegrinischen Handel dereinst vielleicht eine wichtige Rolle spielen.

Unmittelbar südlich von Dulcigno vollzieht sich eine durchgreifende Veränderung. Die immer niedriger werdenden Berge machen einer unübersehbaren Niederung Platz, und die Steilküste geht in eine Flachküste über, die sich langsam unter den Wasserspiegel senkt, so dafs die 10 m-Tiefenlinie stets 1000 bis 1500 m vom Lande fernbleibt. Der 12 km betragende montenegrinische Anteil bildet den nördlichsten Abschnitt der albanesischen Schwemmlandsküste, die in einer Ausdehnung von 270 km von Dulcigno bis Avlona streicht und ununterbrochen von Haffen, Dünen und vorgeschobenen Deltas begleitet wird. Nach Philippsons Einteilung gehört sie zu den potamogenen Schwemmlandsküsten, weil sie ein Erzeugnis der Flüsse ist, die den alten Drin-Golf mit ihren Sedimenten wieder ausfüllten.

---

[1]) Ein noch ausgezeichneteres Beispiel für ein zugeschüttetes Vallone ist die Narentamündung.

Die Flufsabsätze wuchsen allmählich zusammen und schoben sich als breiter Alluvialstreifen ins Meer vor, weil die zerstörende und fortschaffende Thätigkeit der Wellen, Winde und Gezeiten nicht in dem Mafse wirken konnte, wie die Aufschüttung erfolgte. An den zerstreuten Kalkhügeln, die in Richtung und Gestalt mit den dalmatinischen Klippenreihen übereinstimmen, brach sich die Gewalt der Wogen, und die Sinkstoffe konnten sich am jenseitigen Abhange ungestört niederschlagen.

Im grofsen Ganzen kommt bei der adriatischen Flachküste das Gesetz zur Geltung, dafs sie zwischen den vorgeschobenen Flufsmündungen bogenartig zurücktritt. Die Deltabildung ist nicht von der Gröfse, sondern von der Schuttführung eines Stromes abhängig, und deshalb hat sich der reifsende Drin weiter ins Meer vorgeschoben und beiderseits seiner Mündung Delta-Seen abgedämmt, während die ungleich breitere Bojana vom Scutari-See keine groben Gerölle erhält und nur bei Hochwasser rasch dahinschiefst. Sind aber die Flüsse nicht ergiebig genug, so können sie der anfschüttenden und wegführenden Thätigkeit der Wellen, Strömungen und Winde — die schwachen Gezeiten des Mittelmeeres kommen kaum in Betracht — nicht entgegenwirken, ihre Mündungen werden durch Dünen abgesperrt, und es entsteht die thalassogone Schwemmlandsküste. Der montenegrinische Strandsaum zeigt gemischte thalassogene und potamogene Formen. Bei der Bojana überwiegt die Sedimentierung die Zerstörung und den Transport; sonst arbeiten jene Kräfte längs der ganzen Strecke schneller als die Flüsse. Die kräftigen Seewinde häufen die Schuttmassen zu Uferwällen auf, welche die schwachen Wasserläufe nicht zu durchbrechen vermögen, und die von Epirus nordwärts vordringende Küstenströmung, deren Richtung an dem nach Norden abgelenkten schmutzigbraunen Wasser der Bojana erkennbar ist, schneidet den flachen Strand geradlinig ab. Infolge dessen stauten sich die Bäche zu Seen auf, und die Versumpfung der fruchtbaren Niederung nahm so überhand, dafs man einen Kanal aus dem Zoganjsko Jezero ins Meer graben und durch diesen das überschiefsende Wasser ableiten mufste [1].

Die Ebenen, die sich in breiter Ausdehnung und nur vorübergehend von Bergketten eingeengt als Hinterland der Flachküste bis zur Zeta erstrecken, bilden ein unabsehbares Tiefland, das mit Einschlufs des Scutari-Sees einen Raum von 2000 qkm einnimmt und in gleichem Umfange nirgends in Montenegro wiederkehrt. Es besteht aus den fruchtbaren Fluren zwischen den Ausläufern des Küstengebirges und dem Drin [2]) und den Ebenen um den Scutari-See [3]) mit ihren Anhängseln, dem Crmnica-Becken (27 qkm) und dem Zeta-Thal (55 qkm). Letzteres, eine deutlich ausgearbeitete Furche, die an ihrer höchsten Stelle kaum 80 m über dem Meeresspiegel liegt und eine Breite bis zu 8 km besitzt, ist das Hauptglied der 100 km langen Bodensenke, die von der Adria bis zum Gacko Polje verläuft und die beiden Hälften des Fürstentums, die westliche oder eigentliche Crna Gora und die östliche oder Brda, voneinander scheidet. Vor dem Berliner Kongrefs war die gesegnete Zeta-Niederung, die einen ausgiebigen Ackerbau gestattet, der Lebensnerv des armen, unfruchtbaren Ländchens, und trotz der Verwüstungen, welche die gegenseitigen Überfälle und der beständige Kriegszustand zur Folge hatten, lieferte sie reiche Erträge.

---

[1]) Philippson, Über die Typen der Küstenformen, insbesondere der Schwemmlandsküsten. (v. Richthofen-Festschrift, 1893. S. 14 f. 39.) — Cvijić a. a. O., S. 98. 99. — Marmier, Lettres sur l'Adriatique, S. 284. — P. Ascherson, Der Berg Orjen an den Bocche di Cattaro. (Ztschr. d. Ges. f. Erdk. Berlin, 1868, S. 323.) — Rovinski a. a. O., S. 114. 115. 194—196. 273. — Sorrnet, Au Monténégro, S. 65—67. 86. — Fischer a. a. O., II, 80. 82. — Gjurašković, Nješto o Valdinoča. Glas Crnogorca 30. IV, 7. u. 14. V, 1894.

[2]) Von diesem weiten Gebiet gehört den Montenegrinern nur die Ebene zwischen Dulcigno, Šas-See und der Bojana, das Štoj.

[3]) Die Ebenen um den Scutari-See führen bei den Montenegrinern den Gesamtnamen Zeta oder Zenta. Das Land westlich von der Morača heifst Lješko Polje, östlich von ihr Zemorsko Polje, albanesisch Lasan oder Leme. Die Niederung östlich des Sees wird nach den umwohnenden Albanesenstämmen Kastrati und Koplika oder schlechthin Bales und Linat (Prärie) genannt. — Boué a. a. O., I, 16. — Boué, Recueil d'itinéraires II, 164. — v. Hahn, Albanesische Studien, S. 111 f. — Rovinski a. a. O., S. 116 f.

Aufserdem war die Einsenkung kommerziell und militärisch als kürzeste und bequemste Verbindungsstrafse zwischen Albanien und der Hercegovina hochwichtig, und da das Becken von Nikšić mit der Zeta, diese mit der Morača und letztere durch die Bojana mit dem Meere zusammenhängt, so bildet die ganze Furche ein einheitliches Thalsystem, dessen wenige Nebenthäler noch am leichtesten das Eindringen in die schwer erreichbaren Plateaus des Innern ermöglichen. Aber gerade deshalb war die Zeta-Ebene die schwächste und verwundbarste Stelle Alt-Montenegros, und von ihren beiden Einbruchspunkten Spuž und Nikšić aus suchten die Türken von jeher sich derselben zu bemächtigen. Von ihr aus unternahm Köprili Pascha 1714 seinen furchtbaren Rachezug, auf dem auch die Landeshauptstadt Cetinje zerstört wurde; von hier aus brach 1852 Montenegros gefährlichster Gegner, Omer Pascha, in die Schwarzen Berge ein, und 10 Jahre später wählte er diese Linie wiederum mit Erfolg als Operationsbasis. Hätten die Türken damals eine befestigte Heerstrafse durch das Gebiet ihrer vollständig erschöpften Feinde von Spuž nach Nikšić angelegt, wie ihnen Artikel 6 des Vertrags von Scutari gestattete, so war Montenegro in zwei Teile zerschnitten, auf den ertraglosen Westen angewiesen und seines natürlichen und politischen Rückhaltes, der Brda, beraubt, mit andern Worten: in seiner Existenz aufs höchste bedroht. Im letzten Kriege, 1877, suchte der energische Suleiman Pascha einen ähnlichen Plan zu verwirklichen, indem er von Norden aus in die Crna Gora einfallen und sich mit dem türkischen Südcorps bei Danilovgrad vereinigen wollte, um auf dem alten Saumwege quer über das Gebirge nach Rijeka und Cetinje vorzudringen. Allerdings gelang die Vereinigung nach neuntägigen grauenvollen Kämpfen, aber nicht auf montenegrinischem, sondern auf albanesischem Boden, und die türkischen Truppen hatten so schwere Verluste erlitten, dafs sie von weiteren Unternehmungen abstehen mufsten [1]).

So stellt die Zeta-Niederung eine auffallende orographische Trennungslinie dar, denn das Gebiet westlich von ihr ist niedriger und formenärmer als der Osten, und wenn auch die Gegensätze nicht sofort erkennbar werden, so lassen sie sich um so deutlicher wahrnehmen, je mehr man sich der Schieferlandschaft nähert. Dagegen hat man der Zeta eine viel zu grofse Wichtigkeit als hydrographische, klimatische und geologische Scheide beigemessen, die ihr bei genauerer Prüfung nur in beschränktem Mafse zukommt.

Das Becken von Nikšić vermittelt den Übergang vom Zeta-Thal zur Duga-Furche, die einen ganz andern Charakter trägt und als Trennungslinie viel weniger ins Auge springt als jene, weil ihre Höhenunterschiede gegenüber der Umgebung nicht beträchtlich sind und weil sie in ihrem Bau wenig von derselben abweicht. Vor allem darf man sich in der Duga-Senke keine Depression mit gleichsinnigem Gefälle vorstellen. Sie bildet vielmehr eine sanft ansteigende und in der Hälfte ihrer Erstreckung, hinter Nozdre, langsam wieder abfallende Einsattelung im Kalkgebirge, auf der durch Querriegel eine Anzahl von Mulden abgetrennt wird, während ein niedriger Längskamm die ganze Anlage in zwei parallele Reihen teilt. Diese durchziehen zwei Saumwege, der Dužki Put und Stožki Put, zu denen sich in einiger Entfernung ein dritter, der Srijedački Put, gesellt. Die übliche Bezeichnung Duga-Pässe entspricht schon deshalb nicht der wirklichen Beschaffenheit der roh ausgearbeiteten Doppelsenke, weil sie nur einmal, am Krstac, das Gebirge quer durchsetzt und sonst stets der Streichrichtung der sie beiderseits begleitenden Höhenzüge folgt. Sie erinnert also an ein roh ausgearbeitetes Längsthal, das aber wohl nie in zusammenhängender Weise von einem Flusse bewässert wurde. Doch sind die einzelnen Mulden reich an Quellen und gut gangbar, weil ihr Untergrund aus Kreideschiefern besteht, die wasser-

---

[1]) Mackenzie und Irby, Turks, Greeks and Slavons, 1867, S. 565. — Boulongne, Monténégro et ses habitants, 1868, S. 158. — Pančić a. a. O., S. IV. — Gopčević, Türkische Taktik im montenegrinischen Kriege, 1878, S. 98 f. — Boršanski, Liste des différents points du Monténégro, déterminés en 1879/80, 1881, S. 301. — Schwarz, Montenegro. Reise durch das Innere, S. 367. 368. 375. — Rovinski a. a. O., S. 31. 120. — Chikoff a. a. O., S. 156. — Novibazar und Kossovo, 1892, S. 35.

undurchlässig sind und durch die Art ihrer Verwitterung stets die Wannenbildung im Kalke begünstigen [1]).

Die Zweiteilung in Crna Gora und Brda, welche die Tiefenlinie Zeta-Thal — Duga-Furche an die Hand giebt, hat sich von jeher — und mit Recht — in der Wissenschaft eingebürgert. Um so gröfsere Abweichungen lernen wir jedoch kennen, wenn wir die Unterabteilungen beider Gruppen betrachten; denn man ging bei der Gliederung von den verschiedensten Gesichtspunkten aus und verfuhr oft ganz willkürlich nach rein äufserlichen Merkmalen. Dabei kann es leicht geschehen, dafs durch eine zu weit gehende Zerlegung in Haupt- und Untergruppen der innere Zusammenhang zerrissen wird, und die vor einigen Jahren in den Mitteilungen der K. K. Geographischen Gesellschaft zu Wien veröffentlichten Arbeiten über die Gebirgssysteme der Balkanhalbinsel und das Illyrische Gebirgsland, welche ähnliche Gedanken zum Ausdruck brachten, haben nicht überall Beifall gefunden. Immerhin müssen derartige Versuche gemacht werden, da sie, wenn auch von Äufserlichkeiten ausgehend, durch ihre strenge Schematisierung die Grundlage für spätere Untersuchungen bilden; und es ist stets leichter, auf einem bereits vorhandenen Fundament weiterzubauen, als ein solches erst zu schaffen.

Der erste Gliederungsversuch, den wir dem berühmtesten Erforscher der Türkei, A. Boné, verdanken, mufste bei der mangelhaften Kenntnis der Balkanstaaten notwendig unvollkommen bleiben [2]). Er fafste Alt-Montenegro als ein hochgelegenes Stück Land auf, das von dem höchsten Gebirge der westlichen Türkei und dem Küstengebirge umsäumt und in der Mitte von einem dritten Kamme durchzogen wurde, der in der Lukavica seine bedeutendste Erhebung erlangte. Unter ihm versteht Boné jedenfalls die mächtige Gebirgskette, deren höchste Gipfel Vojnik, Zebalac, Maganik und Kamenik sind.

Schwarz teilte Montenegro in das Küstenland, die Westhälfte (Crna Gora) und den Osten (Brda) und unterschied bei letzterem wieder vier grofse Gruppen die er Massive nannte und durch die Flüsse Zeta, Morača, Piva, Tara und Lim begrenzte. Weil letztere nämlich in tiefen Thälern nord-südlich oder süd-nördlich verlaufen, so zerlegen sie die Brda in vier gebirgsartige Streifen, das Zeta—Morača-, Morača—Piva-, Piva—Tara- und Tara—Lim-Massiv, die nur durch die Wasserscheiden miteinander in Verbindung stehen und sonst durchaus selbständig sind. Dem gegenüber macht Rovinski geltend, dafs eine Einteilung nach Flüssen unwissenschaftlich und auch falsch ist, weil nicht der Strom die Richtung des Gebirges, sondern das Gebirge den Lauf des Stromes bedingt und sich nicht blofs an einem Ufer entlang zieht, sondern oft auf das andre hinübergreift. So hängen die Gebirgsketten beiderseits der Morača, die Schwarz zwei getrennten Massiven zuweist, eng zusammen, ebenso wenig läfst sich das Morača—Tara-Massiv vom Tara—Lim-Massiv scheiden, und anderseits sind manche Teile eines und desselben Massivs nach Aufbau und Zusammensetzung so grundverschieden, dafs man sie nie zu einem einheitlichen System zusammenfassen kann.

Rovinskis Einteilung, die als Hauptgruppen West-Montenegro, das Küstenland, Durmitor, Kom, Žijovo Planina und das Zentralmassiv feststellt, kommt der Wirklichkeit bedeutend näher, ist aber noch nicht erschöpfend, so dafs Kandelsdorfer 1889 ein neues System aufstellte, das wir mit einigen Veränderungen unserer Gliederung zu Grunde gelegt haben. Darnach zerfällt das Fürstentum in drei orographische Hauptgebiete, das Küstenland, die Crna Gora und die Brda. Ersteres ist ein einheitliches Mittelgebirge, die Crna Gora ein Karstplateau, das durch die Beckenreihe Njeguš—Cetinje—Rijeka und durch die Ausläufer

[1]) J. G. A., Südslavisches Land und Volk, S. 366. — Tietze a. a. O., S. 46. 48. — Rovinski a. a. O., S. 53. — Cvikoff a. a. O., S. 158.

[2]) Ebensowenig genügt die Gliederung W. Koners den heutigen Anforderungen. Nach ihr zieht eine mächtige, nur durch die Tara unterbrochene Kette vom Durmitor zum Kom, und von letzterem strahlt ein Zweig südöstlich zur Prokletija, ein anderer südwestlich ins Morača- und Zeta-Thal aus.

des Pusti Lisac in einen südlichen, mittleren und nördlichen Abschnitt (Lovćen, Katunska Nahija, Banjani) geteilt wird. In den Brda, der Fortsetzung des bosnischen zentralen Höhenzuges, kommt der Hochgebirgscharakter immer mehr zur Geltung, und hier nimmt Kandelsdorfer fünf Gruppen — Volujak, Durmitor, Moračko Gradište, Siljevica, Kom — an [1], während wir unter Berücksichtigung seiner und Rovinskis Einteilung folgende sieben Gruppen aufstellen: 1) Hercegovinische Alpen—Vojnik, 2) Prekornica—Maganik—Lukavica, 3) Sinjavina Planina, 4) Durmitor, 5) Moračko Gradište, 6) Kom, 7) Kuči und Bratonožići. Bei den ersten drei Gruppen waltet der Plateaucharakter vor, und die aufgesetzten Gebirge streichen von Nordwest nach Südost, die nächsten drei stellen das montenegrinische Hochgebirge dar, zeigen deutliche Kammbildung und halten die südöstliche Streichrichtung weniger streng ein, und die Žijovo Planina ist eine Vereinigung von Karstplateau und Karsthochgebirge mit vorherrschend südwest-nordöstlichem Streichen. Den Vojnik rechnet Kandelsdorfer zum Volujak-System, Rovinski zum Zentralmassiv, und Schwarz zählt die ganze Gruppe zu West-Montenegro. Umgekehrt reiht Rovinski den Volujak zum Durmitorgebiet und die Moračko Gradište zum Zentralmassiv. Betreffs der übrigen Gruppen stimmen die Einteilungsversuche im wesentlichen überein; sie ergeben, tabellarisch zusammengefaſst, die nachstehende orographische Gliederung:

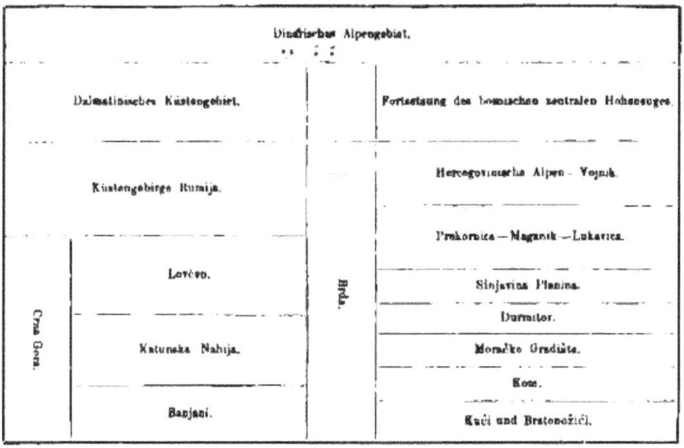

<table>
<tr><td colspan="4">Dinarisches Alpengebiet.</td></tr>
<tr><td colspan="2">Dalmatinisches Küstengebiet.</td><td rowspan="8">Brda.</td><td>Fortsetzung des bosnischen zentralen Höhenzuges.</td></tr>
<tr><td colspan="2" rowspan="2">Küstengebirge Rumija.</td><td>Hercegovinische Alpen — Vojnik.</td></tr>
<tr><td>Prekornica — Maganik — Lukavica.</td></tr>
<tr><td rowspan="5">Crna Gora.</td><td rowspan="2">Lovćen.</td><td>Sinjavina Planina.</td></tr>
<tr><td>Durmitor.</td></tr>
<tr><td rowspan="2">Katunska Nahija.</td><td>Moračko Gradište.</td></tr>
<tr><td>Kom.</td></tr>
<tr><td>Banjani.</td><td>Kuči und Bratonožići.</td></tr>
</table>

Das Küstengebirge in seiner weitesten Ausdehnung bildet eine langgestreckte Bergkette, die von Kroatien bis nach Dulcigno in unmittelbarer Nachbarschaft des Meeres verläuft und in eine Reihe kleinerer Abschnitte zerfällt. In Montenegro versteht man unter ihm das Lovćensystem und die gebirgige Landenge zwischen Adria und Scutari-See und bezeichnet als Küstengebirge im eigentlichen Sinne die letztgenannte Gebirgsmauer, die nach ihrem höchsten Gipfel den Namen Rumija erhalten hat und eine mittlere Höhe von 1100 m besitzt. Sie stürzt unvermittelt zum Meere und zum Scutari-See ab und macht, trotzdem sie sich nur zu Mittelgebirgshöhe erhebt, den Eindruck eines stattlichen Hochgebirges, weil sie nicht wie die andern Bergzüge des Fürstentums auf einem hohen Sockel ruht. Vor allem gewähren die plumpe Rumija (1593 m) und der ebenmäſsig gebaute Lisin

[1]) Boué, Die Europäische Türkei, I, 12. 34. — Kovaé, Karte von Montenegro, S. 219. — Kandelsdorfer, Montenegro, S. 495 f. — Schwarz a. a. O., S. 375 f. — Rovinski a. a. O., S. 30. 37.

(1380 m) mit ihren nackten grauen Kalkwänden und den hellen Schutthalden, die bis zum immergrünen Walde hinabreichen, ein fesselndes Bild, und nicht minder grofsartig entrollen sich die scharfen Formen der Gebirgsmauer, wenn man sie vom Scutari-See aus betrachtet.

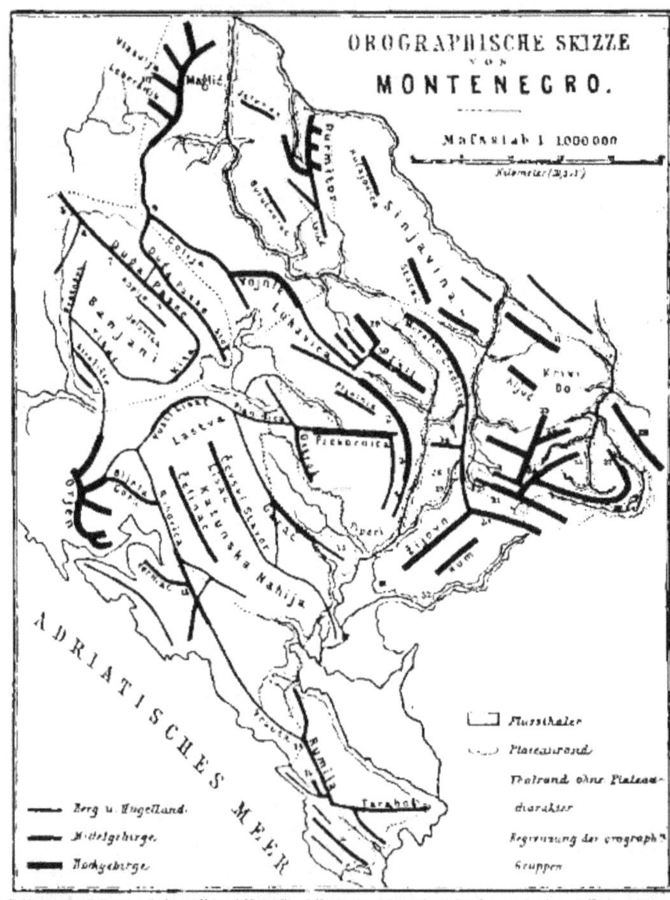


*Erklärung der Ziffern:* 1 Jablanov Vrh. 2 Maganik. 3 Kamenik. 4 Brotnik. 5 Troglav. 6 Somina. 7 Ušak. 8 Njegoš. 9 Dobrelica. 10 Čemerno. 11 Bjelasica. 12 Planik. 13 Lovćen. 14 Sutorman. 15 Lisin. 16 Modura. 17 Bobija. 18 Pandina. 19 Vjeternik. 20 Kostica. 21 Širokar. 22 Kom. 23 Trešnjevik. 24 Kurlaj. 25 Maglić-Crna Pl. 26 Bratonožići. 27 Zelentin. 28 Sjekirica. 29 Zebalac. 30 Brnik. 31 Vlaštica. 32 Zatrijebač. 33 Velje Brdo. 34 Stavanj. 35 Hasanac.

Der schmale, nur von wenigen Scharten, z. B. der Bijela Skala (959 m) und dem Sutorman (836 m), durchbrochene Felskamm ist schwer überschreitbar, weil die Pässe nur 250 m unter der mittlern Kammhöhe liegen und weil die Böschungswinkel der Gehänge ziemlich beträchtlich sind. Doch geht der Steilabfall nicht mit einem Male vor sich, sondern er wird von mehreren Stufen unterbrochen, auf denen u. a. die Häusergruppen von Mittel- und Ober-Murić errichtet sind. Im übrigen ist der Gebirgsbau einfach und einheitlich; nur der Sutorman-Paſs entsendet einen Ausläufer nach Virpazar und stellt durch einen andern die Verbindung mit dem Lovćen her, während sich südlich von Antivari der Lisinrücken abzweigt. Erst bei Dulcigno löst sich das Gebirge in niedrige Parallelketten auf, die plötzlich an der Bojana enden und fruchtbare Thalrinnen umschlieſsen. Endlich wird der Raum zwischen dem Küstengebirge und dem Meere von kurzen Hügelreihen aus Nummulitenkalk erfüllt, die ihre höchste Erhebung in der weithin sichtbaren Možura (624 m) erlangen und sich allmählich in die Ebene von Dulcigno abdachen[1]).

Die Einsattelung des Sutorman, die Scheidelinie zwischen Serben und Albanesen, bildete bis zum letzten Kriege die politische Grenze zwischen Montenegro und der Türkei und ward durch eine Reihe malerischer Forts beherrscht. Die viel umkämpfte Höhe trennt die Ebene von Antivari von der ergiebigen Crmnica-Niederung, von einem Ausblick auf das Meer und den Scutari-See ist aber wegen der vom Sutorman-Paſs sich abzweigenden Bergketten keine Rede. Das Verbindungsgebirge zwischen Sutorman und Lovćen stürzt in mehreren Absätzen[2]) steil zur Adria ab und trägt rundliche, vollkommen kahle Gipfel; im Innern dagegen geht es rasch in eine unregelmäſsige Karsthochebene über, die nur undeutliche Bergformen aufweist und eine der Streichrichtung parallele Schnur von Kesselthälern besitzt[3]). In der Umgebung des Lovćen ist die Plateaubildung bereits ganz ausgesprochen, weshalb dieser ein ganz anderes Gepräge als der Rumija-Kette eigen ist.

Der Lovćen, der am meisten besuchte und am häufigsten genannte Gipfel der Crna Gora, der Heilige Berg der Montenegriner, in dessen sturmumbrauster Kapelle lange Zeit die Gebeine des als Dichter und Herrscher gleichgroſsen Fürsten Petar II. ruhten, ist die höchste Erhebung des Küstengebirges und krönt ein breites Plateau, das den Hintergrund der wunderbaren Bocche di Cattaro abschlieſst. Ein 984 m hoher Sattel, die bekannte Eintrittspforte Krstac, vermittelt den Übergang von Cattaro nach Cetinje, und in nächster Nähe verläuft am steilen Hang die politische Grenze zwischen dem kleinen Fürstentum und dem groſsen österreichischen Kaiserstaat.

Das Lovćen-Massiv zerfällt in zwei Kämme, den Štirovnik (1759 m) und Jezerski Vrh oder Lovćen schlechthin (1657 m). Unvermittelt ruht der ungefüge, würfelähnliche Koloſs des erstern auf seiner Unterlage und fällt in senkrechten, wild verkarsteten Wänden, die nur im Südwest ohne Gefahr erstiegen werden können und keinen Baum oder Strauch tragen, zu dem schmalen Dolinenthal ab, das ihm von seinem Nachbar, dem ausdrucksvolleren Jezerski Vrh, trennt. Zwar ragen dessen helle Kalkmauern ebenfalls schroff empor und werden bloſs in ihren untern Horizonten von lichtem Buschholz überkleidet, aber sie sind zu einem scharfen, Nord — Süd gerichteten Rücken ausgearbeitet, der allseitig von Schutthalden umkränzt wird und einen kleinern, sargdeckelartigen Aufsatz von 43 m Länge und 17 m Breite trägt. Ihn ziert eine einfache Kapelle, und tief unter ihr ergänzt der Spiegel eines 25 m im Durchmesser haltenden Teiches, der ein rundes Becken ausfüllt, vom Schneewasser und von Quellen gespeist wird und im Sommer zu einer grünen, sumpfigen Wiese zusammenschrumpft. Er hat dem Rücken den Namen Jezerski Vrh (Seeberg) gegeben, während die Bezeichnung Lovćen nach der Auslegung J. G. A(merling)s Kienholzberg (luč = Kienholz) und nach der mir richtiger erscheinenden Erklärung Boués und Ebels Jagdberg (lovit = Jagd, lovac = Jäger) bedeutet. Die italienisch sprechenden Bocchesen heiſsen

[1]) v. Hahn a. a. O., S. 22. — Lipold a. a. O., S. 23. — Tietze a. a. O., S. 8. — L. Baldacci a. a. O., I, 4. — Schwarz a. a. O., S. 384. — Kandelsdorfer a. a. O., S. 487. — Rovinski a. a. O., S. 43—45. — Baldacci, Altre Notizie etc., S. 7. 11.

[2]) Die Terrassenbildung, die besonders deutlich zwischen Cattaro und Castel Lastua hervortritt und überall durch die Anlage von Dörfern gekennzeichnet ist, erreicht ihre gröſste Breite in den vielumstrittenen Fluren von Pastrovići.

[3]) Ebel, Zwölf Tage auf Montenegro, S. 75. 98. — Schwarz a. a. O., S. 185. — Rovinski a. a. O., S. 42. — Baldacci a. a. O., S. 11.

ihn nach seiner Gestalt Monte Sella (Sattelberg) oder wegen seiner jähen, himmelan strebenden Mauern Monte Coelo (Himmelsberg). Überall in Montenegro, vom Kom wie vom Durmitor, kann man seine charakteristischen Formen wahrnehmen, und schon ehe der Dampfer in die Bocche einbiegt, sendet er dem Reisenden seinen frostigen Willkommengrufs entgegen. Fast immer umtost ein kalter Wind seinen Gipfel, von dem sich eine Rundsicht entrollt, wie sie gleich grofsartig nirgends in Montenegro wiederkehrt. Wahrlich, ein poetisches Gemüt wie das des Fürsten Petar mufste es immer und immer wieder auf jene Höhe ziehen, und wie das Panorama, das dem Beschauer ganz Montenegro zu seinen Füfsen legt, sein Herz mächtig ergriff, so blieb es auch auf den einfachen Bergsohn nicht ohne Wirkung. Mit Andacht blickt er zu seinem heiligen Berge hinauf und mit Stolz zeigt er ihn dem Fremden; denn was wäre der Crnogorce ohne seinen Lovćen! [1]).

Die Hochebene senkt sich rasch nach Südost und fällt schliefslich in niedrigen Steilwänden zum Scutari-See und zur Ebene von Podgorica ab, während der Lovćen einen neuen Ausläufer, die Bukovica, nach Norden aussendet, der im Orjen-Stock und in der Bijela Gora zum zweitenmal eine bedeutende Höhe erreicht, die sogar diejenige des Štirovnik übertrifft. Beide sind ebenfalls einem nach Südost geneigten Plateau aufgesetzt und bestehen aus schmalen Felsrücken, an deren Vereinigungspunkte sich der Orjen bis zu 1895 m erhebt. Die beispiellos wilden und sehr schwer zugänglichen Berge waren stets der Rückhalt der unbotmäfsigen Krivošijaner, die dank dem natürlichen Schutze ihrer rauhen Heimat nie gänzlich bezwungen werden konnten und früher, als der Orjen noch ein Dreiherrnstein zwischen Österreich, Montenegro und der Türkei war, Freund und Feind mit unaufhörlichen Überfällen heimsuchten [2]).

Somit sind wir in die traurigen Einöden der Katunska Nahija eingetreten, die ein Hochland von 900 m mittlerer Erhebung darstellen, sich gegen Süd und Ost abdachen und am Zeta-Thal und Nikšićko Polje enden. Sie stehen unter dem Zeichen der wildesten Verkarstung; Kuppen und Dolinen, Rücken und Mulden sind in regellosem Durcheinander über die Oberfläche zerstreut, und schärfer umrissene Gebirge kommen nur an den Rändern zur Geltung. Was das Innere anbetrifft, so sind wenige das allgemeine Niveau überragende Gipfelgruppen erwähnenswert, die im grofsen Ganzen einander parallel laufen. Der längste Höhenzug ist die von der Bobija (429 m) am Gornje Blato bis zum Stavor (1239 m) und Čevski Lisac (1152 m) streichende Kette, und ihr schliefst sich der höhere, aber viel kürzere Kamm des Čelinac (1318 m) an. Noch höher ist der schroff zur Zeta abfallende Garač (1436 m), der, vom Thale aus gesehen, einem wilden, schwer zugänglichen Hochgebirge gleicht und aus zwei breiten, abgerundeten Gipfeln zusammengesetzt ist, zwischen denen ein schmaler, viel begangener Sattel liegt. Sämtliche Bergketten gehen im Norden in die formenlose Hochebene Lastva über und stehen durch sie mit dem Pusti Lisac in Verbindung, der fast senkrecht zur herrschenden Streichrichtung das Plateau durchsetzt und es im Verein mit einigen gröfsern Becken von der nördlichen Crna Gora scheidet. Auch der Pusti Lisac (1471 m) trägt zwei durch einen breiten Pafs getrennte Gipfel und umschliefst mit sanften Hängen ein geschütztes Thal, das wegen seines Reichtums an Waldwiesen zu den beliebtesten Weideplätzen der Umwohner zählt. Ähnlich dem Lovćen ist er an seiner dom- oder glockenartigen Gestalt überall in Montenegro erkennbar, und wie seine Ausläufer den Südrand der Ebene von Nikšić umsäumen, so setzen sie sich ostwärts bis ins Becken von Grahovo fort [3]).

---

[1]) Bolizza, Relazione del Sangiacato di Scutari, S. 295. — Ebel a. a. O., S. 37. — Boue a. a. O., I, 13. — Schwarz a. a. O., S. 63. 64. 375. 396. — Schwarz, Montenegro, Land und Leute, S. 215. — Chiudina, Storia del Montenegro, S. 24. — Rovinski a. a. O., S. 38. 39. 207. — Sermet a. a. O., S. 122. — Chikoff a. a. O., S. 134. 156. — Baldacci, Cenni ed Appunti etc., S. 18. 19. — van Heen, Eine Ersteigung des Lovćen, 1891, S. 275. — Lipold a. a. O., S. 23.

[2]) Ascherson a. a. O., S. 322.

[3]) Rovinski a. a. O., S. 45—49.

Der nördliche Abschnitt der Crna Gora, nach seinen Hauptprovinzen Rudine-Banjani genannt, ist ein trostloses, von keinem Flusse zerschnittenes und sehr unebenes Hochplateau, das von niedrigen Hügeln und flachen Wannen erfüllt und von aufgewulsteten Randgebirgen umgeben wird. Letztere sind noch aufsen steil, nach den Banjani sanfter abgedacht und zeigen einen gewissen Parallelismus, indem dem langgestreckten Kamme der Somina-Njeguš-Uteš Planina (1698 m), der ewigen Schnee in seinen Klüften zu bergen scheint und durch die vorgelagerten Rücken Koplje oder Slata Strana und Jelovica teilweise verdeckt wird, der niedrigere Höhenzug des Bratagos (1348 m) und der Stražište (1245 m) entspricht, während die südlichen Randberge des Gacko Polje mit dem nördlichen Umfassungswall der Ebene von Nikšić gleiche Richtung haben. Das ganze Gebiet läfst sich als ein flachwelliges Hügel- und Dolinenplateau auffassen, das sich von Nord nach Süd von 1300 m zu 750 m abdacht und eine grofse Senke mit regellos angeordneten Becken und Hügeln darstellt. Abgesehen vom Njegoš-Kamm, dem Kegelstutz des Planik, und der abgerundeten Stražište, die sich jederzeit aus dem formenlosen Chaos abheben, sind scharf ausgearbeitete Berge nicht sonderlich häufig, und da diese ihren Sockel nicht beträchtlich überragen und in breiten, sanft geneigten Hängen abfallen, so ist die Hochebene verhältnismäfsig leicht gangbar und hat als vielbesuchtes Weideland eine hohe wirtschaftliche Bedeutung [1]).

Fassen wir den Inhalt der trockenen topographischen Bemerkungen, die im Grunde weiter nichts als eine Umschreibung der Karte sind, kurz zusammen, so ist die Crna Gora eine mehr oder minder stark verkarstete Hochebene. Doch ist sie kein Plateau im eigentlichen Sinne des Wortes, sondern es soll damit blofs gesagt sein, dafs gröfsere Niveauschwankungen seltener werden. Am meisten tragen noch die Banjani Plateau-Charakter. Die mittlere Höhe West-Montenegros kann auf 700 bis 800 m geschätzt werden, doch sind die Höhenunterschiede im einzelnen beträchtlichen Schwankungen unterworfen, indem das Gacko Polje gegen 1000 m, die Hochebene nördlich des Gornje Blato kaum 200 m über dem Meeresspiegel liegt. Die Westhälfte des Fürstentums zeigt einen staffelförmigen Abfall von Nord nach Süd, und man kann Montenegro als einen gegen den Scutari-See geneigten Kessel betrachten, der von den Randgebirgen überall einzusehen ist und dessen tiefere Teile immer wasserreicher und fruchtbarer werden. Im Gegensatze zu den unvollkommen ausgearbeiteten Bergformen des Innern haben die Randgebirge der Crna Gora deutlich ausgeprägte Kämme und stürzen steil nach aufsen ab. Weil sie nur von wenigen Thälern durchfurcht und von wenigen Pässen durchbrochen werden, ist der Zugang zum Binnenlande sehr beschwerlich und langwierig, und der Unnahbarkeit ihrer Heimat verdanken es die Eingebornen in erster Linie, dafs sie von den Türken nie auf die Dauer unterjocht werden konnten. Die Gebirge verlieren nach Süden zu ebenfalls an Höhe, und wegen ihres streng nordwest-südöstlichen Streichens, das auch im Detail erkennbar ist, verleihen sie der Westhälfte des Fürstentums das Aussehen eines grofsen Thals, das von zwei parallelen Randgebirgen umkränzt und im Innern von andern Parallelketten durchzogen wird. Da ferner die Gebirge nicht blofs nach Süden, sondern auch nach Westen abfallen, so gesellt sich zur Abdachung nach dem Scutari-See eine solche vom Zeta-Thale zur Adria, und diese besonders deutlich beim hercegovinischen Karste wiederkehrenden Eigenschaften sind ein neuer Beweis für den engen orographischen Zusammenhang Montenegros mit den andern Küstenländern des Adriatischen Meeres [2]).

---

[1]) Tietze a. a. O., S. 9—11. 50. — Hoernes, Dinarische Wanderungen, S. 182. — Kandelsdorfer a. a. O., S. 496. — Rovinski a. a. O., S. 50. 52. 53.

[2]) Ebel a. a. O., S. 39. 74. — Lindau, Dalmatien und Montenegro, 1849, I, 230. — v. Hahn a. a. O., S. 4. — Delarue, Le Monténégro, 1862, S. 18. — Sestak und v. Schorb, Militärische Beschreibung des Fürstentums Montenegro, 1862, S. 52. — Pančić a. a. O., S. IV. — v. Mojsisovics, Tietze, Bittner, John, Neumayr a. a. O., S. 188. — Schwarz a. a. O., S. 214. 215. — Schwarz, Montenegro. Reise durch das Innere, S. 376. 377. — Tietze a. a. O., S. 8. 9. 98. — Rutar a. a. O., S. 68. — L. Baldacci a. a. O., I, 4. 5. — Rovinski a. a. O.

Wesentlich anders ist die Osthälfte des Fürstentums beschaffen, und schon diejenigen Gebirge, die wegen ihrer Karstnatur noch manche Beziehungen zur Westhälfte aufweisen, lassen einige Abweichungen erkennen, so dafs sie den Übergang zwischen den Landschaften der Crna Gora und Brda vermitteln.

Der mächtige Gebirgszug, der von Norden aus tief ins Herz des Landes vordringt, trägt zwar noch immer Plateau-Charakter, doch waltet die Rückenform bereits vor, und das Gebirge zwischen der Piva und den Duga-Pässen, die Golija, erscheint als ein steiler Kamm, der seinen Namen „Nacktes Gebirge" vollauf rechtfertigt. An beiden Enden wird er von zwei Hochgebirgsmassiven, den reichgegliederten Hercegovinischen Alpen und dem plumpen Vojnik, begrenzt. Erstere bestehen aus riesigen Felskämmen, die auf 1700 m hohen Plateaus ruhen, allseitig schroff abstürzen und an der schauerlichen Sučeska-Enge in senkrechten Mauern enden. Die nordwest—südost streichenden Kämme, deren gewaltigster der Maglić (2388 m) und Volujak oder Ochsenkopf (vol = Ochs, 2339 m — höchster Gipfel Vlasulja) sind, laufen unter sich und mit einigen kleinern Ketten parallel und werden durch den Leberšnik (1859 m) an den bosnischen zentralen Höhenzug angeschlossen, eine Verbindung, die auf dem als Wasserscheide und viel benutzter Übergang gleichwichtigen Čemerno-Sattel vor sich geht. Während die übrigen Kämme in kühnen Zinnen den dichten Laub- und Nadelwald überragen, trägt der schutt- und schneeerfüllte Leberšnik eine breite, mit zahllosen Sennereien besetzte Grasfläche, und das wilde Gebirge braucht den Vergleich mit den schönsten und romantischsten Teilen unserer Alpen nicht zu scheuen.

Ganz anders der ungegliederte, massige Vojnik (2000 m). Er ist ein plateauartiges Karsthochgebirge, dessen Oberfläche ein wirres Durcheinander von Graten und Dolinen und nur wenige scharf umrissene Gipfel, z. B. die drei Zinnen (Troglav), besitzt. Während es sich langsam zu den Hochweiden von Krnovo absenkt, fällt es nach allen andern Seiten steil ab und hat ein lebloses, düsteres Aussehen, wie es überhaupt das einzige Gebirge Montenegros ist, das keine Sennhütten beherbergt, weil es noch immer der Tummelplatz von Bären und Wölfen ist[1]).

Der Vojnik geht im Süden ins Zentralmassiv, wie es Rovinski nennt, ins Zeta—Morača-Massiv Schwarzs oder, wie wir es bezeichnen möchten, ins Prekornica—Maganik—Lukavica-Massiv über. Die weiten Fluren, die den Kern des Landes ausmachen, führen keinen einheitlichen Namen, und deshalb hält es schwer, sie unter einem solchen zusammenzufassen. Der Ausdruck Zentralmassiv ist nicht zu verwerfen, zumal unser Gebiet fast die Mitte Montenegros einnimmt; allein der Name an sich besagt zu wenig, und aus diesem Grunde ist die Bezeichnung Zeta—Morača-Massiv vorzuziehen, weil sie Lage und Begrenzung der ausgedehnten Hochebenen genau angiebt. Allerdings mufs bemerkt werden, dafs Schwarz unter dem von ihm aufgestellten Sammelbegriff nicht blofs das Zeta—Morača-Gebiet im engern Sinne, sondern den Landstrich bis zu den Hercegovinischen Alpen versteht. Was den Vorschlag anbetrifft, das Hochplateau nach seinen wichtigsten Gegenden zu benennen, so ist der Name Maganik nicht erschöpfend genug, denn der Maganik gehört einem langgestreckten Kettengebirge des rechten Morača-Ufers an, und ebenso ist die Lukavica ein Teil einer unter den verschiedensten Lokalnamen bekannten Hochebene. Jedenfalls ist es vom geographischen Standpunkte aus richtiger, ein Gebiet nicht nach seinen Grenzflüssen, sondern nach seinen bedeutendsten Erhebungen zu benennen, und aufserdem liegt nur die Morača-Quelle im Zentralmassiv, Tušina und Zeta dagegen entspringen in den benachbarten Massiven.

---

S. 35. — Sobiesky, Le Monténégro, 1893, S. 338. — J. Riedel, Über die Wasserverhältnisse im Flufsgebiete der Narenta u. die landwirtschaftliche Amelioration des Gacko Polje. (Wochenschr. d. Österr. Ingen.- u. Archit.-Vereins, 1869, S. 158.)

[1]) Boué, Recueil d'itinéraires, II, 198. 199. — Déchy a. a. O., S. 2—5. — Kanitz/Mandelsdorfer a. a. O., S. 497. — Rovinski a. a. O., S. 54. 82.

Das Zentralmassiv, das umfangreichste und ödeste Berggebiet Montenegros, ist ein 900—1400 m hohes Hochland, das von aufgesetzten Gebirgen umrandet und durchzogen wird. Die Gebirge, meist kurze, vielzackige Rücken, folgen nicht mehr streng der herrschenden Streichrichtung, sondern laufen auch von West nach Ost (Prekornica) und von Nord nach Süd (Maganik—Kamenik) und fallen gewöhnlich in steilwandigen Absätzen zu Thal, die in der Zeta-Niederung den Terrassen des entgegengesetzten Ufers entsprechen. Auf ihnen befinden sich die dauernd besiedelten Ortschaften, und die Stufen des Zeta- und Moraća-Thals sind verhältnismäfsig dicht bevölkert, während das Innere nur zur Sommerszeit von Hirten bewohnt wird und noch manche Gegend umschliefst, die bisher keines Menschen Fufs betreten hat.

Da die Randgebirge aus den tiefen Flufsthälern unvermittelt zu 1100 m (Ostrog) und 1500 m (Milin Do) Meereshöhe ansteigen, so war das Maganik—Prekornica—Lukavica-Massiv von jeher eines der unzugänglichsten und unbekanntesten Gebiete Montenegros. Wohl stürzen auch die westmontenegrinischen Hochebenen jäh ab; hat man jedoch die Höhe erreicht, so geht man auf einem im grofsen Ganzen horizontalen Plateau weiter. Hier dagegen durchsetzt eine nicht unbeträchtliche Zahl pafsarmer Kämme[1]) das Innere und zwingt den Reisenden entweder zu lästigen Umwegen oder zu einem mühseligen Auf- und Abstieg an den nackten Felsmauern. Gröfsere Beckenreihen erleichtern den Verkehr nur in gewissem Grade, weil sie am Rande und nicht im Innern des Plateaus liegen, und die wilde Verkarstung, die Wegelosigkeit, Wasserarmut und Menschenleere bringen es mit sich, dafs man stundenlang gehen kann, ohne eine Hütte, tagelang wandern kann, ohne eine Quelle zu treffen.

Nördlich der Linie Maganik—Gračanica macht sich ein auffälliger Unterschied im landschaftlichen und topographischen Bilde bemerkbar, indem gras- und wasserreiche Mulden auftreten, die in eine ausgesprochene Hochebene, die Lukavica, übergehen. Auf ihrem flachwelligen Schieferuntergrunde ruhen niedrige Karstrücken (150—250 m relative Höhe), während das vollständig unerforschte Berglabyrinth des Lukanječelo, Tali, Brnik &c. die Grenze gegen die steilen Ufer der Morača darstellt. Das Gebiet, welches auf der Karte unter dem Namen Lukavica erscheint, ist ziemlich beschränkt; doch versteht man unter diesem Begriff die einförmigen Fluren, die nordwärts bis zum Vojnik und zur Javorje Planina reichen und die verschiedensten Benennungen tragen[2]).

Die holzarmen und meilenweit im Umkreise des Baumwuchses ganz entbehrenden Grasebenen gehören zu den langweiligsten, aber nicht gar zu schwer passierbaren Gegenden Montenegros. Wirkungsvolle Scenerien erfreuen den Wanderer selten, er müfste denn das versteckte Waldthal Bogović, die geheimnisvollen Seen Kapetanovo und Brničko und vor allem den phantastisch gezackten Žurim-Berg ausnehmen. Der letztere erhebt sich weithin sichtbar auf einer schmalen, mit Kolibas (Sennhütten) besetzten Terrasse und besteht aus grauen Kalkzähnen, die von senkrechten, schneeerfüllten Rissen zerschnitten und bis zur halben Höhe unter Trümmerschutt begraben sind. Die Spitzen enden in scharfen Zinnen und scheinen unersteiglich zu sein, ein Gipfel aber hat eine konische Gestalt und wird von gewaltigen, horizontal geschichteten Quadern aufgebaut. Hier murmelnde Gewässer, dort starrer Firn, hier saftige Wiesen, dort totes Gestein, unten muntere Herden, oben einsame Hütten, diese Kontraste sind das einzig Fesselnde in der öden Landschaft, die ein treues Spiegelbild der Sinjavina Planina ist. Da die Berge manchmal parallel angeordnet sind, so weisen auch die von ihnen umschlossenen Mulden einige Regelmäfsigkeit auf und bergen auf ihrem Grunde eine leicht zerreibliche, dunkelbraune Erdkrume, die von einem unabsehbaren Grasteppich überzogen wird. Leider vertrocknen die grünen Matten

---

[1]) Die bedeutendsten Gipfel sind: Zebalac (2130 m), Brnik (2124 m), Tali (2062 m), Lukanječelo (2047 m), Maganik (2142 m), Kamenik (1786 m), Brotnik (1562 m), Prekornica (1928 m).

[2]) Z. B.: Mala Lukavica, Bogorića Bare, Trebješ, Urvad, Krnovo, Konjsko, Lola, Stirni Do &c.

sehr rasch unter den sengenden Sonnenstrahlen; trotzdem spielt jedoch die Lukavica in der Viehwirtschaft der Eingebornen eine segensreiche Rolle und wird im Sommer von zahllosen Sennereien belebt [1]).

Wie das Zentralmassiv durch den Planinica-Rücken mit der Crna Gora zusammenhängt, so stellt die Javorje Planina das Bindeglied zwischen ihm und seinem nordöstlichen Nachbargebiet, der Sinjavina Planina, her. Die weiten Hochebenen zwischen Tara, Piva und den Quellflüssen der Morača tragen verschiedene Namen, z. B. Somina Planina, Drobnjak, Jezera, Todorov Do, Barni Do, Crkvice &c., allein gemeinhin sind sie unter der Bezeichnung Sinjavina bekannt. Die Meereshöhe dieses umfangreichen Sockels findet nirgends in Montenegro ihresgleichen, denn sie beträgt im Süden über 1700 m und fällt nordwärts allmählich bis auf 1200 m, so dafs die aufgesetzten Gebirge keine allzu grofse relative Höhe besitzen. Die Plateaus haben dieselben Eigenschaften wie die Hochebenen des Sandžaks und der Lukavica und sind so recht die Heimat der Cañons, die einige Abwechselung in das ewige Einerlei bringen, so dafs sie wohl typische Tiefenlinien, jedoch keine orographischen Trennungslinien sind. Auch hier kehrt die Eigentümlichkeit der montenegrinischen Gebirge wieder, mögen sie nun Ketten- oder Plateaugebirge sein, dafs ihre steilen Wände von Terrassen unterbrochen werden. Die Stufenbildung in Gestalt von 3 bis 4 km breiten Absätzen tritt bei der Piva deutlich hervor, und diese gewinnen nach dem Gipfelpunkte des ganzen Plateaus, dem Durmitor, zu immer mehr an Höhe und Breite, so dafs man sie gewissermafsen als Vorlagerungen desselben auffassen kann.

Der Hochebenencharakter kommt auf der Sinjavina, besonders auf den Plateaus Crkvice und Jezera, am entschiedensten zur Geltung. Flache Wannen, die von Muloće bis Žabljak einander unaufhörlich folgen und zu einer südost—nordwest verlaufenden Schnur aneinandergereiht sind, werden von niedern Hügeln begleitet, die jegliche Aussicht versperren und die Orientierung ungemein erschweren. In demselben Mafse, in welchem der Kalk die Oberhand gewinnt, verschwinden Bäume und Quellen, so dafs die Sinjavina Planina mit Ausnahme der Fluren von Odrak und Jezera zu den holz- und wasserärmsten Gebieten des Fürstentums gehört und wegen ihres rauhen Klimas nur am Rande dauernd bewohnte Dörfer trägt [2]).

Wie die Sinjavina eine Hochebene im besten Sinne des Wortes ist, so entbehren auch ihre Gebirge der ausgeprägten Gipfel und enden wiederum in kleinern Plateaus, den sogenannten Planinas, z. B. Starac (2034 m), Pećarac (2044 m), Jablanov Vrh (2203 m). Geben sie indes ihre Tafelform zu Gunsten scharfer Kämme auf, so verändert sich mit einemmal das landschaftliche Bild. Schon die Kučajevica (1784 m) kann als ein stattliches Hochgebirge gelten; aber am gewaltigsten ist der Durmitor, das höchste Gebirge Montenegros und der südslavischen Lande. Eine schroffe Kette, so ruht er auf seiner breiten Unterlage und erhebt durchaus den Anspruch, als ein selbständiges Massiv betrachtet zu werden, obwohl ihn Rovinski und L. Baldacci als eine Verlängerung der Herzegovinischen Alpen auffassen. Seine relative Höhe schwankt je nach der Höhenlage des Plateaus und der einzelnen Gipfel zwischen 500 und 1000 m, und die Erhebung über den Meeresspiegel erreicht in der höchsten Spitze, dem Bobotov Kuk, 2528 m [3]), um auf dem Kamme nirgends unter 1900 m herabzusinken. Lange Zeit machte ihm bei der Unsicherheit und Unbekanntheit jener Gegenden der Kom den ersten Rang streitig, und A. Boué hielt letztern

[1]) Schwarz a. a. O., S. 282. 287. 370. 390. — Kandelsdorfer a. a. O., S. 496. — Rovinski a. a. O., S. 73. 74. 77. 79. 83. — Hassert, Reise durch Montenegro, S. 29. 178.

[2]) Blau, Reisen in Bosnien und der Herzegovina, 1877, S. 77—79. — Sax, Reise von Serajevo nach dem Durmitor, 1870, S. 104—106. — Schwarz a. a. O., S. 381. — Tietze a. a. O., 9—11. — L. Baldacci a. a. O., I, 5. — Rovinski a. a. O., S. 55. 66. 67.

[3]) Diese Höhe wurde 1886 durch eine Visur des österreichischen Generalstabes aus dem Limgebiet bestimmt. Nach der russischen Aufnahme hat der Bobotov Kuk 2523 m. Boué gibt 2370—2528 m, Šestak und v. Scherb 2470 m, Venjukoff 2483 m, v. Sterneck 2606 m, Baumann 2945 m, Vivien de St. Martin 2409 m, Verfasser dieses 2567 m an.

für höher; doch konnte er seine Meinung nicht mit Gewifsheit begründen und machte nur aus den entgegengesetzten Bergformen einen Rückschlufs. Der Durmitor hat spitze Nadeln und Pyramiden, der Kom plumpe, gedrungene Köpfe; was aber spitz und schmal ist, erscheint aus der Ferne höher als das Stumpfe. Aufserdem stellt die Umgebung des erstern eine weite Ebene dar, während in der Nachbarschaft des letztern nicht minder mächtige Bergketten auftreten, die den freien Ausblick hindern und die Höhe der einzelnen Gipfel weniger zur Geltung kommen lassen. Auch Rovinski vermutet, dafs der Kom den Durmitor an Höhe übertroffen habe; allein die Verwitterung arbeitete an der Abtragung des isolierten Kom-Walles viel schneller und energischer als an derjenigen des durch seinen eigenen Bau geschützten Durmitor, und demnach hat sich gewissermafsen vor unsern Augen die Thatsache zugetragen, dafs ein ursprünglich höherer Gipfel seiner dominierenden Stellung verlustig ging. Heute gilt der Durmitor allgemein als das höchste Gebirge der Dinarischen Alpen, wird aber seinerseits von den Albanesischen Alpen und dem Šar Dagh um mehrere hundert Meter überragt.

Wie die Höhe des Durmitor (nicht Dormitor) schwankend blieb, so erfuhr auch sein Name die abweichendsten Erklärungen. Schwarz will ihn, aber wohl kaum in befriedigender Weise, auf das lateinische Wort dormitor = Schläfer oder auf Herr, verderbt aus dem rumänischen domnitor, zurückführen, und nach Kapper sind Lovćen (Mons Labeaticus), Durmitor, Lim und Tara verrömische, ja vorgriechische Namen. Hoernes erwähnt, dafs die Hercegovcen die imposante Kalk- und Dolomitmauer Nebeska Soha (Himmelsgabel) nennen; doch habe ich diese sehr zutreffende Bezeichnung an Ort und Stelle nicht gehört und kenne blofs den Durmitor-Gipfel Soha (Soje).

O. Baumann hat eine lichtvolle Darstellung des Durmitor-Gebiets entworfen, die kaum einer Verbesserung bedurfte und bei der im Folgenden versuchten Gliederung mit verwandt ist. Man kann den Durmitor als ein Karsthochgebirge mit Längsketten und Längsthälern, Querketten und Querthälern oder als ein System felsiger Grate auffassen, die keinen bestimmten Hauptkamm erkennen lassen und von ihrem höchsten und wildesten Knotenpunkte, der Čirova Pećina (Bobotov Kuk), ostwestlich und südnördlich verlaufen und kleinere, aber nicht minder wilde Nebenkämme entsenden. Zum Tara-Cañon fällt der Doppelkegel des Stulac (2104 m) sanft ab und wird durch die schroffwandige Crvena Greda mit dem mittlern und zugleich höchsten Teile des Durmitor verbunden. Dieser führt keinen einheitlichen Namen und trägt die zerrissenen Spitzen Soha, Čirova Pećina, Stit u. a. Ein von ihm nach Norden abgezweigter Querriegel trennt die öden Karstthäler Vališnica und Lokvice Do voneinander, ein zweiter wird vom ungefügen Medjed (2415 m) eingenommen und scheidet das Lokvice-Thal von einer tiefen Schlucht, die auf der andern Seite ihres Umfassungsgrates vom Šljeme (2458 m), Savin Kuk und der Stožina gekrönt wird. Stit und Bobotov Kuk stürzen in vollkommen senkrechten Mauern zum tiefen Škrk-Thale ab, das zwei kleine Weiher beherbergt und den Oberlauf des Trockenflusses Sušica bildet. Im Westen umgrenzt es die plumpe Prutaš (2400 m), die jäh zur Mulde Todorov Do abfällt, um endlich als waldiger Hügelzug die Hochebene von Piŝće zu durchziehen und ihre letzten Ausläufer bis nach Crkvice vorzuschieben. Dem Kessel Dobri Do gebietet der sattelförmige Sedlo Halt; er hängt einerseits mit der Stožina, anderseits mit der Studena und Ivica Planina zusammen, und über die Einsattelung zwischen seinen seltsam gestalteten Hörnern führt der natürliche Übergang von den westlichen Durmitor-Dörfern nach Bukovica.

Der Durmitor ist durch seine scharf ausgearbeiteten Gipfel ausgezeichnet. Allerdings besitzt gerade die höchste Spitze die am wenigsten ausgeprägten Umrisse, um so malerischer sind dagegen Sedlo (Sattelberg), Medjed und die sargdeckelähnliche Prutaš. Sie endet in einem schmalen Plateau und besteht wie der Šljeme in ihren obern Teilen viel mehr aus weichen Wiesen als aus hartem Fels, dafür aber stürzt sie jäh zum Todorov Do ab, und ihre überkippten Schichten, deren Köpfe von der Erosion zu wilden Zähnen ausgefressen sind, gewähren von dieser Seite einen ungemein grofsartigen Anblick. Die Schroffheit und Verkehrsfeindlichkeit ist überhaupt eine Eigentümlichkeit des Durmitor, und die 800 m hohen Wände im Hintergrunde des Škrk Do sind geradezu unersteiglich. Eine Ausnahme macht der sanft geböschte, langgestreckte Stulac, und über ihn führt der kümmerliche Pfad, der die kürzeste Verbindung zwischen den Dörfern diesseits und jenseits der Sušica ermöglicht. Mag man aber aus der Nähe oder Ferne das Durmitor-Massiv betrachten, immer wirkt es gleich majestätisch, nachhaltig und eindrucksvoll. Eine Zusammenhäufung von 10 bis 20 Zinnen, so entrollt es sich vom Vojnik aus; ein finsterer, schnee- und schutterfüllter Wall, so begrüfst es den von Osten kommenden Wanderer. Zwar ist der Durmitor ebensowenig wie der Kom und die übrigen Bergriesen Montenegros von dem grofsartigsten Phänomen des Quartärs, der Eiszeit, betroffen und nirgends werden die Spuren einer ehemaligen Vergletscherung bemerkbar, aber allwinterlich hüllt ihn ein weifses Schneekleid ein, und nie verschwinden im Hochsommer die Firnflecken und Firnfelder, die sich wie ein weifser Besatz von dem dunklen Gestein abheben. So fehlt es dem Durmitor nicht an scharfen Zinnen und freundlichen Matten, an schaurigen Abgründen und friedlichen Seen; doch bald wendet sich das Auge ermüdet von dem traurigen Bilde der Öde ab, das jenem weiten Reiche des Todes einen unverwischbaren Stempel aufgeprägt hat. Wohl kann sich der Kom in keiner Weise mit der finstern Majestät des Königs der montenegrinischen Berge messen; seine Umgebung dagegen ist viel anmutiger und abwechselungsvoller als die trostlosen, baum- und wasserarmen Karsthochebenen der Sinjavina.

Der Durmitor kann jetzt als ziemlich erforscht gelten, nachdem er bis vor wenigen Jahren nur durch die im August 1861 ausgeführte Reise von Sax und Blau bekannt war. Ihr Weg läfst sich leicht bestimmen, da der von ihnen Zeleno Jezero genannte Weiher dem Srablje-See und die Komarastijena der Stožina entspricht. Beide gelangten vom Kloster Piva ins Dobri Do, überschritten den Sedlo und kehrten nach einer blofs zur Hälfte gelungenen Besteigung der Komarastijena auf demselben Wege zu ihrem Ausgangspunkte zurück. Viele Jahre verflossen, bis Tietze 1881 die Planinica, Baumann 1883 die Ćirova Pećina, L. Baldacci 1885 ebenfalls die Ćirova Pećina erklomm. 1889 stattete Baumann dem Durmitor einen zweiten Besuch ab; ihm folgten 1890 Wünsch und A. Baldacci, welch letzterer den Šljeme, Savin Kuk und Stulac bezwang, und mir war es vergönnt, 1891 Ćirova Pećina, Medjed und Stulac und 1892 die Prutaš zu erklimmen[1]). —

Sieht man von einem geeigneten Punkte der Sinjavina nach Süden, so bemerkt man hinter der schwachwelligen Hochebene ein deutlich abgesetztes Kettengebirge, das noch wenig erforscht ist und als Moračko Gradište bezeichnet wird. Es besteht aus einem felsigen Kamm, der nirgends von tiefen Scharten durchbrochen ist und von stattlichen Gipfeln gekrönt wird, die wie der Sto (2358 m) zu einem vielzackigen Wall oder wie die Vučje (1940 m) und Gradište (2216 m) zu dachartig zugespitzten, steilgeböschten Rücken ausgearbeitet sind. Die Kette, die ein schwer zugängliches Karsthochgebirge darstellt, stürzt fast unvermittelt zu den tiefen Thalschluchten der Plašnica und Morača ab und wird nur hier und da durch schmale Terrassen in Stufen gegliedert. Der Aufstieg von Polje zu dem 1000 m höhern Plateau, auf dem die Tušina entspringt, gehört zu den beschwerlichsten, die es in Montenegro giebt, und wegen des übermäfsig grofsen Neigungswinkels der Abhänge ist der Abstieg nicht minder anstrengend. Während das Gebirge von den eben genannten Thälern aus ein überwältigendes Bild darbietet und der obern Plašnica-Rinne mit ihren Wiesen, Wäldern, Bächen und Kalkfirsten den Charakter eines

[1]) Sax a. a. O., S. 106. — Boué, Die Karte der Herzegovina und Montenegros, S. 653. — Boué, Les frontières de la Bosnie et du Monténégro, 1874, S. 20. — Kapper a. a. O., S. 650. — Schwarz a. a. O., S. 280. 383. — Tietze a. a. O., S. 27. 28. — Blau a. a. O., S. 77—79. — Hoernes a. a. O., S. 200. — Baumann, Reise durch Montenegro, S. 16—19. — Baumann, (Zweite) Reise durch Montenegro, S. 9. 10. — Baumann, Kartenskizze der Durmitorgruppe, 1884, S. 272. — L. Baldacci a. a. O., 1, 5. 33. — Baldacci, Cenni ed Appunti &c., S. 38. 44. — Rovinski a. a. O., S. 53 f. 104 f.

romantischen Alpenthals verleiht, wie man es eher in einer Tiroler als in einer montenegrinischen Landschaft vermutet, geht es im Norden rasch in die einförmigen Plateaus der Somina und Sinjavina über und hängt durch die Javorje Planina mit dem Berglabyrinth des rechten Morača-Ufers eng zusammen. Beide Randgebirge weisen überhaupt so viele verwandte Beziehungen auf, dafs man sie trotz der tief eingegrabenen Morača-Furche als ein Ganzes auffassen möchte, und in der That räumt Rovinski der Moračko Gradište keine selbständige Stellung ein, sondern ordnet sie seinem Zentralmassiv unter. Mit demselben Rechte könnte man sie aber für ein Randgebirge der Sinjavina halten, und ebenso geht sie im Süden, wo sie ihren Kettencharakter immer mehr zu Gunsten des Tafellandes aufgiebt, in die Hochebenen von Lijeva Rijeka und Bratonožići über. Sonach bleibt es unentschieden, ob die Moračko Gradište, das kleinste der montenegrinischen Massive, als besondere Gruppe oder als Unterabteilung oder Verbindungsglied eines der Nachbarmassive gelten soll, und diese Frage kann erst eine befriedigende Lösung erfahren, wenn die orographischen Verhältnisse des Landstreifens zwischen Tara und Morača genauer bekannt sind. Jedenfalls aber geht aus ihr hervor, dafs Aufbau und Gliederung der Erde um so verwickelter werden, je näher man dem Kom-Gebiet kommt[1]).

Das Kom-Gebirge läfst sich viel schwerer vom Kom-Gebiet trennen als der Durmitor von der Sinjavina, da es nicht als ein fremdartiger Aufsatz auf der Hochebene, sondern als höchster Kamm eines weitverzweigten Gebirgssystems erscheint. Betrachtet man die Sinjavina als ein selbständiges Massiv, so übertrifft der Kom den Durmitor beträchtlich an Umfang, und seine Ausläufer, die Wurzeln oder Füfse des Kom, wie sie der Volksmund nennt, enden erst in der Bjelasica nördlich von Kolašin, im Zelentin und im Visitor bei Plava, während die Bergketten jenseits des Lim bereits den Albanesischen Alpen angehören. Der eigentliche Kom samt seinen Nebenkämmen Varda, Suvi Vrh und Trešnjevik kommt weder an Höhe, noch an Ausdehnung dem Durmitor gleich, aber er stellt einen Knoten dar, von dem nach allen Seiten Thäler und Rücken ausstrahlen. Diese sind im Norden die Hochebene zwischen Kolašin und Andrijevica mit den Bergzügen des Ključ, Bač und der Bjelasica, im Osten die Bergreihen zwischen Perućica und Lim und im Westen die steile, schmale Kette des Maglić und der Crna Planina, welche die Verbindung mit der Žijovo Planina herstellt. Bestimmte Plateau- und Kettenbildungen lassen sich schwer unterscheiden; vielmehr wird das Kom-Gebiet durch zahllose Erosionsfurchen gegliedert und zeigt einen ausgeprägten Plateautypus nur zwischen Kolašin und Andrijevica, Kettengebirgsformen blofs im Kom-Stocke und im Zelentin. Im allgemeinen ist die Umgebung des Durmitor viel einfacher gebaut als das Kom-Gebiet, das fast das ganze Bereich der paläozoischen Schiefer umfafst[2]).

Der Kom im engern Sinne, der letzte Rest einer einst die alten Schiefer überspannenden Triaskalkdecke, besteht aus einem schroffen, hellgrauen Felskamme, der von NNO nach SSW gerichtet ist und auf den freundlichen Alpenwiesen von Štavna und Carine (1800—1900 m) ruht. Wegen seiner beschränkten Länge (7 km, Durmitor vom Stulac bis zur Ivica etwa 18 km) ist er viel besser zu überblicken als der Durmitor; im einzelnen aber zeigt er dieselbe Ausarbeitung wie dieser. Halsbrecherische Grate, unzugängliche Pyramiden, Schutthalden, die im Frühjahr als donnernde Steinströme zu Thal rollen, fehlen auch hier nicht, und blumige Wiesen zieren den Scheitel des interessanten Gebirges, das Baldacci nicht mit Unrecht als eine divina montagna und Boué als den König der türkischen Berge preist. Die Gipfel werden durch schmale, mitunter kaum fufsbreite Grate aus lockerem, brüchigem Gestein verbunden; hat man jedoch den aufserordentlich anstrengenden Aufstieg von Štavna aus überwunden, so betritt man nicht ohne

[1]) Schwarz a. a. O., S. 380. — Rovinski a. a. O., S. 72. — Baldacci, Altre Notizie &c., S. 66.

[2]) Tietze a. a. O., S. 10. 11. — Rovinski a. a. O., S. 32. 35. 98—100. — Baldacci, Altre Notizie &c., S. 42. 59.

Erstaunen eine mit Gras und Firnflecken bedeckte ebene Fläche, die nach der entgegengesetzten Seite weniger steil geböscht und nicht so stark zerklüftet ist wie die zum Plateau von Štavna abfallende Wand [1]).

Von fern gleicht der Kom einer Mütze; beim Näherkommen werden indes mehrere Zinnen von spitz- oder stumpfkonischer Gestalt erkennbar, und es hat sich ein Streit darüber entsponnen, ob der Kom zwei oder drei Hauptgipfel trägt. Rovinski spricht von drei Spitzen, von denen zwei dem Kučki Kom, eine dem Vasojevički Kom angehören, und von Alt-Serbien aus beobachtete Götz ebenfalls deren drei. Tietze, Baldacci, Cozens-Hardy und Boué dagegen sprechen von zwei Gipfeln, und betrachtet man den Kom vom Trešnjeviko der von Kolašin aus, so kann man nicht mehr als zwei Zinnen unterscheiden. Vom Thale Konj u he wieder bemerkt man drei flache Kuppen, die auf einem scharf abgeschnittenen Rücken ruhen; bei genauerer Prüfung findet man aber, dafs sie blofs dem Vasojevički Kom eigen sind, während man den hinter ihm versteckten Kučki Kom nicht sehen kann. Die Formen, die der erstere von Konj u he aus darbietet, kehren in gleicher Weise bei ihm wieder, wenn man ihn zusammen mit dem Kučki Kom vom Trešnjevik aus beobachtet. Was also aus der Ferne für drei Gipfel des gesamten Kom-Gebirges gehalten wurde, sind in Wirklichkeit die drei Spitzen des Vasojevički Kom, und der Kom selbst besteht aus den beiden Zwillingsgipfeln Kučki und Vasojevički Kom [2]).

Der Kom, das zweithöchste Gebirge Montenegros, ist nur um 65 m niedriger als der höchste Gipfel des Durmitor. Wegen der Unzuverlässigkeit der barometrischen Höhenmessungen blieben aber seine hypsometrischen Verhältnisse lange zweifelhaft, und erst die trigonometrischen Bestimmungen der russischen Generalstabsoffiziere brachten genaue Angaben bei. Es betrug nämlich die Höhe des

| | | | | | | |
|---|---|---|---|---|---|---|
| Kučki Kom . . . | — | — | 2448 | 2888 | — | 2488 m |
| Vasojevički Kom . . | 2686 – 2844 | 2437 | 2422 | — | 2490 | 2460 m |
| nach | Boué | Šestak | Bykoff | Baumann | Hassert | russ. Offizieren u. Rovinski. |

Bei der Deutung des Namens Kom stofsen wir auf dieselben Schwierigkeiten wie bei der Erklärung des Wortes Durmitor. Boué meint, dafs er vielleicht vom albanesischen Komp = Kamm, Knoten, abzuleiten sei, weil er den Knotenpunkt der von ihm ausgehenden Bergzüge darstellt. Möglicherweise war aber Kom ursprünglich ein lateinisches Wort und bedeutete Haufen oder Kamm, womit die zackigen Formen seines freigelegenen, isolierten Rückens bezeichnet werden sollten. Denton weist darauf hin, dafs einzelnstehende Berge in Albanien mehrmals den Namen Kom führen, und von diesen gleichnamigen Erhebungen des Nachbarlandes wurde der montenegrinische Kom nach seinen Umwohnern als Kučki und Vasojevički Kom unterschieden [3]).

Das Kom-Gebiet gehört zu den reizvollsten Landschaften Montenegros, und es ist bitter zu beklagen, dafs es wegen der Nachbarschaft der räuberischen Arnauten die unsicherste und verrufenste Gegend des Fürstentums ist. Überhaupt liegen die beiden höchsten Eckpfeiler der Schwarzen Berge unweit der Grenze und waren vor 1878 nur zum Teil in der Hand der Crnogorcen. Der Durmitor wurde ihnen erst im Berliner Ver-

[1]) Baumann, Reise durch Montenegro, S. 31. — Rovinski a. a. O., S. 102. 103. — Baldacci, Cenni ed Appunti &c., S. 54.

[2]) Boué, Die Europäische Türkei, I, 16. — Boué, Recueil d'itinéraires, II, 147. — Tietze a. a. O., S. 5. 16. 77. — L. Baldacci a. a. O., I, 24. — Rovinski a. a. O., S. 97. 100. — Baldacci a. a. O., S. 53. 54. — Cozens-Hardy, Montenegro, 1894, S. 392.

[3]) Boué a. a. O., II, 147. — Boué, Die Europäische Türkei, I, 16. — Denton, Montenegro, S. 27.

trag endgültig zugesprochen, und die Weiden des Kom geben noch heute zu den blutigsten Streitigkeiten zwischen Montenegrinern und Albanesen Veranlassung[1]).

Kuči und Bratonožići, das siebente und letzte der ostmontenegrinischen Massive, bezeichnen eigentlich einen politisch-ethnographischen Begriff, weil der eine Bezirk von dem montenegrinischen Stamme der Bratonožići, der andre von slavisierten Albanesen, den Kuči, bewohnt wird. Doch bildet dieses Gebiet mit Ausschlufs seines östlichsten Teiles, den die Ausläufer des Kom einnehmen, auch orographisch ein Ganzes, und deshalb wurde der Landesname der von Rovinski vorgeschlagenen Bezeichnung Žijovo Planina vorgezogen. Die weiten Fluren ähneln am meisten dem Zentralmassiv und gehören wie jenes zu den wildesten, zukunftslosesten Einöden des montenegrinischen Karstes. Neben den Kettengebirgen, die senkrecht zur Hauptstreichrichtung von Südwest nach Nordost verlaufen, treten deutlich entwickelte Plateaus auf, und auf dem Wege von Medun nach Strapče überschreitet man nicht weniger als sechs Terrassen, die von 450 m zu 1300 m ansteigen und durch schroffe Wände voneinander getrennt werden. Die Flüsse haben sich tiefe Cañons ausgewühlt, deren gewaltigster, der Cijevna-Schlund, von 1000 m hohen Mauern umrahmt und von niedrigen Randgebirgen begleitet wird. Beachtet man, dafs unmittelbar am linken Ufer die Albanesischen Alpen sich zu mehr als 2000 m Meereshöhe auftürmen, so wird ein auffallenderer Gegensatz zwischen Höhe und Tiefe in Montenegro nirgends wieder gefunden. Sonst ist die relative Höhe der aufgesetzten Gebirge nicht übermäfsig bedeutend, und selbst die Žijovo Planina (2138 m) erhebt sich blofs 400 m über die höchsten Terrassen. Doch bildet sie den eigentlichen Kern des Kuči-Landes, das sie überall mit ihren Ausläufern erfüllt, breite Vorlagerungen nach der Mala Rijeka, schmale Stufen nach der Cijevna aussendend.

Die Žijovo Planina, welche den Raum zwischen den ebengenannten Flüssen einnimmt, wiederholt im Kleinen die Formen des Durmitor, denn sie stellt einen schmalen, pafsarmen Kamm dar, der von zackigen Gipfeln gekrönt wird und zu jähen Schluchten abstürzt. Gleich den anderen Karstgebirgen besteht sie aus weifsgrauem Kalk, und spitze, zahnartige Berggestalten, z. B. der Festungsberg von Medun, der Toraš, der Berg unweit des Vukomirsko Weihers &c., scheinen diesem Massiv besonders eigentümlich zu sein. Niedrigere Parallelketten, der Hum Orahovski (1833 m) und die Kostića (2100 m) im Süden, der Zagon und Treskavac im Norden, sind dem Hauptkamme vorgelagert, und das noch wenig bekannte Gebirgssystem geht, immer mehr Plateaucharakter annehmend, in die Hochebene Širokar (1770 m) über, die mit Dolinen dicht besät ist und sich steil zum Rikavac Jezero, langsam zur wasserreichen Mulde Mokro abdacht. Je mehr man sich dem Kom nähert, um so schneller drängt der Schiefer den Kalk zurück, bis schliefslich die Gehänge ganz und gar aus den leicht verwitternden Schiefern bestehen und der Kalk sich nur noch als eine dünne, vielfach denudierte Decke darüber lagert[2]).

Das Žijovo-Gebirge fällt stufenweise zu seinem südwestlichen Vorlande, der waldigen Hochebene von Orahovo, dem rauhen Zatrijebač und der anmutigen Hügelkette Fundina ab, und im Norden vermittelt das vom Mala Rijeka-Schlund zerschnittene Plateau von Strapče den Übergang zum steinigen Karst von Bratonožići. Es wird wiederum von Randgebirgen umsäumt, deren höchstes und originellstes der Vjeternik (1284 m) ist. Als der neue Saumweg noch nicht angelegt war, mufsten Menschen und Tiere einen sehr beschwerlichen Pfad benutzen, der beim Auf- und Abstieg je 22 Krümmungen beschrieb, und ebenso führte über den benachbarten Cerovac ein Weg, der je 19 Biegungen besafs[3]).

[1]) Eine der ersten Kom-Besteigungen unternahm Kovalevski; ihm folgten Tietze (1881), Baumann (1883), Szyszylowicz (1886), L. Baldacci (1886), Rovinski, A. Baldacci (1890, 1891) und der Verfasser (1892).

[2]) Rovinski a. a. O., S. 88, 89. — Baldacci, Altre Notizie &c., S. 32. 59. — Die Kutschi, S. 366. — Hassert a. a. O., S. 162.

[3]) Rovinski a. a. O., S. 94—96.

Das Plateau von Bratonožići verbindet das Kuči-Land mit der Moračko Gradište und dem Maganik—Prokornica—Lukavica-Massiv, und somit haben wir die orographischen Hauptgruppen Montenegros nach ihren Eigenschaften und gegenseitigen Beziehungen kennen gelernt.

Überblicken wir noch einmal die eben geschilderte Osthälfte des Landes, so unterscheidet sie sich von der Crna Gora zunächst durch ihre beträchtliche Erhebung über den Meeresspiegel, die im Mittel nicht unter 1000 m herabsinkt und sich meist zwischen 1200 und 1500 m bewegt. Während im Westen kein Gipfel 2000 m absolute Höhe erreicht, giebt es hier viele, die höher als 2000 m sind, weshalb man den Osten mit Rovinski die alpine Hälfte des Fürstentums oder mit dem einheimischen Namen Brda (= das Gebirge) nennen kann. Zwar herrscht auch in den Brda die eintönige Hochebene vor und die landschaftlichen Gegensätze werden nicht gleich beiderseits der Zeta-Furche bemerkbar, aber je weiter man südostwärts vordringt, um so mehr verändert sich das orographische Bild. Langgestreckte Bergketten, die auf ihrem Scheitel neue, kleinere Plateaus, die sogenannten Planinas, tragen und die Hochebene nur um wenige hundert Meter überragen, schieben sich in ununterbrochener Reihenfolge kulissenartig ineinander. Nur Durmitor, Kom, die Berge beiderseits der Morača, Žijovo Planina und Herzegovinische Alpen sind großartige Hochgebirge, die den Vergleich mit unseren Alpen nicht zu scheuen brauchen und die mannigfachsten Berggestalten aufweisen. Bald sind sie tafelartig abgeschnitten (Sto, Kapa Moračka) oder glockenförmig abgerundet (Vojnik), bald stellen sie stumpfe oder spitze Pyramiden dar (Medjed, Kučki Kom); diese enden in scharfen Rücken (Ključ, Hum Orahovski), jene in einem zugespitzten Dache (Vučje). Hier herrscht die Nadel- oder Zahnform (Vlasulja, Festungsberg von Medun), der spitze Kegelstutz (Torač, Ćebesa, Sedlo) oder der zackige Turm (Žurim), dort der Sargdeckel (Prutaš) vor, Formen, an die in West-Montenegro bloß Lovćen, Pusti Lisac, Garač und Lisin erinnern.

Gleichzeitig wird die Gliederung reicher. Nicht nur daß man Ost-Montenegro im Gegensatz zum formenlosen Karst in wohlumgrenzte Massive teilen kann, auch die Plateaus werden sehr oft von Wasserläufen durchfurcht, und finstere Cañons oder waldige Schluchten haben ein weitverzweigtes Thalnetz geschaffen. So bedeutet die Zeta-Niederung eine orographische Trennungslinie im besten Sinne des Wortes, und diese Trennung hat auf die politische Entwickelung des Fürstentums einen maßgebenden Einfluß ausgeübt. Die Crna Gora umfaßte das eigentliche Montenegro, und die Brdaner waren ursprünglich freie Hirtenstämme, die nur dem Namen nach der Türkei gehorchten und erst Bundesgenossen und endlich Unterthanen des Vladika wurden. Dabei behaupteten und erhielten sie stets gewisse Vorrechte und bildeten einen eignen politischen Bezirk, die Brda; und wenn dieser auch nach dem letzten Kriege in der neuen administrativen Einteilung aufging, so besteht sein Name im Titel des Fürsten, im Volksmunde und in der Brdska Nahija (d. h. den Bezirken Pješivci, Bijelopavlići und Piperi) noch immer fort [1]).

Entwerfen wir endlich nach den ausführlicheren Erörterungen über die beiden Hälften des Fürstentums eine abschließende Übersicht über das Gesamtrelief des Landes, so ist Montenegro ein ausgedehntes Plateauland, und zwar teils ein Karstplateau, teils eine wirkliche tafelartige oder flachwellige Hochebene. Vom Meere nach dem Innern steigt es staffelweise an, und seine mittlere Höhe wird von Tietze und Th. Fischer auf 1200 m, von Rovinski wohl etwas zu niedrig auf 900 m geschätzt [2]).

Um einige Bemerkungen über die Höhenverhältnisse Montenegros anzuknüpfen, so sind dieselben erst im allgemeinen bekannt, da die Unsicherheit der barometrischen Be-

[1]) Lindau a. a. O., I, 236. — Sestak und v. Scherb a. a. O., S. 51. — Pasčić a. a. O., S. IV. V. — Schwarz a. a. O., S. 363. — Schwarz, Montenegro. Land und Leute, S. 217. — Kutar a. a. O., S. 68. — L. Baldacci a. a. O., I, 6. — Rovinski a. a. O., S. 24—26.

[2]) Tietze a. a. O., S. 11. — Th. Fischer in Kirchhoff a. a. O., II, S. 127. — Rovinski a. a. O., S. 160.

stimmungen genaue Zahlenwerte verbietet. Daher weichen die Angaben, die Schwarz und Rovinski nach den vorläufigen Ergebnissen der russischen Landesaufnahme in ihre Bücher aufgenommen haben und die Boršanski zu einem kleinen Aufsatze verarbeitete, von den Angaben der Rovinskischen Karte nicht unerheblich ab; und im Folgenden sind die wichtigsten trigonometrischen Signale ihrer Höhe nach aufgeführt, wobei soweit wie möglich auch die Messungen andrer Reisenden berücksichtigt wurden.

| Name. | R.-K. | S. R. B. | Ö. K. | Hassmann. | Houd. | Čestak und v. Scherb. | Lelarge. | Wünsch | Hassert. |
|---|---|---|---|---|---|---|---|---|---|
| Borovac | 2006 | — | — | — | — | — | — | — | — |
| Bjelasica | — | 2084 | — | — | — | — | — | — | — |
| Bobija | 429 | 423 | — | — | — | — | — | — | — |
| Brnik | 2124 | 2091 | — | — | — | — | — | — | — |
| Brotnik | 1562 | 1537 | — | — | — | — | — | — | — |
| Buručkovac | 2096 | 2063 | — | — | — | — | — | — | — |
| Čerski Lisac | 1152 | 1134 | — | — | — | — | — | — | — |
| Cetinje | 649 | 638 | 636 | 672 | 640 | 663 | — | 680 | 670 |
| Crna Planina | 1783 | 1864 | — | — | — | — | — | — | — |
| Dobrelica | 1894 | 1864 | — | — | — | — | — | — | — |
| Garač | 1436 | 1423 | 1423 | — | — | — | — | — | — |
| Golija | 1944 | 1913 | — | — | — | — | — | — | — |
| Golik | 993 | 977 | 1007 | — | — | — | — | — | — |
| Gradište | 2216 | 2181 | — | — | — | — | — | — | — |
| Gusar | 1905 | 1875 | — | — | — | — | — | — | — |
| Helm | 989 | 974 | — | — | — | — | — | — | — |
| Hum Orahovski | 1833 | 1804 | 1804 | — | — | — | — | — | — |
| Ivica | 1752 | 1725 | 1725 | — | — | — | — | — | — |
| Jablanov Vrh. | 2203 | 2168 | 2168 | — | — | — | — | — | — |
| Kamenik | 1786 | 1758 | 1758 | — | — | — | — | — | — |
| Ključ | 1929 | 1898 | 1898 | — | — | — | — | — | — |
| Kopilje | 1407 | — | — | — | — | — | — | — | — |
| Gornji Kokoti | — | 249 | — | — | — | — | — | — | 255 |
| Kolašin | 948 | 933 | 933 | 1055 | 825—950 | — | — | — | 1008 |
| Kučajevica | 1784 | 1755 | — | — | — | — | — | — | — |
| Lisin | 1356 | 1334 | — | — | — | — | — | — | — |
| Lonac | 1181 | 1163 | — | — | — | — | — | — | — |
| Lovćen | 1657 | 1631 | 1500 | — | 1327 | 1060 | — | — | — |
| Lukanječela | 2047 | 2016 | — | | — | — | — | — | — |
| Maganik | 2142 | 2018 | 2106 | — | — | — | — | — | — |
| Možura Planina | 623 | 623 | — | — | — | — | — | — | — |
| Nikšić | — | 652 | 650 | 608 | — | — | 640 | — | 665 |
| Nozdre | 1340 | 1319 | 1240 | — | — | — | — | — | 1294 |
| Njeguš | 1725 | 1698 | 1698 | — | — | — | — | — | — |
| Ostrog | 1161 | 1143 | — | — | — | — | — | — | 1254 |
| Podgorica | 51 | 43 | 43 | 55 | — | 50 | 30 | 56 | 62 (1. Reise) |
| Prekornica | 1932 | 1893 | 1893 | — | — | — | — | — | 35 (2. Reise) |
| Pusti Lisac | 1471 | 1448 | 1448 | — | — | — | — | — | — |
| Rumija | 1594 | 1569 | 1595 | | — | — | — | — | — |
| Sirobar | — | 2109 | 1770 | — | — | — | — | — | — |
| Scutari | (v. Kaulbars 6) | (Hickel 8) | (Schwarz 10) | | 30 | (Tietze 17) (Rovinski 13) | (Österr. trig. Messung 5) | | 11 |
| Starac | 2034 | 2002 | 2002 | — | — | — | — | — | — |
| Sto | 2268 | 2232 | — | — | — | — | — | — | — |
| Stražište | 1244 | 1225 | — | — | — | — | — | — | — |
| Tali | 2062 | 2029 | — | — | — | — | — | — | 1240 |
| Vojnik | 1999 | 1968 | — | — | — | 1815 | — | — | — |
| Žebalac | 2130 | 2097 | — | | — | — | — | — | — |
| Žijovo | 2133 | 2099 | — | — | — | — | — | — | — |
| Zlastup | 1196 | 1177 | — | — | — | — | — | — | — |
| Rijeka | — | — | — | 33,5 | 42 | 30 | — | 42 | 10 u. 15 |

R.-K. = Rovinski-Karte; S. R. B. = Schwarz, Rovinski, Boršanski; Ö. K. = Österreichische Karte von Zentraleuropa, Durmitor und Kom vgl. S. 60 u. 64.

So ist die trockene Tabelle, die kaum den zwanzigsten Teil der bis heute gemessenen Höhenpunkte enthält, ein neues Zeugnis für die ausgesprochene Gebirgsnatur des Landes, und sie giebt den Schlüssel an die Hand, warum das kleine Fürstentum gegen die türkische Übermacht stets seine Freiheit behauptete und warum es so lange zu den unbekanntesten Gebieten Europas zählte. Verkehrsfeindlichkeit und Unzugänglichkeit, das sind

9*

die beiden Eigenschaften, die Montenegro im höchsten Grade auszeichnen, und wie die ewigen Kriege seine gedeihliche Entwickelung beeinträchtigten, so trug die Armut und Unwirtlichkeit des Bodens nicht minder dazu bei, den Crnogorcen die Vorteile eines regen Handelsverkehrs von vornherein zu entziehen.

Kommt der Reisende vom Meere, so bereitet ihm schon die buchtenarme Steilküste einen ungastlichen Empfang. Die Bai von Antivari hat eine offene Rhede, der kleine Hafen von Dulcigno ist versandet, und nur in den Bocche dringt die Adria tief ins Gebirge ein. Aber aus den klaren Fluten steigt die Gebirgsmauer unvermittelt zu 1000 m Höhe empor, und hat man endlich das Plateau erklommen, so ist eine ganze Zahl von Karstgebirgen zu überwinden, ehe man wieder zur tief eingesenkten Zeta-Niederung hinabklettern kann, worauf jenseits derselben das alte Spiel von neuem beginnt.

Die Gebirge, die meist als Randgebirge auftreten, gewinnen mit dem Plateau von West nach Ost an absoluter, weniger an relativer Höhe, und da sie nur von wenigen hochgelegenen Übergängen durchbrochen werden, so ist ihre Übersteigung von den tiefen Thälern aus sehr anstrengend und zeitraubend. Die Durmitormauer wird nur an einer Stelle, am Stulac, von einem halsbrecherischen Saumpfade überschritten, so dafs schwerbeladene Lasttiere einen gewaltigen Umweg über den Sedlo machen müssen; der massige Vojnik erfordert zu seiner Umgehung ebenfalls einen weiten Bogen, und blofs das reichgegliederte Kom-Massiv bereitet dem Verkehr keine allzu grofsen Schwierigkeiten. Doch darf man die Pässe, die in Scharten (auf Kammgebirgen) und Sattel- oder Wallpässe (auf sanft abgedachten Scheitel- oder Rückengebirgen) zerfallen, nicht als einseitige Formen auffassen, deren Abdachungen sich ungefähr entsprechen, sondern sie sind zweiseitige Oberflächengebilde, die beim Aufstieg meist ganz andere Verhältnisse und Böschungswinkel besitzen als beim Abstieg. Die Haupt- oder Durchgangspässe — Sutorman (836 m), Plavinica (800 m), Javorje Planina (1631 m), Trešnjevik (1623 m), Sedlo (1974 m) u. a. —, über welche die wichtigsten Handelswege führen, lassen noch am ehesten den einseitigen Charakter erkennen. Die Neben- oder Randpässe dagegen — Krstac am Lovćen (984 m), die Scharten des Garač (732 m) und Njegoš (1200—1400 m), Vratlo am Jablanov Vrh (1761 m), Senke von Mrki (205 m) u. a. —, die vom Meere oder aus einem tiefen Thale, dem gewöhnlich der Hauptverkehr folgt, auf eine öde, verkehrsarme Hochebene führen, stürzen auf der Thalseite aufserordentlich steil ab und gehen auf der andern allmählich ins Plateau über. Sie spielen bei der Anlage von Fahrstrafsen nur dann eine Rolle, wenn sie, wie der Krstac, den einzigen Übergang bilden. Der Garač-Sattel aber wird von der geplanten Fahrstrafse Cetinje — Čevo — Danilovgrad nicht benutzt, weil sein 700 m betragender Steilabfall ohne grofse Kosten nicht überwunden werden kann und weil die aufgewendete Mühe nicht im Verhältnis zu dem zu erhoffenden Gewinn stehen würde. Die Strafse umgeht ihn daher in einem grofsen Bogen, und auf ihr wird man ebenso schnell zum Ziele kommen wie auf dem mühseligen Wege über den wildverkarsteten Bergrücken. Zur Pafsarmut gesellt sich also die nicht unbeträchtliche Höhe der Übergänge, die in den Brda nirgends unter 1600 m hinabgehen; und die Pässe sind nicht blofs ein rein orographischer Begriff, sondern sie fallen als Gebirgsstrafsen, die durch ihre Höhenlage und Verteilung den Handelsverkehr mehr oder minder erleichtern, in gleicher Weise der Anthropogeographie zu.

Wegen des Mangels an Querthälern und wegen seines geschlossenen Baues ist das Gebirge schwer übersteigbar oder nötigt zu grofsen Umwegen. Zwar sind die Hochebenen des Ostens leicht zugänglich, um so feindlicher aber ist wieder der Karst, und wer den Karst kennt, weifs auch die ungeheuren Schwierigkeiten zu schätzen, die er dem Verkehr bereitet. In einem normalen Thale geht man entweder auf- oder abwärts, in den unvollkommen ausgearbeiteten Karstwannen mufs man beständig bergauf und bergab wandern; und bedenkt man ferner, dafs die Plateaus Monate lang unter einer meterhohen

Schneedecke begraben sind, so gewinnt man die Überzeugung, dafs Handel und Wandel im Winter gänzlich darniederliegen.

Da der Verkehr die höchsten Spitzen meidet, die Gebirge an ihren niedrigsten Stellen überschreitet und sich in den ausgedehnten Becken sammelt, so ist er in erster Linie an die Thäler gebunden [1]). Die Flufsrinnen Montenegros verlaufen aber von Nord nach Süd oder von Süd nach Nord, und daher folgen die meisten Verkehrswege diesen von der Natur vorgezeichneten Richtungen, während sie in einem leichter zugänglichen Mittelgebirge, wie dem Erzgebirge, nach den Untersuchungen Schurtzs unabhängig von der orographischen Gliederung sind. Leider sind viele Thäler schroffwandige Cañons, die gerade vielbegangene Verkehrsadern quer durchschneiden und zur Hochwasserzeit gänzlich unpassierbar werden, andere steigen im Oberlaufe schnell zu bedeutender Höhe an, und ist in den Längsthälern die Anlage von Kunststrafsen schon schwer, so gilt dies von den Querstrafsen erst recht. Die ungeheuren Opfer, mit denen der Strafsenbau in dem wilden Gebirgslande verknüpft ist, kann das noch immer auf sich selbst angewiesene Volk nur langsam aufbringen. Zu arm und bedürfnislos, um fremde Erzeugnisse zu kaufen, kann es nicht belebend auf die Einfuhr wirken, und anderseits besitzt die Heimat so wenig natürliche Hilfsquellen, dafs sich die Ausfuhr ebenfalls in sehr bescheidenen Grenzen hält. Aufserdem verbietet der Mangel an Verkehrswegen die Ausbeutung der entlegenen Wälder, die neben den Herden den Hauptreichtum der Bewohner ausmachen, und er ist ein empfindliches Hindernis für das Gedeihen der materiellen Wohlfahrt. Eisenbahnen und Fahrstrafsen, mit deren Hilfe der Weltverkehr heute die Entfernungen aufhebt und die in der Oberflächengestaltung begründeten Schwierigkeiten überwältigt, giebt es in Montenegro teils gar nicht, teils nur in beschränktem Mafse, und da es an geeigneten Zufahrtswegen fehlt, so hat sich auch auf den bisher vorhandenen Fahrstrafsen noch kein reges Leben und Treiben entfaltet. Die Zeta-Furche ist die einzige bequeme Verkehrslinie, die um so wichtiger wird, weil sie das Herz und die reichsten Fluren der Schwarzen Berge mit dem Meere verbindet. So weist, wie auch Schwarz treffend hervorhebt, das orographische Element die Kulturentwickelung in die lachenden Ebenen des Südens [2]); dagegen stöfst eine direkte Verbindung der Küste mit den östlichen Bezirken auf unüberwindliche Hemmnisse, und der wohlthätige Einflufs der Adria beschränkt sich auf einen schmalen Landstreifen, der mit dem Innern nur locker zusammenhängt und politisch fast stets von ihm getrennt war. Dalmatien unterhielt enge Beziehungen zu Italien, sein Hinterland, Bosnien, suchte seine Interessen vielmehr in Altserbien und Ungarn. Daher war das Küstenland von jeher ein Gebiet des Fortschrittes, das Binnenland ein Gebiet des Verharrens und des Stillstandes, und nur zögernd beginnt die Kultur, die am Meere schon im Altertum blühte, in die verschlossenen Hochebenen vorzudringen [3]).

Auf der andern Seite ist aber der segensreiche Schutz nicht zu verkennen, den das unnahbare Gebirge zu jeder Zeit gegen die türkischen Eroberungsgelüste gewährte. Die Bewohner haben nicht ihr Land, sondern das Land hat seine Bewohner verteidigt und sie vor der drückenden Knechtschaft bewahrt, unter der ihre christlichen Stammesbrüder in Bosnien und Serbien Jahrhunderte lang schmachteten. Die Naturbeschaffenheit giebt den Schlüssel für die Schicksale und die Geschichte Montenegros an die Hand, das einer einzigen grofsen Festung mit zahllosen Burgen und Bastionen gleicht und in jedem Fels ein sicheres Bollwerk besitzt. Kein Wunder, dafs es von jeher ein Pfahl im türkischen Fleische war; denn ein schwaches feindliches Heer wurde im Nu zersprengt, und hatten die Moslemin wirklich einmal einen Erfolg errungen, so vertrieb sie der drückendste Mangel bald

[1]) B. Cotta, Deutschlands Boden, 1854, I, 18. — J. G. Kohl, Der Verkehr und die Ansiedelungen der Menschen, 1841, S. 219.
[2]) Schwarz, Montenegro. Reise durch das Innere, S. 385.
[3]) Th. Fischer a. a. O., S. 66. 68.

wieder aus den unwirtlichen Gegenden. Somit ist die Geschichte Montenegros eine Geschichte der Verteidigung und die Taktik und Kampfesweise der Eingeborenen ergiebt sich von selbst. Nur für den Gebirgskrieg geschult und sich des Schutzes ihrer Berge wohl bewufst, in denen sie jeden Pfad, jeden Schlupfwinkel und jede schwache Stelle kennen und mit deren Eigenart sie von Jugend an vertraut sind, suchen sie durch geschickte Manöver und einen scheinbaren Rückzug den Gegner in einen Hinterhalt zu locken oder zu ermüden. Nachdem sie ihn durch ihr Feuer und ihre Steinbatterien geschwächt haben, fallen sie plötzlich über die erschöpften und überraschten Feinde her und richten mit dem Handžar ein furchtbares Blutbad an. Daher die Furcht der Türken vor dem Nahkampfe und ihre panische Flucht, wobei sie ihre Waffen wegwarfen und, z. B. in den grauenvollen Schlachten auf der Fundina und bei Rogame, zu Tausenden niedergehauen wurden. Kein Wunder, dafs die Zahl der Toten unverhältnismäfsig höher als die der Verwundeten war, indem auf einen Verwundeten zwei, ja mitunter sogar vier Tote kamen. Wagten die Crnogorcen keinen Handžar-Angriff oder wurde derselbe abgeschlagen, dann hatten die Türken niemals so ungeheure Verluste zu beklagen, und die feindlichen Scharen fluteten in regelloser Flucht zurück.

Waren die Montenegriner in der Defensive so stark, dafs sie trotz ihrer Minderzahl die Türken nahezu immer besiegten, so war ihre Offensivkraft ganz unbedeutend, und aufserhalb ihrer Berge haben sie sich nie als furchtbare Krieger gezeigt. In den Kämpfen gegen die Franzosen 1806—7 und in verschiedenen Grenzscharmützeln mit den Österreichern (1838 und 1854) wurden sie mit leichter Mühe zurückgetrieben, und der Vorstofs, den Fürst Nikola 1876 gegen Novosinje unternahm, mifslang gänzlich, während die Crnogorcen, auf ihrem heimischen Boden wieder angelangt, dem übereilt nachfolgenden Mukhtar Pascha im Vuči Do eine blutige Niederlage beibrachten. 1877 gingen sie nicht eher angriffsweise vor, als bis der gröfste und beste Teil der türkischen Truppen auf den bulgarischen Kriegsschauplatz abberufen war, und nachdem sie 1879 bei Velika von den Albanesen empfindlich geschlagen worden waren, konnten sie sich nie wieder dazu entschliefsen, die ihnen zugesprochenen Fluren von Gusinje und Plava ihrem stärkern Nachbar mit Gewalt zu entreifsen.

Doch wer weifs, ob die Landesnatur und die Defensive allein den Montenegrinern zum Siege verholfen hätten, wenn nicht die schlechte Ausbildung der türkischen Truppen und die Unfähigkeit der türkischen Generale den Ausschlag gaben. Hätte ihnen stets ein Omer Pascha, Suleiman Pascha oder Ali Saib gegenübergestanden, so war es um die Unabhängigkeit der Crnogorcen schlecht bestellt, denn ersterer legte ihnen 1862 den demütigenden Frieden von Scutari auf, und 1877 bedurfte es der gewaltigsten Anstrengungen, um den kühnen Zug Suleiman Paschas durch die Duga-Pässe und das Zeta-Thal aufzuhalten. Wenn auch die Österreicher mit unsäglichen Schwierigkeiten zu kämpfen hatten, um die unruhigen Krivošijaner zu unterwerfen, Bosnien und die Hercegovina zu besetzen und den Aufstand im Jahre 1881/82 niederzuschlagen, und wenn auch mehrere Armeecorps Monate lang mit einem viel schwächern Feinde kämpfen mufsten, so haben sie schliefslich doch ihr Ziel erreicht [1]), und diese Thatsache sollte die Montenegriner lehren,

[1]) Dupré, Memoire sur le Monténégro, 1811, S. 103. — Vialla de Sommières a. a. O., I, 326 f. — Petter a. a. O., S. 256. — Petter, Compendio della Dalmazia etc., S. 231. — Ebel, Zwölf Tage auf Montenegro, S. 87. — Ebel, Reise in Montenegro, S. 134. — Stieglitz a. a. O., S. 16—24. — Lindau a. a. O., I, 262. — Prince des Vasoevitches, Les Tribus de la Haute Albanie, 1841, S. 167. — Massieu de Clerval, Les Turcs et le Monténégro, 1858, S. 585. — v. Hahn a. a. O., S. 4. — Chopin-Ubicini a. a. O., I, 157. — Paić u. v. Scherb a. a. O., S. 222. 235—245. — Wingfield, Dalmatia, Albania and Montenegro, 1859, S. 215. — Ebel, Montenegro und dessen Bewohner, 1847, S. 22. — Lenormant, Turcs et Monténégrins, 1866, S. II. IV. — Koner a. a. O., S. 222. — Hecquard a. a. O., S. 330 f. — Šestak und v. Scherb a. a. O., S. 85 f. — Denton a. a. O., S. 10. 11. 94. — Rüffer, Strategische Studie über Montenegro &c., 1870, S. 31. — Gopčević a. a. O., S. 91 f. — Gopčević, Türkische Taktik im montenegrinischen Kriege, 1878, S. 65. — Frilley u. Wlahović a. a. O., S. 54. 450. — Yriarte, Le Monténégro, 1877, S. 398. — Carr, Montenegro, 1884, S. 64—66. — Militärgeographische Blicke in das Land der Montenegriner, S. 835. 837. — Musil, Die im dinarischen Karste zu lösenden militärischen Aufgaben, 1881,

dafs rohe Kraft und blindes Vertrauen auf die Unnahbarkeit der Heimat nicht allein den Sieg verleihen. Es ist auch eine vielumstrittene Frage, ob Montenegro bis zum Berliner Kongrefs, der seine Selbständigkeit endgültig aussprach, ein abhängiger oder unabhängiger Staat war. Das kleine Serbenhäuflein, das nach dem Unglückstage von Kosovo in die Schwarzen Berge flüchtete, scheint schliefslich doch der türkischen Übermacht unterlegen zu sein, denn 1623 wurde es zur Tributzahlung gezwungen, und die Friedensverträge von Passarowitz (1718) und Sistova (1791) gaben Montenegro als ein der Pforte unterworfenes Land an diese zurück. Allerdings vermochten die Türken, trotzdem sie viermal siegreich bis Cetinje vordrangen, in dem unwirtlichen Lande ihre nominellen Herrscheransprüche auf die Dauer nie in thatsächliche umzuwandeln, und anderseits leisteten die Crnogorcen den Harač blofs so lange, als es ihnen an Mitteln gebrach, um ihre Abtrünnigkeit bethätigen zu können. Durch Waffengewalt suchten sie das Joch immer und immer wieder abzuschütteln, so in der montenegrinischen Bartholomäusnacht von Virpazar (1702); und als Vladika Petar I. seinen grofsen Sieg bei Krusa erfochten hatte (1796), erklärte er unverhohlen, das Oberhaupt eines unabhängigen Volkes zu sein. Es wird berichtet, dafs vier Jahre später ein Ferman Sultan Selims III. erschienen sei, demzufolge die Montenegriner niemals der Pforte unterthan gewesen waren; doch zweifelt Stieglitz die Echtheit desselben an, da die Türkei sich nur in der höchsten Not zu einem solchen Zugeständnis bequemt haben würde. Wirklich betonte der Grofsvezir Ali Pascha 1856 in einem Rundschreiben an die Grofsmächte, dafs die Crna Gora eine partie intégrante de l'Empire Ottomane sei, und der Feldzug Omer Paschas war nicht gegen das freie Fürstentum, sondern gegen die rebellische Provinz Montenegro gerichtet. Soviel aber steht fest: hätten sich die Bergbewohner nicht frühzeitig nach fremder Hilfe umgethan und sich sofort auf Venedig, nach dessen Verfall auf Rufsland, Frankreich und Österreich gestützt, so hätten sie ihre, wenn auch nicht anerkannte, so doch thatsächliche Unabhängigkeit nie behaupten können [1]. Immerhin waren gegen die Türken, deren Heere zu einem guten Teil aus den undisziplinierten Horden der mohammedanischen Grenzstämme bestanden, die Schwarzen Berge ein unüberwindlicher Wall, und man kann es den Eingeborenen nachempfinden, dafs sie mit grofser Liebe an ihrem Vaterlande hängen. Verkehrsfeindlichkeit und natürlicher Schutz, hier Fluch, dort Segen, das sind zwei Gegensätze, wie man sie sich nicht schärfer denken kann. Möge es den Crnogorcen gelingen, sie beide zu vereinen, damit sie nicht nur in den Tagen der Not, sondern auch in den Zeiten des Friedens einen starken Rückhalt an ihren Bergen haben!

---

S. 262. — Vannutelli a. a. O., S. 54. 63. — F. C. v. Hötzendorf, Einiges über den süd-hercegovinischen Karst in militärischer Hinsicht. (Organ d. milit.-wissensch. Vereine Wien, 1882, S. 19.) — Marmier a. a. O., S. 327. — Kutschbach a. a. O., S. 34. 67. — v. Gyurkovics, Kampfweise der Albanesen, 1880, S. 106. — Schwarz a. a. O., S. 439. 449. — Sermet a. a. O., S. 75—77. — F. Zvarina, Aus dem Sennerleben der Hercegovina. (Gartenlaube XXII, 470.)

[1] Bolizza a. a. O., S. 289. — Dupré a. a. O., S. 103. — Prince des Vasoevitches a. a. O., S. 169. — Stieglitz a. a. O., S. IX—XI. 143. — Petter, Skizze von Montenegro, S. 245—249. — Zur Kenntnis von Montenegro, 1845, S. 277. — Robert, Les Slaves de Turquie, 1852, I, 117. — Delarue, Le Monténégro, S. 167. — Montenegro and the Slavonic Populations of Turkey, 1862, S. 346. 347. — Mackenzie und Irby a. a. O., S. 579. 587. 618. — Jurien de la Gravière, Délimitation du Monténégro, 1872, S. 575. — Rasch, Vom Schwarzen Berge, 1875, S. 80. 174. 301 f. — Frilley et Vlahovitch a. a. O., S. 66. 77. 311. 499. — Ali Suavi, Le Monténégro, 1876. — Gopčević, Montenegro und die Montenegriner, S. 33. — Militärgeographische Blicke in das Land der Montenegriner, S. 835. — Vannutelli a. a. O., S. 55.

## IV. Montenegrinische Landschaften.

Die Landschaftsformen sind überall auf Erden von der geologischen Zusammensetzung des Untergrundes, dem Pflanzenkleide, Klima und der Bewässerung abhängig und haben wegen des einfachen, einheitlichen Baues der Schwarzen Berge einen eintönigen Charakter, weil die Gegensätze sich auf den weiten Hochebenen verwischen und nur dort ein wirkungsvolles Bild hervorzaubern, wo sie auf einen engen Raum zusammengedrängt sind. Entsprechend diesen Eigentümlichkeiten kann man in Montenegro vier Landschaften, den Karst, das Karst-Hochgebirge, die Schieferzone und das Flachland mit dem Küstensaum, unterscheiden, von denen der Karst den weitaus gröfsten Teil des Fürstentums einnimmt, während sich die anmutigen Schiefergebiete auf den Osten, die fruchtbaren Ebenen auf den Süden beschränken.

Da die älteren Reisenden selten über die Grenzen Alt-Montenegros hinauskamen, so konnte es nicht ausbleiben, dafs sie in ihm lediglich eine abstofsende Kalkwüste sahen. Diese falsche Auffassung ging in die Lehr- und Handbücher über, und daher findet man in ihnen mit Vorliebe den Weg durch die Einöden von Njeguš und Cetinje beschrieben mit der Bemerkung, dafs das ganze Land mehr oder minder dasselbe Aussehen besitze. Allerdings machen ausgedehnte Strecken den Eindruck der Dürre, Wildheit und Traurigkeit, ein Eindruck, der um so nachhaltiger wird, je tiefer man ins Innere eindringt; aber trotzdem würde man irren, wenn man mit Serristori, van Hees und andern glauben wollte, dafs es der lieblichen oder wildromantischen Scenerien gänzlich entbehre. Weil van Hees vom Lovćen aus die am stärksten verkarsteten Bezirke der Crna Gora überschaute, meinte er, dafs Montenegros Berge sich mit den Alpen in keiner Weise messen könnten, zumal ihnen die üppigen Matten und das dunkle Tannengrün der Wälder fehlten. Hätte er die Ufer der Tara und Morača besucht oder die Schilderungen der ost-montenegrinischen Landschaften in den Arbeiten von Tietze und Schwarz nachgelesen, so würde er jene Meinung kaum ausgesprochen haben, denn das obere Morača- und Tara-Thal und die Plašnica-Schlucht sind die Krone montenegrinischer Alpenlandschaften, die an Schönheit mit den bevorzugtesten Gegenden Tirols und der Schweiz wetteifern können.

Geradezu falsch ist die Behauptung Schwarzs, die Crna Gora sei mit wenigen Ausnahmen kein Gebiet schauerlich-grofsartiger Gebirgsformen. Senkrechte Felsmauern, himmelhohe Spalten, schmale Grate und gähnende Abgründe seien selbst in den gebirgigsten Landesteilen unbekannt, und das Wilde, Grauenerregende liege viel mehr in den pflanzenarmen Wüsteneien und der verworrenen Anhäufung toten, kahlen Gesteins. Was den Karst anbetrifft, so kann man Schwarz beipflichten; wäre er jedoch bis zu den finstern Cañons Nord-Montenegros vorgedrungen und hätte er das Hochgebirge nicht blofs von fern bewundert, so würde er wohl andrer Ansicht geworden sein, denn schaurigere Schluchten als die der Tara und Cijevna und phantastischere Berggestalten als im Durmitor sind in Europa nicht oft anzutreffen[1]).

[1]) Serristori, La Costa Dalmata e il Montenegro, 1877, S. 147. — Ferrière, Le Monténégro, 1881, XX. 75. — Tietze a. a. O., S. 6. 101. — Schwarz a. a. O., S. 385. 386. — van Hees a. a. O., S. 273. 275.

Überhaupt sind die landschaftlichen Kontraste des Fürstentums verhältnismäfsig spät bemerkt und gewürdigt worden. Wohl erkannte Ebel bereits vor 50 Jahren die Karstnatur der Crna Gora [1]), aber nirgends finden wir bei ihm eine Andeutung, dafs der auffallende landschaftliche Unterschied der Crmnica mit dem Gesteinswechsel zusammenhängt, und Tietze schlug zuerst eine Gliederung in vier Gruppen, in das Gebiet der ältern Schiefer, die Umgebung des Vojnik und Durmitor, die Kreidekalk- oder Karstzone und die Ebenen um den Scutari-See mit dem Küstenlande, vor. Eine ähnliche Unterteilung legte Schwarz seinem in der Gesellschaft für Erdkunde zu Berlin gehaltenen Vortrage zu Grunde, während die von Sobiesky in einem nach Abzug einiger Verstöfse recht lesenswerten Aufsatze gewählten Gruppen — Alt-Montenegro (Karst), Brda, Zeta-Thal mit den Ebenen von Nikšić und Podgorica, Küstensaum — den thatsächlichen Verhältnissen schon weniger Rechnung tragen [2]). Da zwei Drittel der Brda ebenfalls dem Karste angehören, so möchte ich dem Vojnik- und Durmitor-Gebiet keine Sonderstellung einräumen, und umgekehrt macht das Karstbecken von Nikšić einen durchaus andern Eindruck als das Zeta-Thal und die Alluvialebene von Podgorica, die ihrerseits mit der Meeresküste eng zusammenhängen.

Auf den ersten Blick oder bei einem kurzen Aufenthalte erscheint der Karst als eine ungemein fesselnde Gegend, und die Länder beiderseits der Adria geben überall Gelegenheit, seine Schönheiten und Naturwunder kennen zu lernen. Je länger man aber in ihm weilt, um so rascher verliert das Neue seinen Reiz, und die gehobene Stimmung weicht zusehends einem niederdrückenden Gefühl. Stets findet man dieselben Bilder, und selbst die Mannigfaltigkeit wird zur Einförmigkeit, die ewig gleichen Oberflächengestalten stumpfen Geist und Körper ab, und treffend fafst Perrière den Charakter des montenegrinischen Karstes in die Worte: „L'impression du Monténégro est celle de l'aridité, de la solitude, je dirais même de la tristesse; va-t-on plus avant, cette impression ne fait que s'accentuer. On a abordé avec intérêt ce pays si peu connu, mais on le quitte volontiers et sans regrets." [3])

Der auffälligste Unterschied des Karstes gegenüber der mitteleuropäischen Landschaft besteht in seiner Nacktheit, die keine Humusschicht ausgleichend verhüllt. Wie schon v. Gansauge 1840 betont, fehlen die Feldspat-Gesteine, die wichtigsten Lieferanten der Verwitterungskrume, fast ganz; die Rückstände des vom Wasser aufgelösten Kalkes sind selten mächtig genug, um sich über gröfsere Flächen auszubreiten, und da im Karste auch die beständige Durchfeuchtung des Bodens unbekannt ist, die eine tiefgründige Zersetzung verursacht, so hebt sich das kahle Gestein unvermittelt von seiner Umgebung ab [4]). Nur fleckweise verbirgt ein dünner Erd- und Pflanzenteppich das Felsgerippe oder erfreut ein lebhaftes, buntes Farbenspiel das Auge. Vielmehr herrscht mit dem Kalk eine hellgraue Farbe vor, der das tiefe Rot der terra rossa und das dunkle Grün des spärlichen Waldes untergeordnet sind. Gelb, Grau, Braun und Schwarz stellen alle möglichen Farbenabstufungen und -übergänge her, sind aber nie kräftig genug, um den düstern Eindruck der grau in Grau gehaltenen Landschaft zu verwischen, und unter der fahlen, verblichenen Grasnarbe schimmern die Schichtstreifen der schmutzigweifsen Kalkbänke hervor. Grau ist der Hügel, grau das Thal, grau sind die Trümmerhalden, grau die Zinnen des Karsthochgebirges, und selbst das leuchtende Weifs der Firnflecken verwandelt sich durch einen schlammigen Überzug in ein schmutziges Grau. Die vom nackten Fels zurückgeworfenen

[1]) Ebel, Zwölf Tage auf Montenegro, S. 129: „Nach allem scheint es mir, dafs die Gebirgsformation Montenegros denselben Charakter habe als die des Karstes bei Triest."

[2]) Tietze a. a. O., S. 94 f. — Schwarz, Montenegro. Land und Leute, S. 316 f. — Sobiesky a. a. O., S. 337.

[3]) Perrière a. a. O., S. 75. — Ähnlich schildert E. A. Martel (Die Tarn-Schlucht und Alt-Montpellier. [Österr. Alpenzeitung, Wien 1886, S. 3]) den Eindruck, den die Durchwanderung einer Causse der Cevennen dem Reisenden hinterläfst.

[4]) H. v. Gansauge, Einige Bemerkungen über die physische Beschaffenheit der Provinz Krain. (Poggendorffs Annalen, Bd. 51, 1840, S. 293.) — Wessely a. a. O., S. 89. 193. — Philippson, Peloponnes, S. 499. 500.

Sonnenstrahlen verleihen dem ohnehin hellen Kalke eine noch grellere Färbung, der Boden flimmert in einem die Augen blendenden Weifsgrau, und in weiter Ferne senkt sich das blaue Himmelszelt zur Erde nieder, um die am Horizont auftauchenden Gebirge mit einem schwarzgrauen Dunstschleier zu umziehen.

Zu dem frostigen Aussehen der Karstlandschaft gesellt sich das beklemmende Gefühl der Verlassenheit, welches der Mangel an organischem Leben hervorruft. Der Karst trägt den Hauch des Todes, und es ist, als ob man in einem verwahrlosten Friedhofe der Natur oder, um mit Stossich zu reden, in dem ausgebrannten Krater eines erloschenen Mondvulkans wandelte. Selten stöfst man auf einen Hain hochstämmiger Bäume, selten lauscht das Ohr dem Murmeln einer verborgenen Quelle, und halbvertrocknete Gräser oder aromatische, dickblätterige Kräuter fristen in den Ritzen ein kümmerliches Dasein. Zuweilen nur unterbricht das Blöken der Herden oder der langgedehnte Zuruf der Hirten die beängstigende Stille, oder ein vereinzelter Vogel schmettert seine lustigen Weisen. Käfer und Schmetterlinge, die um die duftigen Blüten flattern, Eidechsen und Schlangen, die hurtig über die heifsen Steinplatten schlüpfen, träge Schildkröten und Myriaden lästiger Fliegen sind unsere einzigen Begleiter, und Stunden vergehen, ehe uns ein ärmliches Dorf oder ein roh aus Steinen aufgeführtes Haus aufnimmt.

Schon früh fegt die Bora, jene Geifsel der adriatischen Länder, das Laub von den Wipfeln und die Erde aus den Klüften, und bereits Ende Oktober breitet sich eine meterhohe Schneedecke über das starre Steinmeer, um erst im April wieder zu verschwinden. Aber dann beginnt für den Karst die schönste Zeit, der Frühling. Lustige Bäche stürzen in steilen Betten zu Thal, der feuchte Humus bekleidet sich mit frischgrünen Wiesen, die ein Heer bunter Blumen durchwirkt, die Äste der Bäume und Sträucher schlagen aus, und Menschen und Tiere suchen die luftigen Almen auf. Der rauhe Nord weicht vor den linden Lüften, das dunkle Gewölk vor dem klaren Himmel zurück, und wer im Mai den Karst bereist, der wird ganz andre Erinnerungen mit nachhause nehmen, als derjenige, der ihn wenige Monate später besucht. Denn in demselben Mafse, in welchem die Wärme zunimmt und der Schneevorrat der Berge abschmilzt, versiegen die kurzlebigen Bäche, das Gras verdorrt, die satten Farben verbleichen, und bald lagert die Stille des Todes über der vom Sommerschlaf umfangenen Karstwüste. So sind Wasserarmut an der Oberfläche und Unfruchtbarkeit, beide ursprünglich vorhanden oder durch die Waldverwüstung erst nachträglich geschaffen, Leblosigkeit und Eintönigkeit die wesentlichsten Eigenschaften des Karstes, der nur durch überraschende Gegensätze — hier das blaue Meer, dort das finstere Kalkgebirge, hier ertragloses Gestein, dort ein üppiges Kesselthal, oben ein verschmachtendes Plateau, unten ein silberglänzender Cañonflufs — landschaftlich wirkungsvolle Bilder hervorzuzaubern vermag.

Nachdem wir die Karstlandschaft in kurzen Zügen charakterisiert haben, drängt sich von selbst die Frage auf, von welchen Bedingungen ihre Entstehung und Verbreitung abhängt. Berufene und unberufene Vertreter der Wissenschaft haben schon früh und in grofser Zahl diese Frage zu beantworten versucht; aber wenn auch die Erkenntnis jener geheimnisvollen Erscheinung erfreuliche Fortschritte gemacht hat, so ist das Rätsel noch immer nicht ganz gelöst, und mancher dunkle Punkt harrt noch der Beantwortung.

Unter dem Karstphänomen versteht man die Summa der mannigfachen, oft sehr zusammengesetzten Formen und Erscheinungen, die der Oberfläche und dem Innern gewisser Erdräume eigen sind und sich stets auf das Zusammenwirken weniger Kräfte zurückführen lassen. Vor allem treten sie nur dort auf, wo der Untergrund aus stark zerklüfteten und leicht löslichen Gesteinen, in erster Linie aus Kalk und Dolomit besteht, die den angreifenden Agentien keinen nachhaltigen Widerstand leisten und in verhältnismäfsig kurzer Zeit — kurz natürlich in geologischem Sinne — auffallende Veränderungen erleiden. Daher sind die Karstformen durch vielfache Übergänge miteinander verbunden; sie werden um so typischer, je reiner, um so schwächer, je unreiner der Kalk ist, und verschwinden ganz unter der Humusschicht, wenn die Menge der unlöslichen Rückstände größer ist als die Menge des aufgelösten Kalkes. Sehr klar hat J. Cvijić die wechselseitigen Beziehungen zwischen Kalkstein und Erdreich an dem Verhältnis der Dolinen zu den geologischen Orgeln nachgewiesen, denn letztere sind kesselartige Vertiefungen, die, unter einer mächtigen Schutthülle begraben, nur bei Straßensprengungen oder in Steinbrüchen an der Erdoberfläche sichtbar werden [1]).

Da das Karstrelief lediglich an die weite Verbreitung des Kalkes und Dolomits gebunden ist und in keinem andern Gestein auftritt, so beschränkt es sich nicht bloß, wie man früher allgemein annahm, auf jüngere Kalke, sondern ist, wie aus Cvijićs fleißiger Zusammenstellung hervorgeht, über alle Kalkformationen der Erde vom Silurkalke Englands bis zum rezenten Korallenkalk verbreitet [2]). Weil die Kalke der kleinen Zone nördlich von Triest, in der man zuerst die Karsterscheinungen genauer untersuchte, vorwiegend mesozoischen Alters waren, so glaubte man, daß nur sie der sonderbaren Oberflächenausbildung unterworfen seien, und nannte die in andern Kalkgebieten beobachteten Phänomene karstähnliche Erscheinungen. Auf die Dauer ließ sich diese Trennung jedoch nicht durchführen, weil letztere keine karstähnlichen, sondern wirkliche Karst-Erscheinungen waren; und der geographische Name Karst, unter dem man das 180 km breite Gebirge nördlich von Triest verstand, wurde schon von v. Sonklar zu einem geologisch-morphologischen Begriffe erhoben, der eine gewisse Ausbildungsweise der Kalkoberfläche bezeichnet.

Die Eigenschaften des Kalkes allein würden aber noch keine Karsterscheinungen verursachen, wenn nicht große Wassermassen vorhanden wären, die das poröse Gestein rasch auflösten und zersetzten. In der That gehört der Karst zu den niederschlagreichsten Gebieten Europas, und durch die vereinten Wirkungen der ober- und unterirdischen Erosion, durch chemische Auslaugung und mechanische Auswaschung, durch Bildung von Hohlräumen über Tage und unter der Erde, werden die charakteristischen Vertiefungen herausgearbeitet, die das Karstphänomen im Grunde bloß als einen eigentümlichen Thalbildungsprozeß erscheinen lassen. Zur Erosion gesellt sich die Schichtenfaltung, aber trotzdem muß die Thalbildung unvollkommen bleiben, weil das schnell versickernde Wasser sich keinen oberirdischen Weg bahnen kann. Oberirdische Thäler mit gleichsinnigem Gefäll sind im Karste eine Ausnahme; vielmehr ist das Thal- und Wassernetz ins Gebirgsinnere verlegt, und die verborgenen Kanäle und Rinnsale sind mit dem Begriffe des Karstes eng verbunden [3]).

Die Erosion wirkt um so kräftiger, wenn sie von tektonischen Vorgängen unterstützt wird. Verschieben sich zwei Schichten aneinander, so setzt die Verwitterung in den Spaltflächen ein, und wurde ein Fluß durch die Faltung abgesperrt, so mußte er seine Thätigkeit in die Tiefe verlegen und neue Angriffspunkte schaffen. Immerhin darf man dem gebirgsbildenden Schub, dessen Einfluß schon Marenzi betonte, keine solche Wichtigkeit beimessen wie v. Mojsisovics und Stache, welche die Faltung geradezu als die Vorbedingung für den Karstprozeß auffassen und nur in den Kesselthälern, den Poljen, das Wesentliche des Karstes sehen. Allerdings spielte die Faltung bei der Entstehung der Polje eine entscheidende Rolle, denn sie fehlen in allen horizontalgeschichteten oder wenig gestörten Kalken; aber trotzdem tragen letztere wegen ihrer Dolinen, Höhlen und unterirdischen Flüsse durchaus den Karsttypus zur Schau.

Gegenüber den gewaltigen Wirkungen des Wassers treten überhaupt alle die Faktoren zurück, die sich noch außerdem an der Umgestaltung des Karstes beteiligen, z. B. der

[1]) Cvijić a. a. O., S. 47—51. — S. Günther, Lehrbuch der Geophysik und physikalischen Geographie, 1885, II, 562.

[2]) Neuerdings hat Vogt die Karsterscheinungen auch in den Kalkeinlagerungen des norwegischen Kambriums von Nordland nachgewiesen.

[3]) Allerdings darf nicht unerwähnt bleiben, daß in der regenlosen Sahara ebenfalls Karsterscheinungen beobachtet wurden.

Spaltenfrost, die Temperaturgegensätze, die anätzende und zersprengende Thätigkeit der Pflanzen, die Karstbeben &c., und ebenso bedarf es noch der Prüfung, in welchem Zusammenhange die Regenverteilung mit dem Karstphänomen steht. Cvijić kommt bei seinen vergleichenden Untersuchungen zu dem Schlusse, dafs die Zone periodischer Regenfälle das Bereich der stärksten Karstentwickelung sei. Doch scheint sich der Einflufs der Niederschläge nur insofern zu äufsern, als sie durch ihre mechanische, abschwemmende Kraft die Bildung einer schützenden Humusschwarte verhindern, welche den Karstprozefs sehr beeinträchtigen würde. Das Wichtigste bleibt jedenfalls die Zusammensetzung des Kalkes, der gerade in dieser Zone sehr rein ist [1]).

Sehen wir von den hydrographischen Eigentümlichkeiten vorläufig ab, so ist die Karstlandschaft hauptsächlich dadurch charakterisiert, dafs statt normaler Thäler Wannen und Trichter, die Polje und Dolinen, herausgebildet sind, die Stache nach ihrer Gestalt, Umrandung und Häufigkeit in unregelmäfsige Kessel, regelmäfsige Längsmulden, dicht nebeneinanderliegende Trichter und sanft wellenförmige Rinnen sondert. Mit andern Worten, die Tiefenlinien sind unvollkommen entwickelt, und während man sonst gewohnt ist, die Thalsohle als Basis zu betrachten, der die Gebirge aufgesetzt sind, bestimmt hier die Hochebene das allgemeine Niveau, auf dem die Kämme ruhen und in welches die Thäler eingesenkt sind. Die Hochebene und die Muldenlandschaft sind also ein neues Merkmal des Karstes, so dafs, wie schon Klöden und Schouw bemerkten, in ihm die meisten jener Hauptzüge verschwinden, die den Alpen eigen sind. Das Karstplateau ist jedoch kein Tafelland im strengen Sinne des Wortes, sondern es ist mit Einsenkungen und Einbrüchen aller Formen und Gröfsen besetzt; und die Karsterscheinungen treten auch im Hochgebirge auf, wenn es nicht in spitzen Graten endigt, sondern zur Plateau- und Rückenbildung neigt.

Der Karst besitzt viel häufiger scharfkantige als abgerundete Formen, und besonders die Kalkgebirge sind durch schroffe oder senkrechte Wände ausgezeichnet. Letztere, die berüchtigten grli (Schlund, Gurgel), spielten in der düstern Kriegsgeschichte Montenegros stets eine furchtbare Rolle, denn von ihnen liefsen die Crnogorcen mit Vorliebe ihre Steinbatterien auf den am Bergfufs marschierenden Gegner abrollen, und hier wurden die Türken scharenweise in die grausige Tiefe gestürzt. Aber trotz ihrer steilen Gehänge bringen es die meist pyramidenartig gestalteten Karstberge nicht allzuhäufig zu ausdrucksvollen Formen, und überdies fehlen ihnen der malerische Hintergrund und die pittoreske Umgebung der Alpengipfel, so dafs das Gesamtbild des Karstes monoton bleibt. Die Formenlosigkeit im grofsen bei einer erdrückenden Formenfülle im einzelnen erschwert die Orientierung ungemein, und da sich die charakteristischen Eigenschaften des Karstes auf der Karte schwer von andern Gebieten unterscheiden lassen, so wäre es schon aus diesem Grunde erwünscht,

---

[1]) G. Stache, Geologisches Landschaftsbild des Istrischen Karstlandes. (Österr. Revue, II, 172.) — Stache, Wasserversorgung von Pola, S. 86. — Graf v. Marenzi, Der Karst, ein geologisches Fragment im Geiste der Einsturztheorie, 1864, S. 4 f. — Die Wassernot im Karste der kroatischen Militärgrenze, herausgeg. von Beyer, Tietze und Pilar, 1874, S. 93. 140. 145. — v. Sonklar, Allgemeine Orographie, 1873, S. 102. — E. v. Mojsisovics, Zur Geologie der Karsterscheinungen. (Ztschr. d. Deutsch. u. Österr. Alpenvereins, 1880, S. 111—115.) — v. Mojsisovics in Grundlinien der Geologie von Bosnien-Hercegovina, S. 226. 227. — E. Tietze, Zur Geologie der Karsterscheinungen. (Jahrb. d. K. K. Geol. Reichsanstalt, 1880, S. 733—731. 756.) — D. Kramberger, Die Karsterscheinungen im westlichen Teile des Agramer Gebirges. (Kroat. Revue Agram, 1882, S. 28.) — Wahnschaffe a. a. O., S. 156. — M. Neumayr, Erdgeschichte, 1886, I, 453. 454. — F. v. Hauer, Berichte über die Wasserverhältnisse in den Kesselthälern von Krain. (Österr. Touristen-Zeitung, 1883, S. 8.) — F. Kraus, Karsterscheinungen. (Globus, Bd. 53, 1888, S. 145.) — Kraus, Karsterscheinungen am Dachstein-Plateau. (Gaea, 1893, S. 325. 326.) — Kraus, Über Dolinen. (Verh. d. K. K. Geol. Reichsanstalt, 1887, S. 59.) — Kraus, Die Karstforschungsarbeiten. (Gaea, 1888, S. 330.) — Dasselbe. (Mitteil. d. Deutsch. u. Österr. Alpenvereins, 1888, S. 2.) — Stache, Übersicht der geologischen Verhältnisse der Küstenländer von Österreich-Ungarn, 1889, S. 12. — E. Kramer, Zur Bodenkunde des Karstes. (Zentralblatt f. d. gesamte Forstwesen, 1890, XVI, 19. 20.) — F. Lindl, Über die Karstflüsse der Österreich.-Ungarischen Monarchie. (Ztschr. f. Schulgeogr., 1890, S. 97.) — Noë, Aufbau des Karstes, S. 397. — Günther, Lehrbuch der physikalischen Geographie, 1891, S. 473. 478. 479. — Cvijić a. a. O., S. 1. 47—51. 56. 67. 103—113. — Philippson a. a. O., S. 502. — J. H. L. Vogt, Dunderlandsdalens jernmalmfelt. (Norges Geologiske Undersøgelse, 1894, S. 11 f. 15. 16.)

in einer Textbeilage zu den betreffenden Kartenblättern auf die Gegensätze aufmerksam zu machen, die sich durch Zeichen graphisch nicht wiedergeben lassen oder wegen des kleinen Mafsstabes nicht zur Geltung kommen.

Das terrassierte Kalkplateau mit Trögen, blinden Thälern und Bergketten, mit Höhlen, unterirdischen Flüssen und Cañons bildet das grofse Detail der Karstlandschaft, gewissermafsen den Untergrund für die feinere Ausarbeitung oder das kleinere Detail, das nach der Schichtstellung, Mächtigkeit und Reinheit des Gesteins und nach dem Vorhandensein oder Fehlen der Erd- und Pflanzendecke als ein mannigfach wechselndes Trümmer- und Ruinenrelief erscheint und sich in Schutt-, Kluft-, Karren- und Dolinenbildung äufsert.

Der reine Kalk verwittert nie zu feinem Grus, sondern er wird teils aufgelöst, teils zertrümmert, und seine Zerklüftungsfähigkeit ist ungeheuer, weil er überall von Spalten durchsetzt wird und weil die Temperaturgegensätze die Zerstörung aufserordentlich begünstigen. Dickbankige Kalke zerfallen in mächtige Klötze und Quader, dünnbankige in eckige Bruchstücke, die, infolge ihrer eignen Schwere oder von den nachdrängenden Massen fortgerissen, sich am Bergfufse und auf den Hochebenen zu Block- und Scherbenfeldern ausbreiten und jede Spur organischen Lebens in ihrem Trümmerchaos ersticken. Die Menge des feinern Schuttes tritt gegenüber den andern Felsarten wesentlich zurück, weil die auflösende Thätigkeit des Wassers im Karste viel kräftiger wirkt als die Zersetzung.

Ehe jedoch das Gestein gänzlich beseitigt wird, wandeln es Frost, Wasser und Pflanzen, besonders die Flechten, die den Kalk mit Vorliebe heimsuchen und der höher entwickelten Vegetation den Weg ebnen, zu den mannigfachsten Formen um. Überhaupt verdankt die Detailplastik des Karstes, also auch die Entstehung der Dolinen, weniger diejenige der Schlünde, ihre Ausbildung vorwiegend der oberirdischen Erosion. Die zerstörenden Agentien greifen den Kalk in erster Linie an seinen Schicht- und Spaltungsflächen an, so dafs ein durch und durch aufgelockertes Gesteinsstück unwillkürlich an einen von Umwandelungsprodukten erfüllten Olivin-Kristall erinnert.

Kein Wunder, dafs Karstplateau und Karsthochgebirge Zerstörungsgebiete grausigster Art sind. Überall starren scharfe Rippen und Kämme, die Teufelsmauern und Hexentanzplätze des Volksmundes, empor, deren leichter verwitterbare Teile ausgelaugt sind, und Dolomitnester, die langsamer als der sie umgebende Kalk angegriffen wurden, stellen kleine Hügel, die in den südslavischen Ländern so häufigen Gorice, dar. Sehr oft findet man im Prekornica-Gebiet, am Lovćen, in den Banjani &c. Karsttafeln, indem horizontale oder flachgeneigte Schichten durch ein sich rechtwinkelig kreuzendes Spaltensystem in kleinere Platten zerlegt werden, die den Vierecken eines Schachbretes nicht unähnlich sind und bereits das erste Stadium der Karrenbildung anzeigen; und überall kehrt die treppenförmige Verwitterung der Kalkgehänge wieder [1].

---

[1] L. v. Heufler, Naturwissenschaftliche Bemerkungen über Istrien. (Mitteil. v. Freunden d. Naturwissensch., Wien 1850, VI, 152.) — A. Klöden, Streifzüge durch Krain im Jahre 1837. (Monatsber. d. Ges. f. Erdk. Berlin, 1842, S. 32.) — Boué, Über Karst- und Trichterplastik. (Sitz.-Ber. d. K. K. Akad. d. Wiss. Wien, 1861, S. 9.) — Marenzi a. a. O., S. 4 f. 16. — Stache, Landschaftsbild des Istrischen Karstes, S. 199. — Stache, Geologie der österreichischen Küstenländer, S. 13. 14. — Die Wassernot im Karste, S. 75. 96. 97. 135. 141 142. — Wessely a. a. O., S. 193. — F. Simony, Die erodierenden Kräfte im Alpenlande. (Ztschr. d. Deutsch. u. Österr. Alpenvereins, 1871, S. 4. 5.) — J. F. Schouw, Die Erde, die Pflanze und der Mensch, 1854, S. 93. 94. 97. — J. Lorenz, Geologische Rekognoszierungen im Liburnischen Karste. (Jahrb. d. K. K. Geol. Reichsanstalt, 1859, S. 332. 334.) — F. Senft, Der Steinschutt und Erdboden nach Bildung, Bestand, Eigenschaften, Veränderungen und Verhalten zum Pflanzenleben, 1867, S. 21. — Wahnschaffe a. a. O., S. 156. — S. Pranges, Wesen und Ursache der Verkarstung. (Ausland, 1883, S. 767.) — v. Hötzendorf a. a. O., S. 3—6. — Neumayr a. a. O., I, 461. — L. B. B., Der westliche Teil des Illyrischen Gebirgslandes. (Mitteil. d. K. K. Geogr. Ges. Wien, 1883, S. 421. 427.) — v. Asboth a. a. O., S. 317. 333. — Hoernes, Dinarische Wanderungen, S. 182. 188. — Tietze, Österreichische Küstenländer, Nr. 7. — Tietze, Geologie von Lykien. (Jahrb. d. K. K. Geol. Reichsanstalt, 1885, S. 314.) — Supan in Kirchhoff a. a. O., I, 287. — Moser, Frühlingsausflug nach Istrien, S. 496. — Moser, Karst, S. 5. — F. Ratzel, Über Karrenfelder im Jura und Verwandtes. (Leipziger Dekanatsschrift, 1891, S. 3. 4.) — Philippson

Von der Beschaffenheit des Untergrundes und der Humusdecke ist die Zerklüftung, die nach ihrer Intensität und nach der Zugänglichkeit des von ihr betroffenen Gebietes in vier Grade geteilt wird, mehr oder minder abhängig. Gering verkarstet nennt man eine Gegend, in der das nackte Gestein nur dann und wann zutage tritt (gröfsere Teile der Banjani und der Sinjavina Planina) und dem freien Verkehr keine Schwierigkeiten bereitet. In einem mäfsig verkarsteten Gebiete halten sich Gestein und Humusbekleidung nahezu das Gleichgewicht (Somina Planina), und die Wegsamkeit ist schon weniger günstig. Auf einem stark verkarsteten Plateau sind die erdigen Stellen kaum noch nennenswert, und Pferde kommen nicht mehr fort, und bei sehr starker Verkarstung gleicht die ganze Fläche einem undurchdringlichen Felslabyrinth, das nur mit äufserster Vorsicht betreten werden darf oder gänzlich undurchschreitbar ist. Der gröfste Teil Montenegros ist stark verkarstet, die stärkste Verkarstung aber tritt uns in der Katunska Nahija (Cuce, Bijelica), auf der Prekornica und dem Lovćen, in Rovca, Bratonožići und im Küstengebirge entgegen, und die mit Dolinen und Karren wild übersäten Steinfelder, die kaum ein Erdenstäubchen zu enthalten scheinen, sind von vielen Reisenden mit einem im wildesten Sturme erstarrten Meere verglichen worden. Und in der That konnte ein trefflicherer Vergleich kaum näher liegen, denn fast möchte man glauben, wie Vialla und Marmier in etwas überschwenglicher Weise ausrufen, dafs die Eingeweide der Erde nach aufsen gekehrt seien. Allerwärts türmen sich Riesenwälle auf, bald regelmäfsig angeordnet, bald wieder durcheinandergeworfen, und hier wollten die Wellen sich glätten, dort schäumten sie gerade hoch empor, als sie plötzlich in dieser Stellung zu Stein wurden. In anderen Gegenden wieder hat die launische Natur cyklopische Mauern und Ruinenstädte geschaffen, und welche Feder möchte die gigantischen Felsstädte von Montpellier-le-Vieux, Fiume, Prosecco &c. schildern, von denen selbst die wohlgelungenen Abbildungen in Martels Arbeiten keine richtige Vorstellung zu geben vermögen? Fürwahr, man findet es erklärlich, wenn die Eingeborenen in ihrem schlichten Gemüt die Entstehung dieser Trümmerstätten übernatürlichen Kräften zuschreiben, und gern erzählen die Crnogorcen dem Fremden die bei ihnen allgemein verbreitete Sage: „Als der liebe Gott auszing, die Steine auf der Welt zu verteilen, rifs der Sack, in dem er sie trug, und sein ganzer Inhalt ergofs sich über die Schwarzen Berge“ [1]).

Den eben angedeuteten Oberflächenerscheinungen schliefsen sich die Karrenfelder an, die in einer typischen Karstlandschaft selten fehlen und ihrer Entstehung nach nichts anderes als eine durch gewisse Vorbedingungen beeinflufste und veränderte Dolinenfacies

---

a. a. O., S. 499. 500. 503. — Günther a. a. O., S. 473. — Cvijić a. a. O., S. 12. — Putick a. a. O., S. 563. — K. Trampler, Die mährischen Höhlen, insbesondere die Tropfsteingrotte von Schoschuwka. (Gaea, 1893, S. 335.) — F. v. Hellwald, Die Halbinsel Istrien. (Globus, Bd. 60, 1891, S. 89.) — Ebel, Zwölf Tage auf Montenegro, S. 8. 11. 40. — Chopin-Ubicini a. a. O., I, 157. — Ascherson a. a. O., S. 322. 323. — Die Kutschi, S. 366. — Kesselmeyer und Stossich a. a. O., S. 66. — Noë, Dalmatien u. die Schwarzen Berge, S. 331. — Murad Effendi (F. v. Werner), Türkische Skizzen, 1878, I, 147. — Baldacci, Le Bocche ed i Montenegrini, 1886, S. 36. 37. — Baldacci, Cenni ed Appunti etc., S. 21. 25. — Baldacci, Altre Notizie etc., S. 22. — Chikoff a. a. O., S. 134. — Sermet a. a. O., S. 103. — Tietze, Montenegro, S. 75. — Schwarz a. a. O., S. 209. — Schwarz, Montenegro. Reise durch das Innere, S. 421. — Rovinski a. a. O., S. 94. — Humbert, Mission de la Croix-Rouge au Monténégro, 1888, S. 117.

[1]) v. Hötzendorf a. a. O., S. 3—6. — Frauger a. a. O., S. 767. — A. Makowsky u. A. Rzehak, Die geologischen Verhältnisse der Umgebung von Brünn. (Verh. d. Naturforsch. Vereins Brünn, 1883, S. 166.) — Stache, Geologie der österreichischen Küstenländer, S. 14. — Martel a. a. O., S. 61. — Martel, Les Cevennes et la région des Causses, Paris 1890, S. 2. 3. 111—114. 335. — Martel, Le Causse Noir et Montpellier-le-Vieux. (Tour du Monde, 1886, II, 312. — Martel, Hydrologie des Causses. Traversée de la rivière souterraine de Bramabiau. Grottes de Dargilan et des Baumes Chaudes. (Revue de Géogr. Paris, 1889, S. 243.) — Kraus, Aus dem Karste. (Tourist, 1890, S. 190.) — Vialla a. a. O., I, 131. — Lindau a. a. O., I, 236. — Chopin-Ubicini a. a. O., I, 157. — Šestak und v. Scharb a. a. O., S. 48. — Hecquard a. a. O., S. 309. — Delarue a. a. O., S. 18. 19. — Denton a. a. O., S. 20. — Gopčević, Montenegro und die Montenegriner, S. 130. — Ferrière a. a. O., 1881, XX, 76. — M. P. a. a. O., S. 13. — Schwarz, Montenegro. Land und Leute, S. 209. — L. Baldacci a. a. O., I, 4. — Marmier a. a. O., S. 332. — Sermet a. a. O., S. 122. 123. 124. — Rovinski a. a. O., S. 88. — Vannutelli a. a. O., S. 55.

sind. Man kann demnach die Dolinen und Karren als Endglieder einer und derselben genetischen Reihe auffassen; vom Karrenfirst bis zur terra rossa giebt es zahllose Zwischenformen und Übergänge, und die Schratten wiederholen im Kleinen getreulich die Gestalten der Karsttrichter. Allerdings treten erstere auch in anderen Kalkgebirgen auf; und da sie bereits eine umfangreiche Litteratur hervorgerufen haben, so müssen wir uns auf eine Schilderung der Karstkarren beschränken, um so mehr, als demnächst eine Monographie über das gesamte Phänomen erscheinen wird, deren Verfasser die weitzerstreuten Aufsätze zusammenfafst und durch eigene Forschungen bereichert.

Ist der Kalk horizontal geschichtet oder in seiner horizontalen Lagerung wenig gestört, so verlegt das auffallende Wasser seine Thätigkeit in die Tiefe und erzeugt Dolinen; sind die Schichten stark geneigt und nicht zu sehr zerklüftet, so können die Niederschläge nicht einsickern, sondern rinnen oberirdisch ab und arbeiten Karren aus. Somit treten die Trichter mit Vorliebe in der Ebene, die Schratten an den Berg- und Dolinenhängen auf. Nicht minder häufig kommen aber die ersteren auf steilen Gehängen und die letzteren auf dem Plateau vor; doch stöfst dann das Plateau öfters (nicht immer) an ein Gebirge, von dem das Wasser schnell abfliefsen und seine spülende Wirkung noch in der Ebene äufsern kann, bis es längs feiner Klüfte verschwindet und diese durch vertikale Erosion allmählich zu klaffenden Furchen umwandelt.

Dafs die Karren vom Wasser geschaffen wurden, darüber hat wohl nie ein Zweifel geherrscht; wie es aber wirkte und woher es kam, das ist noch heute eine offene Frage. Cvijić führt die Schratten auf die chemisch auflösende, Philippson auf die mechanische, abspülende, Fugger auf die chemische und mechanische Arbeit der Niederschläge zurück, Agassiz, Simony und Ratzel machen das Schmelzwasser der alten und heutigen Gletscher für die Bildung der Karren des Jura und der Kalkalpen verantwortlich, nach Studer entstehen sie in den untern Regionen durch die Säuren des Bodens und der Pflanzen, und in den Küstenkarren sieht Stache ein Erzeugnis der Brandungswelle. Dafs die in der Nachbarschaft von Gletschern gelegenen Schratten denselben ihr Dasein verdanken, wird niemand leugnen. Wenn aber Simony behauptet, dafs die abgerundeten Karrenfirste durch jene gewaltigen Eisströme, die zugeschärften, eckigen dagegen durch das Schmelz- und Regenwasser geschaffen wurden, so ist dem entgegenzuhalten, dafs beide Formen in buntem Durcheinander sowohl im unmittelbaren Bereiche der Gletscher als auch in solchen Gegenden sich einstellen, die nie, auch nicht zur Glacialzeit, unter dem Eise begraben waren, und dafs wahrscheinlich die Höhe der einzelnen Karren, die Schneelagerung und das Vorhandensein oder Fehlen einer Humusdecke die Herausmeifselung der verschiedenartigen Gestalten beeinflufst haben. Somit sind die Karren an keine bestimmte Meereshöhe und an kein bestimmtes Klima gebunden, sondern sie treten überall dort auf, wo sie die geeignetsten Existenzbedingungen, vor allem reinen oder nicht allzustark verunreinigten Kalkstein finden. Wie alle Gebilde der Natur sind auch sie einem ewigen Wechsel unterworfen. Die Karsttafeln, in welche eine Kalkplatte zuerst zerfällt, werden durch Erweiterung und Vertiefung der Furchen in Firste verwandelt. Der Humus am Grunde der Vertiefungen, der, aus der Ferne gesehen, zu fehlen scheint, bei näherer Prüfung aber in jedem Karrenfelde anzutreffen ist und teils von fremder Lagerstätte herbeigetragen wird, teils bei der Gesteinszersetzung zurückbleibt, begünstigt die Ansiedelung von Gras, Moos und Flechten, die zur Zerstörung der Schratten wesentlich beitragen. Oben beständig zugespitzt und unten fortwährend ausgefressen, verlieren die gewaltigen, mitunter einige Meter hohen Pfeiler immer mehr an Länge und Durchmesser, oder sie brechen an ihrer schmalsten Stelle, dem Karrenhalse, ab und sind dann als Karrensteine über den Boden zerstreut. Niedrige Schratten, deren Spitze nicht im Niveau der Ebene oder des Abhangs, sondern unter demselben liegt, bezeichnen also das Ende oder besser gesagt einen Endabschnitt des Karrenprozesses; denn nunmehr beginnt das alte Spiel zwischen Vertiefung und Abtragung von neuem und kann auf einem oberirdisch abflufslosen Plateau schliefslich zur Dolinen- und Wannenbildung führen [1]).

Die Karren sind nicht Vertreter der Dolinen in dem Sinne, dafs sich beide gegenseitig ausschliefsen, im Gegenteil, eine scharfe Grenze ist nicht zu ziehen, und sie erscheinen in den adriatischen Küstenländern eng miteinander vergesellschaftet, sodafs ein Karstgebiet selten nur von der einen oder nur von der andern Oberflächenform beherrscht wird. Das steinerne Meer bei Ledenice (oberhalb Risano) läfst die innige Verschmelzung deutlich erkennen, indem die Querriegel, welche das Becken in ein wildes Dolinenlabyrinth zerlegen, mit schneidenden Rippen und metertiefen Furchen besetzt sind. Gleiches wiederholt sich im Karst zwischen Cetinje und Rijeka, in den Banjani, den Duga-Pässen, auf dem Plateau von Bratonožići, bei Dolnja Crkvica (Piva-Mündung), im Zentralmassiv &c., wo die Umfassungswände der Dolinen typische Karrenrücken darstellen. Karrenfelder, die arm an Dolinen waren, beobachtete ich unter anderm auf der Terrasse von Petrovići und Zavala (400—600 m) und an den steilen Hängen des Škrk Do im Durmitor (2114 m), so dafs die montenegrinischen Karren in den verschiedensten Höhenlagen heimisch sind [2]).

In der Ebene kann das Regenwasser von dem Punkte aus, auf den es niederfällt, wegen der geringen Böschungsunterschiede nicht weit fortfliefsen, sondern sickert fast an derselben Stelle ein und vertieft sie mit der Zeit. Nach dem Gesetz der Schwere wird der gröfste Teil der Niederschläge sich in diesem Spalte sammeln und ihn stärker angreifen als seinen Rand, der nur kleine Wassermengen in den Ritzen festzuhalten vermag. Auch der Winterschnee übt blofs dann seine corrodierende Thätigkeit an den schroffen Firsten aus, wenn er sie meterhoch überlagert; denn im andern Falle wird er von ihnen abrutschen oder vom Winde in den Mulden zusammengeweht und läfst somit seine chemisch auflösende Wirkung wiederum den letzteren zuteil werden. Ferner finden Vegetation und Spaltenfrost am Grunde geeignetere Angriffspunkte als an den Wänden: kurz, die Ausarbeitung der Dolinen schreitet viel rascher vorwärts als die der Schratten, so dafs die Karren dort, wo sie mit Karsttrichtern vergesellschaftet sind, stets den Charakter einer untergeordneten Begleiterscheinung tragen.

Die Deutung des Karrenfeldes von Petrovići bietet insofern einige Schwierigkeiten, als jene Stätte des Todes zu den wasserärmsten Gegenden des montenegrinischen Karstes gehört. Das ganze Gebiet der mittlern Morača, dessen Erhebung zwischen 250 m und 650 m schwankt, ist mit Karren erfüllt, die nur vom fliefsenden und stehenden Wasser ausgearbeitet sein können. Die Plateaus grenzen an ausgedehnte Hochebenen oder Kettengebirge, in denen sich der Schnee lange Zeit hält, und das die schroffen Hänge herabrinnende Schmelzwasser besitzt noch so viel Kraft, um im Verein mit den Frühlingsregen durch seine chemische und mechanische Wirkung Rinnen auszuwühlen, die nach und nach zu Karrenfurchen umgestaltet wurden. Möglicherweise waren die trostlosen Hochebenen früher wald- und wasserreicher, so dafs die Karrenbildung viel gleichmäfsiger von statten

[1]) Simony, Über die Spuren der vorgeschichtlichen Eiszeit im Salzkammergut. (Haidingers Berichte v. Freunden d. Naturw., 1847, I. 215. 226. 232.) — Simony, Erodierende Kräfte, S. 1 f. — Simony, Beiträge z. Physiognomik der Alpen. (Kettlers Zeitschr. f. wissensch. Geogr., 1884, V, 4. 36 f.) — B. Studer, Lehrbuch der physikalischen Geographie und Geologie, 1844, I, 340. 374. — Zippe in A. Schmidl, Die Grotten und Höhlen von Adelsberg, Lueg, Planina und Laas, 1854, S. 211. — W. Gümbel, Beiträge zur geognostischen Kenntnis von Vorarlberg und dem nordwestlichen Tirol. (Jahrb. d. K. K. Geol. Reichsanstalt, 1856, VII, 5. 6.) — Tietze, Karsterscheinungen, S. 748. 749. — v. Mojsisovics a. a. O., S. 116. — A. Heim, Über die Karrenfelder. (Jahrb. d. Schweizer. Alpenklubs, 1877/78, S. 421 f.) — Fugger, Der Untersberg. (Ztschr. d. D. u. Österr. Alpenvereins, 1880, S. 176 f.) — Neumayr a. a. O., I, 454. — Stache a. a. O., S. 14. — C. Diener, Ein Beitrag zur Geologie des Zentralstockes der Julischen Alpen. (Jahrb. d. K. K. Geol. Reichsanstalt, 1884, S. 683. 684.) — Diener, Libanon. Grundlinien der physischen Geographie und Geologie von Mittel-Syrien, 1886, S. 212. 213. 226. 227. — Ratzel a. a. O., S. 5. 13. 16. 26. — Philippson a. a. O., S. 503. — Cvijić a. a. O., S. 5 f. 46. 57.

[2]) Moser, Frühlingsausflug nach Istrien, S. 498. — Diener, Julische Alpen, S. 683. — Diener, Libanon, S. 214. 229. — E. Reyer, Karstbilder. (Ausland, 1881, S. 930.) — Cvijić a. a. O., S. 7. 12. — Tietze, Montenegro, S. 54. 57. — v. Kaulbars a. a. O., S. 45. 46. — Chikoff a. a. O., S. 157. — Rovinski a. a. O., S. 94. — Hassert a. a. O., S. 12. 26. 29. 34. 50. 91. 99. 117. 134. 181. 190.

ging; heute dagegen ist sie ephemer und schreitet gewissermafsen nur ruckweise vorwärts, da die Niederschläge ungleichmäfsig über das Jahr verteilt sind und die Erosion hauptsächlich in den Winter verlegt ist.

Ganz anders sind die Kräfte, die im Hochgebirge die geheimnisvollen Gebilde schaffen, und drei Umstände wirken zusammen, um ihre Entstehung zu begünstigen: die Meereshöhe, der bedeutende Böschungswinkel der Thalwände und die unmittelbare Nachbarschaft ewigen Schnees. Nasse Wiesenflecke, die sich im Durmitor bis zum Karrenfeld des Škrk Do fortsetzen, thaten kund, dafs der Schnee erst kürzlich (Mitte August) verschwunden war, während andere, den Sommer überdauernde Firnmassen die Wasserzufuhr nie ganz aufhören lassen. Die Schratten verdanken ihren Ursprung also zweifelsohne der chemisch auflösenden Eigenschaft der Schneedecke, sowie der Thätigkeit des abrinnenden und von den Gras- und Moospolstern festgehaltenen Schmelzwassers. Rechnet man dazu noch die Zerstörungen, die der Spaltenfrost anrichtet, so reichen diese Ursachen zur Erklärung des Karrenphänomens vollständig aus, und man braucht keine ehemalige Vergletscherung zu Hilfe zu nehmen, die in Montenegro überhaupt noch nicht nachgewiesen ist.

Eine viel gröfsere Rolle als die Karren spielen im landschaftlichen Bilde des Karstes die Dolinen und Schlünde, und ihre Schilderung führt uns in ein wissenschaftliches Gebiet, das trotz seiner reichen Litteratur noch immer der Gegenstand lebhaftester Erörterungen ist. Schon die ältesten Karst-Erforscher, v. Valvasor, v. Steinberg, Hacquet und Gruber, schenkten den kleinen Vertiefungen ihre Aufmerksamkeit, zu ihnen gesellten sich die bahnbrechenden Untersuchungen von Schmidl, Tietze, v. Mojsisovics, Kraus, Stache und Lorenz, und ihre Ergebnisse fanden durch Partsch, Diener, Martel, Cvijić u. a. wesentliche Änderungen oder Ergänzungen. Wir können deshalb auch in diesem Abschnitte keine erschöpfende Übersicht geben, sondern müssen uns an der Hand der Litteratur und eigner im Istrischen und Krainer Karste, in Montenegro, der Hercegovina und Krivošije angestellten Beobachtungen mit einer kurzen Zusammenfassung begnügen.

Die kleinen Vertiefungen heifsen in den südslavischen Ländern vertače, ponikve, ponikvice, dolovi (Einzahl do) oder Dolci (Einzahl dolac), d. h. Loch, Grube, aber nie dolina, wie wir zu sagen pflegen; denn darunter verstehen die Eingeborenen ein Thal im allgemeinen. Trotzdem behalten wir im Folgenden den Namen bei, weil er sich in Fachkreisen allgemein eingebürgert hat und in dem dort gebrauchten Sinne jede Doppeldeutigkeit ausschliefst.

Die echten Dolinen sind rings geschlossene Einsenkungen im Kalkstein mit flach abwärtsgekrümmtem Boden, und ihre Verbreitung ist in erster Linie an die petrographischen Eigenschaften des Kalkes und die orographischen und tektonischen Verhältnisse des Karstes geknüpft. Sie treten mit Vorliebe in dünnbankigen Kalken auf, doch fehlen sie nach den Angaben Dieners auch in dichteren, minder deutlich geschichteten Kalken nicht, und die Trichter des Untersberges liegen sogar in einer völlig homogenen, ungeschichteten Gesteinsmasse. Unerläfslich ist ferner, dafs der Kalk möglichst rein und gleichmäfsig sei; wenigstens waren Karsttrichter in den stark verunreinigten und sehr ungleichmäfsigen eocänen Wüstenkalken des Libanon nirgends zu bemerken [1]). Ihre Gestalt ist keineswegs stets kreisrund, viel häufiger sind längliche, ovale und ausgezackte Umrisse, und schon Marenzi machte darauf aufmerksam, dafs die unregelmäfsige Begrenzung die regelmäfsige beträchtlich überwiege und dafs auch in bezug auf Böschungswinkel, Gehänge, Tiefe und Durchmesser auffallende Gegensätze bestehen. Die überraschende Kreisform und die geo-

[1]) Fugger a. a. O., S. 191—194. — Diener, Libanon, S. 214. 229. 234. — Cvijić a. a. O., S. 56. — Unter echten Dolinen (Trichtern, Karsttrichtern) verstehen wir die durch Oberflächen-Erosion gebildeten Karstwannen, während Kraus als wirkliche Dolinen die Einsturztrichter bezeichnet. Der Ausdruck „Trichter", der mehr oder minder geneigte Wände voraussetzt, trifft eigentlich nicht immer zu, da es auch Dolinen mit senkrechten Wänden giebt.

metrische Regelmäfsigkeit, deren Erklärung Boué so schwierig erschien, sind selten vorhanden, und somit fallen auch die Voraussetzungen weg, die man zur Deutung des angeblich so verwickelten Problems aufstellte. Neben den einfachen giebt es kombinierte Formen, indem sich am Boden einer Mutterdoline, wie sie Günther nennt, oder am Grunde eines blinden Thales kleinere Tochter- oder Unterdolinen bilden. Doppeldolinen entstehen nach Abtragung der Querwände von zwei (oder mehreren) Trichtern, und diese werden abermals zu einfachen Dolinen, sobald die Erosion den letzten Rest der trennenden Querriegel beseitigt hat. Die Tochterdolinen sind also den Mutterdolinen unter-, die Doppel- oder Zwillingsdolinen einander nebengeordnet, und sämtliche Trichtergestalten sind durch das ungleichmäfsige Umsichgreifen der Verwitterung von den einzelnen Angriffspunkten aus bedingt [1]).

Die Gröfse der Dolinen ist sehr verschieden und schwankt vom winzigsten Umfange bis zu 500 und 1000 m Durchmesser. Doch sind Wannen von mehr als 500 m Länge und Breite selten, und die Grenze zwischen geräumigen Trichtern und kleinen Karstthälern, die beide morphologisch und genetisch ohnehin zusammenhängen, läfst sich schwer ziehen. Immerhin kehren nach Cvijićs eingehenden Messungen die Durchmesserwerte 2—100 m am häufigsten wieder, und sie betragen z. B. bei den Dolinen des Libanon 0,5—50 m, bei den Hühlen und Cloups des Jura durchschnittlich 3 m, bei den Schwemmlandsdolinen von Friaul 6—8 m, bei den Trichtern des österreichischen und dinarischen Karstes 2—20 m.

Was vom Umfange gesagt wurde, gilt in gleicher Weise von den Gehängen, die im Libanon unter 15—40°, im Jura unter 20—30°, im adriatischen Karste unter 10—40°, seltener unter 60—90° geneigt sind. Auch die Tiefe wechselt zwischen 2 und 20 m, und nach dem Verhältnis des Durchmessers zur Tiefe und Böschung, für das er bestimmte Zahlenwerte aufstellt, unterscheidet Cvijić flache oder schüsselförmige, steilere oder trichterförmige und sehr steile oder brunnenförmige Dolinen, die durch alle möglichen Übergänge miteinander verbunden sind, weil tektonische und klimatische Einwirkungen die Ausgestaltung wesentlich beeinflussen. Nach Reyers Untersuchungen hat in dislocierten Gebieten der mit dem abgesunkenen Flügel zusammenfallende Dolinenhang eine sanftere Böschung als der entgegengesetzte, oder die flacher abgedachte Seite wird von der Schichtfläche, die steilere vom Schichtenkopf gebildet. Ferner tritt die ungleichsinnige Neigung der Trichterwände an der Grenze zwischen dem Kalk und einem andern Gestein deutlich hervor, indem in den Dolinen der Dugs-Päsee der Schieferhang sanft, der Kalkhang steil geböscht ist, und der letztere Fall gilt allgemein für die den Stürmen, dem auffallenden Regen und der Verwitterung stärker ausgesetzte Wetterseite. Bei den Trichtern des Libanon ist in der Regel der westliche, im nördlichen Karst nach Schmidl der südliche oder südwestliche, im südlichen Karst der westliche oder nordwestliche Rand der schroffere. Mit Schnee ausgefüllte Dolinen werden auf der Schattenseite anders als auf der Sonnenseite ausgearbeitet, und endlich greift bei den Gehängedolinen das abrinnende Wasser den ihm zugewandten Rand naturgemäfs viel stärker als den gegenüberliegenden an.

Der flache Dolinengrund besteht selten aus nacktem Gestein, denn mag der Kalk auch noch so rein sein, unlösliche Rückstände (terra rossa) bleiben bei der Zersetzung stets zurück, abbröckelnde Trümmer und eingeschwemmte oder vom Wind vertragene Humusteilchen gesellen sich zu ihnen, und mit der Zeit wird der Grund von einer Erdschicht

---

[1]) Kraus unterscheidet zwischen primären oder Plateau-Dolinen und sekundären oder See-Dolinen. Letztere, die am Grunde der Karst-Polje häufig als Sauglöcher arbeiten, sind identisch mit Cvijićs Schwemmland-Dolinen, die im österreichischen Karst längst bekannt, auch in Mähren, Friaul und Montenegro vertreten sind. Unter ihnen versteht man Einsenkungen in lehmigem Boden, der den Kalk überlagert, und sie müssen von den echten Fels-Dolinen wegen ihrer Zusammensetzung streng gesondert werden. Wo sie z. B. in den Karst-Poljen als Schlundponore wirken, setzen sie sich oft als klaffender Spalt ins Gestein fort und bilden dann bereits den Übergang zu den Schlünden.

überlagert[1]), die in gröfserer Höhe oft durch Schnee oder Firn vertreten wird (Schneegruben, Schneetrichter). Der Boden selbst ist entweder geschlossen oder findet durch Spalten und Fugen, die sich mitunter zu einem klaffenden Kanal erweitern können, eine Fortsetzung in die Tiefe[2]).

Obgleich die Dolinen, von weitem gesehen, das Oberflächenbild nicht wesentlich verändern, sind sie die auffälligsten Erscheinungen in der Detailplastik des Karstes und bewirken auf den eintönigen Hochebenen oft allein, dafs die Gegensätze zwischen hoch und niedrig zum Ausdruck kommen. Auch hier zeigt sich indes ein Hang zur Einförmigkeit, weil die verschiedenen Dolinengruppen das Bestreben haben, nicht durcheinandergemischt, sondern nebeneinander vorzukommen. In der Katunska Nahija, auf der Prekornica, dem Vojnik, am Garač, Njegoš &c. fallen die Trichter sehr steil ab und werden nur durch schrattige Grate miteinander verbunden. Während solche Gegenden zu den wildesten und unwegsamsten gehören, besitzen gröfsere Teile der Banjani und der Sinjavina Planina einen milderen Charakter, weil statt der nackten, zerfressenen Kämme blofs einzelne abgerundete Kalkköpfe aus der Erdhülle hervorragen. Bald sind es flache, durch breite Schwellen getrennte Wannen, die das wellige Aussehen Nord-Montenegros bedingen und die bei Kulići (Durmitor), Fojnica (bei Gacko), auf der Hochebene Pešter (bei Novipazar) &c. in solcher Menge auftreten, dafs sie dem Untergrunde ein blatternarbiges, blätterteppiges oder wabenartiges Aussehen verleihen oder, wie Boblaye treffend bemerkt, das Bild der mit zahllosen kleinen Kratern besetzten Mondoberfläche hervorzaubern. Noch drastischer vergleicht J. G. Kohl das regellose Gewirr der Einsenkungen mit den Flecken des Leopardenfelles, die dem Kalkplateau das Aussehen verleihen, als hätten die Riesenfinger des Weltbaumeisters alles betupfelt und überall ihre Eindrücke zurückgelassen. Richtig ist es, dafs die Dolinen nach Hunderttausenden zählen, so dafs Cvijić auf 1 qkm oft 40—50 derselben fand, eine Anzahl, die ich schätzungsweise im Ostrog- und Prekornika-Gebiet, zwischen Orani Do und Ploča, am Berge Gat in der Hercegovina &c. wiederfand. Wo die Gebirge in einem flachen Rücken enden, nisten sie sich auch auf diesem in ungeheurer Menge ein und können den Kammcharakter ganz verwischen, z. B. auf der Lodenica und dem Njegoš. Gewöhnlich sind sie regellos über die Oberfläche zerstreut, lassen aber nach Stache im Triestiner Karste nicht selten eine regelmäfsige Aneinanderreihung erkennen, die dort besonders deutlich wird, wo sie an unterirdische Flufsläufe oder an Verwerfungsspalten gebunden sind, z. B. in der 5 km langen Dolinenreihe von Šmarje bei Divača, in den linear angeordneten Trichtern des Kučaj-Gebirges (Ost-Serbien) und des Libanon, in den sieben Seen des Triglav &c. Die Dolinen treten also meist gesellig auf, und es gibt in Montenegro wenige Bezirke — Bratonožići, die Umgebung von Gornji Kokot, Sinjavina Planina —, in denen sie als spärlich verteilte, sehr flache Tröge in eine sonst wenig durchlöcherte Hochebene eingebettet sind[3]).

---

[1]) Sie ist also teils an Ort und Stelle entstanden, teils fremden Ursprungs.

[2]) v. Gansauge a. a. O., S. 297. — v. Hauffer a. a. O., S. 153. — Schmidl a. a. O., S. 192. 198. — J. Nöggerath, Die Höhlen und Erdfälle im allgemeinen und insbesondere diejenigen des Karstgebirges. (Westermanns Illustr. Monatshefte, 1859, S. 646.) — Boué a. a. O., S. 7. — Die Wassernot im Karste, S. 112. 115 f. — Stache, Landschaftsbild des Istrischen Karstes, S. 200. — Fugger a. a. O., S. 191 f. — Marenzi a. a. O., S. 16. — Tietze, Österreichische Küstenländer, Nr. 7. — Moser, Karst, S. 6. — Kraus, Die Dolinen des Karstes. (Globus, Bd. 60, 1891.) — Diener, Libanon, S. 281. — L. Baldacci a. a. O., I, 14. — Ratzel a. a. O., S. 8. — Günther a. a. O., S. 477. — Cvijić a. a. O., S. 9. 13. 16—18. 57. — Reyer a. a. O., S. 931. — A. E. Day, Funnel Holes on Lebanon. (Geol. Magaz., 1891, S. 91.) — A. Tellini, Descrizione geologica della Tavoletta Majano nel Friuli. (In Alto, Cronaca Soc. Alp. Friulana 1892, III, 20.)

[3]) P. de Boblaye, Expédition scientifique de Morée: Géologie et Minéralogie, 1833, S. 325. — Nöggerath a. a. O., S. 646. — Stache a. a. O., S. 200. — Die Wassernot im Karste, S. 112. — Diener a. a. O., S. 231—234. — Supan in Kirchhoff a. a. O., I, 388. — Kraus in: Die Österreichisch-Ungarische Monarchie in Wort u. Bild, 1891, S. 302. — Cvijić a. a. O., S. 10. 44. — Reyer a. a. O., S. 931. — Reyer, Studien über das Karstrelief. (Mitteil. d. K. K. Geogr. Ges. Wien, 1881, S. 79 f. 104.) — Reyer, Theoretische Geologie, 1888, S. 584—587. — Novibazar und Kossovo, S. 111. — Boué, Die Europäische Türkei, I, 88. — v. Kaulbars a. a. O., S. 46. — Tietze, Montenegro, S. 32. 33. 43. 57. — Baumann, Reise durch Montenegro, S. 3. — Chikoff a. a. O., S. 134. — Bovinshi a. a. O., S. 47. — Baldacci, Cenni ed Appunti etc. S. 23.

Nicht blofs landschaftlich, sondern auch in wirtschaftlicher Beziehung sind die Dolinen von der allergröfsten Wichtigkeit. Wie die Oasen sich als grüne Edelsteine von dem gelbgrauen Wüstensande abheben, so bilden die Trichter und noch mehr die Polje wohlthuende Ruhepunkte inmitten der nackten Kalkfelsen und umschliefsen fruchtbare Erde, die zu ihrer Erhaltung des ganzen Fleifses der Eingeborenen bedarf. Da sie vor den grimmigen Winterstürmen, den trockenen Sommerwinden und der glühenden Hitze einigermafsen Sicherheit bieten und da ihr Erdreich die Feuchtigkeit länger festhält, so ist ihre Flora üppiger als die der schutzlosen Hochebene. Freilich häuft sich in den meisten Vertiefungen nicht allzuviel Humus an und der Pflanzenwuchs bleibt dürftig, andere aber beherbergen Wiesen, Äcker und Weingärten, und an den Gehängen bringen es Büsche, ja sogar hochstämmige Bäume zu leidlicher Entwickelung. In den ausgedehnteren Wannen des montenegrinischen Karstes liegen ganze Dörfer, z. B. Ublice, Dide, Stažir, Prodiš u. a., und der Wert dieser Treibhäuser des Karstes, um einen Ausdruck Noës zu gebrauchen, steigt mit ihrer Gröfse, so dafs die Kesselthäler wahre Kornkammern darstellen. Leider nehmen die zerstreuten Kulturzentren im Verhältnis zur Gesamtoberfläche des Karstes einen sehr beschränkten Raum ein, erfreuen sich aber dafür einer um so sorgfältigeren Pflege und Bewirtschaftung [1]).

Einen von den Dolinen durchaus abweichenden Charakter haben die Schlünde, die als steile Röhren oder gähnende Abgründe zu blinden Höhlen, zusammenhängenden Höhlengängen und verborgenen Flüssen führen. Cvijić hat ihnen ebenfalls eine eingehende Darstellung gewidmet, bei der allerdings der auch von Kraus [2]) gerügte Umstand zu tadeln ist, dafs der Verfasser statt der längst eingebürgerten Namen Schlot und Naturschacht neue aus der englischen und französischen Sprache — Aven, Light Hole — einzuführen sucht, während er die Erosionsschlünde als Dolinen vom Trebič-Typus bezeichnet und somit die in der Karst-Nomenklatur herrschende Verwirrung eher vermehrt als beseitigt.

Die Schlünde treten selten isoliert auf und lassen eine reihenförmige Anordnung nur dort erkennen, wo sie mit unterirdischen Flüssen, z. B. der Punkwa (Mähren), dem Bramabiau (Cevennen), der Laibach (Krain), der Rijeka und dem Timavo (Triestiner Karst), in Verbindung stehen. Nach Martels Untersuchungen ist auch in diesem Falle der lineare Verlauf blofs dann vorhanden, wenn das unterirdische Gewässer nicht zu tief liegt, so dafs durch das Zusammenwirken der ober- und unterirdischen Erosion ein anfänglich enger Spalt rasch erweitert werden kann. In flufslosen Karstgebieten fehlen die reihenförmig angeordneten Schlünde, und ihre Zahl ist im Vergleich mit der ungeheuren Menge der Dolinen überhaupt eine aufserordentlich geringe. Im Istrischen und Krainer Karst sind bis jetzt 35, in den Cevennen 40 Schlünde nachgewiesen, die zu Höhlen führen, und von

---

[1]) F. v. Hohenwarth, Beiträge zur Naturgeschichte, Landwirtschaft und Topographie des Herzogtums Krain, 1838/39, I, 18. — L. Isleib, Das Karstgebirge und seine Bewohner. (Globus, Bd. 6, 1864, S. 186, 168.) — Heyer, Karstbilder, S. 231. — Moser, Frühlingsausflug nach Istrien, S. 97. — v. Hötzendorf a. a. O., S. 11. — Tietze, Österreichische Küstenländer, Nr. 7. — Riedel a. a. O., S. 158. — Noë, Aufbau des Karstes, S. 599. — Supan a. a. O., I, 389. — F. Müller, Die Grottenwelt von St. Kanzian. (Ztschr. d. Deutsch. u. Österr. Alpenvereins, 1890, S. 194.) — Murad Efendi a. a. O., I, 147. 149. — v. Kaulbars a. a. O., S. 46. — Chikoff a. a. O., S. 134. — Fassen wir das Wesen der Dolinen nochmals in Stichworten zusammen, so ergiebt sich folgendes:

1. Die Dolinen treten ober- oder unterirdisch, gesellig oder vereinzelt, auf Plateaus oder an Gebirgshängen auf.
2. Sie liegen im Kalk, an der Grenze zwischen Kalk und einem andern Gestein oder im Schwemmland (Fels- und Alluvialdolinen).
3. Sie sind regellos oder reihenförmig angeordnet, reine Oberflächengebilde oder an Spalten und alte Flufsthäler gebunden.
4. Sie haben Schüssel-, Trichter-, Brunnen-, runde, ovale oder unregelmäfsige Gestalt, einfache oder kombinierte Formen (unter- und nebengeordnete Dolinen Kombinationen).
5. Die Dolinenhänge sind sanft bis senkrecht, mit Humus und Vegetation überkleidet, oder sie bestehen aus nacktem Fels mit und ohne Karrenrinnen.
6. Der Dolinenboden ist nackt, mit Steintrümmern, Einschwemmungs- und Zersetzungsprodukten, Tag- oder Grundwasser (zeitweilig oder ständig), Schnee und Firn oder mit Kulturpflanzen bedeckt, geschlossen oder durch einen sichtbaren Spalt in die Tiefe geöffnet.

[2]) Besprechung der Cvijićschen Arbeit. (Globus, Bd. 65, 1894, S. 21.)

diesen stehen nur 20 bzw. 7 mit subterranen Flüssen und (früher oder zeitweilig vom Wasser benutzten, jedenfalls aber von ihm ausgearbeiteten) Höhlengängen im Zusammenhang [1]).

Entgegen den früheren Vermutungen ist die Tiefe der Schlünde, vornehmlich die der Schlote, mit wenigen Ausnahmen nicht allzu bedeutend. Die Hohlräume, zu denen einzelne Dolinen des Jura hinabreichen, liegen etwa 50 m unter der Erdoberfläche, und bei 23 von Martel in den Cevennen angestellten Messungen schwankte die Tiefe zwischen 25 und 212 m. Sie betrug beispielsweise beim Schlund von Dargilan 30 m, Baumes Chaudes und Bramabiau 90 m, Tabourel 133 m, Tindoul de la Vayssière 56 m, Mas Raynal 106 m, Padirac 108 m und Rabanel 212 m [2]).

An der Oberfläche zeigen sämtliche Gebilde dieser Gruppe die mannigfachsten Formen und Durchmesserverhältnisse, indem sie bald in Spalten, bald in Dolinen enden oder gewaltige Abgründe sind. Die Mundlöcher, die mitunter kleine Tochterdolinen enthalten und sich im freien Felde oder an einem Abhange öffnen, sind schmale oder breite, längliche oder runde Einsenkungen, die dort, wo sie nicht jäh zur Tiefe vordringen, umgekehrte Kegelgestalt besitzen und am Grunde mit grobem und feinem Schutt bedeckt werden. Verstopft die überlagernde Erdschicht den Kanal, so kann man nicht erkennen, ob man es mit einer Doline oder einem Schlunde zu thun hat, und diese Ungewißheit hat die Verwirrung in der Bezeichnung der Karst-Hohlformen mit verschuldet. Das Saugloch befindet sich an der tiefsten Stelle des Mundloches, liegt aber nicht immer in dessen Mitte, sondern unter seinem Steilrande, wo das einströmende Wasser am kräftigsten an der Vertiefung des Trichters arbeiten konnte.

Bei der ersten Untergruppe der Schlünde, den Schloten, endet der ziemlich enge Gang in einem schmalen Spalte oder einer kleinen blinden Hohle, nicht in offenen Höhlengängen oder -flüssen, und je nach dem Zusammenstoßwinkel verläuft die Röhre senkrecht und die Höhle horizontal

| | |
|---|---|
| senkrecht | schräg |
| schräg | horizontal |
| schräg | schräg |
| senkrecht | senkrecht. |

Der letzte Fall trifft bei vielen Avens der Cevennen zu, und die Dimensionen zwischen Kanal und Hohlraum weichen oft so wenig voneinander ab, daß man nicht weiß, wo der erstere aufhört und der letztere anfängt. Diese geschlossenen Avens erinnern Martel an die Riesentöpfe; die Beziehungen zwischen beiden sind jedoch rein äußerlicher Art, und der Vergleich ist schon deshalb mit Vorsicht zu ziehen, weil diese in allen Gesteinen, jene lediglich im Kalk vorkommen.

Die Erosionsschlünde sind enge Risse, die mit kammerartigen Erweiterungen abwechseln, sich stufenförmig zu einem dichtverzweigten System etagenartig untereinanderliegender und durch Kanäle verbundener Höhlen fortsetzen und endlich einen verborgenen Fluß oder das Grundwasser erreichen. Sie wurden im Karste am seltensten beobachtet, weil sie das Eindringen schwierig oder unmöglich machen und oft durch Trümmermassen versperrt sind. Die obern, jetzt gewöhnlich trockenen Höhlengänge waren vor Zeiten ebenfalls vom Wasser erfüllt; dieses wurde aber von den Spalten in ein immer tieferes Niveau geleitet, und hieraus erklärt sich die beträchtliche Tiefe, die bei der Padrič-Grotte (Triestiner Karst) zu 270 m, bei der Trebič-Grotte gar zu 323 m bestimmt ist.

Bricht infolge der anhaltenden Unterwühlung und Klufterweiterung die Höhlendecke zusammen, so verwandeln sich die Avens und Erosionsschlünde in steilrandige, umfang-

---

[1]) Cvijić a. a. O., S. 80.

[2]) Die ersten vier Hohlformen sind Schlote, die letzten vier, die zu unterirdischen Wasseradern führen und eine breite Öffnung besitzen, Naturschächte.

reiche Naturschächte, die bei den Südslaven Jama oder Bezdan (Grube, Abgrund)[1]) und auf Jamaica Light Holes (Lichthöhlen) heifsen, weil das Tageslicht ungehindert auf ihren Grund hinabscheinen kann. Sehr tiefe Jamas werden in den Duga-Pässen nördlich der verfallenen Türkenfestung Nozdre angetroffen, und zu ihnen gehören ferner der von Martel beschriebene Schlund von Padirac, die von Trampler untersuchte Mazocha (Stiefmutter) bei Brünn, die als nahezu senkrechter Schacht von 434 m Umfang und 10682 qkm Fläche 137 m tief zur Punkwa abstürzt, und die 50—400 m umfassenden, 80—160 m tiefen Jamas der Rijeka bei St. Kanzian.

Die Bodenausfüllung der Schlünde besteht aus dem eckigen Bruchmaterial der Wände und der Höhlendecke, aus den Zersetzungsrückständen des Kalkes und den vom Wasser eingeschwemmten Stoffen, die sich zu einem Schuttkegel aufhäufen und mitunter eine solche Höhe erreichen, dafs der Schlundkanal bis hinauf zum Mundloche verstopft wird. Am meisten sind die engen Spalten der Schlote und Erosionsschlünde der Verstopfung ausgesetzt, und ist diese einmal eingetreten, so setzt sich die Bodenbedeckung hauptsächlich aus thonigen und lehmigen Produkten und aus den vom festen Gestein abbröckelnden Bruchstückchen zusammen. In den weitgeöffneten Naturschächten dagegen gelangt mit Vorliebe grober Schutt zur Ablagerung, der von den Höhlengewässern wieder fortgeführt wird, wenn sie genügende Stofskraft und Geschwindigkeit besitzen, und wenn die Höhlengänge weit genug sind, um gröfsern Blöcken den Durchtritt zu gestatten[2]).

Zeigen die Dolinen und Schlünde einerseits entschieden einen genetischen Zusammenhang, indem sich die erstern nach und nach in letztere umwandeln, so beteiligen sich anderseits an ihrer Bildung so viele entgegengesetzte Ursachen, dafs man beide Hohlformen ihrer Entstehung nach wohl von einander trennen mufs. Wenn wir die ältern, längst aufgegebenen Ansichten d'Halloys, v. Romanos und v. Gansauges, die Trichterplastik des Karstes sei auf plutonische Wirkungen zurückzuführen, und die Meinungen Boués und Lecoqs, die erste Ursache der Dolinenbildung sei in den Gasen zu suchen, die sich beim Verwesen der im Kalke eingeschlossenen tierischen Organismen entwickelten[3]), nur der Vollständigkeit halber erwähnen, so hat der Streit über die Entstehung der Karsttrichter die Forscher in zwei grofse Lager, die Anhänger der Einsturztheorie und die Verfechter der Erosionstheorie, geteilt.

Gruber, v. Hohenwarth, Boblaye, Marenzi, Simony, Schmidl, Kramberger, Tietze, Fruwirth, Putick, Kraus, Stache, Günther u. a. lassen die Dolinen durch Unterwaschung und durch Deckeneinbrüche unterirdischer Hohlräume gebildet werden. Sie sind demnach nichts andres als die offen zu Tage tretenden Eingänge verborgener Höhlen und können recht eigentlich als der sichtbare Ausdruck für die kolossale Durchlöcherung des Gebirgsinnern gelten. Demgemäfs sind sie keine blofsen Oberflächen-Erscheinungen, sondern stehen mit den Höhlen in unmittelbarer Verbindung, vorausgesetzt, dafs diese nicht zu tief

---

[1]) Da sie sehr häufig der Nistplatz wilder Tauben sind, so nennt man sie auch Golubine, Taubenlöcher. Eine solche Golubina ist z. B. die Drmeškinahöhle am Lebršnik (Hercegovinische Alpen).

[2]) Schmidl a. a. O., S. 193—195. — Tietze, Montenegro, S. 47. — Putick, Unterirdische Flufsläufe von Krain, 1889, S. 59 f. — Günther a. a. O., S. 477. — Ratzel a. a. O., S. 8. — Tellini a. a. O., S. 20. — Cvijić a. a. O., S. 24—33. 42. — Makowsky und Rzehak a. a. O., S. 132. 178. 179. — Trampler, Die Mazocha. (36. Jahresber. d. Wiedener Kommunal-Oberrealschule, Wien 1891.) — Trampler, Die Eröffnung zweier Dolinen. (Mitteil. d. K. K. Geogr. Ges. Wien, 1893, S. 243. 244. 251—254.) — Martel, Les Cevennes, S. 8. 368. — Martel, Sous terre: Rivière souterraine du gouffre de Padirac. (Bull. Soc. Scient., hist. et archéol. de la Corrèze, 1890, S. 8. 9. 29. 44.) — Martel et Gaupillat, Sur l'exploration et la formation des Avens des Causses. (C.-R. Acad. d. Sc. Paris, 1889, S. 623—625.) — Martel et Gaupillat, Sur la formation des Sources dans l'intérieur des plateaux calcaires des Causses. (Ebenda, 1889, S. 830.) — Martel et Gaupillat, Le Tindoul de la Vayssière (Aveiron). (Revue de Geogr., 1892, S. 428. 429.) — Launay et Martel, Note sur quelques questions relatives à la géologie des grottes et des eaux souterraines. (Bull. Soc. Géol. de France, 1891, S. 143. 144.) — Kraus, Dolinen des Karstes, S. 163. — Kraus, Die neueste französische Höhlenforschung, 1891. (Globus, Bd. 62, 1892, S. 251.)

[3]) v. Gansauge a. a. O., S. 297. — Boué a. a. O., S. 7. — Poggendorffs Annalen, Bd. 51, 1840, S. 131. — Die Wassernot im Karste, S. 119. — Martel, Les Cevennes, S. 360.

unter der Erdoberfläche liegen [1]). Allerdings ist der Verbindungskanal häufig verstopft oder versintert und kann gänzlich unter dem überlagernden Material verschwinden; trotzdem findet das auffallende Wasser in ihm stets einen Weg in die Tiefe, während es sich zu Tümpeln und Teichen aufstauen müfste, wenn die Dolinen Oberflächenbildungen wären und keine Fortsetzung nach der Tiefe hätten. Senkt sich die Decke, so wird an der tiefsten Stelle eine Doline geschaffen; bricht sie vollends zusammen, so entsteht ein schroffwandiges Loch, das durch Regen und Verwitterung allmählich zu sanfter geböschten Trichtern herausmodelliert und durch wiederholte Einbrüche in seiner Gestalt nicht unwesentlich verändert wird. Denn die Doline ist nicht notwendig das Erzeugnis eines einmaligen Einsturzes, sondern dieser erfolgt stets, sobald die Höhlendecke zu schwer wird und eine übermäfsige Spannweite erhält oder sobald die Stützpunkte des Gewölbes auseinanderrücken. Dafs man am Grunde nicht immer gewaltige Trümmermassen als Zeugen des Einsturzes findet, erklärt sich leicht daraus, dafs sie von den Höhlenflüssen unter gewissen Bedingungen wieder mit fortgerissen werden. Ist die Menge des Bruchmaterials kleiner als der Hohlraum, so haben wir einen Naturschacht, wird dieser ganz und gar ausgefüllt, eine Doline vor uns, die dann aber weder eine Verbindung mit der Höhle, noch eine besondere Tiefe aufweist, da ja ihr Boden unmittelbar auf dem hochaufgeschütteten Trümmerkegel ruht. Die Umgebung der Rakbach-Schlucht ist der klassische Boden, wo man die Dolinen unzweifelhaft auf Deckeneinbruch zurückführen kann, und somit läfst sich die Ansicht der Vertreter der Einsturztheorie in die Worte von Kraus zusammenfassen: „Höhlenbildung ist die Ursache der oberirdischen Karsterscheinungen; oberirdische Erosion erzeugt keine Dolinen, wandelt aber ihre Ränder um und erweitert ihre Kanäle." [2])

Zu ganz andern Ergebnissen gelangten auf Grund derselben Thatsachen die Verfechter der Erosionstheorie, v. Richthofen, v. Mojsisovics, Hoernes, Diener, Martel, Lorenz, Fugger u. a., denen sich auch J. Cvijić, einer der jüngsten Karstforscher, vollinhaltlich anschliefst. Zwar hat seine Monographie, die von einem wahren Bienenfleifs Zeugnis ablegt und ausgedehnte eigne Beobachtungen mit einer gründlichen Beherrschung der weitschichtigen Litteratur vereint, eine geteilte Aufnahme gefunden und wurde besonders von Kraus einer scharfen Kritik unterzogen, weil sie seiner Einsturztheorie nicht huldigte und mehrfach auf irrtümlichen, längst veralteten und widerlegten Lehrmeinungen begründet sein sollte. Versteht Kraus darunter die Erosionstheorie, so braucht eine Ansicht noch lange nicht veraltet oder falsch zu sein, weil sie in Übereinstimmung mit den Untersuchungen vieler

---

[1]) Da jeder einzelne Trichter zu einer Höhle oder einem Höhlenflusse führen soll, so müssen auch die zahllosen Dolinen der blatternarbigen Karstlandschaft mit Höhlen &c. in Verbindung stehen. (Kraus.)

[2]) T. Gruber, Briefe hydrologischen und physikalischen Inhalts aus Krain, 1781, S. 105. 106. — Boblaye a. a. O., S. 325. — v. Hohenwarth a. a. O., I, 18. — Simony, Über die Höhlenbildungen in den geschichteten Kalken sowie über Karstbildung. (Haidingers Mitteil., 1847, I, 58.) — A. v. Morlot, Die geologischen Verhältnisse von Istrien mit Berücksichtigung Dalmatiens und der angrenzenden Gegenden Kroatiens, Unter-Krains und des Görzer Kreises. (Ebenda, 1848, II, 35—37.) — Studer a. a. O., I, 381. — Schmidl a. a. O., S. 154. 193. 194. — Marenzi a. a. O., S. 4 f. — v. Hauer, Die Geologie und ihre Anwendung, S. 97. 250. — Tietze in: Die Wassernot im Karste, S. 115—118. — Tietze, Geologische Darstellung der Gegend zwischen Karlstadt in Kroatien und dem nördlichen Teil des Kanals der Morlacca. (Jahrb. d. K. K. Geol. Reichsanstalt, 1873, S. 56 f.) — Tietze, Geologische und paläontologische Mitteilungen aus dem südlichen Teil des Banater Gebirgsstockes. (Ebenda, 1872, S. 83.) — Tietze, Karsterscheinungen, S. 741—751. — Tietze, Österreichische Küstenländer, Nr. 7. — Beyer, Karstbilder, S. 932. — Beyer, Karstrelief, S. 81 f. — Fruggee a. a. O., S. 787. — Stache, Geologie der österreichischen Küstenländer, S. 13. 10. — C. Prawirth, Über Höhlen. (Ztschr. d. Deutsch. u. Österr. Alpenvereins, 1883, S. 124.) — Wahnschaffe a. a. O., S. 156. — Kramberger a. a. O., S. 27. — Kraus, Über Dolinen, S. 57. 58. — Kraus, Karsterscheinungen, S. 146. 147. — Kraus, Karstforschungsarbeiten. (Ausl., 1888, S. 329. 330; Ztschr. d. Deutsch. u. Österr. Alpenvereins, 1888, S. 2. 3.) — Kraus, Die Entwässerungsarbeiten in den Kesselthälern von Krain. (Wochenschr. d. Österr. Ing.- u. Archit.-Vereins, 1888, S. 1.) — Kraus, Die Wasserversorgung von Pola. (Ebenda, 1890, S. 4.) — Kraus, Neue Forschungen am Karste, S. 962. — Kraus, Neueste französische Höhlenforschung, S. 251. — Kraus, E. A. Martels Höhlenfahrten in Krain. (Globus, Bd. 64, 1893, S. 311.) — Putick, Die hydrologischen Geheimnisse des Karstes und seine unterirdischen Wasserläufe. (Himmel u. Erde, 1890, II, 98.) — Philippson a. a. O., S. 508. — Günther a. a. O., S. 477. 478. — Günther, Besprechung von Cvijić's Arbeit. (Ausland, 1893, S. 828.)

anderer die entgegengesetzte Anschauung ebensovieler anderer bekämpft, und ich bin gleichfalls geneigt, bei der Ausarbeitung der Dolinen, weniger bei derjenigen der Schlünde, der oberflächlichen Erosion eine viel gröfsere Rolle zuzuschreiben als dem Deckeneinbruch unterirdischer Hohlräume. Wie schon erwähnt, leugnen auch die Vertreter der Einsturztheorie die Mitwirkung der Erosion nicht ganz, denn Kraus unterscheidet zwischen Dolinen oder Einsturztrichtern und Sauglöchern oder Erosionstrichtern [1]), und Putick will einmal nur die gröfsern Dolinen, durch die man zu verborgenen Karstflüssen gelangt, auf Unterwaschung und Deckeneinbruch zurückführen. Auch v. Mojsisovics und im Anschlufs an ihn der ungenannte Verfasser eines L. B. B. (Landesbeschreibungs-Bureau) unterzeichneten Aufsatzes trennen die kleinen Karsttrichter als Oberflächen-Erscheinungen von den gröfsern Dolinen als Einsturzgebilden. Da sich aber die Grenze zwischen beiden Hohlformen unmöglich genau bestimmen läfst, so ist eine solche Unterscheidung nicht durchführbar, und um die Verwirrung voll zu machen, sondert Moser die Karsttrichter als tiefe, schroffwandige Schlünde von den Einsturzkesseln oder Dolinen und stellt die durch Wasser ausgearbeiteten Trichter wiederum den durch Einsturz entstandenen Vertiefungen gegenüber [2]).

Die Dolinen, d. h. die oberflächlichen Aushöhlungen im festen Kalkstein haben denselben Ursprung wie die Karrenfelder, und schon A. Boué machte zwischen dem feinen Maschenwerk, das die Kalkblöcke überzieht, und den umfangreichern Trichtern genetisch keinen Unterschied. Der Entwickelungsgang einer Doline ist durchaus einfach und natürlich. Bei der Faltung wurde der spröde Kalk nach allen Richtungen hin von Kontraktions- und Verwerfungsspalten durchsetzt, und andre Risse bildeten sich durch die Abkühlung und Erwärmung, durch den Frost und vor allem durch die nicht genug gewürdigte Arbeit der Pflanzen. Während eine dichte Vegetationsdecke die weichern Erdschichten gegen die Angriffe des Wassers schützt, fördert sie beim festen Gestein die Verwitterung in hohem Mafse. Die lebende und fast noch mehr die tote Wurzel zersprengt den härtesten Fels, wenn sie sich mit Wasser vollsaugt, und die von der verfaulenden Pflanze ausgeschiedene Kohlensäure verstärkt den Kohlensäuregehalt und somit die auflösende Wirkung des atmosphärischen Wassers. Zugleich halten die Gewächse eine gewisse Feuchtigkeitsmenge zurück, mittels deren sie den Untergrund anätzen und mürbe machen, und reifst man eine unscheinbare Flechte oder ein winziges Würzelchen aus, so wird man in dem Fasernetz stets eine Unzahl erdiger Teilchen und dünner Steinsplitter finden. Die Spalten bilden für die chemische Erosion die besten Angriffspunkte, und diese vermag an der Zusammenstofsstelle zweier oder mehrerer Risse ihre Wirksamkeit am kräftigsten zu entfalten. Zunächst entsteht ein rundliches Loch etwa von der Gröfse einer Flintenkugel, das eigentlich schon als eine Miniatur-Doline gelten kann. Je mehr die einmal geschaffene Höhlung an Umfang und Tiefe gewinnt, um so mehr Wasser nimmt sie auf und um so ausgiebiger kann dieses arbeiten. Zur chemischen Erosion gesellt sich nunmehr die mechanische, und schliefslich entsteht ein Trichter, dessen Gestalt von der wechselnden Zusammensetzung und Dichte des Kalkes und dem gleich- oder ungleichmäfsigen Fortschreiten der Verwitterung abhängig ist.

Die Monate lang oder beständig mit Schnee erfüllten Kessel des Karsthochgebirges werden zweifellos vom Schmelzwasser ausgehöhlt, das in jenen Höhen viel kräftiger als in der Tiefe arbeiten kann. Einerseits wird durch das Gefrieren des Sickerwassers der Fels zersprengt, anderseits löst und zersetzt der schmelzende Firn das Gestein, und endlich ist die über das ganze Jahr verteilte Feuchtigkeit viel nachhaltiger thätig als die nur zeit-

[1]) Eine ähnliche Ansicht — die trichterförmigen Vertiefungen entstehen durch das eingesaugte Wasser, die gröfsern Dolinen über Höhlen durch Einsturz — äufserte v. Hohenwarth (I, 28) bereits 1839.

[2]) v. Heufler a. a. O., S. 153. — v. Mojsisovics a. a. O., S. 115. 116. — Tietze, Karsterscheinungen, S. 741—751. — L. B. B., Illyrisches Gebirgsland, S. 422 f. — Diener, Libanon, S. 216. 217. — Kraus, Über Dolinen, S. 61. — Moser, Frühlingsausflug nach Istrien, S. 497. — Moser, Karst, S. 6. — Putick a. a. O., S. 98.

weilig niederrauschenden und sehr rasch versickernden Regengüsse. Schon eine unbedeutende Welle, hinter der sich etwas Schnee ansammeln kann, giebt zur Dolinenbildung Veranlassung, und an den Schneetrichtern des Libanon, des Dachstein- und Untersberg-Plateaus, der Prekornica, des Njegoš und Durmitor lassen sich die einzelnen Entwickelungsstadien vortrefflich beobachten [1]).

Profile von angeschnittenen Dolinen, die Cvijić in seiner Arbeit wiedergiebt, die ferner Martel in den Cevennen beobachtete und die ich an den neu angelegten montenegrinischen Fahrstrafsen und Saumwegen ebenfalls bemerkte, lassen keinen Zweifel darüber, dafs die echten Dolinen der oberirdischen Erosion ihr Dasein verdanken. Keiner dieser charakteristischen Durchschnitte setzt sich in einem mit Bruchmaterial erfüllten Spalt in die Tiefe fort, sondern der Schichtenverband ist nirgends gestört und der durch terra rossa rot gefärbte Verwitterungshof geht ganz allmählich in das frische Gestein über [2]). Zahlreiche richtungslos angeordnete und mit Zersetzungslehm erfüllte Klüfte laufen vom Dolinenboden und vom umgebenden Plateau ins Erdinnere, so dafs die Trichter auch im Sinne der Erosionstheorie eine Verbindung der Erdoberfläche mit dem Erdinnern herstellen, indem das von den Rissen aufgenommene Wasser schliefslich einmal zu einem Höhlenflufs oder zum Grundwasser gelangen mufs. Natürlich können sich die feinen Risse mit der Zeit zu einem sichtbaren Kanal erweitern und zufällig auf eine Höhle stofsen. Wenn aber Kraus behauptet, nicht die Oberflächen-Erosion, sondern der in die Tiefe führende Spalt und der Hohlraum waren die Ursache der Dolinenbildung, so können seine Gegner mit demselben Rechte sagen: Die oberirdische Erosion schuf die Doline und die fortschreitende Auflösung von seiten des Wassers den in die Tiefe führenden Kanal [3]).

Durch eine Reihe von Beobachtungen ist nachgewiesen, dafs der Zusammenhang zwischen Trichtern und Hohlräumen zu den Seltenheiten gehört und dafs der Höhlenreichtum des Karstes beträchtlich hinter dem Dolinenreichtum zurücksteht. Diener stellte fest, dafs der höhlenreiche Wüstenkalk des Libanon der Karsttrichter gänzlich entbehrte, und umgekehrt fand Cvijić in den Höhlen des Kučaj-Gebirges Schuttkegel, die nirgends mit Dolinen der Oberfläche korrespondierten, sondern aus dem Bruch- und Verwitterungsmaterial der Wasserspalten und Höhlendecke zusammengesetzt wurden. Hingen alle Dolinen mit Höhlen zusammen und wären sie, zumal in den blättersteppigen Karstlandschaften, sämtlich durch Einsturz entstanden, so müfste, wie Diener richtig bemerkt, der Karst ein einziger grofser Schutthaufen sein. Was von Einsturzdolinen thatsächlich beobachtet wurde, beschränkt sich auf wenige Vorkommnisse. Ein mit grobem und feinem Schutt verstopfter Spalt wurde durch eine Erschütterung teilweise wieder frei gemacht, so dafs die Trümmer nachsanken und an der Erdoberfläche eine Höhlung entstand. Bricht eine Höhlendecke vollständig in sich zusammen, so wird ein Naturschacht geschaffen; füllte aber das Bruchmaterial, das ein gröfseres Volumen als das anstehende Gestein besitzt, eine nicht allzu geräumige Höhle wieder aus, so sank die Decke nach, ohne zertrümmert zu werden. Da die Oberfläche der Schuttmasse uneben ist, erhielt die auflastende spröde Kalkdecke Sprünge, zerbrach in unregelmäfsig begrenzte Schollen, und die tiefsten Punkte der Spalten wurden

---

1) Diener a. a. O., S. 227. — Diener, Julische Alpen, S. 683 f. — Fugger a. a. O., S. 191—194. — Dey a. a. O., S. 91. — Tirtas, Montenegro, S. 32. — Hassert a. a. O., S. 130. — Eine Abbildung der typischen Schneedolinen des Durmitor habe ich in der Zeitschrift d. Deutsch. u. Österr. Alpenvereins, 1892, veröffentlicht.

2) Auch die nackten Dolinen sind unzweifelhaft reine Oberflächengebilde, denn im Falle eines Einsturzes müfste ihr Grund mit wüstem Trümmermaterial bedeckt sein.

3) Senft a. a. O., S. 21. 22. — Senft, Die Humus-, Marsch-, Torf- und Limonitbildungen als Erzeugungsmittel neuer Erdrindelagen, 1862, S. 2—5. 13—18. — Die Wassernot im Karste, S. 117. — v. Mojsisovics a. a. O., S. 115. 116. — L. B. B. a. a. O., S. 423 f. — Fugger a. a. O., S. 191—194. — Hoernes, Zur Erklärung der Karsterscheinungen. (Gaea, 1880, XVI, 698. 700.) — Neumayr a. a. O., I, 455. 456. — Diener, Libanon, S. 221. 229. 231. 234. — Diener, Julische Alpen, S. 684. — F. v. Richthofen, Führer für Forschungsreisende, 1886, S. 104. — Noë a. a. O., S. 399. — Tellini a. a. O., S. 21. 22. — Cvijić a. a. O., S. 42—44. 54—58. 61. — Kraus, Besprechung der Cvijićschen Arbeit, S. 21. — Schmeil, Der österreichische Karst. (Verh. d. Ges. f. Erdk. Berlin, 1893, S. 560.)

nach und nach zu Dolinen ausgearbeitet, denen man oberflächlich nicht ansehen kann, ob sie ursprünglich durch Erosion oder durch Einsturz gebildet waren. Einsturzdolinen über gröfsern Hohlräumen kann man daran erkennen, dafs die Schichten eine mehr oder minder auffallende Neigung nach der Einbruchsstelle hin aufweisen; doch ist dieses Merkzeichen im gefalteten Karstgebiet mit Vorsicht anzuwenden, da hier die Faltung, nicht der Einsturz, die Vorbedingung für die Trichterbildung war. Anderseits kann die Decke von kleinen, unmittelbar unter der Erdoberfläche liegenden Hohlräumen zusammenbrechen [1]), ohne dafs dabei Schichtstörungen in der Umgebung verursacht werden, und dieser Art scheinen viele der steilwandigen, scharf umrandeten Dolinen im liburnischen Karst und in den dünnbankigen Kreidekalken des Ostrog zu sein [2]).

Die Schwemmland- oder Alluvialdolinen endlich (vgl. S. 82 Anmerk.), die auf den ersten Blick ebenfalls für die Einsturztheorie zu sprechen scheinen, haben mit Einstürzen nichts zu thun. Sie entstehen, indem das Sickerwasser den unterlagernden Kalk auslaugt, worauf die ihrer Basis beraubte Lehm- oder Sanddecke nachsinken mufs, und es ist natürlich, dafs sie bei der Beschaffenheit des Kalkes und des darüber abgesetzten lockern Materials fortwährenden Neu- und Umbildungen unterworfen sind. Die Alluvialdolinen hat Pilar im Auge, wenn er von solchen Veränderungen im kroatischen Karste spricht, dafs mancher Grenzerjüngling, der nach einigen Jahren in seine Heimat zurückkehrte, dieselbe gar nicht wiedererkannte. Da man diese Thatsache auf die Entstehungsweise sämtlicher Trichter bezog, so ging sie, wie Cvijić ausführlich erörtert, als geflügeltes Wort in die Karst-Litteratur über und wurde von den Vertretern der Einsturztheorie als Hauptbeweis ihrer Ansicht beigebracht. Wenn es auch in der Natur des Karstes liegt, dafs Neubildungen von Dolinen noch heute vor sich gehen, so sind die einzelnen Fälle genau dahin zu prüfen, ob man es mit Alluvial- oder echten Felsdolinen zu thun hat. Die infolge des Erdbebens von Klana entstandenen Trichter öffneten sich nach Diener und Cvijić in einer Alluvialebene, nicht im anstehenden Gestein, und der vor einigen Jahren gebildete Naturschacht von Brunndorf verdankt nach Kraus einem plötzlichen Nachsinken des 25 m mächtigen Lehmbodens, nicht des festen Kalksteins, seinen Ursprung [3]).

Unwillkürlich drängt sich einem die Frage auf, wie es möglich war, dafs eine Theorie, die nur einer beschränkten Gruppe von Erscheinungen zukommt, sich für das ganze Dolinen-Phänomen Geltung verschaffen konnte. Der Grund liegt in erster Linie an den Schlüssen, die man aus den hydrotechnischen Untersuchungen zog, und an der schon mehrfach betonten Verwirrung in der Karst-Nomenklatur, wonach die Bezeichnungen Kessel, Doline, Karsttrichter, Einsturztrichter, Schlot, Schlund, Naturschacht, Einsturzschacht &c. die beliebigste Verwendung fanden. Die Ansicht, dafs jede Doline mit einer Höhle zusammenhängt und durch sie entstand, geht darauf zurück, dafs bei den Entwässerungsarbeiten nur solche Dolinen zum Anfahren benutzt wurden, durch die man zu Höhlen und unterirdischen Flüssen gelangen konnte und die gröfstenteils durch Einsturz entstanden, weil sie keine echten Dolinen, sondern die zu Tage tretenden Öffnungen von Schlünden darstellen. Das aufserhalb des praktischen Gesichtskreises liegende Heer der kleinen Dolinen

---

[1]) Der Einsturz oder das Nachsinken der Decke ist eine Folge der auslaugenden und auswaschenden Thätigkeit des unterirdischen Wassers und der im Karst so häufigen Erdbeben.

[2]) v. Gansauge a. a. O., S. 296. — Schmidl a. a. O., S. 151. 193. 195. — Nöggerath a. a. O., S. 646. 647. — Die Wassernot im Karste, S. 115—117. — Reyer, Karstbilder, S. 932. — Tietze, Österreichische Küstenländer, Nr. 7. — Diener, Julische Alpen, S. 683. 684. — Diener, Libanon, S. 215—223. 231—234. — Starbe a. a. O., S. 15. 16. — J. Szombathy, Die Höhlen und ihre Erforschung. (Schriften d. Ver. f. Verbr. naturw. Kenntnisse Wien, Bd. 27, 1886/87, S. 516.) — Supan a. a. O., I, 288. 289. — Putick, Unterirdische Flufsläufe von Krain, 1889, S. 59 f. — Cvijić a. a. O., S. 32—35. 42. 59. — Kraus, Dolinen des Karstes, S. 183. — Schmeil a. a. O., S. 560. — v. Kaulbars a. a. O., S. 44 f.

[3]) D. Stur, Das Erdbeben von Klana. (Jahrb. d. K. K. Geol. Reichsanstalt, 1871, S. 238.) — Pilar in: Die Wassernot im Karste, S. 142. — Diener, Julische Alpen, S. 684. — Diener, Libanon, S. 231—234. — Moser, Karst, S. 6. — Kraus, Der neu entstandene Naturschacht von Brunndorf in Krain. (Globus, Bd. 63, 1890, S. 255. 256.) — Cvijić a. a. O., S. 38—40.

wurde nicht beachtet, aber trotzdem übertrug man die abgeleiteten Ergebnisse auch auf sie. Mit andern Worten, was man thatsächlich untersuchte, waren nach unserer Definition Schlünde, und die Hohlformen, für die man die gleiche Entstehung annahm, waren Dolinen[1].

Da die Schlünde an Höhlen und verborgene Flüsse gebunden sind, die im Karste nicht so häufig auftreten, wie man gemeinhin glaubt, so stehen sie an Zahl beträchtlich hinter den Dolinen zurück. An ihrer Bildung beteiligt sich wiederum die ober- und unterirdische Thätigkeit des Wassers — Auflösung und Zersetzung, Unterhöhlung und Einsturz —, bis die vertikale Erosion das von einem Trichter ausgehende Spaltensystem zu einem Schlot erweitert. War die Doline wesentlich ein Werk der chemischen Erosion, so ist der Schlot durch die mechanische, spülende Kraft der in geschlossenem Strome zur Tiefe eilenden Tagewässer ausgearbeitet worden. Beispielsweise erscheinen die Abzugskanäle der Karstflüsse, die Ponore, als Schlote, wenn sie von diesen nicht mehr benutzt werden. Viele Schlote, wenn nicht alle, stehen mittelbar oder unmittelbar mit Höhlen in Verbindung; doch hat man letztere erst bei vier Avens, z. B. dem Mas Raynal und Rabanel, nachzuweisen vermocht, acht andre, darunter die Avens Dargilan und Tabourel, endigen in engen Spalten, durch die man kaum den Kopf zwängen kann. Die Höhlen liegen im allgemeinen nicht sehr tief unter der Erdoberfläche und sind gewöhnlich klein, da sie nach den Beobachtungen Martels und Tramplers vom einsickernden, nicht vom fliefsenden Wasser geschaffen wurden. Infolge dessen sind sie blinde Höhlen, es müfste denn das Trümmerwerk die Ausgänge verschüttet haben, so dafs man ihre Fortsetzung nicht finden kann. Für die Erosionsnatur der Schlote spricht die Beschaffenheit der Schuttkegel, die viel weniger aus Bruchmaterial als aus eingeschwemmten Bestandteilen zusammengesetzt sind und deren Spitze dem Mundloche der Doline entspricht. Eckige Blöcke fehlen natürlich auch nicht, denn die vom abtropfenden Wasser, dem Bergschweifs, durchfeuchtete Decke kann teilweise abbröckeln; allein noch häufiger reifst das einströmende Wasser durch seine Gewalt Lehm, Sand, Steine, Äste &c. mit fort, die dann den engen Kanal verstopfen, oder es bricht die vorspringenden Kanten der Umfassungswände ab und führt sie mit sich in die Tiefe. Reichen die feinen Spalten zur Bewältigung des Abflusses nicht aus, so staut sich das Wasser zeitweilig auf; stehen die Schlote jedoch, wie die Wasserschächte Mährens und mehrere Avens der Cevennen, mit offenen Höhlengängen und unterirdischen Flüssen in Verbindung, so bilden sie bereits den Übergang zu den Erosionsschlünden[2].

Die Erosionsschlünde, d. h. das Labyrinth der neben- und untereinanderliegenden Höhlengänge, die in horizontaler Richtung durch Höhlenflüsse, in vertikaler durch Schlote unter sich zusammenhängen und somit eine Kombination von Höhlen und Schloten sind, lassen die Arbeitsteilung der zerstörenden Kräfte sehr gut erkennen. Die vertikalen Kanäle entstanden hauptsächlich durch die auslaugende Thätigkeit des Sickerwassers, die Höhlen durch den hydrostatischen Druck und die mechanische Arbeit des fliefsenden Wassers. Der hydrostatische Druck fördert und beschleunigt die Zerstörung insofern, als die engen Betten der Höhlenflüsse das Hochwasser nicht fassen können, so dafs es, bis zur Decke emporsteigend, einen kolossalen Druck ausüben und das Gestein zersprengen mufs[3]. Da

[1]) Kraus, Karsterscheinungen, S. 146. 147. — Cvijić a. a. O., S. 53.

[2]) Kraus, Über Dolinen, S. 57 f. — A. Geikie, Textbook of Geology, 1882, S. 35. — Cvijić a. a. O., S. 59. 60. — Trampler, Mährische Höhlen, S. 271. — Trampler, Eröffnung zweier Dolinen, S. 243—249. 251—255. 262. — Makowsky und Rzehak a. a. O., S. 132. 176. — Martel, Les Cevennes, S. 362—365. — Martel, Sous Terre: Exploration des eaux intérieures et cavernes des Causses. (Annuaire Club Alp. Français Paris, 1888, S. 52.) — Martel et Gaupillat, Formation des Sources, S. 831. — Launay et Martel a. a. O., S. 144. 146. — G(ünther), Die Cevennen und die Causses. (Ausland, 1891, S. 137.)

[3]) Diese Ansicht vertritt auch der bekannte Höhlenforscher E. A. Martel in seinem jüngst erschienenen Buche „Les Abîmes“, dem Gegenstück zu seinem „Les Cevennes et les Causses“; doch habe ich dasselbe nicht mehr benutzen können, da die vorliegende Arbeit bereits abgeschlossen war. — Plötzlich eingetretenes Hochwasser, das die Abflufskanäle versperrte, brachte u. a. die Erforscher der in letzter Zeit viel genannten Luegloch-Höhle bei Graz in die gröfste Gefahr.

die mitgeführten Schuttmassen nicht selten die Öffnung verbauen und die unterirdischen Wasserläufe in neue Bahnen zwingen, so werden früherbenutzte Höhlengänge trockengelegt, andre, die vorher trocken waren, in Abzugsrinnen umgewandelt[1]).

Bricht infolge der zunehmenden Verwitterung und des hydrostatischen Druckes die Decke von trockenen und Wasser-Höhlen ein und füllt das Bruchmaterial die Vertiefung nicht gänzlich wieder aus, so werden gähnende Abgründe, die Naturschächte, geschaffen. Der gröfste Teil derselben wird aus den weiten Höhlen der Erosionsschlünde und nur ein Bruchteil aus den räumlich unbedeutenden Höhlen der Schlote hervorgehen. In der That sind die bekanntesten Naturschächte, die Mazocha, der Abîme de Padirac, die Jamas von St. Kanzian u. a., an früher oder noch heute bewässerte Höhlen gebunden, und Tietze berichtet, dafs eine tiefe Jama, auf deren Grunde Wasser rieselt, beim Katun Dendin unweit Grahovo erst vor 50 Jahren durch Einsturz entstanden sein soll. Die Schächte, in denen der Schutt wieder fortgeschafft wurde, fallen steil, ja senkrecht ab, und ihre Höhlengänge sind wenigstens teilweise sichtbar; bei den eingestürzten trockenen Höhlen dagegen gestattet das aufgehäufte Trümmerwerk einen, wenn auch schwierigen Abstieg in die Tiefe und hat die alten Flufskanäle gänzlich verschüttet. Martel fand unter vierzehn Schächten nur drei, die zu Bächen führten, weshalb er die aus Wasser- und aus trockenen Höhlen hervorgegangenen Abgründe als zwei selbständige Gebilde auffassen wollte. Bei genauerer Untersuchung wird sich aber jedenfalls ergeben, dafs ein Unterschied zwischen beiden nicht besteht und dafs ein Teil jener elf Abîmes blofs darum wasserlos ist, weil der die Kanäle versperrende Schutt die Flüsse ablenkte.

Die Einstürze gehen mitunter aufserordentlich rasch vor sich, und v. Kaulbars war Zeuge, wie im Cetinjsko Polje nach anhaltendem Regen eine Höhendecke in einer Nacht zusammenbrach und ein kleines Feld mit in die Tiefe rifs. Doch ist es nicht notwendig, dafs die Decke mit einemmal zertrümmert wird, sondern die Abbröckelung kann auch allmählich von statten gehen. Zunächst bildet sich an der Oberfläche ein kleines Loch, das man äufserlich von den Eingangsdolinen der Schlote nicht leicht trennen kann, das indes, vom Innern der Höhle aus betrachtet, eine nach oben sich verjüngende Kegelgestalt besitzt, während umgekehrt die Dolinen einen nach unten sich verjüngenden Kegel darstellen. Viele Schächte der Cevennen haben noch eine sehr kleine Eingangsöffnung, bei andern hat sie sich bereits rings erweitert, so dafs der obere Durchmesser des Abîme von Padirac 35 m, der untere 65 m beträgt. Noch gewaltigere Dimensionen sind den Jamas von St. Kanzian eigen, und sie alle übertrifft die Mazocha, die einen Umfang von 434 m aufweist. Wie die mächtigen Schuttkegel aus grobem Blockmaterial bezeugen, kommt bei den Naturschächten die Einsturzwirkung zur vollsten Entfaltung, und schon der alte Gruber war überzeugt, dafs sich jene Abgründe niemals öffnen konnten, wenn unter ihnen nicht ausgedehnte Hohlräume verborgen waren. Selbst die eifrigsten Verfechter der Erosionstheorie haben die Einsturznatur jener Schächte zugestanden; und wenn auch Trampler die Mazocha nicht als ein einfaches Einsturzerzeugnis auffassen möchte, weil sie verhältnismäfsig geringe Trümmermassen beherbergt, so ist doch zu erwägen, dafs die vom Bergschweifs bis ins Innerste zersetzten Kalkblöcke beim Absturz in die Tiefe in zahllose Bruchstücke zerschellen müssen, die der am Grunde dahinfliefsende Slouper Bach bei Hochwasser zum guten Teile wieder beseitigen konnte. Das in den Sauglöchern der Slouper Höhlen verschwindende Gewässer hat auf seinem 4 km langen Wege bis zur Mazocha 109 m Gefäll, sein etwa 70 qkm umfassendes Niederschlagsgebiet liefert jährlich 35 Millionen cbm Wasser, und eine solche Kraft ist wohl im stande, im Laufe unge-

---

[1]) v. Morlot a. a. O., S. 35—37. — Kraus, Wasserversorgung von Pola, S. 4. — Kraus, Karstforschungen in Frankreich. (Globus, Bd. 58, 1890, S. 13.) — Makowsky u. Rzehak a. a. O., S. 176. — Martel, Les Cevennes, S. 358. 362. 366—370. — Martel et Gaupillat, Formation des Avens, S. 623. 624.

zählter Jahrtausende das festeste Gestein zu unterwühlen und die mächtigsten Trümmerberge abzutragen [1]). Jedenfalls hängen die Erosionsschlünde und Naturschächte genetisch viel enger unter sich als mit den Schloten zusammen. Immerhin ist es nicht ausgeschlossen, dafs man bei den blind endenden Höhlen der letzteren noch eine Verbindung mit offenen Höhlengängen oder unterirdischen Flüssen entdecken kann, und dann wäre die Entwickelungsgeschichte der Schlünde eine sehr einfache, indem der Schlot in einen Erosionsschlund übergeht und dieser sich zu einem Naturschachte öffnet.

So zeigen die Karsterscheinungen ein ewiges Werden und Vergehen und einen bunten Wechsel in ihren Formen vom Karrenfeld bis zur Doline und vom Trichter bis zum Schlund. Denn wie Erosion und Denudation auf das Endziel hinarbeiten, die Unebenheiten der Erdoberfläche durch ihre nivellierende Thätigkeit auszugleichen, so ist auch der Karstprozefs kein bleibender Zustand, und durch die fortschreitende Abtragung und Auflösung der Kalkschichten wird die Arbeit des unterirdischen Wassers in eine oberirdische verwandelt. Schon hat der nordwestliche Abschnitt des Loitscher Thales keinen Karsttypus mehr, die Zeta trägt nur noch dort den Karstcharakter, wo sie unter dem Planinica-Rücken einen verborgenen Weg einschlägt, und die Rijeka hat mit ihrem Höhlenaustritte ebenfalls ihre Entwickelungsphasen abgeschlossen. Aber diese Beispiele sind immer nur einzelne Vorläufer jenes idealen Zustandes, der wohl nicht eher platzgreifen wird, als bis das Kalkgebirge bis auf seine Unterlage weggenagt und gröfstenteils oder ganz verschwunden ist. Wo einst die schwäbisch fränkische Karstplatte lag, dehnen sich heute fruchtbare Niederungen aus, und ebenso sind von den Triaskalken, die vor Zeiten als zusammenhängende Decke die Schieferzone Ost-Montenegros überspannten, nur spärliche Reste, z. B. das Plateau Širokar, der Maglić, Kom &c., zurückgeblieben [2]).

Da die Karstlandschaft eine Reihe nirgends wiederkehrender Eigentümlichkeiten aufweist und eine sehr verschiedenartige Deutung erfahren hat, so schien sie einer ausführlicheren Betrachtung wert zu sein. Um so kürzer können wir uns bei der Schilderung des Hochgebirges fassen, und eine eingehende Beschreibung der Schieferzone würde ebenfalls wenig Neues bringen. Die Gebirgssysteme Montenegros gehören dem Karst-Hochgebirge an und unterscheiden sich durch ihre kühnen Umrisse auffällig von den formenlosen Plateaugebirgen. Trotz ihrer nicht allzu beträchtlichen relativen Höhe gewähren sie einen überwältigenden Anblick, weil sie rings von tiefen Thälern, teilweise finsteren Cañons umgrenzt werden und weil ihre nackten Felswände fast unvermittelt die Hochebenen überragen. Allerdings fehlt ihnen die Gletscherpracht unserer Alpen, und soweit sich aus den dürftigen Berichten ein Schlufs ziehen läfst, sind selbst in dem mächtigsten Gebirge der westlichen Balkanhalbinsel, den Albanesischen Alpen, keine Gletscher beobachtet. Dafür beherbergen sie zahllose, den Sommer überdauernde Firnflecken in ihren Klüften, und jeden Frühling stürzen dröhnende Lawinen ins Bereich der dichten Urwälder hinab.

Gleich allen Bergmauern ist das montenegrinische Hochgebirge ein Gebiet der wildesten Zerstörung, und den geheimnisvollen Naturkräften verdanken der intensiv gefaltete Kamm des Durmitor und der aus wenig gestörten Kalkschichten zusammengesetzte Kom

[1]) Gruber a. a. O., S. 69. — M. V. Lipold, Bericht über die geologischen Aufnahmen in Ober-Krain im Jahre 1856. (Jahrb. d. K. K. Geol. Reichsanstalt, 1857, S. 222.) — Noë a. a. O., S. 309. — Schmidl a. a. O., S. 193. — Putick a. a. O., 1889, S. 59 f. — de Lapparent a. a. O., S. 255. 256. — F. Müller, Die Kačna Jama im Karste. (Mitteil. d. Deutsch. u. Österr. Alpenvereins, 1893, S. 99.) — Cvijić a. a. O., S. 31. 32. 59—61. — Makowsky u. Rzehak a. a. O., S. 179. — Trampler, Mazocha. — Trampler, Mährische Höhlen, S. 271. — Martel, Les Cevennes, S. 362—370. — Martel, Rivière du Padirac, S. 24. 29 f. 44. — Martel, Le gouffre du puits de Padirac. (Tour du Monde, 1890, II, 401. 404.) — Martel et Gaupillat, Formation des Avens, S. 622—624. — Launay et Martel a. a. O., S. 142. 145. — Kraus in: Österreichisch-Ungarische Monarchie, S. 302. 303. — Kraus, Karstforschungen in Frankreich, S. 13. — Kraus, Der Schlund von Padirac. (Globus, Bd. 60, 1891, S. 40. 41.) — Kraus, Die Eröffnung zweier Dolinen in Mähren durch Prof. R. Trampler. (Globus, Bd. 64, 1893, S. 149.) — v. Kaulbars a. a. O., S. 46 f. — Tietze, Montenegro, S. 53.

[2]) v. Mojsisovics a. a. O., S. 177. — Kraus, Über Dolinen, S. 58. — Neumayr a. a. O., I, 461. — Tietze a. a. O., S. 13. 14. 76. 77.

ihre abenteuerlichen Formen. Als am 20. August 1891 ein mit Schnee und Hagel vermischter Gewitterregen die Luftwärme empfindlich erniedrigte, rollten von allen Seiten polternde Trümmermassen ins Škrk Do hinab, bald hier, bald dort löste sich ein Stück aus der Kalkwand los, und bis zum nächsten Morgen hielt die rastlose Arbeit des durch die Verwitterung vorbereiteten Absturz- und Abtragungsprozesses an. Auch im Kom stürzen beständig kolossale Trümmermassen ab, und oft kann man in dem 15 km entfernten Andrijevica den dumpfen Donner der Steinströme vernehmen [1]). Daher sind die schroffen Zinnen nicht ohne Gefahr zu erklimmen; allein die aufgewendete Mühe wird tausendfach entschädigt durch die umfassende Fernsicht und durch den überraschenden Blick in die Felseinsamkeit mit ihrem Reichtum an leuchtenden Seen. Wohl umfängt uns auf den sturmumbrausten Gipfeln das Reich des Todes; aber doch ist alles Leben noch nicht erloschen, und wo die freundliche Sommersonne ihre Macht entfaltet, zaubert sie ein buntes Pflanzenkleid hervor. Enzian und Vergifsmeinnicht, Glockenblumen und Veilchen zieren den vergilbten, kurzgeschorenen Grasteppich, auf dem sich Ameisen, Fliegen und kleine Käfer geschäftig tummeln. Der abgesprengte Fels wird wieder zu Breccien verfestigt, deren kümmerliches Gras als Futter dient, oder die Bruchstücke werden vom Wasser fortgeführt, zerkleinert, zerrieben und zersetzt und in den Niederungen als fruchtbarer Schlamm von neuem abgelagert. Der schmelzende Schnee endlich tränkt die Fluren am Bergfufse und gibt den Flüssen Nahrung, und so ist im Hochgebirge zwar die schaffende Natur erstorben, aber aus dem toten Steine und dem starren Eise erblüht im Thale ein neues, segensreiches Leben.

Erleichtert atmet der Wanderer auf, wenn er den Karst und das Hochgebirge verläfst und in die Schieferzone eindringt. Statt des einförmigen Kalkes stellen sich Sandsteine und Schiefer ein, und da die Orographie durch die abweichende Verwitterungsfähigkeit der Gesteine bedingt wird, so verändert sich das landschaftliche Bild mit einemmale. Im Gegensatz zum Kalk sind Sandstein und Schiefer der chemischen Zersetzung viel weniger unterthan als der mechanischen Zertrümmerung, und schon der tägliche Temperaturgegensatz genügt, um ihr Gefüge zu lockern und ihren Zerfall zu feinen Bröckchen zu beschleunigen. Das Wasser schafft sie rasch fort und gräbt sich zugleich schnell und tief in die weichen Schichten ein, und so entstehen weitverzweigte, bis ins Einzelne ausgearbeitete Thalsysteme, die man im Karst vergebens sucht. Zwar vermag auch der Schiefer keine Humusschwarte zu erzeugen, da ihm die entsprechenden Mineralbestandteile abgehen, und nur das thonig-ockerige Bindemittel der Sandsteine und die räumlich beschränkten Eruptivmassen bilden mit der Zeit eine solche; allein der dichte Wald- und Wiesenteppich bereitet sich durch seine verwesenden Blätter und Halme die Erdkrume selbst und liefert den heranwachsenden Pflanzen genug Nahrung. Obwohl dem zu sanften Formen verwitternden Gestein malerische Bergformen fehlen, ist die Schieferlandschaft weit lieblicher und abwechselungsvoller als der Karst, und die hier und da eingelagerten paläozoischen Kalke engen die Flufsrinnen zu romantischen Klammen ein. Die ausgedehnten Plateaus, die in unvermeidlicher Eintönigkeit auch in Südost-Montenegro vorherrschen, tragen ein ganz anderes Gepräge als die Karst-Hochebenen der Crna Gora zur Schau, da sie von aufgesetzten Bergketten gekrönt und von Thalschluchten zerschnitten werden. So verdankt die neue Landschaft ihre wesentlichsten Charakterzüge dem unaufhörlichen Wechsel zwischen Berg und Thal, den unübersehbaren Wäldern und Wiesen und dem Wasserüberflufs, und man fühlt sich ganz in unser mitteleuropäisches Klima-, Pflanzen- und Landschaftsgebiet zurückversetzt. Schon aus der Ferne heben sich die rundlichen, dunkelfarbigen, dichtbewachsenen Schiefer von den eckigen, hellen, vegetationsarmen Kalken ab, und nur die höchsten, aus Kalk bestehenden Kämme ragen in schroffen Zinnen auf,

---

[1]) Rovinski a. a. O., S. 102—104. — Hassert a. a. O., S. 132. 137. 140.

die starre Pracht des Hochgebirges mit der lieblichen Anmut des Mittelgebirges vereinigend [1]).

Die Niederungen um den Scutari-See und der Küstensaum führen uns wieder in den Karst zurück; doch wartet unserer weder eine traurige Einöde, noch ein Gebiet der Zerstörung, sondern wir betreten einen tiefgründigen, fleifsig bebauten Humusboden, und die Landschaft verdankt ihr Gepräge vornehmlich der kulturellen Thätigkeit des Menschen.

Betritt man die Ebene von Norden, so merkt man nicht das Geringste von ihrer vielgerühmten Anmut und Fruchtbarkeit, denn ihren Rand umgeben steppenhafte, baum- und wasserarme Konglomeratfelder, die denselben trostlosen Anblick gewähren wie die mit verbackenen Geröllen erfüllten Becken der mittlern Morača. (Vgl. Kap. II, 37.) In dem lockern Gefüge der Rollsteinbänke versinken die heftigsten Regengüsse nach kurzer Zeit, Wind und Niederschläge tragen die leichte Krume fort, und das mit stacheligen Kräutern und dickblätterigen Zwiebelgewächsen untermischte Gras giebt kaum den genügsamen Schafen die notwendigste Nahrung. Die ganze Nordhälfte der Ebene von Podgorica trägt ein trauriges oder, wenn man will, montenegrinisches Gepräge, das Zemovsko (Cijevna-) Polje, ein zerklüftetes, von dem tiefen Cijevna-Spalt durchzogenes Steinfeld, ist wegen seiner Wasserlosigkeit und Dürre geradezu berüchtigt, und nur die isolierten Kalkhügel, die, soweit sie auf türkischem Gebiet liegen, von Forts gekrönt sind, bringen einige Abwechselung in die Einförmigkeit der Landschaft. Weit über die Cijevna hinaus setzt sich die Geröllwüste fort, bis sich erst schüchtern, dann in immer gröfserer Anzahl und Ausdehnung Pappelhaine, Wiesen und Maisfelder einstellen. Der nackte Stein verschwindet zusehends unter einer dunklen Erdschicht, und bald befinden wir uns in einem unabsehbaren Naturpark, der mit Recht der Garten und die Kornkammer Montenegros genannt und von Baldacci mit dem gesegneten Toscana verglichen worden ist. Schade nur, dafs die unregulierten Bergströme bei Hochwasser das lockere Erdreich unterwühlen und mit ihrem groben Trümmerwerk überschütten, so dafs manche Gegend, die unerschöpfliche Erträge liefern könnte, vollständig brach liegt oder höchstens als magere Weide Nutzen hat. Schade auch, dafs die jährlichen Überschwemmungen die flachen Ufer weithin versumpfen und bösartige Fieberherde erzeugen. Der Landstreifen südlich der Linie Hum-Žabljak wird jeden Winter unter Wasser gesetzt, und den Scutari-See umgrenzt ein morastiger Gürtel niedrigen Schwemmlandes, der nur zeitweilig betreten werden kann und unter der glühenden Sommersonne so hart und brüchig wird, dafs er in grofsen Rissen aufspringt.

Dieselben Eigenschaften wie die Ebenen um den Scutari-See besitzen die benachbarten Niederungen zwischen Bojana, Drin und Adria. Sie sind ebenfalls ein Gebiet üppiger Fruchtbarkeit und nie aufhörender Fieber, und ihre Horizontalität ist so vollkommen, dafs man die zwischen Bäumen versteckten Bäche und Sumpfseen nicht eher bemerkt, als bis man fast unmittelbar vor ihnen steht. Auch das Meer bekommt man nicht zu Gesicht, und seine Nachbarschaft verrät sich blofs durch das Brausen der Wogen, das noch 15 km landeinwärts bei Oboti als dumpfer Donner vernehmbar ist. Doch mufs man hinzufügen, dafs flache Dünen, die einzigen in Montenegro, der Küste entlang ziehen, so dafs schon aus diesem Grunde der freie Ausblick unmöglich ist. Dagegen geniefst man von den niedrigen Kalkhügeln aus eine umfassende Rundsicht auf die blaue Adria und auf die Niederung mit ihren Wiesen, Mais- und Tabaksfeldern und ihren Pappel-, Eichen- und Erlenwäldern, eine Rundsicht, die um so mehr überrascht, als sie nicht im geringsten an

---

1) Simony, Erodierende Kräfte im Alpenlande, S. 5—7. — Stache a. a. O., S. 16. 17. — Die Wassernot im Karste, S. 139.) — G. Weifsbrodt, Der geologische Bau der österreichischen Küstenländer. (Ausland, 1886, S. 127.) — Philippson a. a. O., S. 499. — Pančić a. a. O., S. IV. V. — v. Kaulbars a. a. O., S. 48. — Schwarz, Montenegro. Land und Leute, S. 217. — Tietze a. a. O., S. 94. 95. — Baumann, (Zweite) Reise durch Montenegro, S. 8. — Rovinski a. a. O., S. 24. 97. — Baldacci, Altre Notizie etc., S. 42. 48. 59.

die farbenfrohen Landschaftsbilder des Südens, sondern viel mehr an unser niederdeutsches Flachland erinnert [1]).

Über das Primorje (Küstenland) ist nicht viel zu sagen. Teils wiederholen seine Flyschmulden die Eigentümlichkeiten der Schieferzone, nur dafs sie von einer südlichen Vegetation überwuchert werden, teils sind die schmalen Felsgestade durch die wunderbaren Reize ausgezeichnet, die man überall im Mittelmeer Gebiet wiederfindet. Im Küstenlande ist es nicht zum wenigsten das Meer, welches die malerischen Schönheiten der Landschaft und die auffallenden Gegensätze verursacht. Denn die flache Schwemmlandsküste ist das Bereich des Aufbaues, die Steilküste das der Zerstörung; hier überwiegt die Senkung die Aufschüttung, dort wird sie von letzterer übertroffen.

Wir sind am Schlusse unserer Betrachtungen angelangt, und es erübrigt noch, einen vergleichenden Blick über das landschaftliche Gesamtbild der Schwarzen Berge zu werfen, den wir am besten von einem der zahlreichen Aussichtspunkte gewinnen. Schon der Aufstieg von den Bocche di Cattaro entschädigt reichlich für die Beschwerden des Weges, und von jeder erhabenen Stelle des Karstes aus entrollt sich ein durch seine Kontraste ungemein wirkungsvolles Panorama. Mag man auf dem Lovćen oder der Rumija, auf dem Belvedere bei Cetinje oder auf dem Stog, im Weiler Orani Do oder auf dem Ostrog sich befinden, immer grüfsen hier die farbensatten, lebensfrohen Fluren des Tieflandes zu unserm Standpunkte herauf, und dort schweift das Auge über ein graues Felsmeer von nackten Rücken und spärlich begrünten Mulden, über die traurige Einsamkeit des Karstes. Der Blick vom Vojnik und vom Durmitor, von dessen höchsten Gipfeln man bei ganz klarem Himmel zuweilen Belgrad erkennen soll, bietet ähnliche Scenerien dar, aber ganz anders ist das Panorama, das man von den Bergen des Südostens, z. B. vom Kom aus geniefst. Aus einer von grünen Matten und silberglänzenden Flüssen belebten Mulde, dem lieblichen und doch so verrufenen Vrmoša-Thale, steigt in majestätischer Wildheit die Mauer der Albanesischen Alpen auf und strebt zu jenen Höhen empor, wo neben dem schwarzen Fels das weifse Schneefeld glitzert und wo Hunderte drohender Türme mit jähen Abgründen abwechseln. Aus weiter Ferne grüfsen Durmitor und Hercegovinische Alpen herüber, hier treten die Berge des Sandžaks, dort die wohlbekannten Gipfel des Lovćen aus dem feinen Dunst hervor, und zu unsern Füfsen breiten sich freundliche Thäler, leuchtende Wasseradern und finstere Wälder aus, und kleine Städte (Berani, Andrijevica, Gusinje, Plava) oder Dörfer sind auf dem grünen Plan zerstreut. Ganz Montenegro und seine Grenzlande liegen wie auf einer Reliefkarte vor uns, und die landschaftlichen Kontraste vereinigen sich zu einem wundersamen Bilde, wie man es selten sehen, nie vergessen kann [2]). So ist das kleine Fürstentum nicht blofs ein abstofsendes Gebirgsland oder ein einförmiger, aller Schönheiten barer Karst, sondern es umschliefst auch lachende Fluren, welche die mit dem Landesnamen verbundenen Vorstellungen von Öde und Wildheit sofort zu schanden machen.

---

[1]) Boué, Die Europäische Türkei, I, 191. — v. Hahn a. a. O., S. 112. — v. Kaulbars a. a. O., S. 49. — Tietze a. a. O., S. 68. 71. 73. — Schwarz, Montenegro. Reise durch das Innere, S. 183. 235. 245. 252. — Baumann, Reise durch Montenegro, S. 88. — Baumann, Über Tusi nach Scutari, S. 106. 107. — Sobiesky a. a. O., S. 345. 346. — Rasch, Vom Schwarzen Berge, 1875, S. 167. — Baldacci a. a. O., S. 83. — Rovinski a. a. O., S. 115. 117—119. — Hassert a. a. O., S. 210.

[2]) Ebel, Zwölf Tage auf Montenegro, S. 85. 99. — Baumann, Reise durch Montenegro, S. 5. — Montenegro. (Globus, Bd. 32, 1877, S. 151.) — Pricot de St-Marie a. a. O., S. 798. 831. — Krentl, Reiseskizzen aus Dalmatien und Montenegro, 1888, S. 313. — Sermet a. a. O., S. 122. — Rovinski a. a. O., S. 103. — Baldacci a. a. O., S. 9. 16. 20. 40. 46. 51. — Baldacci, Cenni ed Appunti etc., S. 19. 24. 44. 55. 67.

# V. Quellen und Flüsse.

Der geologische und orographische Bau, die Verteilung der Wälder, die Schneelagerung und die Niederschläge, das sind die Ursachen, von denen die Bewässerung und mit ihr das Wohl und Wehe eines Landes abhängt. Verschwindet der Regen rasch im Boden, so hat das Erdinnere Überflufs an Wasser, die Oberfläche dagegen ist wasserarm und besitzt nur unvollkommen entwickelte Flufssysteme. Rinnt das Wasser oberflächlich ab, so arbeitet es weitverzweigte Thäler aus, und die einzelnen Stromgebiete sind scharf von einander getrennt. Klar und deutlich lassen sich diese Gegensätze in Montenegro erkennen, und ein Blick auf die Karte zeigt, dafs die Leben spendenden Wasseradern auf die Brda beschränkt sind, während die Crna Gora und die nördliche Hälfte des Ostens unter drückendem Wassermangel leiden.

Man hat der Zeta-Furche eine viel zu grofse Wichtigkeit als geologische und hydrographische Scheide beigemessen, und an der Hand der Karten kleinen Mafsstabs, die man über Montenegro meist zu Rate ziehen mufs, scheint es allerdings, als ob jene Behauptung zutrifft. In Wirklichkeit teilen aber Morača und Piva das Fürstentum in zwei hydrographisch verschiedene Abschnitte, denn das Gebiet westlich dieser Linie, etwa Zweidrittel des ganzen Landes, ist durchaus den Eigentümlichkeiten des Karstes unterthan, und in ihm sucht man vergebens die zahllosen Quellen und Quellbäche der Schieferlandschaft. Demnach ergiebt sich die Zerlegung in eine wohlbewässerte und eine wasserarme Zone von selbst, und die Bergströme des Ostens — Morača, Lim, Tara, Piva — finden im Westen nur an der Zeta und Rijeka würdige Gegenstücke.

Da in dem siebartig durchlöcherten Kalke die Niederschläge sofort versickern, so sind die Höhlengänge überreich an unterirdischen Gewässern, von denen aller Wahrscheinlichkeit nach die überwiegende Mehrzahl niemals ans Tageslicht kommt, sondern im Grundwasser aufgeht oder auf unbekannten Wegen ins Meer rinnt. Gleich den oberirdischen Wasserläufen haben auch die verborgenen Flüsse ihre geologische Entwickelungsgeschichte. Die Sprünge, welche die Höhlen verbinden, werden mit der Zeit zu Kanälen erweitert, die vorher getrennten Hohlräume vereinigen sich zu zusammenhängenden Gängen, und so entsteht ein unentwirrbares Labyrinth von Tunnels, die durch feine Sprünge und klaffende Schlünde mit der Erdoberfläche in Verbindung stehen. Man darf jedoch nicht annehmen, dafs das Bett der subterranen Rinnsale überall den gleichen Querschnitt und dasselbe Gefäll habe. Katarakte und Stromschnellen wechseln mit ruhigen Stellen ab, bald sind die Ufer klammartig verengt, bald zu Seen erweitert, klippenreiche Untiefen liegen neben wassererfüllten Abgründen, und breite Felsvorhänge senken sich von der Decke bis unter den Wasserspiegel, so dafs der Flufs ein buntes Durcheinander von Röhren und Becken, Engen und domartig gewölbten Weitungen darstellt. Die hochinteressanten, aber nichts weniger als harmlosen Höhlenfahrten der kühnen Karstforscher Kraus, Putick, Pazze, Müller, Marinić, Martel u. a. fanden oft an überhängenden Felscoulissen oder gewaltigen Trümmermassen ein jähes Ende, und die Beseitigung dieser Hindernisse in den Abzugshöhlen ist einer der wichtigsten Gesichtspunkte für die Regulierungs- und Entwässerungsarbeiten in den Kesselthälern des Karstes.

Die Höhlenflüsse schlagen naturgemäfs diejenigen Wege ein, auf denen sie die geringsten Schwierigkeiten finden; sie folgen mit Vorliebe dem Schichtstreichen und weichen härteren Einlagerungen oder den fest aneinander liegenden Wänden der Verwerfungsspalten aus. Die Erosion ist mit dem Wasser ebenfalls in die Tiefe verlegt. Die Kanäle werden vergröfsert, ausgeräumt, verstopft, oder es werden neue Abzugsrinnen geschaffen und die alten verlassen, und diese ununterbrochenen Umbildungen pflanzen sich in ihren Nachwirkungen bis zur Erdoberfläche fort. Wird dem Wasser der Weg versperrt, so staut es sich auf und tritt oberirdisch in Gestalt von Bächen und Quellen aus; erreicht der hydrostatische Druck der zusammengeprefsten Wassermassen einen solchen Grad, dafs er den Widerstand beseitigt, oder schlagen diese andre Bahnen ein, so verschwinden die Quellen wieder, um an einer andern Stelle abermals plötzlich und unerwartet zum Vorschein zu kommen.

Das Wasser hat das Bestreben, immer tiefere Horizonte aufzusuchen, und es dringt in dem klüftigen Kalke abwärts, bis es zum Grundwasser gelangt. Die trockenen Betten des Bramabiau und der Punkwa, der Sušica und des Pirui Do verraten durch ihre Thalanlage, Gerölle und Gehängehöhlen, dafs sie ursprünglich von einem oberirdischen Flusse benutzt wurden. Das Wasser wurde jedoch in Höhlen geleitet und blieb dort solange, bis durch vertikale Klüfte ein zweites, tiefer gelegenes Höhlensystem aufgeschlossen war. Die Flüsse zogen sich nun aus der oberen in die untere Etage zurück, und diese Erscheinung, die eine Folge der aufserordentlichen Zersetzungsfähigkeit, Durchlässigkeit und Zerspaltung des Kalkes ist, wiederholt sich solange, bis die Grundwasserhöhlen dem weitern Vordringen Halt gebieten. Beispielsweise ist die Adelsberger Grotte, heute die gröfste und prachtvollste Höhle Europas, als das verlassene Bett der Poik zu betrachten, und die wasserführenden und wasserlosen Höhlen sind im Krainer Karste so zahlreich vorhanden, dafs Schmidl und Urbas für erstere die Bezeichnung Höhle, für letztere den Namen Grotte vorschlugen [1]). Nicht minder deutlich ist die Unterlagerung der Höhlengänge in den Causses der Cevennen zu beobachten, wo die Oberflächenbetten und die Hohlräume der obern Dolomit-Etage wasserlos sind, da die Flüsse sich nach Durchnagung der mergeligen Zwischenschicht in die untere Dolomit-Etage ergossen haben [2]).

Die angeführten Thatsachen möchten leicht die Vermutung wachrufen, der Karst sei bis ins Innerste untergraben, und die Forscher, die in jeder Doline das Erzeugnis eines Einsturzes sehen, setzen in der That einen aufserordentlichen Höhlenreichtum voraus. Schmidl berechnete die Fläche der zu seiner Zeit bekannten Höhlen des Triestiner und Krainer Karstes, dessen Oberfläche er zu 6 Q.-Mln. annahm, auf 2 Q.-Mln., so dafs diese Zahl die eben ausgesprochene Vermutung bestätigen würde. Cvijić hat aber nachgewiesen, dafs die Angaben Schmidls irrtümlich sind, indem nicht 2, sondern 0,002 Q.-Mln. — nicht

---

[1]) Fruwirth (a. a. O., S. 109) findet den Ausdruck Grotte nicht gut gewählt, weil der Sprachgebrauch darunter kleine horizontale und in die Felswände eingegrabene Aushöhlungen versteht, die ganz vom Tageslicht beschienen werden können.

[2]) v. Gansauge a. a. O., S. 293. 294. — Schmidl a. a. O., S. 150. 196—201. — Hlubek a. a. O., S. 6. 7. — Die Wassernot im Karste, S. 103—109. 113. 114. 144. — J. Lorenz, Die Rečina, eine hydrographische Skizze. (Progr. d. K. Ober-Gymnas. Fiume, 1860, S. 16.) — W. Urbas, Die oro- u. hydrographischen Verhältnisse Krains. (Ztschr. d. Deutsch. u. Österr. Alpenvereins, 1874, S. 310.) — Urbas, Die Gewässer von Krain. (Ebenda 1877, S. 151—156.) — Beyer, Karstbilder, S. 932. — Beyer, Karstrelief, S. 104. — Tietze, Österreichische Küstenländer, Nr. 7. — Franges a. a. O., S. 767. — Szombathy a. a. O., S. 532. — C. Neumann u. J. Partsch, Physik. Geographie von Griechenland mit besonderer Rücksicht auf das Altertum, 1885, S. 242. — Kraus, Entwässerungsarbeiten in Krain, S. 1. — Kraus, Die Karsterforschung. (Verh. d. K. K. Geol. Reichsanstalt, 1888, S. 144. 145.) — Martel, Eaux intérieures, S. 52. 53. — Martel, Hydrologie des Causses, S. 249. — Martel, Rivière de Padirac, S. 45. — Martel et Gaupillat, Formation des Sources, S. 839. — G(ünther) a. a. O., S. 137. — Trampler, Mährische Höhlen, S. 270. — Putick, Hydrologische Geheimnisse des Karstes, S. 97—99. — Putick, Unterirdische Flufsläufe von Krain, 1887, S. 5.

$^1/_8$, sondern $^5/_{10000}$ — Höhlenfläche auf 6 Q.-Mln. Oberfläche kommen, und die Untersuchungen der Section Küstenland führten zu einem ähnlichen Ergebnis. In gleicher Weise stellte Martel fest, dafs die Causses der Cevennen bei weitem nicht so höhlenreich sind, wie man vermutete[1]), und wer die Ansicht vertritt, dafs die Dolinen reine Oberflächengebilde sind, der kommt von selbst zu der Überzeugung, dafs der Höhlenreichtum viel kleiner als der Dolinenreichtum sein mufs.

So ist es die geologische Zusammensetzung, nicht die Armut an Niederschlägen, welche die Wassernot zu einer drückenden Geifsel des Karstes macht. Die unterirdischen Flüsse beweisen, dafs es dem Karstinnern nicht an Wasser fehlt, und die ostadriatischen Küstenländer, insbesondere die wegen ihrer Quellenlosigkeit berüchtigte Krivošije, gehören zu den niederschlagsreichsten Gebieten Europas. Die Bewässerung eines Landes hängt aber nicht blofs von der Menge des Regens, sondern auch von seiner Verteilung ab, und diese ist im bosnisch-montenegrinischen Karste eine sehr ungleichmäfsige. Schon nach wenigen Wochen sind die letzten Spuren der Frühlingsregen verschwunden, und die stark oder sehr stark verkarsteten Bezirke, in denen keine Humusdecke und kein hochstämmiger Wald etwas Feuchtigkeit zurückhält, sind mit vereinzelten Ausnahmen gänzlich wasserlos. Stunden, ja Tage vergehen, ehe man einen Quell oder einen mit dem erquickenden Nafs angefüllten Felspalt, eine Kamenica, antrifft, und bleibt der Regen mehrere Monate lang aus, so versiegen die letzten spärlichen Wasseräderchen, die inmitten der toten Steinwüste einer kümmerlichen Vegetation das Leben gaben. Man darf deshalb den Bezeichnungen der Karte, die zwischen sehr und minder ergiebigen Quellen unterscheidet, kein zu grofses Gewicht beilegen; denn im Frühling sind viele „minder" ergiebige Quellen überreich an Wasser, und umgekehrt fand ich den „sehr" ergiebigen Bajčki Pistet bei Cetinje im Hochsommer 1892 fast vollständig ausgetrocknet.

Oft bleibt den Eingebornen nichts anderes übrig, als die meilenweit entfernten Flüsse aufzusuchen oder den Schnee aus dem Gebirge zu holen, und im Cañon-Gebiet eilt mancher ergiebige Strom unbenutzt dem Meere zu, weil seine senkrechten Uferwände sehr schwer zugänglich oder gänzlich unersteigbar sind. So haben die Bauern von Velimje ihren Bedarf schon mehrmals der 11 km entfernten und in eine 450 m tiefe Thalschlucht eingebetteten Trebinjčica entnehmen müssen, und die Hirten von Trmanje und Dubrovsko sind auf die Firnmassen des Gebirges angewiesen, weil die unmittelbar unter ihren Füfsen dahinbrausenden Ströme Morača und Komarnica von 900 m hohen, senkrechten Mauern eingeschlossen werden. Als die von der Obsovica nach Cetinje führende Wasserleitung noch nicht fertiggestellt war, wanderten die Bewohner der Landeshauptstadt jeden Sommer in hellen Scharen auf den Lovćen, um mit seinen Schneeresten und dem Wasser seiner eiskalten Quellen ihre erschöpften Vorräte zu ergänzen, und die Eingebornen von Kulići treiben mit dem Schnee einen einträglichen Handel, indem sie ihn, die Saumtierladung zu 60 Pfennig, an die benachbarten Durmitor-Dörfer verkaufen. Natürlich denkt niemand daran, seinen Körper zu reinigen, zum Stillen des Durstes verwendet man gewöhnlich Milch und spart das kostbare Wasser zum Kochen auf. Selbst für Geld und gute Worte kann man nicht immer Wasser erhalten, und in den Banjani, wie in den Ortschaften zwischen Grahovo und Nikšić mufste ich für einen Krug schmutzigen, schalen Zisternenwassers einen geradezu unerhörten Preis bezahlen. Kein Wunder, dafs der Schimmer der Sage die spärlichen Quellen verherrlicht, und dafs in der frühern gesetzlosen Zeit die blutigsten Fehden um ihren Besitz entbrannten. Wie die Tuareg und Tibbu um die Salzlager und Brunnen der Sahara die erbittertsten Kämpfe ausfechten, so wachten die Drobnjaker mit Argusaugen darüber, dafs ihre Viehtränken von keinem andern Clan benutzt wurden.

[1]) Schmidl a. a. O., S. 203. — Nöggerath a. a. O., S. 647. — Cvijić a. a. O., S. 44. 55. — Martel, Les Cevennes, S. 370. — Martel, Rivière de Padirac, S. 45. — Martel et Gaupillat, Formation des Sources, S. 830. — Launay et Martel a. a. O., S. 143.

13*

Zwischen den Gemeinden Bajce und Dolnji Kraj entstand wegen der Zisternen ein förmlicher Krieg, und während der fünfmonatlichen Sommerdürre des Jahres 1890 nahmen im Krainer Karste die Wasserdiebstähle so überhand, dafs man sogar in das Maschinenhaus der Südbahnstation St. Peter einbrach, nicht um sich frisches Trinkwasser anzueignen, sondern um das gebrauchte warme Wasser zu entwenden. Wer zur Sommerszeit im Karste reist, der weifs am besten die segensreiche Bedeutung der Quellen zu schätzen und versteht die Pflege und Verehrung, welche die Umwohner ihnen zollen. Immer richten sie an den Fremden die Frage, wie ihm ihr Wasser munde und ob es gut oder gesund sei, und sind sie glückliche Eigentümer einer Quelle, so erzählen sie ihm mit Stolz, dafs es ein lebendes (živa voda), kein totes, d. h. Zisternen-Wasser sei. Selbst eine verschlammte Wasseransammlung wie die des Crni Kuk (Banjani) erlangt als Tränkeplatz eine nicht zu unterschätzende Wichtigkeit, indem dort tagtäglich Hunderte von Schafen, Ziegen und Rindern zusammengetrieben werden, und die stark befestigte österreichische Grenzfestung Bilek verdankt ihre militärische Bedeutung in erster Linie den hier austretenden Karstquellen der Trebinjčica.

Wie aber die Wasserarmut einerseits eine sehr ungünstige Wirkung auf das Wohlbefinden und die wirtschaftlichen Verhältnisse der Karstbevölkerung ausübt, so gewährt sie ihr anderseits einen sichern Schutz gegen äufsere Feinde. Ein starkes Heer braucht den Inhalt der Zisternen und Schneelöcher binnen kurzem auf und mufs im Rücken eine beständige Wasserzufuhr unterhalten, ein Unternehmen, das bei den zweifelhaften Wegen und Transportmitteln auf ungeheure Schwierigkeiten stöfst. Gelingt es den Bergbewohnern, die Zufuhr abzuschneiden, so ist auch das Schicksal der vormarschierenden Truppe besiegelt, und was dem Durste nicht erliegt, fällt unter der Kugel oder dem Messer des wilden Gegners. Im letzten Kriege starben auf türkischer und montenegrinischer Seite viele vor Durst und Erschöpfung, und die Crnogorcen sollen vor der grauenvollen Schlacht im Vuči Do drei Tage und drei Nächte ohne einen Schluck Wasser zugebracht haben. Daher sammelten sich die hercegovinischen Freischaren mit Vorliebe in den pfad- und wasserlosen Einöden der Zagorje zwischen Gacko und Bilek, wohin ihnen die schwerfälligen österreichischen Soldaten nur langsam nachfolgen konnten. Doch auch diese machten sich die gewonnenen Erfahrungen zu nutze. Der Karst wurde sorgfältig nach Wasser abgesucht, und die systematisch betriebene Quellenstreifung fand als ein wesentlicher Dienstzweig im Reglement des Patrouillendienstes Aufnahme.

Um dem drückendsten Mangel abzuhelfen, wird der Schnee in geschützten Dolinen zusammengetragen und mit Reisig überdeckt, und oft begegnet der Wanderer auf den Hochebenen grofsen Heuschobern, die sich bei genauerer Prüfung als Umhüllungen eines mächtigen Schneehaufens entpuppen und Snježnice (Schneehügel) genannt werden. Weite Gebiete des Zentralmassivs und der Sinjavina Planina sind ausschliefslich auf die Reste des Winterschnees angewiesen, und schmelzen diese frühzeitig weg, so wird in den Gegenden, die des fliefsenden Wassers entbehren, die Wasserfrage geradezu eine Lebensfrage [1].

---

[1]) Hlubek a. a. O., S. 6. 7. — Die Wassernot im Karste, S. 4. 98. 99. 136. — v. Gansauge a. a. O., S. 293. — Szombathy a. a. O., S. 516. — Franges a. a. O., S. 768. — J. Hann, Die gröfsten Regenmengen in Österreich. (Met. Ztschr., 1894, S. 190.) — v. Hötzendorf a. a. O., S. 3—8. — (Karadžić), Montenegro und die Montenegriner, 1837, S. 6. 7. — Ebel a. a. O., S. 75. — Paić und v. Scherb, a. a. O., S. 23. — Boué, Die Europäische Türkei, I, 14. — Boué, Les frontières de la Bosnie et du Monténégro, S. 201. — Roskiewicz a. a. O., S. 52. 53. — Lenormant a. a. O., S. V. VI. — Delarue a. a. O., S. 23. 24. — Hecquard a. a. O., S. 310. — Blau a. a. O., S. 78. — Kapper a. a. O., S. 652. 653. — Rüffer a. a. O., S. 21 f. — Denton a. a. O., S. 25. 39. — Gopčević, Montenegro und die Montenegriner, S. 131. — Serristori a. a. O., S. 57. 61. 72. — Farriers a. a. O., 1881, XX, 77. 82—88. — Chiudina a. a. O., S. 21—23. — Marmier a. a. O., S. 397. — Tietze, Montenegro, S. 33. 50. 75. 97. 98. — Sermet a. a. O., S. 202. 203. — Leben und Treiben in Cetinje. (Ausland, 1881, S. 70.) — Baumann, (Zweite) Reise durch Montenegro, S. 10. — J. G. A. a. a. O., 1882, S. 203. — Schwarz a. a. O., S. 212. 213. — Schwarz, Montenegro. Reise durch das Innere, S. 545. 898. 899. — Rovinski a. a. O., S. 42. 49. 53. 58. 66. 70 f. 87. 94. 124, 277—281. 287—289. — Baldacci, Altre Notizie etc., S. 32. — Pajević, Iz Crne Gore i Hercegovine, 1891, S. 215. — Hassert a. a. O., S. 50.

Die künstlichen Wasserbehälter, die in Montenegro und den südslavischen Ländern allgemein verbreitet sind, zerfallen in zwei grofse Gruppen, in Teiche und Brunnen, von denen die erstern für das Vieh, letztere für die Menschen bestimmt sind.

Die Teiche (Lokve) stellen rundliche oder viereckige Vertiefungen im erdigen Boden dar, die teils schon vorhanden waren, teils ausgegraben wurden und sehr wechselnde Tiefen- und Durchmesserverhältnisse besitzen. Bald sind sie mit behauenen Steinen ausgelegt (Strugarska Lokva, die Teiche Crni Kuk, Vrba und Vrbica in den Banjani), bald fehlt ihnen, z. B. den Tränken des Durmitor und der Sinjavina, jeder äufsere Schmuck, und sie sind einfache Tümpel, die vom Regen- oder Schneewasser gespeist werden. Ihr Inhalt schrumpft im heifsen Sommer oft zu einer übelriechenden Schlammmasse zusammen oder trocknet gänzlich aus, wenn man ihn nicht rechtzeitig erneuert, und wimmelt von Fröschen, Würmern und anderm Ungeziefer. Obwohl er in erster Linie für die Herden Verwendung findet, verschmähen auch die Hirten im Notfalle die Ekel erregende Flüssigkeit nicht; doch erhöht der Genufs des warmen, widerwärtigen Schmutzwassers den Durst eher, als dafs er ihn stillt.

Die Brunnen, runde oder viereckige Hohlräume von 2—4 m Durchmesser und 5—7 m Tiefe, die senkrecht in den Boden gegraben und rings mit behauenen Steinen ausgemauert sind, werden in mehrere Arten geteilt. Diejenigen, die ihre Nahrung vom Grundwasser oder von kleinen Bächen beziehen, die sogenannten Bistierne und Čatrnje (Zisternen), sind bis auf eine enge Schöpföffnung oder eine schmale Thür rings geschlossen und lassen das überschiefsende Wasser in kleinen Röhren wieder abfliefsen. Zu ihnen gehören die im Bette eines Karstbaches angelegten Zisternen zwischen Ljubotin und Ceklin; doch ist ihre Zahl beschränkt, da Quellen und Rinnsale selten sind. Am häufigsten begegnen uns die zum Auffangen des Regens dienenden Brunnen, die Ubli (Einzahl Uban), die viel bedeutendere Gröfsenverhältnisse als die andern Zisternen haben, um den Niederschlägen eine möglichst breite Fläche darzubieten, und aus demselben Grunde oben offen sind. Es leuchtet ein, dafs sie durch ihre Bauart die rasche Verdunstung, Erwärmung, Verunreinigung und Fäulnis des Wassers fördern und gesundheitsschädliche Wirkungen hervorrufen, weshalb es angebracht wäre, sie durch die von Pilar empfohlene Zisterne zu ersetzen, die sich aus den bereits vorhandenen Brunnen ohne sonderliche Schwierigkeiten herstellen läfst. Das von Pilar ausführlich erörterte Verfahren besteht darin, dafs man um die Hauptzisterne kleine offene Nebenzisternen anlegt, in denen das aufgefangene Wasser geklärt und mittels einer einfachen Hebelvorrichtung in die übermauerte Haupt- oder Sammelzisterne geleitet wird.

Die dritte Brunnenart, der Pistet, ist weiter nichts als ein steinernes Becken, in dem die aus dem Felsen hervorspringenden Wasserstrahlen der Karstquellen festgehalten werden. Der bekannteste Brunnen dieser Art ist der Bajčki Pistet bei Cetinje[1]).

Den künstlichen stehen die natürlichen Wasseransammlungen, die Kamenice und Quellen, gegenüber. Da der Karstkalk eine vielfach durchlöcherte Oberfläche aufweist, so bildet er in gewissem Sinne und für eine bestimmte Zeit ein Wasserreservoir, das um so ergiebiger wird, je breiter und tiefer die ihn durchsetzenden Risse, die Kamenice, sind. Ein heftiger Platzregen füllt sie bis zum Rand mit Wasser, das für den verschmachtenden Wanderer ein wahres Labsal ist, und die Rinnen werden mitunter so tief, dafs sie förmliche Spaltquellen (Jamas) darstellen, die das ganze Jahr hindurch frisches Wasser enthalten und inmitten des ausgetrockneten Karstes gern benutzte Mittelpunkte für Siedelungen, z. B. Ploča (bei Čevo), Buronje, Progonoviči (Jama 16 m tief), Ublice, Kloster Ostrog &c., werden.

Während die Kamenice (Wasserbehälter) nach einem Platzregen überall im Karste

[1]) Rovinski a. a. O., S. 75. 94—96. 280—284. 286. — Baldacci, Cenni ed Appunti etc. S. 32. — Pilar in: Die Wassernot im Karste, S. 126—130. 159.

angetroffen werden, treten Quellen viel seltener aus und sind auf den Plateaus eine zufällige Erscheinung. Im Prekornica-Gebiet fand ich auf einer dreitägigen Wanderung nur einmal ein spärlich rinnendes Wässerchen, das Kuči-Land ist bis auf die Quelle von Kržanje vollständig wasserlos, und gleiches gilt von dem gröfsten Teile der Katunska und Lješanska Nahija. Überhaupt ist die Möglichkeit der Quellenbildung blofs dort gegeben, wo ein durch thonige Beimengungen stark verunreinigter Kalk dem Sickerwasser Halt gebietet und es zu oberirdischem Abflusse zwingt. Einer undurchlässigen Thonschicht verdankt die sehr ergiebige Quelle von Ozjedenica ihr Dasein; andre entspringen im Gebiet der Werfener und Kreideschiefer und des Flyschsandsteins, und dadurch werden die Duga-Pässe, die Landschaft Jezera, die Mulde Ponikvica, die Lukavica, der Sutorman &c. wichtige hydrographische Sammelstellen. Die Fundina, auf welche die Volksmeinung 77 Quellen verlegt, wurde schon von den Römern wegen ihres Wasserreichtums Fontana genannt, und am Obljaj und im Gebiete von Pilatovci (Banjani) lagerten 1876 10000 Crnogorcen mehrere Tage lang, ohne Wassermangel zu leiden.

Im Gegensatze zu den verdurstenden Höhen haben die Thalgehänge der Zeta, Gračanica, Trebinjčica, Piva und Tara Überflufs an Quellen, die durch ihre Fülle fast wertlos werden und dem Menschen sogar Verlegenheiten bereiten, da er oft nicht weifs, auf welche Weise er sich ihrer entledigen soll. Dort rinnen sie nicht als dünne Wasserfäden aus dem Gestein, sondern sie sprudeln in armdicken Strahlen oder als kleine Bäche hervor, die sofort eine Mühle treiben, zum Zeichen, dafs sie nur die oberirdische Fortsetzung eines unterirdisch bereits fertiggebildeten Gewässers sind [1]). Diese Quellen, deren Wassermenge das ganze Jahr über ziemlich gleich bleibt, verraten durch ihre Klarheit und ihre frische, ja eiskalte Temperatur, dafs sie lange Zeit im Gebirge verborgen waren und oft von weit entfernten Schneelagern gespeist wurden. Viele von ihnen gelten beim Volke als ungesund, vermutlich deshalb, weil die Leute mitunter zu viel von dem eiskalten Wasser getrunken haben und sich infolge dessen innere Krankheiten zuzogen. Andre sollen so grofsen Hunger erregen, dafs man nach dem Genusse ihres Wassers sofort wieder essen mufs, und solche „Hungerbrunnen" spielen nicht nur in Montenegro eine Rolle, sondern die Bewohner der deutschen Mittelgebirge &c. schreiben vielen Quellen ebenfalls eine Hunger erregende Wirkung zu. — Noch häufiger als an den Thalwänden der Binnenflüsse sind die Quellen längs der Karstküste, da die Niederschläge bis zur Basis der mächtigen Kalkmassen hinabsinken und hart am Meeresspiegel oder bereits unter demselben zum Vorschein kommen. Wahrscheinlich treten die meisten Karstquellen untermeerisch aus und machen sich durch die vom Ufer ausgehende Strömung, die niedrige Temperatur, hellgrüne Farbe und den geringen Salzgehalt des umgebenden Wassers sofort als solche bemerkbar. Es würde aber ein aussichtsloses Bemühen und ein gänzliches Verkennen der Bodenverhältnisse des Karstes sein, den Wasserüberschufs der Tiefe durch artesische Brunnen auf die Plateaus zu leiten oder eine Bohrung nach Wasser vielleicht an der tiefsten Stelle anzuraten. Denn dort gibt es keine übereinandergelagerten Schichten von verschiedener Durchlässigkeit, sondern ein zerklüftetes Gestein, in dem das Wasser zu viele natürliche Auswege findet, um künstlich bis auf die Oberfläche gehoben werden zu können. Die Errichtung von Zisternen ist das einzige und zugleich billigste Mittel gegen die Wassernot, und nur bei einem nicht zu tief im Erdinnern verborgenen Höhlenflusse würde es sich vielleicht lohnen, durch Anlage eines Schachtes und eines Hebewerkes das Wasser aus den unterirdischen Kanälen heraufzuholen [2]).

[1]) Derartige Quellen heifsen in Frankreich Sources Vauclusiennes, im französischen Jura Douas, in Griechenland Kephalari oder Kephalorrysi, in Montenegro Vrela (Einzahl Vrelo). Zu ihnen gehören die Quellen der Piva (Sinjac) und Rijeka, die Quellen bei Seljani, Ceklin, Podgor, Vir (Gornje Polje), viele Quellen des Zeta-Thales &c.

[2]) Stache, Die Eocängebiete in Inner-Krain und Istrien. (Jahrb. d. K. K. Geol. Reichsanstalt, 1859, S. 14.) — Lorenz, Rečina, S. 6—8. — Lorenz, Die Quellen des Liburnischen Karstes u. der vorliegenden Inseln. (Mitt. d. K. K. Geogr. Ges. Wien, 1859, S. 103. 104. 107.) — Lorenz, Bericht über die Bedingungen der Aufforstung und Kulti-

Die quellenreichen Mulden und Thäler des Karstes gestatten einen Rückschluſs auf die Wasserfülle der Schieferzone, und in der That kennt man das steinige Montenegro nicht mehr wieder, sobald man die südöstlichen Bezirke der Brda betreten hat. Die wachsende Meereshöhe der Hochebenen und Gebirge begünstigt die längere Erhaltung des Schnees, der durch sein allmähliches Abschmelzen beständig Wasser liefert. Ferner fallen in den Brda die Niederschläge das ganze Jahr hindurch und stürzen nicht wie im Karste nur zu Anfang und zu Ende des Winters als sintflutartige Güsse zur Erde. Soweit sie nicht oberflächlich abrinnen, werden sie von den Wäldern, den Alpenmatten und dem tiefgründigen Zersetzungsboden aufgesaugt, und die undurchlässigen Gesteinsschichten, wie die reiche orographische Gliederung sorgen dafür, daſs sich die Feuchtigkeit zu zahllosen Quellen sammelt. Wenn auch deren Ergiebigkeit bei anhaltender Dürre nachläſst, so versiegen sie nur in den seltensten Fällen, und da das Wasser nicht an wenige Orte gebunden, sondern überall zu finden ist, so wird es für den Menschen weder wertlos noch unbequem. Das Rauschen von Flüssen, das Murmeln der Quellen, das Plätschern lustiger Kaskaden, das im Karst nur zuweilen das Ohr erfreut, läſst sich hier auf Schritt und Tritt vernehmen, und da im Kalkgebiet das belebende Naſs gewöhnlich auf verborgenen Wegen kommt und geht, so fehlt ihm der Reiz, den eine von Wasseradern durchflossene Gegend besitzt, nahezu ganz. Wo aber das Wasser mangelt, da kann sich kein Erdreich und kein zusammenhängendes Pflanzenkleid bilden, und wo die Pflanze nicht gedeiht, da ist auch menschliches Dasein und menschliche Thätigkeit unmöglich. Darum ist der Karst arm an anbaufähigem Humus und arm an Bewohnern, und die freundlichen, verhältnismäſsig dicht besiedelten Ortschaften der Schieferlandschaft kehren nur in den ausgedehnteren Poljen und in der Zeta-Niederung wieder.

Der Quellenarmut entspricht im Karste der Mangel an oberirdischen Flüssen und normalen Thälern, denn die Niederschläge versickern zu schnell, um erodierend wirken zu können, und zwischen dem Höhlengewässer und dem offen zu Tage liegenden Strom gibt es eine ganze Reihe von Übergangsstadien, die man folgendermaſsen gliedern kann:

1) oberirdisch unvollkommene Trockenthäler,
2) oberirdisch ausgearbeitete Trockenthäler,
3) oberirdisch unvollkommene (halb offene) Wasser führende Thäler (blinde, innere oder Trichterthäler),
4) oberirdisch ausgearbeitete (offene) Wasser führende Thäler (Sackthäler, untere Karstthäler).

Die erste Gruppe erscheint in der Gestalt flacher Längsmulden, die durch niedrige Querriegel oder sanft gewölbte Rücken getrennt und am Boden oft mit kleinen Trichtern besetzt sind. Wegen ihrer schwankenden Gröſsenverhältnisse hält es oft schwer, sie von umfangreichen Dolinen oder kleinen Kesselthälern zu trennen, und das einzige, auch nicht immer zutreffende Merkmal besteht darin, daſs sie im Verhältnis zu ihrer Länge sehr schmal sind. Ihre reihenförmige Anordnung läſst sich auf der Sinjavina Planina deutlich verfolgen, denn vom Berge Gusar bis zum Plateau Jezera muſs man nicht weniger als 14 solcher 1—4 km langen Wannen durchmessen. Doch darf man die Vorbedingungen zu ihrer Ent-

vierung des Kroatischen Karstgebirges. (Ebenda, 1860, S. 188.) — G. Bischoff, Supplementband zum Lehrbuche der chemischen und physikalischen Geologie, 1871, S. 55. — v. Holtzendorf a. a. O., S. 3—6. — Die Wassernot im Karste, S. 103. 109 f. 126. 151—158. — Weiſsbrodt a. a. O., S. 129. — Wahnschaffe a. a. O., S. 156. — Kraus, Wasserversorgung von Pola, S. 5. — Kraus, Karsterscheinungen am Dachstein, S. 527. — Hassel a. a. O., S. 6. 7. — Martel, Les Cevennes, S. 356. — Martel, Hydrologie des Causses, S. 219. — Martel et Gaupillat, Formation des Sources, S. 830. — Neumann-Partsch a. a. O., S. 242. — Cvijić a. a. O., S. 62. 89. 91. 102. 103. — Tietze, Österreichische Küstenländer, Nr. 7. — Tietze, Montenegro, S. 16. 32. 43. 47. 50. 57. — Bolizza a. a. O., S. 295. — Vialla de Sommières a. a. O., II, 237. — Delarue, Voyage au Monténégro, 1862, S. 156. — Schwarz a. a. O., S. 264. 500. — L. Baldacci a. a. O., I, 17. 40. — Baumann a. a. O., S. 8. — Rovinski a. a. O., S. 36. 43 f. 50. 58. 64. 75—76. 86. 93. 134. 224. 279. 289. — Baldacci a. a. O., S. 48. — Baldacci, Altre Notizie etc., S. 32. 48. — Kreutl a. a. O., S. 313. — Pajević a. a. O., S. 243 f. — R—c, Novi podatci za opis i istoriju Mrkojevića, 1894, S. 278.

stehung nicht ausschliefslich im gebirgsbildenden Schub suchen, denn sie sind weniger an Gebiete starker Krustenbewegung als an solche Gegenden gebunden, in denen das Wasser wegen der Porosität des Untergrundes keine normalen Thäler ausarbeiten kann. Viele dieser Mulden waren augenscheinlich nie von einem Flusse durchzogen, sondern sie wuchsen aus einer Anzahl von Dolinen zusammen, nachdem die Verwitterung deren Querwände abgetragen hatte. Andre waren ursprünglich normale, von einem Bach durchschnittene Thalstrecken, bis der klüftige Boden mehr Wasser aufbrauchte als zufliefsen konnte oder bis die Faltung das Wasser absperrte, worauf es seinen Weg und seine erodierende Thätigkeit in die Tiefe verlegte. In beiden Fällen war der Erfolg derselbe: das gleichsinnige Gefäll ging verloren, und das offene Thal wurde in ein Abriegelungsbecken verwandelt, das in seiner Gestalt noch immer an seine frühern Umrisse erinnert und oft mit dem verborgenen Höhlenflusse zu korrespondieren scheint. Am Südabfall der Duga-Pässe sprudelt die mächtige Quelle von Vir aus dem Gestein; sie mufs also schon eine geraume Weile als geschlossener Strom geflossen sein und die bei Presjeka und Nozdre verschwindenden Quellen aufgenommen haben. Zwischen Zlostup und Golija weist die Thalanlage der Duga-Furche wiederum auf einen versunkenen Bach hin, und die schroffen Umfassungswände gleichen aufs Haar dem ehemaligen Bett eines solchen. Das völlig trockene Karstthal von Petrovići stürzt in steil geböschter Schlucht zum Kloster Kosijerevo ab, und unmittelbar am Rande der Trebinjčica entspringen zahlreiche ergiebige Quellen. Die Dolinenreihen des roh ausgearbeiteten Vališnica und Lokvice Do, die auch Tietze nicht unbemerkt blieben, weisen auf verborgene Rinnsale hin, die den schmelzenden Schnee des Durmitor zum Crno Jezero leiten und in kleinen Wasserfällen aus dem Felsen springen. Eine vom Vojnik über Sipačno zum Gornje Polje laufende Rinne wird von einem niedrigen Kalkrücken quer durchsetzt, und infolge dessen mufste der Flufs, der, nach den abgelagerten Rollsteinen zu urteilen, einst oberirdisch abflofs, verborgene Kanäle aufsuchen, bis er bei Sad als starker Bach zum Vorschein kommt und sofort eine Anzahl von Sägemühlen treibt. Hinter Ubli (bei Medun) ist ein gähnender Schlund ins Gestein gewühlt, der in das 5 m tiefe, geröllerfüllte Trockenthal Žljeb übergeht, das bei Kržanje beginnt und bei Bijoče an der Morača endet. Das Wasser rundete die mitgeschleppten Trümmer ab und zerrifs die Flanken des Gebirges; allein der klüftige Kalk hat es längst in die Tiefe gebannt, und das einfache Volksgemüt konnte sich diesen natürlichen Vorgang nicht besser erklären als durch die Sage, der heilige Sava habe, ergrimmt über die Sünde der Menschen, ihr kostbarstes Gut verflucht, so dafs es nur zur Winterszeit wiederkehrt, aber nicht als Segen spendendes Gewässer, sondern als fessellloser Wildbach.

Wir haben diese Beispiele, denen sich noch viele zufügen liefsen, angeführt, weil Cvijić den Zusammenhang der Mulden mit unterirdischen Flüssen wohl für möglich, aber noch nicht für sicher erwiesen hält [1]. Allerdings ist es in vielen Fällen sehr gewagt, einen solchen anzunehmen, da das Labyrinth der Höhlengänge und Spalten das Wasser aus den verschiedensten Abflufsgebieten sammeln kann und da die Verstopfung subterraner Kanäle nichts Ungewöhnliches ist. Allein die Naturschächte der Duga-Pässe, die nach den Erörterungen im vorigen Kapitel durch den Zusammenbruch einer vom fliefsenden Wasser ausgearbeiteten Höhle entstanden, und die immerhin auffällige Thatsache, dafs die mächtigen Karstquellen, die den Austritt eines bereits fertig gebildeten Höhlengewässers anzeigen, stets in der Verlängerung der Muldenreihen und Karstthäler liegen, machen enge Beziehungen zwischen den ober- und unterirdischen Erscheinungen zum mindesten wahrscheinlich. In einem Falle aber stehen dieselben unbedingt fest. Das Škrk Do beherbergt zwei kleine Seen, deren Wasser in Sauglöchern verschwindet. Ferner umschliefst es eine Dolinenreihe,

[1]) Tietze, Österreichische Küstenländer, Nr. 7. — Tietze, Montenegro. S. 28. 43. — Bassmann a. a. O., S. 4. — Baldacci a. a. O., S. 80. — Rovinski a. a. O., S. 82. 89. 267. 278. 279. — Hassert a. a. O., S. 43. 58. 67. 133. 135. 151. 160. — Cvijić a. a. O., S. 15. 46.

und viele Anzeichen, das im grofsen Ganzen gleichsinnige Gefäll des Hochthals, kopfgrofse Rollsteine &c., sprechen dafür, dafs der Abflufs beider Seen einst ein oberirdischer war, bis ihn der Karstprozefs ins Innere verlegte. An manchen Stellen läfst sich der verborgene Bach durch sein dumpfes Rauschen deutlich vernehmen und springt dort, wo das Škrk Do jäh zur Sušica abstürzt, in lustigen Kaskaden aus dem Gestein, um in einem 600 m tiefen Cañon weiterzufliefsen [1]).

Die Thäler vom Typus des Žljeb und Škrk Do vermitteln den Übergang zur zweiten Gruppe der Karstthäler, deren charakteristischste Vertreter die Sušica-Schlucht und das Pirni Do im Durmitor-Gebiet sind. Beide stellen echte Cañons dar, die durchaus den Erosionsschluchten der Tara und Piva gleichen und, wie die wenig gestörte Schichtenlagerung darthut, nicht durch die Faltung, sondern lediglich durch die Kraft des Wassers geschaffen wurden. Obwohl sie ihr gleichsinniges Gefäll nicht verloren haben und demnach als normale Thäler aufzufassen sind, liegen sie heute vollkommen trocken und beherbergen blofs zur Zeit der Schneeschmelze einen oberirdischen Strom. Das Pirni Do entsendet einige bald wieder verschwindende Quellen, während die verborgenen Gewässer der Sušica als geschlossener Sturzbach in die Tara münden. Der Oberlauf, d. h. die Strecke von den Wasserfällen des Škrk Do bis Nedajno, scheint ständig Wasser zu führen, wenigstens brauste in ihm (Anfang August 1892) ein ergiebiger Wildbach, der früher, wie zerfallene Trümmer beweisen, zum Treiben einer Mühle benutzt ward. Der untere, geröllerfüllte Cañon-Abschnitt dagegen ist gänzlich wasserlos und von Dolinen, Rippen und Sauglöchern durchsetzt, und erst an der Einmündung in die Tara kommt das Wasser wieder an die Oberfläche.

Wir stehen somit vor der Thatsache, dafs zwei wasserreiche Ströme infolge der zunehmenden Durchlöcherung des Bodens vertrockneten und in demselben Mafse an erodierender Wirkung einbüfsen mufsten, bis sie die in ihrem Bett entstandenen Unebenheiten nicht mehr zu überwinden vermochten und unterirdische Abzugskanäle aufsuchten. Da nun die Trockenlegung eintrat, nachdem die Cañons längst gebildet waren, und da der Karstprozefs stattfand, ohne dieselben in blinde Thäler zu verwandeln, so war die Abriegelung und Verlegung des Flusses nicht, wie v. Mojsisovics will, durch die Faltung, sondern, wie Tietze behauptet, durch den Wasserverlust verursacht. Die horizontale Schichtenlagerung im Cañon-Gebiet zeigt, dafs der gebirgsbildende Schub dort gar keine oder nur eine sehr schwache Thätigkeit ausgeübt hat; und selbst unter der Voraussetzung einer solchen mufste der Karstprozefs, d. h. Durchlöcherung des Bodens und Wasserabnahme, ihr vorgearbeitet haben. Sonst hätte der Flufs das Hindernis durchsägt und wäre nach wie vor oberirdisch weitergeflossen. — Die mährischen Karstgewässer, Punkwa, Slouper Bach u. a., wurden ebenfalls in die Tiefe verlegt, und ihre vielgewundenen, oberirdischen Trockenthäler werden vom Volke bezeichnend das Durre und das Tote Thal genannt. Ebenso hat der Bonheur-Flufs, der, nach alten Uferwänden zu urteilen, einst oberirdisch abflofs, eine 700 m breite Felsbarre unterirdisch durchbrochen und tritt dann als Bramabiau wieder aus [2]).

Nicht alle Karstflüsse, zumal diejenigen, die sich nur wenig über das Niveau des Grundwassers erheben und beständig von ihm gespeist werden, verschwinden wieder, sondern bleiben teilweise oder ihrer Gesamtlänge nach auf der Erdoberfläche und unterscheiden

[1]) Der Zusammenhang der Muldenreihen mit unterirdischen Wasserläufen wurde auch in Krain beobachtet, und ebenso vermutet ihn Philippson (a. a. O., S. 503) für die linear angeordneten Lakka, flach schüsselförmige Mulden, des Peloponnes.

[2]) v. Mojsisovics a. a. O., S. 112—115. — v. Mojsisovics in: Grundlinien der Geologie von Bosnien-Hercegovina, S. 226. 227. — Lorenz, Geologische Rekognoscierungen im Karste, S. 345. — Makowsky und Rzehak a. a. O., S. 135. — Martel, Les Cevennes, S. 166 f. — Martel, Hydrologie des Causses, S. 244 f. — Martel, Eaux intérieures, S. 10. — Martel, Causse Noir, S. 311. — Kraus, Karstforschungen in Frankreich, S. 13. — Tietze, Karsterscheinungen, S. 730 f. — Tietze, Montenegro, S. 27. 28. 31. 34. 93. 95. 96. — Baumann a. a. O., S. 10. 11. — Rovinski a. a. O., S. 55 f. — Hassert, Die Besteigung der Prutaš im Durmitor, S. 167 f. 177 f.

sich nicht unwesentlich von den strömenden Gewässern der Schieferzone. Letztere haben ein oberirdisches, aus zahllosen, baumkronenartig verzweigten Bächen bestehendes Sammelgebiet, erstere rinnen aus verborgenen Kanälen zusammen und kommen entweder als geschlossene Bäche zum Vorschein, oder ihr Quellgebiet wird durch einen Querwall von dem meist steil geböschten Flufsthale getrennt. So schiebt sich ein 3 km breiter Riegel zwischen die Mulde Ponikvica und die Gračanica, und der 4 km breite Planinica-Rücken scheidet das Nikšićko Polje von der Zeta. Ferner fehlen den Karstströmen die Nebenflüsse, denn die tiefen Schluchten in den Berggehängen führen blofs im Winter und Frühling Wasser, und die unmittelbar über der Thalsohle entspringenden Bäche und Quellen rinnen kürzesten Weges zum Hauptstrome ab. Sehr deutlich läfst sich diese Erscheinung bei der Rijeka und Zeta beobachten, und ebenso empfangen die Bergströme der Brda keine nennenswerten Zuflüsse mehr, sobald sie aus dem Bereiche der Schiefer in den Karst eingedrungen sind. Dort erfolgt die Anschwellung der Flüsse rasch nach dem Regen oder der Schneeschmelze, und der gröfste Teil der Niederschläge fliefst oberflächlich ab. Hier tritt die Überschwemmung später ein, weil das Sickerwasser einen weiten Weg zurückzulegen hat, ehe es bis zum Grundwasser gelangt und dann von unten aus den Thalboden inundiert. Während ferner die Flüsse des Südostens um so wasserreicher und tiefer werden, je weiter sie sich von ihrer Quelle entfernen, verlieren die kleineren Karstflüsse immer mehr Wasser und werden schliefslich ganz und gar von den im Bett zerstreuten Sauglöchern aufgeschluckt. Wie die Flüsse Turkestans im Sande verlaufen, weil ihnen durch zahllose Berieselungskanäle das Wasser entzogen wird, so nimmt der Bach, der die wohlbebauten Mulden Radovce und Kopilje fruchtbar macht, zusehends ab und verliert sich endlich im Gestein. Der im quellenreichen Becken Bare (Lukavica) zusammensickernde Dragilovir verschwindet, nachdem er ein anmutiges Waldthal durchschnitten hat, und ähnlicher Beispiele liefse sich noch eine ganze Menge anführen[1]).

Ein Flufsthal ist unvollkommen oder bruchstückweise ausgearbeitet, wenn es abwechselnd aus blinden und offenen Thalstrecken zusammengesetzt ist, so dafs der Strom bald unterirdisch durch Höhlengänge und natürliche Brücken, bald oberirdisch abfliefst. In Montenegro gibt es mit Ausnahme des aus Höhlen kommenden und in Höhlen verschwindenden Grenzflusses Trebinjčica nur unbedeutende Gewässer dieser Art. Der Krainer Karst dagegen umschliefst im Flufsgebiet der Laibach ein typisches Karstthal, das schon seit langem bekannt und erforscht ist und die Eigentümlichkeiten der unfertigen Flufsthäler am besten erkennen läfst. Die stufenweise abfallenden Mulden von Laas-Altenmarkt, Zirknitz und Planina bezeichnen die offenen Abschnitte der Laibach, die sich zwischen ihnen einen unterirdischen Weg bahnt und in jedem Becken einen andern Namen trägt, weil man sie erst im Laufe der Zeit als einen einheitlichen Strom erkannte. Der Oberlauf, im Polje von Laas (570 m) Oberch genannt, fliefst in verborgenen Kanälen zum Zirknitzer See (550 m), der seinerseits durch den Seebach unterirdisch entwässert wird. Dieser vereinigt sich im Kesselthale von Planina (450 m) mit dem Höhlenflusse Poik und bildet die Unz, die bei Loitsch wiederum verschwindet, um bei Ober-Laibach oberirdisch durch das Laibacher Moor (300 m) zur Save zu eilen. Dieses lehrreiche Beispiel spricht dafür, dafs der Karst von Anfang an keine offenen Flüsse besitzt; erst nach dem teilweise erfolgenden Einsturz von Höhlendecken entstehen offene Längsthalstrecken, und schreitet die Zerstörung weiter fort, so wird schliefslich ein vollständig offenes Thal geschaffen. Die Zeta, die Rijeka und die montenegrinischen Cañons haben sich aus Höhlengewässern in blinde Thäler und aus diesen in offene umgewandelt, und durch den fortwährenden Wechsel zwischen

[1]) Schmidl a. a. O., S. 154. 155. — Lorenz, Rečina, S. 9 f. — Wessely a. a. O., S. 193. 194. — Lindl a. a. O., S. 99. — Putick, Die Katavothrons im Kesselthal von Planina. (Wochenschr. Österr. Ingen. u. Archit.-Vereins, 1889, S. 368 f.) — Cvijić a. a. O., S. 64. 68. — v. Hötzendorf a. a. O., S. 3—6. — Philippson a. a. O., S. 302. — Tietze a. a. O., S. 72. — Borinski a. a. O., S. 39. 42. 51. 76. 78. 93. 128. — Hassert, Reise durch Montenegro, S. 26. 44. 70. 87. 94. 107. 232.

Höhleneinsturz und Tieferlegung des Bettes, vielleicht auch infolge tektonischer Störungen, ist ihr Niveau so erniedrigt worden, daſs es bereits im Bereiche des Grundwassers oder (bei den Cañons) in den unterlagernden Schiefern liegt.

Die Zeta, zwar nicht der gröſste, wirtschaftlich aber der wichtigste Strom Montenegros, ist der letzte Rest der alten Karstseen von Nikšić, Kujava und Danilovgrad, die durch Querriegel unter sich und vom Lješko Polje getrennt waren, bis das Wasser die Hindernisse beseitigte und die einzelnen Thalstrecken der Reihe nach entleerte. Nur an einer Stelle, unter der Planinica, flieſst die Zeta noch unterirdisch, sonst hat sie die Höhlendecken überall zertrümmert und bildet statt ihrer die Engen von Orjaluka, das von den Türken stark befestigte Defilé von Spuž &c. Für die einstige Seenatur der Niederungen zwischen den eben genannten Engen spricht die vollkommene Horizontalität des Bodens, das unvermittelte Absitzen der nackten Kalkgehänge gegenüber dem weichen Humusgrund und der mäandrische Lauf der Zeta und ihrer wenigen Nebenbäche. Während das Quellgebiet, das Nikšićko Polje, 650 m über dem Meeresspiegel liegt, erhebt sich die Stelle, wo die Zeta als neugeborner Strom wieder ans Tageslicht kommt, 500 m über die Adria, und von hier aus dacht sich ihr Bett nicht allmählich ab, sondern der Fluſs stürzt in malerischen Fällen 400 m tief hinab, so daſs er bis zur Einmündung in die Morača bei 40 km Länge nur ein Gefäll von 1 : 415 besitzt. Zusehends verliert er an Geschwindigkeit und schleicht so träge dahin, daſs er bei Spuž fast stillzustehen scheint und bloſs bei Hochwasser eiligen Laufs dahinschieſst. Da mit der Schnelligkeit auch die Transportkraft erlahmt, vermag der Fluſs keine groben Gerölle fortzuschleppen, sondern er ist mit feinem Schlamm überladen und macht durch dessen Absatz die überschwemmten Fluren fruchtbar. Schade nur, daſs das stagnierende Wasser bösartige Fieber erzeugt und die gesegneten Auen zu einer der ungesundesten Gegenden des Fürstentums stempelt.

Mit dem Verschwinden der Zeta unter dem Planinica-Rücken geht eine beträchtliche Temperaturabnahme Hand in Hand, und die einmündenden kalten Quellen tragen ebenfalls zur Erniedrigung der Wasserwärme bei. Ende August 1886 zeigte der Fluſs nach den Messungen L. Baldaccis unweit des Ponors im Nikšićer Felde + 22° C., beim Höhlenaustritt nur + 12° C., und A. Baldacci, der den Oberlauf unweit der Fälle bei tropischer Hitze durchfurtete, bemerkt, daſs er nirgends ein so kaltes Wasser wieder angetroffen habe. Im Mittel- und Unterlaufe wird der Fluſs von den glühenden Sonnenstrahlen aber immer mehr erwärmt, und die feinen Sinkstoffe und die vom lockern Ufer sich ablösenden Erdmassen verunreinigen das Wasser so, daſs es trübe und ungenieſsbar wird.

Nebenflüsse fehlen so gut wie ganz, denn die nördliche Hälfte des Thals ist viel zu schmal, als daſs sich die mächtigen Karstquellen vom Typus der Vaucluse zu stattlichen Bächen entwickeln könnten, und die Wasseradern, die längs des Bergrandes das Tiefland von Danilovgrad durchschneiden — Sušica, Grabanica, Slatinski Potok u. a. —, sind heimtückische Fiumaren, die man im Sommer trockenen Fuſses durchschreitet, während sie im Winter zu verheerenden Strömen anschwellen. Da vorspringende Bergausläufer die Ebene in eine Anzahl Buchten und Becken teilen, deren Abdachung nach den verschiedensten Himmelsrichtungen hin erfolgt, so laufen viele Gieſsbäche der Zeta erst ein Stück parallel oder, wie Smokovac und Ribnjak, sogar entgegengesetzt, ehe sie in den Hauptstrom einmünden. Trotz ihrer Ergiebigkeit und Menge würden aber weder die Quellen noch die periodischen Regenbäche zur Speisung der Zeta hinreichen, die bei normalem Stande 5 m tief ist und nur mittels Brücken oder Fähren passiert werden kann. Auch die vom Nikšićko Polje gelieferten Wassermassen genügen kaum zur Ergänzung des Abflusses, und so ist es in erster Linie das Grundwasser, welches den schier unerschöpflichen Wasserüberfluſs der Zeta bedingt [1]).

[1]) Hecquard a. a. O., S. 306. — Vialla de Sommières a. a. O., I, 185. — Boué, Die Europäische Türkei I, 15. — Boué, Les frontières de la Bosnie et du Monténégro, S. 20. — Schwarz a. a. O., S. 268. 272. 403

Ihr getreues Spiegelbild ist die Crnojevička Rijeka oder die Rijeka (Fluſs) schlechthin. Als echtes Karstgewässer bricht sie nahe dem gleichnamigen Städtchen aus einer geräumigen Höhle hervor, deren im Durchmesser etwa 15 m betragende Ausfluſsöffnung zur Zeit der Schneeschmelze und nach anhaltenden Regengüssen vollständig von den gewaltigen Wassermassen ausgefüllt wird, während in den trockenen Monaten mehrere mächtige Strahlen über die aufgehäuften Felsblöcke springen. Der Höhlenaustritt bezeichnet also auch hier den oberirdischen Abfluſs eines Baches, der sich, wenngleich teilweise unter wüstem Trümmerwerk begraben, in dem finstern Schlunde weit fortsetzt und von Rovinski, dem unermüdlichen Erforscher der Schwarzen Berge, auf 1¼ km Länge verfolgt wurde. Die eigentlichen Quellen liegen tief im Innern des zerklüfteten Kalkgebirges, und der muntere Fluſs treibt sofort die Räder einiger Mühlen und die Maschinen der Pulverfabrik. Aber rasch erschöpft sich seine Kraft infolge der jähen Gefällsverminderung, das klare, schwarzgrüne Wasser wird schmutzig und warm, und schon bei Rijeka geht der flinke Bach in ein träges, schlammiges Gewässer über, das als ein 10 km langer, 20—30 m breiter Ausläufer des Scutari-Sees und als ein ständig überschwemmtes Thal anzusehen ist. Der Fluſs zerfällt also in zwei Abschnitte, in den von verborgenen Adern gespeisten Rijeka-Bach und das schlauchartige Anhängsel des Skadarsko Jezero, das seine Nahrung vorwiegend vom Grundwasser bezieht. Die zahlreichen Krümmungen des schluchtenartigen Thals, in dem Tausende von Wasserpflanzen nur eine schmale Fahrbahn freilassen, heben das ohnehin unmerkliche Gefäll nahezu ganz auf, und sehr selten ist die Hochwasserströmung so mächtig, daſs sie noch bei Ploča wahrnehmbar wird und daſs die Schiffer ihre schwerbeladenen Boote mit Seilen stromaufwärts ziehen müssen. Da das Sammel- und Zufuhrgebiet der Rijeka beträchtlich hinter dem der Zeta zurücksteht, so sind bei ihr die Unterschiede zwischen Hoch- und Niederwasser nicht unbedeutend. Zwar bleibt sie — und darin beruht ihre hohe Bedeutung — das ganze Jahr über für kleine Dampfer fahrbar. Während aber noch im Frühling der Bazar von Rijeka unter Wasser steht, so daſs die landesüblichen Londras ohne Schwierigkeit dorthin gelangen können und nur die höchsten Baumwipfel aus den Fluten ragen, müssen im Spätsommer die Dampfer weit unterhalb Šindjon vor Anker legen, und das Bett wird so seicht, daſs selbst flache Boote die Stadt nicht mehr zu erreichen vermögen. Die kühlen Seewinde können die engen Windungen der Rijeka nur unvollkommen reinigen, und deshalb herrscht an ihren sumpfigen Ufern die Malaria fast noch mehr als in der breiten, den Luftströmungen leichter zugänglichen Zeta-Ebene [1]).

Mit der Erwähnung der Crmnica, welche die gleichnamige Ebene fruchtbar macht und sich in ihren Eigenschaften der Zeta und Rijeka eng anschlieſst, beenden wir die Schilderung der offenen, Wasser führenden Karstthäler und wenden uns einem Strome zu, der vielfache Berührungspunkte mit ihnen besitzt. Die Bojana, im Altertum Barbana Livianus genannt, ist der Abzugskanal des Scutari-Sees und als solcher ein majestätischer Strom, dem an Wasserführung die Zeta noch lange nicht gleichkommt und der an Breite auch von der untern Morača nicht übertroffen wird. Er gilt beim Volke als die Fortsetzung beider Flüsse, weil eine Strömung, die nach Hecquard in der That von Eingebornen be-

---

410. — L. Baldacci a. a. O., I, 7. 8. — Baldacci, Cenni ed Appunti etc., S. 25. — Ferrière a. a. O., XX, 84. — Rovinski a. a. O., S. 82. 120. 255. — Sobiesky a. a. O., S. 343. 345. — Hassert a. a. O., S. 21.

[1]) Vialla de Sommières a. a. O., I, 12. — Montenegro und die Montenegriner, S. 6. — Boué, Die Europäische Türkei, I, 14. — Ebel a. a. O., S. 111. 112. — Stieglitz a. a. O., S. 133. — Hecquard a. a. O., S. 308. — Paić und v. Scherb a. a. O., S. 31. — Kanitz, Die montenegrinische Rijeka, 1872, S. 181. 182. — Berristori a. a. O., S. 70. — v. C., Unter Montenegrinern und Muselmännern, 1876, S. 617. — Denton a. a. O., S. 22 f. — v. Kaulbars a. a. O., S. 17. — Kesselmeyer und Stossich a. a. O., S. 103. — Frilley et Wlahovitch a. a. O., S. 277. — Humbert a. a. O., S. 136. — Kreutl a. a. O., S. 21. — L. Baldacci a. a. O., I, 8. — Tietze a. a. O., S. 58. 112. — Schwarz a. a. O., S. 330. 332. 405. — Pricot de St.-Marie a. a. O., S. 812. — Rovinski a. a. O., S. 130—133. 266. — Lejean, Le Lac de Scutari et la Boiana, 1862, S. 177. 178. — Sobiesky a. a. O., S. 341.

nutzt wird, von der Morača-Mündung bis nach Scutari laufen soll. Vielleicht ist sie bei Hochwasser wahrnehmbar, denn als ich den Scutari-See zur Zeit seines niedrigsten Wasserstandes befuhr, konnte ich nicht das geringste Anzeichen einer solchen entdecken, und die Tiefenlotungen machen es wahrscheinlicher, daſs die den See durchziehende Rinne eine Verlängerung der Rijeka ist. Vielleicht war zu Hecquards Zeit eine Strömung deshalb erkennbar, weil der Abfluſs des Skadarsko Jezero damals durch den Drin-Einbruch noch nicht gehindert und aufgehoben war, oder es müſste sein, daſs die launische Morača, deren Schuttführung im Winter einen gewaltigen Umfang erreicht, ihren Trümmerkegel viel weiter vorgeschoben hat als die langsam dahingleitende und nur feinen Schlamm absetzende Rijeka.

Die Bojana hat im Oberlaufe eine gröſsere Breite als an der Mündung. Schon am Festungsberge von Scutari beträgt dieselbe bei Normalwasser 70—100 m, bei Oboti 700 m, an den Engen von Belaj 180—200 m und unweit des Meeres wieder 300—350 m. Je breiter aber der Strom wird, um so mehr verliert er an Tiefe und Geschwindigkeit. Die Tiefe schwankt von der Mündung bis Oboti zwischen 5 und 10 m und gestattet Küstenschiffen den Zugang bis zu jenem Orte, der deshalb der geeignetste Platz für die türkische Zollstation und der Umladeplatz für die nach Scutari bestimmten Waren ist. Denn nun sinkt die Tiefe schnell auf 1—2 m, Sandbänke, Untiefen und Inseln reihen sich ununterbrochen aneinander, und während man im Unterlaufe den Strom nur mittels Fähren übersetzen kann, ist er hier mit Leichtigkeit durchfurtbar. Die ungleichmäſsige Tiefe ist für den Wasserabfluſs ein nicht unwesentliches Hemmnis, und dieser wird um so mehr verlangsamt, als sich die Sinkstoffe an der Mündung zu einer Barre niederschlugen, die ihre Lage beständig verändert und bloſs 2—5 m unter dem Meeresspiegel liegt. Bei Seewinden ist sie gänzlich unpassierbar, und erst der Landwind spült in ihr zwei Kanäle aus, die flachgebauten Fahrzeugen die Einfahrt gestatten. Als der Löwe von San Marco noch die Adria beherrschte, fuhren venetianische Galeeren auf der Bojana bis Scutari; unter dem Halbmonde ist sie, die eine der schönsten Wasserstraſsen Europas sein könnte, so versandet und verschlammt, daſs gröſsere Schiffe höchstens bei Hochwasser und auch dann nicht ohne Schwierigkeiten in den Skadarsko Jezero eindringen können.

In launischen Krümmungen von 44 m Länge — in Luftlinie würde die Entfernung kaum die Hälfte ausmachen — durchschneidet der Riesenstrom eine von Bergketten unregelmäſsig gegliederte Ebene und erinnert mit seinen erdigen Ufern, dem dichten Schilfkranze und den Eichen-, Pappel- und Espenhainen eher an den düstern Norden als an den heitern Süden. Auch hier ragt eine mächtige Humusschicht, die durch die Ablagerungen des Hochwassers beständig erhöht wird, 3—4 m über den Wasserspiegel; und wie man in Unter-Ägypten ein Geschenk des Nils sieht, so verdankt die ausgedehnte Niederung ihre Entstehung in erster Linie der Bojana. Leider versumpft das immer mehr anwachsende und immer länger anhaltende Hochwasser gerade die fruchtbarsten Landstriche, und die Breite des Überschwemmungsgebiets beträgt beiderseits der Ufer bereits 8 km.

Im Sommer ist die Bojana ein träges, fast stillstehendes Gewässer, und die Kraft eines Mannes genügt, um einen Kahn von einem Ufer zum andern zu rudern. Im Winter und Frühling dagegen vermag das breite Bett den Überschuſs nicht zu fassen, und die eingeengten Wassermassen schieſsen mit solcher Schnelligkeit dahin, daſs man kaum gegen sie ankämpfen kann, daſs sie die lockern Ufer unterwühlen und die Erde weit ins Meer hinaustragen (vgl. Kap. III, S. 50).

Solange die Bojana die aufgehäuften Hindernisse beseitigen konnte, hielten die Überschwemmungen nicht gar zu lange an, und das Wasser des Sees floſs, wie Wingfield hervorhebt, mit ziemlicher Geschwindigkeit in den Strom ab. Da durchbrach im Winter 1858/59 der angeschwollene Drin sein Bett und staute sich zu einem See auf, der 1861/62 sich einen Ausweg in die Bojana bahnte. Schon früher hatte das heimtückische Gebirgswasser seine Richtung mehrfach geändert und dabei den Kiri (Drinassi) aufgenommen, aber so grofs war seine mechanische Wirkung und so mächtig seine Geröllführung noch nie gewesen. Als v. Hahn 1863 Albanien bereiste, war der neue Drin-Arm schon 3 m tief; der eigentliche Hauptarm bei Alessio aber schrumpfte zu einem dürftigen Flüfschen zusammen, und die kleinen Schiffe, die vordem bis zum Gebirgsflufs fuhren, mufsten den Verkehr gänzlich einstellen. Wegen seiner gröfsern Wassermenge und Geschwindigkeit hob der Drin den Abflufs der Bojana nahezu auf und sperrte sie durch eine breite Barre aus Sand, Schlamm und Steinen vollends ab. Die unausbleibliche Folge war, dafs die Höhe und Zeitdauer der Überschwemmungen einen immer bedrohlicheren Umfang annahmen, und nur durch eine gründliche Stromregulierung kann dem unaufhaltsam um sich greifenden Übel Halt geboten werden[1]).

Gegenüber den in breitem Bett dahinschleichenden und mit feinen Sedimenten überladenen Tieflandsströmen Zeta, Rijeka und Bojana sind die Gewässer Ost-Montenegros muntere Bergflüsse, deren Breite nicht mehr als 5—50 m beträgt und deren Tiefe bei Niederwasser selten 1 m übersteigt, so dafs man sie im Sommer fast überall durchwaten kann und nur einige Male (an der Morača, der untern Tara und Piva) 3 und mehr Meter tiefe Stellen findet, über die Fähren und Brücken führen. Wegen ihres reifsenden Gefälles und ihrer geringen Wassermenge haben sie für den Schiffsverkehr keinen Nutzen, und blofs im Frühling kann man auf ihnen zeitweilig die Flöfserei betreiben. Überhaupt ist ihre Wasserfülle sehr wechselnder Art, teils spärlich, teils überreichlich bemessen, und die harmlosen Rinnsale, die im Sommer zwischen den hoch aufgehäuften Trümmermassen verschwinden und in heifsen Jahren stellenweise gänzlich austrocknen (Morača), schwellen zur Winterszeit binnen einer Stunde zu fessellosen Strömen an. Flutmarken verraten, dafs sie bis 5 m über den normalen Stand ansteigen, und schon mehr als einmal erreichte das Hochwasser eine so gewaltige Höhe, dafs es die 10 m über der Mala Rijeka gelegene Steinbrücke (bei Bijoče) wegrifs.

Das bei den Karstflüssen erwähnte Gesetz kehrt auch bei den Gewässern der Brda wieder, sobald sie aus dem Schiefer- in das Kalkgebiet eintreten. Dort waren sie reich an Nebenbächen, verzweigten sich zu einem dichten hydrographischen Netz und hatten stets Wasser in Fülle; hier hören die Zuflüsse mit einem Male auf und stellen sich nur dort ein, wo ein undurchlässiges Gestein den Kalk unterlagert. So nimmt die Morača die im Schiefer entspringende Mala Rijeka, die Piva die vom Flysch- und Schiefergürtel des Čemerno kommende Plužinje auf; sonst empfangen sie bis zu ihrem Wiedereintritt in die Tiefebene bzw. in die bosnische Schieferzone aufser starken Karstquellen und periodischen Regenbächen keinen einzigen perennierenden Zuflufs. Daher werden sie um so wasserärmer, je weiter sie in den Karst eindringen, weil der Zuflufs aus der eng begrenzten Schieferzone zur Deckung des Verlustes nicht hinreicht. Der beständig Wasser führende Strom verwandelt sich in einen Flufs, dieser schrumpft zu einem Bache, der Bach zu einem dürftigen, periodischen Rinnsal zusammen, und endlich bleibt blofs das geröllerfüllte Trockenbett zurück: eine Erscheinung, die besonders bei der Sjevernica und Mala Rijeka zur Geltung kommt. Auch die vom Schnee des Albanesischen Hochgebirges gespeiste Cijevna

---

[1]) Müller, Albanien, Rumelien und die österreichisch-montenegrinische Grenze, 1844, S. 7. — Boué, Die Europäische Türkei, I, 56; II, 25. — Boué, Der albanesische Drin, S. 1. 2. — Boué, Recueil d'itinéraires, I, 335. — Boué, Mineralogisch-geognostisches Detail über einige meiner Reiserouten, S. 210. — Boué, L'état actuel du Monténégro et de l'Herzégovine, 1861, S. 131. — Hecquard, Aperçu géographique de la Haute Albanie, 1857, S. 294. 296. — Hecquard, Histoire et description de la Haute Albanie, 1858, S. 2—5. — Hecquard, Géographie générale du Pachalik de Scutari, 1858, S. 294—296. — v. Hahn a. a. O., S. 111. 131. 138. — Das Paschalik von Scutari, 1865, S. 428. — Wiet, Itinéraire en Albanie et en Rumélie, 1866, S. 25. — Kapper a. a. O., S. 647. — Frilley et Vlahovitch a. a. O., S. 279. — Tietze a. a. O., S. 69. 70. — Schwarz a. a. O., S. 161. 194. 197—199. 202. 204. 208. 406. — Schwarz, Montenegro. Land und Leute, S. 223. — Gopčević, Ober-Albanien und seine Liga, 1881, S. 70. 173. 214 f. — Rovinski a. a. O., S. 115. 196. 204. 215. 216. 270—273. — Lelarge a. a. O., S. 178—180. — Sobiesky a. a. O., S. 246. — Th. Fischer in Kirchhoff a. a. O., II, 130. — Montenegro, Zeitschrift für Schulgeographie, 1885, S. 276. — Wingfield a. a. O., S. 170.

verliert im Unterlaufe soviel Wasser, dafs man sie ohne Mühe überspringen kann und dafs ihr breites Geröllbett oberhalb der Brücke Arźanicki Most vollständig trocken liegt. Das gleiche Schicksal betrifft die Moraća, die man noch unterhalb Podgorica nur auf einer Fähre übersetzen kann. Zur Regenzeit dagegen sind beide reifsende Ströme. Der schmale Spalt, den sich die Cijevna in die Konglomeratschichten des Zemovsko Polje gewühlt hat, kann die Wassermassen nicht mehr fassen, und oft geschieht es, dafs sie die Uferränder überschreiten und sich verheerend in die Ebene ergiefsen. Auch das Geröllbett der Moraća verwandelt sich in eine brausende Wasserfläche, die man vom Scutari-See bis Bijelopolje befahren kann, und die Kähne, die im Sommer unbenutzt am Strande zerstreut sind, vermitteln dann allein den Verkehr zwischen hüben und drüben [1]).

Gleich allen Bergströmen besitzen die Flüsse der Brda ein klares, durchsichtiges Wasser, in dem man bis auf den stein- und kiesbesäten Felsgrund hinabblicken kann und dessen niedrige Temperatur sich beim Durchwaten unangenehm fühlbar macht. Abgesehen von örtlichen Abstufungen, die Bewölkung, Beleuchtung und Pflanzenbekleidung hervorrufen, ist die vorherrschende Farbe des Wassers ein mehr oder minder lichtes Grün, das mit wachsender Tiefe einen dunklern Ton annimmt und während der Schneeschmelze wegen der massenhaft eingeschwemmten erdigen Partikelchen in ein schmutziges Grau übergeht. Da nach Wittsteins und Geistbecks Untersuchungen die aufgelösten Kalk- und Magnesiateilchen eine blaugrüne Farbe verursachen, so verwandelt sich im Karste das satte Grün in ein leuchtendes Blaugrün, und vor allem ähnelt die Färbung der mittlern Moraća dem charakteristischen Farbenspiel der Karstflüsse [2]).

Die sämtlichen Gewässern der Brda eigentümliche Erscheinung, dafs sie ihre Ufer hoch hinauf mit Schotterterrassen umkleidet haben, wurde bereits früher hervorgehoben (vgl. Kap. II, S. 36 fg.). Während die Flufsterrassen ein Zeugnis des sich immer tiefer eingrabenden Flusses sind und daher um so jünger werden, je tiefer sie liegen, entstehen die Schotterterrassen, indem durch übermäfsige Schuttzufuhr ein Thal ausgefüllt wird, in das sich dann der Flufs von neuem einschneidet. Ist das Thal nicht zu eng, so heben sich die Konglomeratbänke als deutlich abgesetzte Stufen wirkungsvoll vom steilen Gehänge ab, und vor allem ist der Lim durch wohlentwickelte Schotterterrassen ausgezeichnet, die bei Murino, Luge, Andrijevica und Berani den Wasserspiegel hoch überragen und öfters zu zweien oder dreien übereinander lagern. Ebenso ist die Ebene von Kolašin mit 15—20 m hohen, breiten Stufen besetzt, die der unbeständige Wildbach bald hier, bald dort unterwühlt; doch sind die Thalfurchen meist zu schmal, um ausgedehnten Schotterterrassen Raum zu gewähren.

Die Flüsse der Brda fliefsen samt und sonders in echten Erosionsthälern und haben nicht blofs den leicht zerstörbaren Kalk durchsägt, sondern sich auch tief in seine Schieferunterlage eingegraben. Gegenüber der mittlern Meereshöhe der Hochebenen (1000—1700 m) weisen sie noch im Oberlaufe eine solche von 200—1000 m auf, und die Moraća eilt in einem so tiefen Bett zum Meere, dafs sie beim gleichnamigen Kloster erst 280 m über der Adria und 800 m unter dem Niveau ihrer Umgebung liegt. Längere Seitenthäler mit sanftem Gefäll sind selten; vielmehr stürzen die Zuflüsse in schroffen Felsklammen und unter Zuhilfenahme von Wasserfällen zum Hauptstrome hinab, und im Karste wie in der

[1]) H. Barth in Schwarz, Montenegro, S. 345. — Schwarz, Montenegro, Reise durch das Innere, S. 226. 227. — Denton a. a. O., S. 28. — Boué, Die Europäische Türkei, I, 40. — Tietze a. a. O., S. 21. 75. — Fricot de St-Marie a. a. O., S. 812. 813. — Rovinski a. a. O., S. 93. 232. 238. 249. 252. 260. 275. — Baumann, Über Tusi nach Scutari, S. 106. — Cozens-Hardy a. a. O., S. 391.

[2]) Malte-Brun, Esquisse géographique sur le Monténégro, 1858, S. 261. — Boué a. a. O., I, 13. — Boué, Mineralogisch-geognostisches Detail über einige meiner Reiserouten, S. 20. — Schwarz a. a. O., S. 408. — Rovinski a. a. O., S. 231. 239. 251. 253. — Lelarge a. a. O., S. 177. — Vukosavović, Put kroz Rijeke Tari i opis sela Tepaca, 1894. — Novibazar und Kossovo, S. 90. — Wittstein in Sitz.-Ber. d. K. bayr. Akad. d. Wiss., 1860, S. 603. — Geistbeck, Die Seen der Deutschen Alpen, 1884, S. 382—387.

Schieferzone sind Katarakte sehr häufig zu beobachten. Doch fehlt ihnen, wenigstens im Sommer, der Reiz des Romantischen und Grofsartigen, und nur im Winter und Frühling pflegen sich die dünnen Wasserfäden der Zeta, Rijeka, Gračanica, Sušica (Škrk Do) &c. in wilde, brausende Wasserstürze zu verwandeln. Quellkaskaden bilden die Flüsse, wenn sie von ihrem Ursprunge aus nicht als zusammenhängendes Gewässer weiter fliefsen, sondern sprungweise die Tiefe erreichen (Tušina, Mrtvica, Zeta, Gračanica). Münden sie in einen Strom, der wasserreicher als sie selbst ist, so wird dieser sein Bett viel schneller vertiefen als jene, und der entstehende Höhenunterschied mufs durch sogenannte Mündungskaskaden ausgeglichen werden, die besonders schön im Flufsgebiete der Narenta und am Steilabsturz des Sušica-Schlundes zur Tara aufgeschlossen sind. Derartige Stufenbildungen können auch im Flusse selbst eintreten, wenn der Oberlauf wasserarm ist und nicht so schnell ausgehöhlt wird wie der von ergiebigen Nebenbächen gespeiste Unterlauf. Eine solche Kaskade verbindet z. B. das Škrk Do mit dem Sušica-Schlund, und in gleicher Weise ist der Šavniki Potok, der aus einer am linken Thalgehänge liegenden Höhle jederzeit Wasser erhält, durch einen wohlerkennbaren Absatz von seiner wasserärmern Verlängerung, der Petnica, getrennt [1]).

So sind nur die wenigsten Nebenthäler — Drcka, Kraljštica, Plašnica, Kapetanova, Jelovica, Peručica &c. — für den Verkehr geeignet, der wegen der unverhältnismäfsig grofsen Höhenunterschiede zwischen Flufs und Plateau und des plötzlichen Ansteigens des Oberlaufs zur Wasserscheide hin nicht nur quer zu den Hauptthälern, sondern auch längs derselben mit ungeahnten Schwierigkeiten zu kämpfen hat. Die Verbindungswege sind auf die obere Hälfte der Gehänge und auf das Plateau verlegt; die Siedelungen und Äcker beschränken sich auf die räumlich begrenzten Terrassen oder die kleinen Thalweitungen von Murino, Andrijevica, Kolašin, Kloster Morača &c., und erst dort, wo das Gebiet der Grenznachbarn seinen Anfang nimmt, treten die engen Schluchten zu breiten Ebenen auseinander.

Das landschaftliche Bild eines Thales wird bestimmt durch seine Tiefe und Breite, durch den Neigungswinkel der Wände, die Ausarbeitung und die Pflanzenbekleidung, und danach erscheint es als sanfte Mulde, steile Schlucht oder senkrecht eingeschnittener Cañon. Sämtliche Stromrinnen der Erde verwandeln sich im Karstplateau zu schauerlichen Cañons, die ein würdiges Gegenstück zu den berühmten Erosionsschluchten des nordamerikanischen Colorado bilden, aber wegen ihrer Lage in einem wilden und wegen seiner vermeintlichen Unsicherheit verrufenen Lande Europas bisher kaum bekannt geworden sind. So messerscharf sind sie in die Hochebenen eingeschnitten, dafs man sie nicht eher bemerkt, als bis man unmittelbar vor ihnen steht, und von den höheren Berggipfeln aus kann man die gähnenden schwarzen Schlünde gut verfolgen, die sich schlangengleich durch die einförmige Kalklandschaft winden. Vor allem sind sie im Durmitor-Gebiet zuhause und werden in der Schieferzone durch tiefe Schluchten ersetzt, die öfters ein cañonähnliches Äufsere zur Schau tragen.

Trotzdem die beiderseitigen Uferwände in Luftlinie kaum 1—2 km auseinander liegen, bedeuten sie ein unliebsames Hindernis und stellen eine natürliche Grenze dar, weil sich an den 400—1200 m hohen, unvermittelt abstürzenden Felsmauern nur hin und wieder Spalten öffnen, die einen Zugang zur Thalsohle gestatten. In drei Tagen kam ich sehr langsam vorwärts, weil ich fünfmal die 400—800 m tiefen Rinnen der Piva und ihrer Zuflüsse durchqueren mufste, und die Umwohner gebrauchen ein ebenso einfaches wie praktisches Mittel, um sich hinüber und herüber zu verständigen, indem sie mit lauter, gedehnter Stimme einander zurufen und so einen lebenden Telegraphen darstellen. Durch

[1]) Cvijić a. a. O., S. 67—71. — Riedel a. a. O., S. 158. — Baumann, [Zweite] Reise durch Montenegro, S. 9.

beständige Übung haben sie sich eine solche Fertigkeit angeeignet, dafs ihr langgezogener Schrei weithin vernehmbar ist, und auf diese Weise werden in einer Gegend, wo jeder nähere Verkehr auf stundenlangen Umwegen gesucht werden mufs, öffentliche und private Mitteilungen binnen kürzester Zeit bekannt gegeben.

Macht der Kalk leicht zerfallenden Schiefern und Eruptivgesteinen Platz, z. B. bei Tepca und Kloster Piva, so ist der Abstieg verhältnismäfsig gemächlich; wo diese aber fehlen, dort ist der kümmerliche Pfad, der an der Cijevna die treffende Bezeichnung Skala, Smedec oder Sokolit (Treppe, Leiterweg) führt, selbst für einen gewandten Fufsgänger nicht ohne Vorsicht benutzbar. Und kommt man nach ein- bis zweistündiger, angestrengter Wanderung mit zitternden Knien unten an, so beginnt auf der andern Seite die ermüdende Kletterei sofort von neuem; denn der schmale Grund bietet nur für den Flufs und zuweilen noch für einen holperigen Pfad Platz. Ist also der Cañon schon im Sommer schwer passierbar, so wird er im Winter ganz unzugänglich. In breiten Thälern kann sich das Hochwasser nach allen Seiten ausdehnen, in einer engen Rinne dagegen ändert die Überschwemmung blofs die Tiefe, nicht die Breite des Wasserstandes, und es gewährt einen schaurig-grofsartigen Anblick, wenn man aus schwindelnder Höhe in die kochende Flut hinabschaut, die sich 10 m und mehr über das Niederwasser erhebt und Bäume, Erde und Steinblöcke in wildem Chaos mit fortreifst.

Doch die Cañons sind nicht blofs abstofsende Klammen, sie bergen auch romantische Scenerien, und wer das Defilé der hercegovinischen Sučeska besucht hat, wird die überwältigenden Eindrücke, die er empfängt, nie wieder vergessen. Kommt der Reisende von dem moscheenreichen Foča, so betritt er ein anmutiges Thal, das sich rasch verengt. Zerrissener Kalk verdrängt die sanften Schiefergehänge, und vertikale Wände schliefsen sich zu einer finstern Klamm zusammen, die nur spärlich vom Tageslicht erhellt wird. 1500 m hoch sind die Mauern, die in phantastischen Nadeln, Türmen und Pyramiden enden, und 20 m breit ist die Schlucht, in der uns die schäumende Sučeska entgegenbraust, bald hier, bald dort überbrückt von rohen Holzstegen, die den in die Felsen eingesprengten Saumweg von einem Ufer zum andern leiten. So setzt sich der gähnende Spalt bis zum Blockhause Grab fort, und auf den gewaltigen Bergzinnen, die sich fast die Hand reichen, stehen noch die Ruinen zweier Burgen, die im 15. Jahrhundert das Thal sperrten und ihm den Namen Vrata, die Thore, gaben.

Noch fesselnder ist der Blick vom Soko in den vollkommen senkrechten, 1300 m tiefen Cijevna-Schlund. Ein hinabgeworfener Stein scheucht beim Aufprallen auf den vorspringenden Felszacken Scharen von Adlern und Geiern aus ihrem Versteck, ehe er den grün schimmernden Flufs und den neben ihm hinlaufenden Saumweg erreicht, der den noch übrigen Raum der Sohle einnimmt und die einzige Verbindung zwischen Scutari und Gusinje vermittelt. Zuweilen ziert ein kleines Feld eine schmale Terrasse, über dem Ganzen aber thronen ernst und wild die schneebedeckten Alpen Albaniens, und während in der geschützten Tiefe die Feige reift, erlischt auf dem Plateau bereits der Baumwuchs, und im Hochgebirge fristen Gras und Krummholz ein kümmerliches Dasein.

Doch die Cañons sind auch reich an lieblichen Idyllen, und steigt man von den öden Plateaus um den Durmitor zur Tara und Piva hinab, so öffnen sich die kleinen Becken von Tepca, Šćepangrad &c., die als versteckte Gärten erscheinen. Buntdurchwirkte Wiesen, die mit Maisfeldern und Weinstöcken abwechseln, umgeben die Häuser, über deren Dächern Buchen und Kernobstbäume aller Art erquickenden Schatten spenden, während man auf der einsamen Höhe Bäume, Felder und Quellen nur selten antrifft. Hier unten hat die Natur das Füllhorn ihrer Gaben ausgeschüttet, und so sucht sie wieder gut zu machen, was sie auf andre Weise dem Menschen versagte. In Gestalt eines Cañons schuf sie ein unerwünschtes Verkehrshindernis, aber sie schenkte den tiefen Schluchten einen Überflufs an Wasser und Pflanzen, ein mildes Klima und einen fruchtbaren Boden und verwandelte sie in eine freundliche Oase [1]).

Obwohl mit Ausnahme der Trockenthäler Sušica und Pirni Do kein Cañonfluſs im Kalke entspringt, gehören die jähen Schluchten entschieden zum Oberflächenbilde des montenegrinischen Karstes. Sie treten ausschlieſslich in den von Brüchen durchsetzten, sonst aber horizontal gelagerten oder wenig gestörten Schichtkomplexen auf, und ebenso vereinigen sich, wenngleich in viel kleinerem Maſsstabe, in Mähren, Krain und den Cevennen die Naturwunder des Karstes mit denen der amerikanischen Cañons. Gegenüber den gewaltigen Schlünden der Morača, Tara, Piva und Cijevna sind die Klammen der übrigen Karstländer Europas verhältnismäſsig unbedeutend, und demnach ist die Angabe Martels zu berichtigen, nach der die 25—60 km langen, 400—600 m tiefen und 1—2 km breiten Cañons der Cevennen in unserm Kontinent nicht ihresgleichen haben sollen. Die Erosionsschluchten tragen wesentlich zur Gliederung der eintönigen Hochebenen bei, indem sie dieselben in Massive zerlegen, die im französischen Karste Causses (von calx = Kalk) heiſsen und in Montenegro mehrmals politische Bezirke, z. B. Rovca und Bratonožići, bilden.

Die fast horizontale Schichtenlagerung, das Austreten von Quellen in demselben Niveau und die Anwesenheit von Gehängehöhlen hoch über dem heutigen Fluſsbett sprechen dafür, daſs die Cañons lediglich durch die chemische und mechanische Erosion des flieſsenden Wassers ausgearbeitet wurden. Doch unterscheiden sich die Karstcañons insofern von den Auswaschungsthälern des Colorado, als sie nur den Kalk durchwühlt haben und eben erst anfangen, sich in die ältern Schiefer einzuschneiden. Wegen der gleichartigen Gesteinsbeschaffenheit ist die Thätigkeit des Wassers ebenfalls eine gleichmäſsige, und da im Kalke die Denudation der Oberfläche gering ist, während in den tiefen Rinnen beträchtliche Wassermengen zusammenflieſsen und sie energisch aushöhlen, so übertrifft der Fortschritt der Erosion den der Verwitterung, zumal die vom Sickerwasser benutzten Kanäle den zerstörenden Kräften die besten Angriffspunkte darbieten. Stöſst das Wasser auf verborgene Höhlengänge, so wird es sie mit der Zeit zum Einsturz bringen und so lange in die Tiefe vordringen, bis es die undurchlässigen Schichten erreicht. Die Cañons des Kalkgebiets sind also typische Karstflüsse, an deren Erzeugung sich das flieſsende Wasser und der Deckeneinbruch beteiligten, und bei vielen Klammen, die noch halboffene Thäler sind, lassen die erhaltenen Reste der Höhlendecke erkennen, daſs die Cañonbildung an jedem beliebigen Punkte beginnen und beliebig fortschreiten kann. Hier ist das Gewölbe noch fest gefügt, dort fällt bereits das Tageslicht durch klaffende Sprünge, und an einer andern Stelle erfüllen die Trümmer der zusammengestürzten Decke das Fluſsbett [2]), bis sie wieder aufgelöst oder fortgeschafft werden. Die Veränderungen aber, die oberirdisch vor sich gehen, erfolgen auch in der Tiefe, und so muſs der Karst-Cañon alle Entwickelungsstadien vom Höhlenflusse bis zum offenen Thale durchmachen, ehe er sich in seiner groſsartigen Wildheit zeigt, die wir heute an der Cijevna, Tara, Morača und Piva bewundern [3]).

Im Gegensatze zu den Niederungsflüssen haben die Berggewässer der Erde ihre Thäler

---

[1]) Vialla de Sommières a. a. O., I, 180. — Ebel a. a. O., S. 67. — Lindau a. a. O., I, 243. — Boué, Die Europäische Türkei, I, 24. 35. — Boué, Der Albanesische Drin, S. 3. — Boué, Recueil d'itinéraires, II. 193. 195. — Denton a. a. O., S. 39. 40. — Murad Efendi a. a. O., I, 158. — Die Kutschi, S. 866. 867. — Tietze a. a. O., S. 6. 7. 31. 33. 95. — Schwarz a. a. O., S. 394. 408. — Marmier a. a. O., S. 333. — J. G. A. a. a. O., 1883, S. 424 f. — Bittner in: Grundlinien der Geologie von Bosnien-Hercegovina, S. 334. — v. Asboth a. a. O., S. 292. 293. — Korinski a. a. O., S. 87. 89. 90. 241. 243. 250. 252. — Baldacci, Altre Notizie etc., S. 34. — Novibazar und Kossovo, S. 70. 71. — Vukomanović a. a. O. — V., Od Durmitora do Pilitora, 1893.

[2]) Beispielsweise muſs der Tarn auf einer 1200 m langen Strecke, im Pas de Souci, ein solches Felsenmeer durchbrechen.

[3]) Makowsky und Rzehak a. a. O., S. 138. 176. — G. a. a. O., S. 126. 137. — Kraus, Karstforschungen in Frankreich, S. 13. — Kraus, Martels Höhlenfahrten, S. 311. — Martel, Tarnschlucht und Alt-Montpellier, S. 3. 4. 6. — Martel, Les Cevennes, S. 3. 5—7. 22 f. 34 f. 48 f. 95 f. 134 f. 371 f. — Martel, Hydrologie des Causses, S. 241. 242. 249. 250. — Martel, Eaux intérieures, S. 53. 56. 57. — Martel, Rivière de Padirac, S. 45. — Martel et Gaupillat, Formation des Sources, S. 829. 831. — A. Lequeutre, Le cañon du Tarn. (Tour du Monde, 1886, II, 298.)

noch nicht vollkommen ausgearbeitet, und die zahlreichen Stromschnellen, der reifsende Lauf und die kolossalen Geröllmassen zeigen an, dafs sie rastlos an der Vertiefung ihres Bettes thätig sind. Natürlich ist das Gefäll auf den einzelnen Strecken verschieden, im Oberlaufe und in der Schieferzone ist es viel stärker als im Kalke, und die nachstehende Tabelle wird die Unterschiede besser als viele Worte erkennen lassen. Aus ihr ersieht man, wie das Gefäll des Oberlaufs plötzlich erlahmt, sobald der Strom in den Karst eindringt; und die Morača ist ein treffliches Beispiel für ein unfertiges Thal, dessen drei Hauptabschnitte durch die sehr abweichenden Gefällswerte und die Beziehungen zwischen Erosion und Transport[1]) scharf voneinander geschieden sind.

| Name. | Stromlänge in km. | Höhenunterschied in m. | Gefällsverhältnis. |
|---|---|---|---|
| Zeta, vom Wasserfall ab | 43 | 90 | 1 : 415 |
| Rijeka | 13 | 212 | 1 : 61 |
| Höhlenursprung bis zur Stadt | 2 | 12 | 1 : 10 |
| Stadt Rijeka bis zur Mündung | 11 | 8 | 1 : 920 |
| Bojana | 44 | 8 | 1 : 5500 |
| Morača | 111 | 1740 | 1 : 64 |
| Quelle beim Kloster (Oberlauf) | 35 | 1480 | 1 : 24 |
| Kloster bis Zeta (Cañon, Mittellauf) | 43 | 245 | 1 : 175 |
| Ebene von Podgorica (Unterlauf) | 33 | 15 | 1 : 2200 |
| Lim, von Murino bis Grenze bei Berani | 26 | 100 | 1 : 260 |
| Tara | 132 | 950 | 1 : 140 |
| Vernáa-Quelle bis Polje | [illegible]7 | 550 | 1 : 104 |
| Polje bis Mündung (Cañon) | 75 | 400 | 1 : 188 |
| Piva—Komarnica | 91 | 1170 | 1 : 78 |
| Tušina—Bukovica (Oberlauf) | 33 | 880 | 1 : 37 |
| Komarnica (Mittellauf) | 27 | 140 | 1 : 193 |
| Piva (Unterlauf) | 31 | 150 | 1 : 207 |

Nachdem wir die gemeinsamen Eigenschaften der Bergströme Ost-Montenegros erörtert haben, seien uns noch einige Bemerkungen über die einzelnen Flufssysteme gestattet.

Fast auf dem Kamme der Javorje Planina entspringen zwei muntere Gebirgsbäche, der Rsacki und Javorjski Potok, die sich nach kurzem Laufe zu einem reifsenden Flusse, der Morača, vereinen. Nach Südost weiter fliefsend, nimmt diese eine ganze Reihe ergiebiger Nebenbäche auf, deren bedeutendste, die Ratnja und Pošnja, von den terrassierten Gehängen des Tali und der Kapa Moračka kommen. Einige Kilometer oberhalb des Klosters wendet sie sich scharf nach Süden und behält die neue Richtung bis zur Mala Rijeka-Mündung bei, worauf sie etwas nach Südsüdwest umbiegt und ihren Lauf bis zum Scutari-See nicht mehr wesentlich verändert. In der Nachbarschaft des Klosters Morača empfängt sie zwei gröfsere Zuflüsse, die Mrtvica und Sjevernica, die aber im Sommer zu dürftigen Bächen zusammenschrumpfen, und verengt sich dann zu einem unwegsamen Cañon, der aufser der Mala Rijeka keinen Nebenflufs mehr erhält. Die letztere ist eine trügerische Fiumare, während ihre Quelladern, die Lijeva Rijeka und Brskut, beständig Wasser führen, und dasselbe gilt von dem heimtückischen Wildbache Sitnica. Der wichtigste Zuflufs dagegen, die Zeta, und nicht minder die bei Podgorica einmündende Ribnica führen unerschöpfliche Wassermengen in den Hauptstrom, der nach Aufnahme der Cijevna sich in sumpfigen, deltaartig verzweigten Armen im Scutari-See verliert[2]).

Berührte die Morača ihrer ganzen Länge nach montenegrinischen Grund und Boden, so gehört der viel umkämpfte Lim nur zum kleinsten Teile den Crnogorcen. Vor dem

---

[1]) Im Oberlauf überwiegt die Erosion den Transport, vertieft das Bett und schafft die Trümmer fort, im Mittellauf halten sich beide ungefähr das Gleichgewicht und ändern zeitlich und örtlich ihre Wirkungen (Schotterterrassen), im Unterlauf überwiegt der Absatz die Aushöhlung, und der Flufs erhöht seine Sohle.

[2]) Boué, Die Europäische Türkei, I, 13. — Hecquard, Le Monténégro, S. 307. — Baumann, Reise durch Montenegro, S. 25. — Rovinski a. a. O., S. 85. 87. 248—253. 259. 260. — Petter, Compendio della Dalmazia etc., S. 211. 212.

Einmarsche der Österreicher in Bosnien hatten die wenigsten von ihm Kenntnis, und erst nach der Besetzung des strategisch wichtigen Lim-Gebiets wurde er häufiger genannt. Die aus dem Zusammenflusse der Skrobotuša und des Vučji Potok entstehende Vrmoša vereinigt sich bei Gusinje mit mehreren vom Kom und von den Albanesischen Alpen kommenden Bächen, durchströmt den Sumpfsee von Plava und heifst dort, wo sie als klares Gewässer wieder austritt, Lim. Mächtige Gebirgszüge engen bald darauf das Thal von neuem ein und lenken den Flufs, nachdem er die Jasenica, Komaruša, Velika &c. aufgenommen, von seiner westöstlichen Richtung nach Norden ab. Der verwahrloste Bergstrom verwüstet allwinterlich die fruchtbaren Fluren von Polimje und verlegt in dem mit Sand und Trümmern überschütteten Grunde sein Bett hin und her, bis er das wildromantische, in der Tiefe kaum 20 m breite Sučeska-Defilé durchbricht und ruhigern Laufes die freundliche Alluvialebene von Andrijevica durchmifst. Dort empfängt er die Kraljštica und die wasserreiche, aus der Vereinigung der Perućica und Kučka Rijeka entstehende Zlorječica. Die Kučka gabelt sich abermals in zwei Bäche, die so nahe der Vrmoša entspringen, dafs sie von ihr nur durch eine 3 km breite, aber 2000 m hohe Gebirgsmauer getrennt werden. Nach kurzem Laufe verengt sich der Lim wieder zu einer waldigen Schlucht, die beiderseits von ergiebigen Zuflüssen, der Šekularska, Gradišnica[1]), Jelovica u. a., zerschnitten wird, um unmittelbar jenseits der Grenze in die ausgedehnte Niederung von Berani überzugehen.

Von allen Flüssen der Brda besitzt der Lim das schönste Thal. Abwechselnd aus Engen und Weitungen zusammengesetzt, wird es auf montenegrinischem Boden gleichwohl nirgends von pfadlosen Cañons unterbrochen, und blofs die Saumwege durch die Sučeska- und Bisibaba-Klamm sind stellenweise beschwerlich. Ferner liegt der Lim von der Quelle bis Berani im Bereiche der Schiefer, und hieraus erklären sich die überraschend grofse Zahl von Bächen und Zuflüssen und die dicht verzweigte Gliederung seines hydrographischen Netzes, das dem schematischen Bilde eines sich immer mehr verästelnden Baumes gleicht und in ähnlicher Weise bei keinem montenegrinischen Strome wiederkehrt[2]).

Die Tara, der längste Wasserlauf des Fürstentums, wird beim Han Garančić durch die Vereinigung der im Kom-Gebiet zusammensickernden Flüsse Veruša und Opasanica gebildet. In vielen Windungen umsäumt sie die Ausläufer des zweithöchsten Gebirges Montenegros und erweitert nach Aufnahme der 20 km langen Drcka Rijeka ihr enges, aber nicht zu steil gebüschtes Thal am Zusammenflusse der Svinjača und Plašnica zu der kleinen Ebene von Kolašin. Unterhalb des alten Türkenstädtchens treten die Berge in den berüchtigten Prepren-Felsen wieder nahe an den Flufs heran, der nach der Einmündung der Stitarica, Biogradska, Bjelovička und einiger andern Bäche noch einmal eine kleine Mulde, die freundlichen Fluren von Mojkovac und Polje, durcheilt und dann ununterbrochen von einem fast unzugänglichen Cañon umschlossen wird. Während die Tara bis Mojkovac eine nördliche Richtung einschlägt und die Gebirgsketten durchbricht, wendet sie sich nunmehr nach Nordwest und besitzt nur noch ein nennenswertes Seitenthal, den ausgetrockneten Sušica-Cañon. Da sehr wenige Wege den Tara-Schlund durchqueren, so bedeutet er für den Verkehr ein aufserordentliches Hindernis, aber zugleich scheidet er als eine natürliche Grenze die Crnogorcen von ihren unruhigen türkischen Nachbarn. Schon bei Polje liegt die Thalsohle 500, bei Nefertara, der Übergangsstelle der Handelsstrafse von Nikšić nach Plevlje, 800 m unter dem Plateau, und obwohl sich dieses am Zusammenstofs mit der Piva auf 1200 m abdacht, kehrt dort derselbe Höhenunterschied wieder, so dafs der mit haushohen Konglomeratbänken umkränzte Strom aus einem gähnenden Abgrunde hervorzuquellen scheint[3]).

[1]) Nach Rovinski soll die Gradišnica neben ihrem Mündungsarme bei Trepča noch einen unterirdischen Abflufs haben, der in dem benachbarten Dorfe Slatina zum Vorschein kommt und die dortigen Mühlen treibt.

[2]) Boué a. a. O., I, 24. — Boué, Recueil d'itinéraires, II, 153. — Novibazar und Kosovo, S. 89. 90. — Rovinski a. a. O., S. 98. 100. 112. 113. 228—236.

[3]) Boué, Die Europäische Tür[illegible] 25. — Boué, Mineralogisch-geognostisches Detail über einige meiner

Trug die Tara bereits zur gröfsern Hälfte einen ausgesprochenen Cañon-Charakter, so gilt dies in noch viel höherm Grade von ihrem Schwesterflusse, der Piva, die von der Quelle bis zur Mündung in einer engen Schlucht zur Drina eilt und der einzige Flufs des Ostens ist, der den gröfsern Teil seines Wassers vom Durmitor bezieht. Da aber Montenegros gewaltigstes Gebirge dem Karst angehört und daher sehr arm an oberirdischem Wasser ist, und da ferner im Durmitor-Gebiet die Entwaldung beträchtliche Fortschritte gemacht hat, so ist die Wasserverteilung nach Ort und Zeit nicht unerheblichen Schwankungen unterworfen, und die Piva-Zuflüsse sind im Sommer entweder trocken — Bijela, Grabovica, obere Komarnica —, oder sie verschwinden nahezu unter den abgelagerten Geschiebemassen. Im Winter dagegen sind sie samt und sonders verheerende Wildbäche, deren übermäfsig steile Berglehnen nur wenige Siedelungen beherbergen.

Betreffs der Benennung der einzelnen Abschnitte des Piva-Systems herrscht bei den Eingebornen und den Reisenden ziemliche Uneinigkeit. Die einen bezeichnen den Oberlauf bis zur Einmündung in die Komarnica als Tušina und betrachten Bukovica und Šavniki-Bach als Nebenflüsse. Schwarz nennt den Oberlauf bis Šavniki Bukovica und fafst die Tušina als deren Nebenflufs auf, worauf er in Übereinstimmung mit v. Sterneck den Mittel- und Unterlauf Piva nennt und in der Komarnica blofs ein unbedeutendes Flüfschen sieht. Rovinski ist für die Strecke bis Šavniki derselben Ansicht wie Schwarz, bezeichnet aber dann den Abschnitt bis zur Komarnica-Mündung als Šavniki-Flufs, das Stück bis zum Sinjac-Bach als Komarnica und nennt erst den Unterlauf Piva. Die richtigste Auffassung, wenn man bei derartigen Streitfragen von einer solchen reden will, scheint die zu sein, dafs der Oberlauf bis zur Komarnica-Mündung Bukovica, der Mittellauf bis zum Sinjac-Bach Komarnica und der Unterlauf Piva heifst.

Mit der Aufzählung dieser Namen haben wir die wichtigsten Zuflüsse angedeutet, von denen Bukovica und Tušina die ergiebigsten sind. Erstere sickert aus einer Reihe kleiner Weiher, insbesondere aus dem Teiche Provalija, zusammen, und letztere kommt von den wasserreichen Schiefergehängen der Javorje Planina. Ein ganz andres Gepräge ist der Komarnica eigen, die in einer steilen Schlucht von unterirdischen Abflüssen des Kesselthales Dobri Do gebildet wird und erst auf dem undurchlässigen Schiefergrunde des Beckens von Komarnica als ansehnlicher Bach zwischen den Kalkgeröllen hervorsickert. Die Horizontalität des Bodens, die lose verbackenen Rollsteine und der unbestimmte Lauf des Wassers machen es unzweifelhaft, dafs die Ebene einst ein See überflutete, der erst abgezapft werden konnte, nachdem sich der Flufs einen Ausweg durch den entgegenstehenden Bergwall erzwungen hatte. Wahrscheinlich arbeitete das Wasser anfänglich einen verborgenen Kanal aus und wandelte ihn allmählich in eine oberirdische Abzugsrinne um, aber noch heute ist der gähnende Schlund so schmal, dafs man ihn mühelos überspringen kann. Noch enger ist die Grabovica-Klamm, durch die sich nicht einmal ein Mensch hindurchzwängen kann, und die Wasserscheide hat auf dem Plateau von Pošćenje einen merkwürdigen Verlauf, indem ein unscheinbares Bächlein nordwärts in die Mulde von Komarnica abrinnt, während der Petnica-Šavniki-Bach (vgl. S. 112) nicht die $^1/_2$ km entfernte Komarnica, sondern die 4 km entfernte Bukovica aufsucht. Die nächste Umgebung des Dörfchens Šavniki ist deshalb interessant, weil hier die Flüsse von zwei sich kreuzenden Spaltensystemen zusammenstofsen. Drei Rinnen, Bijela, Bukovica und Šavniki, führen das Wasser zu, die Bukovica leitet es wieder ab; die erste trocknet im Sommer vollständig aus, die zweite schrumpft stark zusammen, und der letztere setzt zeitweilig mit dem Fliefsen aus. Intermittierende Quellen und Bäche sind in der Natur zwar keine auffälligen, immerhin aber seltene Erscheinungen, und man ist einigermafsen erstaunt, wenn die malerischen Kaskaden, die im Hinter-

---

Reiserouten, S. 19. 20. — Boué, Der Albanesische Drin, S. 3. — v. Sterneck a. a. O., S. 19. 20. — Tietze a. a. O., S. 6. 7. 31. 33. — L. Baldacci a. a. O., I, 7. — Vukomarović a. a. O. — Rovinski a. a. O., S. 98. 237—242. — Novibazar und Kossovo, S. 70. 71. 79.

grunde der Schlucht aus einer geräumigen Höhle hervorsprudeln, plötzlich versiegen und wenn die Mühlen, deren Räderwerk noch eben lustig klapperte, mit einem Male stillstehen. Doch bleibt das Wasser nur kurze Zeit aus, so dafs das Bett nie ganz trockengelegt wird und dafs man an der Mündung den sonderbaren Vorgang blofs an dem schwächern Fliefsen des Baches erraten kann.

Unterhalb der versteckten Siedelung wird der Cañon-Charakter immer ausgesprochener, die Zahl der Zuflüsse immer geringer, und bis zu seiner Mündung empfängt der nach Norden umbiegende Strom deren nur noch vier, den Karstbach Sinjac (den eigentlichen Quellbach der Piva), das trockene Pirni Do, die Plužinje und den Bach von Mratinje. In der freundlichen Niederung von Šćepangrad vermischt die Piva ihre grünen Fluten mit dem klaren Wasser der Tara, und die aus ihrer Vereinigung hervorgehende Drina ergiefst sich in die Donau und durch sie ins Schwarze Meer [1]).

Fassen wir die bei der Schilderung der montenegrinischen Tieflands- und Berg-Flüsse sich ergebenden Thatsachen kurz zusammen, so besitzt das Fürstentum aufser der Rijeka blofs einen Strom, der von der Quelle bis zur Mündung innerhalb seiner Grenzen bleibt, die Zeta-Morača. Sie ist zugleich das einzige selbständige Gewässer der Schwarzen Berge, denn Lim, Tara und Piva sind Nebenflüsse der auf bosnischem Gebiet weiterfliefsenden Drina und durchschneiden schon das türkische und österreichische Machtbereich, ehe sie in dieselbe einmünden (Lim, Tara). Auch die Stromlängen sind nicht bedeutend. Der längste Flufs, die Tara, wird von den kleinern deutschen Strömen, z. B. der Unstrut (190 km), um 60 km übertroffen, und diese kommt sogar der ausgedehntesten Wasserverbindung Montenegros, der Strecke Morača — Scutari-See — Bojana (193 km), nahezu gleich [2]).

Die Hauptquellgebiete sind Kom, Durmitor und Javorje. Auf ersterem entspringt die Tara, auf dem zweiten die Piva, und die Javorje sendet nordwärts die südlichen Quellflüsse der Komarnica, südwärts die Morača, während das Ursprungsgebiet des Lim gröfstenteils Türkisch-Albanien angehört. Im übrigen folgen die montenegrinischen Ströme den Gebirgsketten, da sie zu schwach sind, um die Hindernisse zu durchbrechen und gleich der Narenta ins Adriatische statt ins Schwarze Meer abzufliefsen. Sie verlaufen demnach von Nord nach Süd und von Süd nach Nord, doch gehen sie mit Ausnahme der auf der Javorje Planina hervorquellenden Ströme nicht von einem gemeinsamen Mittelpunkte aus, sondern greifen übereinander hinüber, so dafs die nach Norden gerichteten Flüsse im Süden, die nach Süden abrinnenden im Norden entspringen. Somit gliedert sich das Wassernetz der Crna Gora in die vier Flufssysteme der Zeta-Morača, des Lim, der Tara und Piva, und je mehr sich diese vom Kom entfernen und dem Karst nähern, um so kleiner wird das Zuflufsgebiet und um so geringer die Zahl der Zuflüsse. Rovinski berechnet schätzungsweise die Länge der

Zeta-Morača samt wichtigeren Zuflüssen auf 325 km,
Lim von der Quelle bis Berani samt wichtigeren Zuflüssen auf 252 km,
Tara samt wichtigeren Zuflüssen auf 288 km,
Piva samt wichtigeren Zuflüssen auf 161 km.

Trotzdem Morača und Zeta mehr als zwei Drittel des Landes entwässern, werden sie vom nebenflufsreichen Oberlaufe des Lim im Verhältnis zu ihrer Länge und ihrem Entwässerungsgebiet weit übertroffen; doch darf man dabei nicht vergessen, dafs dieser ausschliefslich das Schiefergebiet durchmifst, jene dagegen fast ganz im Karste liegen.

---

[1]) Sax a. a. O., S. 103. 104. — Blau a. a. O., S. 77 f. — v. Sterneck a. a. O., S. 19. 20. — Boué, Der Albanesische Drin, S. 3. — Boué, Recueil d'itinéraires, II, 193. 195. — Bittner in: Grundlinien der Geologie von Bosnien-Hercegovina, S. 118. — Tietze a. a. O., S. 35. — L. Baldacci a. a. O., I, 7. — Baumann, [Zweite] Reise durch Montenegro, S. 8. 9. 11. — Schwarz a. a. O., S. 293. 295. 409. — Rovinski a. a. O., S. 54. 66. 242—247. — Hassert a. a. O., S. 87. 97.

[2]) Zum Vergleich seien folgende Flüsse angeführt: Bosna 278, Narenta 230, Salambria 182, Garigliano 150, Mersey 110, Iller 168, Bode 165 km.

Die Flufssysteme Montenegros vereinigen sich zu zwei Hauptstromgebieten, von denen das nordöstliche durch die Drina, das südwestliche durch die Bojana entwässert wird. Mit andern Worten: die Flüsse des Ostens gehören zum Sammelgebiete des Schwarzen Meeres, die des Westens zu demjenigen der Adria, und die Schwarzen Berge bilden einen Teil der dinarischen Wasserscheide, der vom Čemerno-Sattel bis zum Predelec-Sattel verläuft und in Luftlinie 120 km lang ist. Da die Gebirge meist die Richtung der Wasserscheide bedingen, so durchschneidet sie das Fürstentum von Nordwest nach Südost, fällt aber nur streckenweise mit der Zone der höchsten Erhebungen zusammen, und gerade der Durmitor stellt eine untergeordnete, obendrein sehr verwischte Nebenwasserscheide dar. Bald auf der Grenze zwischen Schiefer und Kalk, bald in dem einen oder dem andern Gestein entlang ziehend, bildet die hydrographische Scheide zwischen Adria und Schwarzem Meer nicht immer eine scharfe Linie, sondern auch Wasserscheide-Flächen, indem das Wasser in ausgedehnten Mulden zusammenrinnt und sich dann zu Bächen zusammenschliefst oder indem es im Karste verborgene Wege aufsucht. Daher wird im Bereiche des Kalkes die Wasserscheide von der Oberflächengestaltung nicht beeinflufst und ist sehr schwer festzulegen, weil man die unterirdischen Flüsse nur in den seltensten Fällen verfolgen kann. So glaubte man seit dem Erscheinen von Kirchers Mundus subterraneus (1664) allgemein, dafs der Timavo die Fortsetzung der Rijeka von St. Kanzian sei. Als aber die Sektion Küstenland Färbungsversuche anstellte, konnte im Timavo auch nicht die Spur von gefärbtem Wasser nachgewiesen werden, und als während der anhaltenden Sommerdürre von 1890 die Rijeka fast trocken lag, war bei ihm kein auffälliger Wasserverlust wahrnehmbar [1]). Der seit Jahrhunderten als Thatsache hingestellte Zusammenhang beider Höhlenflüsse begegnet nunmehr ernstlichen Zweifeln, und ebenso wurde die althergebrachte Meinung, die Ombla bei Ragusa sei die Verlängerung der im Popovo Polje verschwindenden Trebinjčica, in jüngster Zeit stark erschüttert, da allen Anzeichen nach die in die Narenta mündende Krupa ihre Fortsetzung zu sein scheint [2]). Auch in Montenegro nimmt das oberirdisch abflufslose, unterirdisch aber wohl entwässerte Gebiet einen weiten Raum, nämlich das Karstland der Crna Gora, die Umgebung des Durmitor, das Kuči-Land, Bratonožići, die Lukavica &c., ein, und schon im Gacko Polje hält es schwer, die Abflufsverhältnisse klarzulegen. Nach einer allerdings sehr unwahrscheinlichen Sage soll die Höhle der Crnojevićka Rijeka bis in jene Gegenden der Hercegovina reichen, andre behaupten, dafs der Sinjac-Bach mit den Schlundflüssen von Gacko in Verbindung stehe, und die Dritten fassen sie als den sichtbaren Oberlauf der Trebinjčica auf. Jedenfalls suchen sie aber keinen jener drei Ströme auf, sondern ergiefsen sich ins Becken von Nevesinje, dessen Gewässer, nach hineingeworfenen Sägespänen zu urteilen, mit der Buna, einem Zuflusse der Narenta, zusammenhängen [3]).

Die Landschaft Jezera, die ihren Namen „Die Seen" ihrem Reichtum an Weihern und Teichen verdankt, gibt ebenfalls nur einen kleinen Teil ihres Wassers oberflächlich zur Tara und Bukovica ab. Das meiste wird vom Crno Jezero und den andern Meeraugen am Fufse des Durmitor aufgenommen, und ein dritter Teil verschwindet ohne wahr-

---

[1]) J. W. Valvasor, Die Ehre des Herzogtums Krain, d. i. wahre, gründliche u. recht eigentliche Gelegen- u. Beschaffenheit dieses Römisch-Keyserlichen Erblandes, 1689, S. 613. — v. Gansauge a. a. O., 295. — Schmidl, Über den unterirdischen Lauf der Reca. (Sitz.-Ber. d. K. K. Akad. d. Wiss. Wien, 1851, S. 678 f.) — Hlubek a. a. O., S. 6. 7. — v. Czörnig, Über die in der Grafschaft Görz seit Römerzeiten vorgekommene Veränderung der Flufsläufe. (Mitteil. d. K. K. Geogr. Ges. Wien, 1876, S. 51.) — P. Pignoli, Karstwanderungen über und unter der Erde. (Ztschr. d. Deutsch. u. Österr. Alpenvereins, 1881, S. 383. 384.) — Moser, Karst, S. 27—30. — Kloden a. a. O., S. 35. — Günther a. a. O., S. 343. — Müller, Grottenwelt von St. Kanzian, S. 138. — Müller, Resultate der Färbung des Höhlenflusses Reka im Karste mit Fluorescein. (Mitteil. d. Deutsch. u. Österr. Alpenvereins, 1891, S. 230. 231.)

[2]) Tietze, Österreichische Küstenländer, Nr. 7. — Roskiewicz a. a. O., S. 56. — v. Asboth a. a. O., S. 344. — v. Hötzendorf a. a. O., S. 9.

[3]) Boué, Die Europäische Türkei, I, 37. — Sestak und v. Scherb a. a. O., S. 14. — Roskiewicz a. a. O., S. 51. 56. — Blau a. a. O., S. 75. — Hoernes, Dinarische Wanderungen, S. 36. — v. Asboth a. a. O., S. 313. 315.

nehmbare Abzugskanäle im erdigen Boden. Der Schwarze See (1497 m) ist das Sammelbecken für die Gewässer, die auf dem Plateau oder in den Spalten des ihm zugewandten Durmitor-Abschnitts zusammensickern, und ein oberirdischer Abflufs desselben scheint, wie auch Tietze und Wünsch bestätigen, nicht vorhanden zu sein. Baumann nimmt einen solchen zwar in der Kliještina-Senke an, und Rovinski meint, er sei blofs zur Regenzeit bemerkbar und dann nach der Tara gerichtet. Doch ist die Neigung der Senke und das Gefäll ihrer Bäche zum Crno Jezero unverkennbar, und schaut man vom Medjed auf die Hochebene hinab, so wird es schwer, an Rovinskis Vermutung zu glauben, weil die flachen Terrainwellen überall nach dem Durmitor hin einfallen, so dafs dieser gleichsam eine von einem Wallgraben umzogene Festung darstellt [1].

Bis zur Javorje Planina ist die Wasserscheide nur im Osten scharf begrenzt, und noch auf der Lukavica stofsen drei Abflufsgebiete zusammen, indem die Bijela zur Komarnica, die Mrtvica zur Morača und der Wasserüberschufs der blinden Thäler unterirdisch zur Gračanica eilt. Erst von nun an bildet die Trennungslinie zwischen Adria und Schwarzem Meer einen schmalen Kamm, und der Abstand der beiderseitigen Quellbäche verringert sich mitunter so sehr, dafs auf der Javorje zwei nach den entgegengesetzten Stromgebieten abrinnende Quellen kaum 50 m von einander entfernt sind. Ja der Semolj-Sumpf gibt sein Wasser gleichzeitig zur Tušina (Schwarzes Meer) und zum Javorjski Potok (Adria) ab, ähnlich wie der Šiško-See von den Nebenflüssen der Tara und des Lim und der Pošćensko-Weiher von der Komarnica und Bukovica entwässert wird. Auch am Kurlaj ist die Kammlinie durch die Erosion so erniedrigt worden, dafs ein im Winter entstehender Teich seinen Inhalt sowohl an die Opasanica (Tara) wie an den Vučji Potok (Lim) abgibt. Der Gebirgsrücken zwischen Morača und Tara ist stellenweise so schmal, dafs man auf ihm mit der einen Hand die Gewässer der Adria und mit der andern die des Schwarzen Meeres zu greifen meint, und ein schon von Boué erwähnter Schiefergrat zwischen den jähen Abgründen des Maglić und Kurlaj ist auf beiden Seiten so abgetragen, dafs man unmittelbar zu seinen Füfsen die Quellflüsse der Tara und des Lim erblickt.

Der südliche Abschnitt der montenegrinischen Wasserscheide wurde lange Zeit falsch aufgefafst, da Boué und v. Hahn, denen wir die ersten Nachrichten verdanken, die verwickelten Flufs- und Gebirgssysteme jener Gegenden nur teilweise entwirren konnten. Boué glaubte, die Cijevna komme vom Südhang des Kom, und v. Hahn verlegte ihre Quellen auf die Südseite der Albanesischen Alpen, während Tara und Lim nördlich derselben entspringen sollten. In Wirklichkeit liegt der Ursprung der Cijevna auf dem Nordabhang der Albanesischen Alpen, derjenige der Tara in den nördlichen Vorbergen des Kom, und der Lim bezieht sein Wasser von beiden Gebirgen. Man hatte auch der Vermutung Raum gegeben, dafs der in einen tiefen Kessel eingesenkte, abflufslose Rikavac Jezero bald den Lim, bald die Cijevna oder beide Ströme zugleich speist, und unter Berücksichtigung der hydrographischen Eigentümlichkeiten des Karstes ist die Möglichkeit dieser drei Fälle nicht abzuweisen. Wasserscheiden treten im Innern des Kalkgebirges ebensogut wie an seiner Oberfläche auf. Strahlen nun von einem unterirdischen Sammelbecken zwei Höhlengänge nach entgegengesetzter Richtung aus, so wird der tieferliegende Gang stets, der höhere bei Hochwasser als Abflufsrinne thätig sein, und dann speist ein Becken zu gleicher Zeit zwei Ströme. Oder es liegen im Kalk zwei Reservoire nahe bei einander, von denen das eine ebenfalls blofs bei Hochwasser in Thätigkeit tritt. Ob und wieweit diese Thatsachen für den Rikavac-See zutreffen, das mufs späterer Forschung vorbehalten bleiben; denn das montenegrinisch-albanesische Grenzland gehört noch heute zu

[1] Blau a. a. O., S. 79. — Tietze, Montenegro, S. 26. 27. — Rovinski a. a. O., S. 60. 65. 208. — Hassert a. a. O., S. 127.

den Ländern, die unbekannter als viele Teile Afrikas sind und in denen noch ein reiches Arbeitsfeld des Reisenden wartet[1]).

Von der Hauptwasserscheide zweigen sich kürzere Nebenwasserscheiden ab, die im Karste nur unvollkommen entwickelt, in der Schieferzone dagegen wiederum scharf ausgeprägt sind und im kleinen dieselben Eigenschaften wie die Hauptwasserscheide zur Schau tragen. Die Gegensätze der montenegrinischen Landschaften spiegeln sich somit auch in der Bewässerung wider: den zum Schwarzen Meer eilenden Bergströmen der Brda stehen die zur Adria abfliefsenden Tieflandsströme des Westens und Südens gegenüber, und zwischen beide schiebt sich in breiter Ausdehnung das oberflächlich abflufslose Karstgebiet der Crna Gora.

---

[1]) Lorenz, Rečina, S. 9 f. — Riedel a. a. O., S. 158. — Bittner a. a. O., S. 188. — Boué a. a. O., I, 16. 21. 22. — v. Hahn a. a. O., S. 4. — v. Déchy a. a. O., S. 2. — L. Baldacci a. a. O., I, 6. 7. — Schwarz a. a. O., S. 287. 398. 402. 411. — Rovinski a. a. O., S. 35. 78—81. 85. 107. 112. 125. 208. 212. 226. 237. 247. 274. — Hassert a. a. O., S. 73. 74. 84. 119. 149. 167. 176. — Sapan a. a. O., I, 304.

## VI. Die montenegrinischen Seen.

War die Schieferlandschaft überreich an Flüssen, so birgt der Karst zahllose Seen, und wenn auch die meisten derselben unbedeutende Weiher sind, so verdienen sie doch mehr Beachtung und Würdigung, als Schwarz ihnen zu teil werden läfst. Er widmet den stehenden Gewässern nicht ganz 1½ Seite, wovon der weitaus gröfste Teil auf den Scutari-See fällt; auf die übrigen Seen dagegen kommen vier Zeilen, deren Angaben — „Gebirgsseen fehlen gänzlich, wenigstens wenn man von einigen kleinern Wasseransammlungen im Durmitor- und Kom-Gebiet absieht, die, ähnlich wie viele der Tatra-Seen, einer Erwähnung nicht wert sind“[1]) — eben so unzureichend wie falsch sind. Allerdings dürften die meisten Seen nur als Teiche (lokve) gelten; doch spielen sie im landschaftlichen Bilde und im wirtschaftlichen Leben der Eingebornen eine nicht unwichtige Rolle, und ihre stattliche Zahl — man kennt über 40 ständig Wasser führende Seen — läfst sich in mehrere Gruppen zerlegen. Was zunächst die Gröfsenverhältnisse angeht, so beträgt der von sämtlichen Seen bedeckte Flächenraum schätzungsweise 370 qkm, wobei der Löwenanteil (350 qkm) dem Scutari-See zu gute kommt, während für die andern Tieflandseen 11 qkm und für die Hochlandseen blofs 9 qkm übrig bleiben[2]). Der Wasserführung nach sind die Seen ständig oder zeitweilig bewässert, und erstere gliedern sich wiederum in Hoch- und Tieflandseen, die entweder oberirdisch abflufslos sind (Karstseen) oder einen offnen Abzugkanal besitzen (Seen der Schieferzone). Unter Berücksichtigung dieser Gesichtspunkte lassen sich demnach folgende Haupt- und Unterabteilungen aufstellen:

A. Ständig Wasser führende Seen.
  I. Hochlandseen:
    1) Abflufslose Karstseen,
    2) Seen der Schieferzone mit offnem Abzugskanal.
  II. Tieflandseen:
    3) Sumpf- und Dünenseen,
    4) Durchbruchseen (tektonische Seen).
B. Zeitweilig Wasser führende Seen.

Das Hauptgebiet der Karstseen ist das wellige Hochplateau Jezera, und ihre Anzahl, 25 bis 30, je nachdem man einige kleine Teiche ab- oder zurechnet, ist dort so grofs, dafs für den Durmitor der Mangel an fliefsenden und der Überschufs an stehenden Gewässern charakteristisch wird. Sie bilden einen Ring um das finstere Kalkgebirge, der nur durch den bis zur Tara vorgeschobenen Stulac-Rücken eine Unterbrechung erleidet, und werden von verborgenen Quellen oder kleinen Bächen gespeist. Die Abzugskanäle verlaufen ent-

---

[1]) Schwarz a. a. O., S. 411.

[2]) Vgl. den Merom-See 14, Janina-See 60, Chiem-See 90, Ochrida-See 270, Neusiedler See 358, Bodensee 538 qkm.

weder ihrer ganzen Länge nach unterirdisch oder verschwinden, nachdem sie eine kurze Strecke oberirdisch geflossen, im Boden, und zuweilen stehen zwei Seen durch einen schmalen Kanal mit einander in Verbindung.

Die Daseinsbedingungen der Karstseen sind an die Beschaffenheit des Untergrundes geknüpft, und ein Becken würde sich nie mit Wasser füllen, wenn nicht die Rückstände des aufgelösten Kalkes oder Schiefer und Eruptivgesteine eine undurchlässige Schicht bildeten. Wurden die subterranen Rinnsale abgelenkt oder war die Schieferunterlage nicht mächtig genug, um die Niederschläge aufzuhalten, so trockneten die Wannen wieder aus, und die Mulde Srijepulna Poljana ruft nebst einigen andern Dolinen am Fuſse der Crvena Greda (Durmitor) unwillkürlich die Vermutung wach, daſs wir in ihnen alte Karstseen vor uns haben.

Nach dem Auftreten des undurchlässigen Gesteins richtet sich die Tiefe der kleinen Weiher, die bald ganz seicht, bald, wie das Volk will, bodenlose Abgründe sind, und von der Tiefe hängen Farbe und Temperatur des Wassers ab. Während die im Wald versteckten Meeraugen des Hochgebirges hellgrün, dunkelgrün oder blau erscheinen, klar wie ein Spiegel sind und sehr niedrige Wärmegrade aufweisen, enthalten die flachen Teiche des Plateaus ein schmutzigblaues, trübes Wasser von unangenehmem Geruch und Geschmack. Natürlich ist der Wasserstand im Sommer und Winter verschieden, und die Schwankungen, die durch Strandmarken und an dem schlammigen Überzuge des Gesteins kenntlich sind, können 2 und mehr Meter betragen. Auſser Blutegeln (Zmijino Jezero) und den gewöhnlichen Wasserinsekten werden andre Vertreter des Tierreichs selten angetroffen. Nur im Riblje Jezero, der seinen Namen Fischsee nicht mit Unrecht führt, wurde eine Forellenart mit vorspringendem Unterkiefer gefangen, der Rikavac-See beherbergt ebenfalls Forellen, und es wäre interessant, die Veränderungen festzustellen, welche die seit Jahrtausenden isolierten Fische erfahren haben.

Die kleinen Dolinenseen, die lediglich durch die Löslichkeit des Kalkes und das Vorhandensein einer undurchlässigen Schicht bedingt sind, kann man mit Philippson einfach Karstseen nennen. Die Polje-Seen dagegen sind von ihnen wohl zu scheiden und bilden eine Gruppe der tektonischen Seen v. Richthofens, da die Becken, in denen sie liegen, von tektonischen Kräften geschaffen wurden. Die nennenswertesten Durmitor-Seen sind: Jablanov Jezero (1918 m), Crno Jezero (1497 m), Srablje Jezero (1667 m), Podransko Jezero (1554 m), Škrčko Jezero (1717 m), Vražije Jezero (1437 m), Provalija (1391 m), Riblje Jezero (1422 m), Zmijino oder Bojovića Jezero (1344 m). Zu ihnen gesellen sich aus andern Karstgebieten der tiefblaue, eiskalte Trnovičko Jezero (1700 m) in den Hercegovinischen Alpen, der Kapetanovo (1720 m) und Brnicko Jezero (1808 m), endlich im Žijovo-Gebiet die Seen Vukomirsko [1]), Monojevo und Rikavac [2]). Es würde jedoch zu weit führen, die genannten Weiher sämtlich einer eingehenden Besprechung zu unterziehen, und es sei bloſs den wichtigsten derselben eine kurze Schilderung gewidmet.

Eine mit kräftigem Nadelwald bestandene Wiese senkt sich von Žabljak langsam gegen die Riesenmauer des Durmitor, und ihre tiefste Stelle erfüllt der Crno Jezero, der seinen Namen von seiner dunklen Farbe und der düstern Umgebung erhalten hat. Kein Vogellaut, kein Plätschern des Wassers stört die feierliche Stille, zu der die geheimnisvolle Landschaft und das leicht bewegte Meer der schlanken Wipfel stimmungsvoll passen. Soll doch an Stelle der, wie man meint, unergründlichen Tiefe ein Kloster gestanden haben, das der heilige Sava durch seinen Fluch in die Erde versenkte! Der Crno Jezero ist das Sammel-

[1]) Vukomirsko oder Bukumirsko Jezero, Wolfs- oder Bukumiren (Bogumilen)-See. Jovanović, Putopisna crtica od Brskota do Maglić, 1894.

[2]) Chiudina a. a. O., S. 24. — Die Kutschi, S. 306. — Pančić a. a. O., S. V. VI. — Baumann, Reise durch Montenegro, S. 19. — Rovinski a. a. O., S. 60. 68. 73. 88. 206—210. 247. 313. — Baldacci, Cenni ed Appunti etc., S. 40. 42. — Baldacci, Altre Notizie etc., S. 70. — v. Déchy a. a. O., S. 10. 11. — Hassert a. a. O., S. 125. 128. — Philippson a. a. O., S. 490. — v. Richthofen a. a. O., S. 273.

becken für die Gewässer des mittlern Durmitor und hängt augenscheinlich mit der sumpfigen Barno-Niederung zusammen, die ihrerseits einen lustigen, mehrere Mühlen treibenden Bach, den Mlinski Potok (Mühlenbach), aufnimmt. Wie alle Gebirgsseen überzieht sich der Schwarze See allwinterlich mit einer Eisdecke, und dann liefse sich seine Tiefe leicht ausloten [1]).

War beim Crno Jezero ein Zuflufs, aber kein Abflufs nachweisbar, so ist es bei den Skrk-Seen gerade umgekehrt. Die senkrechten Wände des ungefügen Ćirova Pećina- und Prutaš-Kammes verbergen eine schmale Schlucht, aus deren Grunde zwei liebliche Seen heraufleuchten. Breite Schuttkegel engen den Thalschlufs ein, und ein niederer Querwall unterbricht den oberirdischen Zusammenhang mit dem Sušica-Cañon. Eine unbedeutende Erhebung trennt beide Seen, deren hellgrüne Farbe nach der Mitte immer dunkler wird und schliefslich einen blauvioletten, bei Regenwetter einen milchgrünen Ton annimmt. Der kleinere Weiher verrät durch seine Kreisform, daß eine Doline seine Umrisse bestimmt hat, der grofse, auch Zeleno Jezero (Grüner See) genannt, läuft der Längsrichtung des Thales parallel, und Ufermarken zeigen die nicht unerheblichen Unterschiede zwischen Hoch- und Niederwasser an. Da oberirdische Zuflüsse fehlen, so werden die Meeraugen vom Schmelzwasser und von den Niederschlägen gespeist, und da die Geröllhalden und Gesteinsklüfte gleichsam als Filter dienen, so ist das Wasser aufserordentlich klar und läfst bei seiner geringen Tiefe von 3—4 m den Grund deutlich erkennen. Dort, wo ein Riegel das Thal gegen die Sušica absperrt, verschwinden die Fluten des Zeleno Jezero in Sauglöchern, die teils beständig, teils nur bei Hochwasser arbeiten, und nach 2 km langem Laufe kommt der verborgene Bach in den Kaskaden des Sušica-Schlundes wieder ans Tageslicht (vgl. Kap. V, S. 105) [2]).

In den wenig bekannten Fluren der Lukavica liegt auf einer Anhöhe, umrahmt von nackten Kalkbergen und grasbewachsenen Schieferhügeln, ein blauer Karstsee, der Kapetanovo Jezero. Er ist nach einem türkischen Kapetan von Nikšić benannt, der hier seine Herden weiden liefs, und hat eine viereckige Gestalt, die man in 20 Minuten umgehen kann. Nach einer Messung der Hirten, die an den steilen Ufern und auf einer in den See vorspringenden Halbinsel ihre Hütten aufgeschlagen haben, beträgt die Tiefe etwa 24 m, und höchstwahrscheinlich besteht der Grund des Beckens aus Werfener Schiefern, weil diese unmittelbar am Seerande den stark gefalteten Kalk unterteufen. Auch hier sind keine sichtbaren Zuflüsse zu beobachten, auf der entgegengesetzten Seite dagegen, im Schiefer, entpringt ungefähr 15 m vom Ufer entfernt ein Bach, der das Wasser teils ober-, teils unterirdisch zur Mrtvica leitet. Im Winter kann der verborgene Kanal die Zufuhr nicht bewältigen, und die Fluten laufen über den niedrigen Querriegel hinüber, der immer mehr abgetragen und über kurz oder lang ganz verschwinden wird.

Klimmt man an der schroffen Kalkmauer auf kümmerlichem Hirtenpfade empor, so gelangt man in eine stark verkarstete Mulde, in die zwischen jähen Kalkwänden ebenfalls ein klarblauer See, der Brničko Jezero, eingebettet ist. Er hat seinen Namen von dem nahen Gebirgsstocke Brnik erhalten; doch heifst er auch Rovačko Jezero, weil er zum politischen Bezirke Rovca gehört, oder Manito Jezero (manit = wütend, wild). Der Sage nach sollen nämlich die ersten Ansiedler, die sich hier niederlassen wollten, von wilden Menschen und fabelhaften Tieren erschreckt worden sein, die plötzlich aus den Wellen emportauchten; und die Eingebornen glauben noch heute so fest an ihre Gegenwart, dafs sie sich weder in den Kapetanovo-, noch in den Brničko-See wagen, aus Furcht, von jenen Ungetümen festgehalten zu werden. Der Brničko Jezero nimmt die tiefste Stelle des trostlosen, völlig entwaldeten Kesselthales ein, das noch einige dürftige Schlundflüsse besitzt und einen Karstbach zum See entsendet, der keinen oberflächlichen Entwässerungskanal aufweist. Die

---

[1]) Tietze a. a. O., S. 26. 27. — Rovinski a. a. O., S. 64. 65. 208. — Hassert a. a. O., S. 127.

[2]) Tietze a. a. O., S. 28. — Baumann a. a. O., S. 10. 11. — Rovinski a. a. O., S. 56. — Hassert a. a. O., S. 133.

Werfener Schiefer treten in jenem Becken nicht mehr auf, und daher ist die Vermutung gerechtfertigt, daſs der See ziemlich tief ist, indem er ebenfalls auf ihnen ruht und die zur Mrtvica abrinnenden Wasseradern speist.

Name und Lage der beiden Seen scheinen nur in der allernächsten Umgebung bekannt zu sein. In dem einen Tagemarsch entfernten Nikšić wuſste niemand etwas von ihnen, und bei den Hirten des Žurim-Berges, der kaum 4 km von den geheimnisvollen Meeraugen abliegt, stieſs ich auf die unglaublichste Unkenntnis. Der eine sagte, der See liege gleich hinter dem Žurim, ein andrer wies auf die entgegengesetzte Richtung, dieser versicherte uns, er sei ganz nahe, jener bestritt dies mit aller Entschiedenheit, der eine sprach von einem, der andre von zwei Seen; und da auch Rovinskis Karte in diesem Gebiet gänzlich unbrauchbar war, so muſste ich 1891 unverrichteter Dinge weiterwandern und konnte erst das Jahr darauf bis zum Kapetanovo und Brničko Jezero vordringen [1]).

Nicht minder geteilt waren die Ansichten, die bis zur Neuabsteckung der albanesisch-montenegrinischen Grenze (1879) über den Rikavac-See herrschten. Bald verlegte man ihn in eine Einsenkung nördlich der Vila, bald an den Südfuſs des Kom, und da man ihn dort nicht finden konnte, so meinte Boué, daſs unter ihm wohl der sumpfige Gebirgssee im obern Gruja-Thale, 4 (französische) Meilen südwestlich von Gusinje, zu verstehen sei. Der Entfernung nach möchte man Boué rechtgeben, doch liegt der See nicht im Gruja-Thale, sondern genau westlich von der verrufenen Arnautenstadt zwischen den steilen Berglehnen der Vila und des Plateaus Širokar. Das an Forellen und Fröschen reiche Wasserbecken, dessen hellgrüne Farbe nach der Mitte immer dunkler wird, bezieht seine Nahrung von zahllosen Quellen und periodischen Schneewasserbächen der Hochebenen Kostića und Širokar, während sein Absugekanal wenige Meter vom Ufer entfernt im Kalk einen unterirdischen Weg einschlägt. Der Uferrand stürzt allseitig steil ab, so daſs das von Gras und Nymphäen umsäumte Wasser einen gähnenden Schlund erfüllt, der die Menschen in die Tiefe ziehen und ebenfalls ein Kloster verschlungen haben soll. Der Weiher hat eine ovale Gestalt von ungefähr 300 m gröſstem Durchmesser und beschränkt sich auf die Osthälfte des Rikavac-Kessels, der im Nordosten vom Schiefer, im Südwesten vom Kalk begrenzt wird. Sein grasiger Boden ist von kleinen Rinnsalen zerschnitten und dicht mit abgerollten Steintrümmern besät. Im Winter schwillt der See wegen der kolossalen Schneemassen, die sich auf den rauhen Plateaus aufhäufen, so gewaltig an, daſs er nicht bloſs die ganze Mulde überschwemmt, sondern auch den niedern Querriegel überflutet, der ihn von der Skrobotuša trennt, und dem Tosen und Branden der aufgeregten Wogen verdankt er seinen Namen Rikavac Jezero, Brüllender See (vgl. Kap. V, S. 120) [2]).

Noch weniger als über die Karstseen ist über die kleinen Wasseransammlungen der Schieferzone — Semolj-Sumpf (1683 m), Teich von Pošćenje (1046 m), Šiško Jezero (1650 m) und Biogradsko Jezero (1150 m) — zu sagen. Mit Ausnahme des letzten liegen sie auf den Wasserscheiden und werden ein- oder zweiseitig entwässert, wobei sie ihr Wasser teils ober-, teils unterirdisch an zwei verschiedene Stromgebiete (Semolj-Sumpf) oder an zwei verschiedene Flüsse desselben Stromgebiets abgeben (vgl. Kap. V, S. 120). Der schönste und gröſste von ihnen ist der 3 km im Umfang haltende Biogradsko-See im wildromantischen, aber noch sehr wenig erforschten Grenzgebirge von Kolašin, der aus zwei Becken besteht und durch einen natürlichen Kanal mit dem gleichnamigen Nebenflusse der Tara verbunden wird [3]). Der Semolj Jezero setzt sich aus mehreren sumpfigen Tümpeln zusammen, die von Schilf und andern Wasserpflanzen überwuchert werden und im Hochsommer zu einem trügerischen Morast zusammenschrumpfen. Er wird von verborgenen

---

[1]) Baumann, [Zweite] Reise durch Montenegro, S. 6.

[2]) Boué, Recueil d'itinéraires, II, S. 155. — Boué, Die Karte der Herzegovina und Montenegros, S. 653. — v. Hahn a. a. O., S. 113. — Die Kutschi, S. 566. — Rovinski a. a. O., S. 89. 128. 211.

[3]) Rovinski a. a. O., S. 85. 112. 209. 210. — Cozens-Hardy a. a. O., S. 396.

Quellen gespeist, und ebenso ist sein Abflufs auf dem aufgeweichten, von einem dichten Urwalde hundertjähriger Buchen bestandenen Plane schwer zu finden.

Einen durchaus andern Einflufs üben die Tieflandseen auf Natur- und Menschenleben aus, und wenn ihre Zahl auch gering ist, so übertreffen sie an Ausdehnung die Hochlandseen mindestens um das Vierzigfache. Aufserdem gehören sie nicht dem entfernten Gebirge, sondern einer leicht zugänglichen Ebene an, und wegen ihrer Gröfse, Schiffbarkeit und ihres Fischreichtums, wegen der Nachbarschaft volkreicher Orte, der Nähe des Meeres und ihres Zusammenhangs mit fahrbaren Strömen kommt ihnen eine viel gröfsere Bedeutung zu als den einsamen Gebirgsweihern, die höchstens als Viehtränken einigen Wert haben.

Der Zoganjsko Jezero, der als sumpfiger Dünensee in das fruchtbare Schwemmland des Štoj eingebettet ist, wurde ursprünglich von der Bojana durchflossen und hatte eine freie Verbindung mit dem Meere. Nachdem aber die längs der flachen Küste aufgehäuften Dünen den Abflufs verstopften, mufste sich das Wasser einen neuen Weg suchen, die Bojana, die gleich den übrigen Tieflandsströmen ihr Bett unaufhörlich verlegt, durchbrach den lockern Boden an einer andern Stelle, und die zurückbleibenden Altwässer wuchsen infolge des ungenügenden Abflusses zu einem See an, der seine Nahrung in erster Linie vom Grundwasser erhält. Da er sich immer mehr ausbreitete und weite Strecken des anbaufähigen Erdreichs der Kultur entzog, mufste man an eine Beseitigung des Übels denken, und seit man 1885 die alte Verbindung mit der Adria durch einen 2 m breiten und 4 km langen Kanal wieder hergestellt hat, ist der Wasserspiegel und mit ihm der Morastetreifen nicht unerheblich zurückgegangen.

Die zweite Gruppe, die ihre Entstehung dem Karstprozefs und ihre Umrisse den umgebenden Bergzügen verdankt, wird vom Šas-See und Gornje Blato gebildet. Jener ist eine Verbreiterung des Medjureč, dieser eine solche des Sinjac-Baches, und beide werden von typischen Kesselthälern umschlossen, die eine mehr oder minder schmale Abzugsrinne frei lassen. Ober- und unterirdische Quellen liefern ihnen Wasser in Fülle, und der Gornje Blato soll so tief sein, dafs eine 60 Fufs lange Lotleine den Grund nicht erreichte [1]).

Der interessanteste unter den Tieflandseen und gleichzeitig der gröfste Binnensee der Balkan-Halbinsel ist der Skadarsko Jezero, der Scutari-See, und alle Anzeichen weisen darauf hin, dafs er kein abgesperrter Meerbusen, sondern ein Polje-See ist [2]). Für seine Karstnatur spricht schon das auffallende Entgegenkommen der Kalkgebirge, die eine elliptische Ebene umkränzen und blofs zwei enge Durchbrüche, den der Bojana und des Kiri, besitzen. Anfänglich war die ganze Niederung von einem See erfüllt, der bis zum Velje Brdo reichte und erst nach Ausarbeitung jener beiden Durchbrüche zu einem breiten Strome zusammenschrumpfte. Im regenlosen Sommer hielten sich Zu- und Abflufs das Gleichgewicht, aber zur Zeit der Schneeschmelze und der Frühlingsregen konnten die schmalen Ausgänge die Zufuhr nicht bewältigen; die Überschwemmungen begannen sofort an der Umgestaltung der Ebene zu arbeiten, und schon vor Christi Geburt war ein guter Teil des abgelaufenen Sees wieder vorhanden. Nach einer Urkunde ward Vranina zwischen 1200 und 1233 zur Insel, und um dieselbe Zeit wurden die Kalkhügel zwischen der Morača und Rijeka und längs des felsigen Südwestufers in Inseln zurückverwandelt. Die zunehmende Verschlammung der Bojana und die Flufsbettverlegung des Kiri verstopften die Abflufsöffnungen des Skadarsko Jezero immer mehr, und als 1859 der Drin sich mit verheerender Gewalt in die Bojana ergofs, stieg der Seespiegel überraschend schnell, so dafs heute die tiefer gelegenen Fluren acht Monate lang unter Wasser stehen. Weingärten und

---

[1]) Hecquard, Histoire et description de la Haute Albanie, S. 5. 77. — Hecquard, Pachalik de Scutari, S. 297. — Rovinski a. a. O., S. 115. 116. 224. 225. 272. 273. — Hassert a. a. O., S. 187. 312.

[2]) Da ich dem Scutari-See bereits im Globus (1892) eine ausführliche Darstellung gewidmet habe, so kann ich mich hier auf eine kurze Zusammenfassung und einige Nachträge beschränken.

Äcker, die vor 50 Jahren noch völlig trocken waren, sind jetzt ein undurchdringlicher Morast, von 40 Gehöften, aus denen Plavnica zu Hecquards Zeit bestand, blieben wenige übrig, und das auf seiner Karte angegebene Dorf Salkovina bei Vranina wurde von Grund aus zerstört. Zwei massive Häuser unweit der Klippe Moračnik sind verlassen und halb eingestürzt, weil die periodischen Überschwemmungen bereits deren halbe Höhe erreicht haben, und kommt keine energische Hilfe, dann mufs auch Scutari, das jeden Winter 3 m hoch und höher überflutet wird, demselben Schicksal anheimfallen.

Der neu entstandene See ist also, wie Neusiedler- und Kopais-See, nichts andres als eine in ihren tiefsten Teilen überschwemmte Niederung und wird mit Ausnahme des felsigen Westrandes rings von einem breiten Sand- und Sumpfstreifen umgeben, der nur bei Hochwasser für kleine Kähne befahrbar ist und aufser einer Anzahl unbedeutender Flüsse von einem eigentümlichen Ausläufer des Sees, dem Humsko Blato oder Ljičeni-Hoti-Kastrati, durchschnitten wird.

Aus der Natur des Skadarsko Jezero ergibt sich die Thatsache, dafs wir es mit sehr geringen Tiefen zu thun haben: ein Umstand, der das Volk viel lieber Skadarsko Blato oder Ljičeni i Skoders als Skadarsko Jezero (Sumpf von Scutari als See von Scutari) sagen läfst und der schon im Altertum neben dem Namen Lacus Labeatis die Bezeichnung Palus Labeatis zur Folge hatte. Weitaus der gröfste Teil ist nicht über 7 m, bei Hochwasser meist nicht über 10 m tief, und zwar ist die Tiefe längs des Küstengebirges am gröfsten und nimmt nach der Ebene zu rasch ab. Tiefen von mehr als 10 m möchten nur an wenigen Stellen zu finden sein; zu ihnen gehört vielleicht die Jankova Jama an der Rijeka-Mündung, und als solche sind jedenfalls „die wahren Abgründe" zu bezeichnen, die der Volksglaube in jedem See vermutet, während die Behauptung Sobieskys, der Skadarsko Jezero sei 30 m tief, jeder thatsächlichen Unterlage entbehrt.

Die Seichtigkeit und der vorwiegend aus erdigen Ablagerungen bestehende Grund machen das Wasser trübe, warm und ungesund und geben ihm einen unangenehmen, aber nicht, wie J. Müller meint, einen salzigen Geschmack. Im allgemeinen ist der Wasserspiegel ruhig, doch zeigt er mitunter die in den Schweizer Seen und im Euripus beobachtete Erscheinung der Seiches und wird öfters von heftigen Stürmen heimgesucht, die durch ihr plötzliches Auftreten jedes Jahr eine Anzahl Opfer fordern.

Der wegen seines geradezu unerschöpflichen Fischreichtums berühmte See würde wesentlich an wirtschaftlicher Bedeutung gewinnen, wenn die zu seiner teilweisen Trockenlegung notwendige Bojana-Regulierung durchgeführt wäre, die gleichzeitig die Dauer und Ausdehnung der Überschwemmungen einschränken und den lästigen Fiebern ein Ziel setzen würde.

Vor allem ist auf dem durchaus vernachlässigten türkischen Boden die Wurzel des Übels zu suchen, denn der Abflufs des Sees könnte viel gleichmäfsiger von statten gehen, wenn er nicht durch die Verstopfung der Bojana aufgehalten würde. Der Skadarsko Jezero darf blofs durch die Bojana mit Ausschlufs des Drin und Kiri entwässert werden; daher ist ersterer in seine alten Ufer zurückzudrängen, damit seine Geröllmassen das Bett der Bojana nicht mehr verbauen. Vielleicht liefse sich auch erwägen, ob nicht der Arm zwischen beiden Strömen oder ein Kanal mit entgegengesetzter Fallrichtung die Bojana entlasten könnte, soweit dies ohne Beeinträchtigung der Schiffahrt angängig ist. Der Ingenieur Lelarge, dessen Verbesserungsvorschläge sich in den meisten Punkten mit den meinen decken, will die Krümmungen des Drin durch einen Kanal von Mjedaja nach St. Stefano (Drin) oder Red (Bojana) abschneiden. Die Verkürzung des Bettes bedeutet natürlich eine Vermehrung des Gefälls, mit der Schnelligkeit wächst aber die mechanische Kraft, und mit ihrer Hilfe kann der Flufs seinen Grund stets frei von Ablagerungen erhalten. Ein solcher Flutkanal würde auch zur Überschwemmungszeit eine Rolle spielen, indem er das Hochwasser aufnimmt, und die Ebene mufs durch Dämme und andre Vorrichtungen vor den Verlegungen der Flufsbetten geschützt werden. Gleichzeitig gilt es, den wetterwendischen Kiri unschädlich zu machen, indem man ihn kürzesten Weges in den Vraka-Flufs oder den Scutari-See leitet, in den er jedenfalls einst mündete.

Die Krone des Ganzen bilden die Ausbaggerung der Bojana und die Abkürzung des 13 km langen Bogens von Oboti durch einen 4 km langen Durchstich, wodurch die Geschwindigkeit beschleunigt und der Schlammabsatz vermindert wird. Ferner ist die Mündungsbarre zu vertiefen, damit gröfsere Schiffe ungehindert einfahren können, und endlich sind die Dämme, Wehre und Reusen der Scutariner Fischer zu beseitigen, die den freien Durchzug des Wassers nicht gerade begünstigen. Die Regulierungsarbeiten streben demnach nur eine Wiederherstellung des Zustandes an, der durch die unverzeihliche Nachlässigkeit des Menschen sich in solchem Mafse verschlechtern konnte, und es wäre an der Zeit, dafs die Ausführung des grofsen Werkes endlich einmal energisch in die Hand genommen würde. Fromme Wünsche steigen in jenen Gegenden, zumal im türkischen Machtbereich, auf Schritt und Tritt in dem Reisenden auf, und es ist tief zu beklagen, dafs sie, wer weifs wie lange noch, fromme Wünsche bleiben werden[1]).

Der Skadarsko Jezero ist ein tektonischer und ein Überschwemmungs-See, weil ein durch den gebirgsbildenden Schub entstandenes Karstpolje von dem in ihm enthaltenen Wasser überschwemmt und in einen See verwandelt ward. Seebildungen als Ursache von Überschwemmungen sind aber für die meisten Kesselthäler des Karstes charakteristisch, und somit vollzieht sich im Scutari-See der Übergang von den ständig Wasser führenden Seen zu den zeitweilig auftretenden Hochwasserseen der Polje. Deshalb haben wir die Kesselthäler bei der Schilderung der Karstlandschaft nur kurz erwähnt und stellen sie nicht wie Rovinski den Tiefebenen als gleichwertige Oberflächenformen gegenüber. Denn den Tiefebenen entsprechen, wie schon der Name andeutet, die Hochebenen; die Polje aber sind wannenförmige Einsenkungen im Karstplateau und würden unter normalen Verhältnissen Flufsthäler, nie aber Hochebenen darstellen.

Den äufsern Umrissen nach herrscht zwischen den Dolinen, blinden Thälern und Poljen kein Unterschied, und so müssen in erster Linie die Gröfsenverhältnisse als trennendes Merkmal gelten, indem man mit Cvijić die Oberflächenformen bis zu 1 km Durchmesser zu den Dolinen und die gröfsern Wannen zu den Poljen rechnet. Die letztern sind rings geschlossene, runde oder ovale Mulden mit breiter Sohle, deren Querschnitt im Gegensatze zu den blinden Thälern nicht unverhältnismäfsig schmäler als der Längsschnitt ist. Da sie gewöhnlich im Schichtstreichen liegen, so ist die längliche Gestalt häufiger als die runde, und es verhält sich die Länge zur Breite beim Cetinjsko und Grahovo Polje wie 5 : 1, beim Dragalj und Rikavac Polje wie 3 : 1, beim Turski Do (Durmitor) wie 1 : 1, beim Bresno Polje wie 7 : 1, beim Becken von Trmanje und Medun wie 4 : 1 &c. Mitunter sind die Trogthäler so zerrissen oder durch Bergvorsprünge in unregelmäfsige Flächen zerlegt, dafs man z. B. beim Nikšičko und Gacko Polje keine bestimmten Formen erkennen kann. Der Flächeninhalt weist ebenfalls die mannigfachsten Abweichungen auf, denn er beträgt beim Becken von Livno 380, beim Popovo Polje 180, Gacko Polje 43, Nikšičko Polje 48, Grahovo Polje 14, Cetinjsko Polje 7 qkm &c.

---

[1]) Ebel a. a. O., S. 104—110. — Müller, Albanien und die montenegrinische Grenze, S. 7. — Boué, Die Europäische Türkei, I, 56 f. 192; II, 25. — Boué, Recueil d'itinéraires, I, 335; II, 164 f. — Boué, L'état actuel du Monténégro et de l'Herzégovine, S. 131. — Boué, Karst- und Trichterplastik, S. 8. — v. Hahn a. a. O., S. 111 f. 188. — Wingfield a. a. O., S. 170. — Hecquard, Aperçu de la Haute Albanie, S. 294. 296. — Hecquard, Histoire et description de la Haute Albanie, S. 2—6. 76. 77. — Hecquard, Pachalik de Scutari, S. 294—298. — Wirt a. a. O., S. 25. — Das Paschalik von Scutari, S. 428. — Frilley et Vlahovitch a. a. O., S. 279. — Rasch a. a. O., S. 167. — Der See von Scutari. (Globus, Bd. 36, 1879, S. 135.) — Schwarz a. a. O., S. 212. 229 f. 412 f. — Tietze a. a. O., S. 69. 75. 112. — Pricot de St-Marie a. a. O., S. 835. — Baumann, Über Tuzi nach Scutari, S. 107. 108. — Ferrière a. a. O., XX, 68. — Gopčević, Ober-Albanien und seine Liga, S. 175. — v. Kaulbars a. a. O., S. 50. 51. — Vannutelli a. a. O., S. 15. — Lelarge a. a. O., S. 177 f. — Sobiesky a. a. O., S. 346. — Rovinski a. a. O., S. 115. 117 f. 170 f. 213 f. 225. 266. — Th. Fischer a. a. O., II, 130.

Die Bodenausfüllung setzt sich aus den vom Regen abgeschwemmten Stoffen der Gehänge, den Verwitterungsrückständen des Kalkes und den vom fliefsenden Wasser mitgeschleppten Trümmern zusammen, sie besteht also aus feinem und grobem, rundem und eckigem, eignem und fremdem Material und stammt entweder blofs aus dem Kalkgebiet oder aus allen den Gegenden, die der Flufs von seiner Quelle ab angeschnitten hat. Der Boden selbst ist gewöhnlich horizontal oder besitzt eine unmerkliche Abdachung; doch ist in letzterm Falle die Neigung keine gleichsinnige, sondern bald hierhin, bald dorthin gerichtet, so dafs die Karstflüsse des Gacko und Nikšičko Polje die sonderbarsten Krümmungen beschreiben. Zuweilen kommen zwei Bäche einander so nahe, als wollten sie sich vereinigen, aber plötzlich weichen sie einander wieder aus und münden an ganz entgegengesetzten Punkten in den Hauptstrom, der das Polje unterirdisch entwässert. Häufig ragen aus dem lockern Erdreich isolierte Kalkklippen empor (Trebješka Gora und Glavica im Nikšičko Polje, Zelenika, Ljubović, Gorica u. a. in der Ebene von Podgorica), die aus demselben Kalkstein wie die Gehänge bestehen und andeuten, dafs der unter dem Schutt verborgene Untergrund ebenfalls aus Kalk zusammengesetzt ist. In den Becken, in denen sich der Flufs durch die Konglomeratschichten bis zum anstehenden Gestein durchgewühlt hat (die Morača oberhalb der Brücke Vezirov Most bei Podgorica), findet diese Vermutung vollauf Bestätigung; in den Gegenden aber, in denen sich Kalk und Schiefer um die Herrschaft streiten, kommen trotz der aufgesetzten Kalkhügel sehr oft die unterlagernden Schiefer zum Vorschein (Duga-Pässe, Lukavica)[1].

Während die Sohle eines normalen Thals nicht zu scharf gegen die Gehänge abgesetzt ist, fallen die Polje-Wände unvermittelt ab und bilden mit dem Boden einen wohlerkennbaren Knick. Sie sind meist wild verkarstet und nackt oder mit schütterem Buschwalde bekleidet, und auf ihnen legen die Eingebornen mit Vorliebe ihre bescheidenen Wohnstätten an, um vor den Überschwemmungen sicher zu sein. Die Umfassungsmauern schmiegen sich in ihrer Längserstreckung dem Schichtstreichen an; daher verläuft im Dinarischen Karste die Mehrzahl der Kesselthäler von Nordwest nach Südost, seltener von Nord nach Süd (Trmanje). Dieser auffallende Zusammenhang, sowie die Thatsache, dafs in den horizontal geschichteten Kalken Mährens und der Cevennen bisher keine Polje gefunden wurden, weisen darauf hin, dafs sie in ihrer Verbreitung an dislocierte Karstgebiete gebunden sind, und die stark verworfenen Süfswasserablagerungen in vielen Poljen sprechen dafür, dafs die Bewegungen der Erdrinde noch fortdauerten, nachdem die Trogthäler bereits geschaffen waren.

Hätte der Karstprozefs die Thalbildung nicht gestört, so würden wir, wie Tietze für das Bresno Polje dargelegt hat, offene Längsthäler vor uns haben, die je nach der Schichtstellung als Mulden-, Hebungs- oder Scheidethäler erscheinen. Dementsprechend giebt es synklinale, antiklinale und isoklinale Polje, und wie viele Dolinen an Verwerfungsspalten geknüpft sind, so hängen die Polje von Phonia (Pheneos), Stymphalos und die bekannte Beckenreihe Laas—Zirknitz—Planina mit Bruchlinien zusammen. Doch mufs es nach den Beobachtungen Philippsons dahingestellt bleiben, ob sie reine tektonische Versenkungen an jenen Brüchen oder alte Flufsthäler sind, die durch Krustenbewegungen in mehrere abflufslose Teile zerlegt wurden. Jedenfalls sind die Polje nicht ausschliefslich durch Erosion und Einsturz entstanden, da sie ja sonst auch in nicht gestörten Kalkgebieten heimisch sein würden, und soviel sich feststellen liefs, ist Kraus der einzige Forscher, der die Einsturztheorie mit allen ihren Konsequenzen auf die Polje-Bildung überträgt, indem sich durch fortgesetzten Deckeneinbruch und unaufhörliche Abtragung der Zwischenwände die

[1] Die Wassernot im Karste, S. 116. — Kraus, Entwässerungsarbeiten in Krain, S. 1. — Cvijić a. a. O., S. 76—79.

einzelnen Naturschächte zu quadratkilometergrofsen Kesseln vereinigen. Doch ist es schwer, unter den verschiedenen Angaben immer die richtigen herauszufinden, da eine ähnliche Verwechselung wie zwischen Doline und Schlund auch zwischen den Begriffen Kesselthal und blindem Thal Platz greift. Lorenz, v. Mojsisovics, Tietze, Reyer, Cvijić u. a. fassen die Polje als abgesperrte tektonische Längsthäler auf, die allmählich ausgearbeitet und vertieft wurden, neben den verborgenen auch oberirdische Wasserläufe an sich zogen und ihnen als Erosionsbasis dienten. Dadurch wurden sie zu Mittelpunkten ausgedehnter Thalsysteme, die besonders schön im Gacko und Nikšičko Polje entwickelt sind; und da sich Erosion, Durchlöcherung, Unterhöhlung und Einsturz in hervorragender Weise an ihrer Ausgestaltung beteiligten, so stehen sie trotz ihres tektonischen Ursprungs mit den andern Oberflächenformen des Karstes im engsten Zusammenhang.

Wie die Erosion das Bestreben hat, geschlossene Wannen in offene umzuwandeln, so werden auch aus den Trogthälern offene oder, wie Cvijić sagt, aufgeschlossene Polje herausgearbeitet. Das Wasser beseitigt den Querwall, der das Becken von einem normalen Thale trennt, und der Flufs vertieft sein Bett immer mehr, indem er sich von der Stelle aus, von der er verschwindet (Ponor) und an der er wieder zum Vorschein kommt (Höhlenaustritt, Karstquelle, Quellkaskade), nach rückwärts einschneidet. Dadurch zieht er die andern Wasserläufe des Beckens an sich und wird, wenn die letzte Höhlendecke zusammengebrochen ist, als oberirdischer Strom das aufgeschlossene Trogthal verlassen. Die Zeta-Furche, die Ebenen um den Scutari-See, die Niederung von Larissa &c. haben diesen Umwandelungsprozefs bereits vollendet, denn sie werden, wenn auch nur in engen Kanälen — Defilé von Spuž, Bojana-Durchbruch, Tempe-Thal —, oberirdisch entwässert, und das Laibacher Moor ist durch einen künstlich angelegten und einen von der Natur selbst gegrabenen Kanal ebenfalls zu einem offenen Polje und einem abgezapften Seebecken geworden. In vielen Mulden machen nämlich Süfswasserablagerungen, Mergel, Schotter, Konglomerate &c. eine einstige Seebedeckung unzweifelhaft. Hätte sich nun, wie v. Mojsisovics annimmt, in jedem abgeriegelten Thale das Wasser aufgestaut, so müfsten in jedem derselben lakustrine Ablagerungen vorhanden sein. Oft liegt aber neben einem solchen Trog ein andrer, der gänzlich frei von jenen Absätzen ist, denn es konnte sich nur dann ein See bilden, wenn das abgedämmte Wasser nicht gleich wieder durch einen verborgenen Abzugskanal abgeleitet wurde[1]).

Diese Erörterungen führen uns zu einer Eigenschaft der Polje, um derentwillen wir sie im orographischen Teile nur kurz erwähnten, zu ihrer Wasserbedeckung und zu der Rolle, die sie in der Hydrographie des Karstes spielen. Fast alle gröfseren Kesselthäler enthalten Flüsse oder mindestens die letzten Reste von ihnen und bilden sehr oft selbständige Abschnitte eines einheitlichen Thalsystems. Je nach der Höhe und dem Umfange des Beckens, der Schichtenneigung, der geologischen Zusammensetzung des Sammelgebiets und des Thalgrundes und nach dem Verhältnis des Abflusses zur Zufuhr ist der Wasserreichtum gröfser oder geringer, und während die Ebenen von Njeguš, Cetinje, Bresna, Kopilje und Grabovo nur rudimentäre Flüsse beherbergen, haben Gacko und Nikšičko Polje einen Überflufs an Rinnsalen und Sumpfseen. Selten liegen die Poljeflüsse ihrer ganzen Länge nach oberirdisch zu Tage, sie treten viel häufiger als starke Quellen aus und geben

[1]) Marenzi a. a. O., S. 4—13. — v. Mojsisovics a. a. O., S. 115 f. — Tietze, Karsterscheinungen, S. 733 f. — Tietze, Montenegro, S. 40—43. 93. 94. — Kraus, Karsterscheinungen, S. 146. — Kraus, Karstforschung, S. 145. — Kraus, Die Hydrographie des Reifnitzthales in Krain. (Deutsche Rundschau f. Geogr. u. Stat., 1889, S. 562.) — Kraus, Sumpf- und Seebildungen in Griechenland mit besonderer Berücksichtigung der Karsterscheinungen und insbesondere der Katavothrenseen. (Mitteil. d. K. K. Geogr. Ges. Wien, 1892, S. 375.) — Diener, Julische Alpen, S. 684. — Wahnschaffe a. a. O., S. 156. — Philippson a. a. O., S. 146. 502. — Trampler, Mährische Höhlen, S. 265. — Reyer, Karstbilder, S. 932. 933. — Cvijić a. a. O., S. 76. 80. 87. 88. 95—97. — Putick, Die Ursache der Überschwemmungen in den Kesselthälern von Inner-Krain. (Wochenschr. d. Österr. Ing. u. Archit.-Vereins, 1888, S. 307.) — Günther a. a. O., S. 476. 478. — Novibazar und Kossovo, S. 111. — Rovinski a. a. O., S. 122. 128. — Baldacci, Altre Notizie etc., S. 25.

den gröfsten Teil ihres Wassers an die im Grunde sich öffnenden Sauglöcher ab, ehe sie bis zum Hauptponor gelangen.

Die Ponore oder Katavothren (Schlünde) drängen sich mit Vorliebe im untern Thalschlusse zusammen, also an der Stelle, wo unter normalen Verhältnissen der Thalausgang wäre, und zerfallen in drei Gruppen. Die erste liegt inmitten des Polje-Bodens und wird von Sand, Schlamm und Geröllen hoch überlagert und verstopft, so dafs man den Schlund nicht sieht und dafs ihre Saugkraft gering ist. Die Schlürflöcher dieser Art sind also nichts andres als Schwemmlanddolinen. Die zweite Gruppe ist ebenfalls dem Thalgrunde eigen und unterscheidet sich von der ersten blofs dadurch, dafs ihre Sauger offen und ohne Verunreinigungen zu Tage liegen. Sie finden sich vornehmlich im Bett der Poljeflüsse und der Karstgewässer überhaupt und verschlucken trotz ihres kleinen Querschnitts so bedeutende Wassermengen, dafs die Unz nach den Untersuchungen Schmidls in ihnen $^{9}/_{10}$ ihres Wassers verliert. Die Sohlenponore, sowohl die verstopften wie die von Einschwemmungsprodukten freien, arbeiten unter gewöhnlichen Verhältnissen als Sauglöcher, zur Überschwemmungszeit aber stofsen sie das Wasser aus, weshalb sie in der Karstlitteratur auch den Namen Speilöcher führen. Sie bezeichnen die Ausmündungen unterirdischer Kanäle, die aus einem höheren in ein tieferes Polje führen, und ihre abwechselnde Thätigkeit als Spei- und Saugloch erklärt sich daraus, dafs bei starker Zufuhr das Wasser in den engen Röhren nicht rasch genug abfliefsen kann und mit Gewalt aus den Öffnungen herausgeprefst wird; läfst jedoch der Zuflufs nach, so entleeren sich die Kanäle schnell, und der Spalt kann das auf dem Poljegrunde zerstreute Wasser wieder aufsaugen.

Wenn die Poljeflüsse ihr Oberflächenbett nach rückwärts verlegen, so erhalten die Sohlenponore des Unterlaufs kein Wasser mehr und verwandeln sich in Schlote, so dafs der Zusammenhang der Schlünde mit den oberirdischen Karsterscheinungen naturgemäfs auch für die thätigen und die aufser Thätigkeit gesetzten Ponore Geltung hat. Das fruchtbare Erdreich der verlassenen Schlürflöcher wird als Ackerland benutzt, aber mitunter geschieht es, dafs der Boden nachsinkt oder in die Tiefe verschwindet (vgl. Kap. IV, S. 91. 92). Solche Einstürze, die sich noch heute ereignen und gegen die sich die Eingebornen schützen, indem sie die Öffnung mit Steinblöcken fest verschliefsen, machen den wahren Kern mancher Sagen aus, denen zufolge ein Haus oder ein Feld von einem plötzlich entstandenen Schlunde verschlungen ward. So erzählen die Bewohner von Njeguš: Ein Mädchen schwur, dafs es ein Stück Feld an einem Tage abmähen wollte; als es aber den letzten Halm abschnitt, barst mit einemmal die Erde unter ihm und rifs es mit sich in einen bodenlosen Abgrund hinab[1]).

Die dritte und wichtigste Gattung, die Ponore im anstehenden Gestein der Umfassungswände, besteht teils aus schmalen Rissen, teils aus erweiterten, gähnenden Tunnels, den sogenannten Felsponoren (Cvijić), Randponoren (Riedel) oder Thorkatavothren (Philippson). Sie stürzen entweder steil zur Tiefe ab, und der Flufs schiefst als brausender Wasserfall in den Schlund hinab, oder sie stellen flachgeneigte Höhlengänge dar, die man ein gutes Stück verfolgen kann. An Zahl stehen sie hinter den geradezu massenhaft vorhandenen Sauglöchern des Polje-Grundes merklich zurück, indem die Becken von Mostar, Nikšić und Cetinje blofs einen, das Popovo Polje zwei Felsponore, dafür aber 30, 50, ja 100 Sohlenponore besitzen. Letztere, die schon Boblaye von den Thorkatavothren trennte, können die Kesselthäler nur ungenügend entwässern, die eigentlichen Regulatoren sind die Randponore, und werden sie ebenfalls verstopft oder liegen sie nicht an der tiefsten Stelle des Abhangs, sondern einige Fufs über derselben, so sind ausgedehnte und langdauernde Überschwemmungen unvermeidlich[2]).

---

[1]) Rovinski a. a. O., S. 123.

[2]) Boblaye a. a. O., S. 320—322. — Schmidl, Grotten und Höhlen, S. 154. 155. — v. Hauer, Wasserverhältnisse in den Kesselthälern von Krain, S. 8. 9. — Kraus, Die Arbeiten am Karste, (Ausland, 1887, S. 1.

Die Ponore, namentlich die der dritten Gruppe, sind die obern Eingänge von Höhlen, in denen die Gewässer verschwinden, um in einer tiefern Mulde als starke Quellen oder Flüsse wieder ans Tageslicht zu kommen. Man darf jedoch nicht annehmen, dafs die Hohlräume stets eine einheitliche Röhre bilden, im Gegenteil, sie verzweigen sich zu einem Labyrinth von Kanälen und Rinnen, und oft tritt im tiefer gelegenen Polje das Wasser an einer ganz andern Stelle aus, während ein nicht unbeträchtlicher Teil auf vertikalen Klüften zum Grundwasser eilt. Anderseits setzt sich indes die Höhle als geschlossener Gang von wechselndem Querschnitt fort, und gelegentlich der Entwässerungsarbeiten in Krain haben Kraus, Putick u. a. auf ihren kühnen Höhlenfahrten den Beweis erbracht, dafs ein und derselbe Flufs die Kesselthäler von Laas, Zirknitz, Planina und Laibach verbindet (vgl. Kap. V, S. 106). Dieser enge hydrographische Zusammenhang, der durch den staffelartigen Abfall der Polje schon äufserlich kenntlich wird, kehrt auch in Montenegro wieder und ist besonders für das Beckensystem der obern Zeta und Rijeka charakteristisch.

Vom Südabhange des Vojnik senkt sich eine Reihe kleiner Mulden — Živa (1146 m), Papratni Do (1130 m), Lipova Ravna (1048 m), Brezovi Do (996 m) und Sipačno (767 m) —, die reich an Quellen sind, im Winter periodische Seen beherbergen und zum Teil von einem Karstflusse durchschnitten werden, ins Gornje Polje (680 m) hinab [1]). Dort münden auch die in den terrassenförmig abgedachten Kesseln der Duga-Pässe zusammensickernden Quellen ein, und die vereinigten Gewässer ergiefsen sich in das grofse Sammelbecken von Nikšić (660 m), das seinerseits im Krupac- und Slano-Sumpf die unterirdischen Abflüsse der westlichen Karstgebiete, im Gračanica-Thale das Wasser des Zentralmassivs an sich heranzieht und somit das einzige Polje Montenegros ist, das ein wohlentwickeltes Flufsnetz besitzt. Matica, Moštanica, Rastovac und Zeta schlängeln sich trägen Laufs durch die Ebene, aber sie kommen an Wichtigkeit der Gračanica nicht gleich. Sie springt in lustigen Kaskaden über die schmalen Absätze eines Kalkriegels und entwässert unterirdisch eine Anzahl sumpfiger, quellenerfüllter Wannen, die unter dem gemeinsamen Namen Ponikvica zusammengefafst werden. Das fruchtbare Thal verengt sich im Unterlaufe zu einer öden Schlucht, und die klaren Wellen verschwinden zusehends unter den Geröllmassen, um im Sommer gänzlich zu versiegen. Im Nikšićer Felde beschreibt das zu einem echten Karstflusse gewordene Gebirgswasser einen rechten Winkel und mündet endlich in die Zeta, die sämtliche Rinnsale des Beckens aufnimmt. Ehe diese den Hauptstrom erreichen, geben sie den gröfsten Teil ihres Wassers an zahlreiche Sohlenponore ab, und die Zeta selbst findet keinen oberirdischen Abflufs, sondern stürzt in einen gähnenden Schlund, den vielgenannten und ein grofsartiges Naturschauspiel darbietenden Felsponor Slivlje. Zwischen den Kalkmauern des Thalschlusses und dem grünen Wiesenplan klafft ein senkrechter Schacht, dessen oberer Durchmesser von 20 m nach der schwindelnden Tiefe zu rasch bis zu 6 m abnimmt. Brausend und tosend schiefst zwischen den wassertriefenden Wänden ein 20 m breiter Strom in den schwarzen Schlund hinab, zerstiebt beim Auffallen zu weifsem Schaum und schleudert Myriaden feiner Tröpfchen als feuchte Dunstwolke wieder nach aufwärts. Weithin ist der dumpfe Donner der Fluten hörbar, und der graue Dunstschleier verrät dem Wanderer schon von ferne, dafs hier die Zeta ein frühes Grab findet, um nach 3 km langem unterirdischem Laufe wieder an die Oberfläche zu kommen und als majestätischer Tieflandsstrom die Morača aufzusuchen.

Das Nikšićko Polje, mit 12 km gröfster Breite, 15 km gröfster Länge und 48 qkm

---

2.) — Kraus, Die Durchforschung des Ratschna-Thales. (Ausland, 1887. 482.) — Kraus, Karsterscheinungen, S. 146. — Kraus, Neue Forschungen am Karste. (Ausland, 1887, S. 963.) — Cvijić a. a. O., 38. 65. 89—91. — Philippson a. a. O., S. 493. 494. — Riedel a. a. O., S. 159. 160. — Boué, Die Europäische Türkei, I, 34. 38.

[1]) Eine andre Reihe läuft von Bukovik (1900 m) über Lukovo (1000 m) und Kunovo nach Nikšić. Im Lukovo Polje, das an Gröfse hinter dem Cetinjsko Polje kaum zurücksteht, machen unvollkommen abgerundete Kalkgerölle die Anwesenheit eines alten Karstsees wahrscheinlich, und vielleicht gibt die von Lukovo nach Nikšić laufende Furche, die sich im Poljeflusse Bistrica fortsetzt, die Abflufsrichtung an.

Fläche das umfangreichste Kesselthal der Schwarzen Berge, ist 500—600 m tief in die umgebenden Karstplateaus eingesenkt und dacht sich langsam nach Südost, zum Zeta-Ponor, ab. Felsige Kuppen und Ausläufer des Beckenrandes zerlegen es in drei Hauptabschnitte, ins eigentliche Nikšićer Feld, ins Gornje Polje und in die Niederungen um den Krupac und Slano Jezero. Beide Wasseransammlungen, die im Sommer zu ungesunden Sümpfen zusammenschrumpfen und die Luft durch ihren üblen Geruch verpesten, das wirr verzweigte Wassernetz, die lose verbundenen Konglomerate und Brandungsfurchen an den Thalwänden, sie alle sprechen für die Existenz eines Sees, der infolge der zunehmenden Verstopfung der Sauglöcher und der Abriegelung des Beckens entstand. Krupac- und Slano-Sumpf zeigen diese Erscheinung noch immer, denn sonst könnten sie die trockenen Monate nicht überdauern. Schliefslich zerstörten die Fluten den leicht angreifbaren Kalk, erzwangen sich neue Ausgänge und verschwanden ebenso geheimnisvoll, wie sie gekommen [1]).

Fast noch deutlicher als bei der Zeta kommen der hydrographische Zusammenhang und der staffelförmige Beckenabfall im Oberlauf der Crnojevička Rijeka zum Ausdruck. Die eiskalten Quellen, die vom Schnee des Lovćen gespeist werden, rinnen in der grasigen Mulde Lovćenska Korita (1255 m) zu einem Bächlein zusammen, das sich bald in mehrere Arme gabelt und teils ober-, teils unterirdisch in die Kesselthäler von Njeguš und Cetinje abfliefst. Das erstere hat einen annähernd kreisrunden Umrifs und wird durch einen niedern Wall in zwei ungleiche Hälften geteilt. Obwohl der Untergrund ziemlich uneben ist, läfst er doch eine Abdachung nach Nordost erkennen, und diese Richtung, die im Sommer durch ein Trockenbett, im Winter durch einen Flufs bezeichnet wird, schlagen die Gewässer der westlichen Beckenhälfte ein, bis sie von einer Höhle aufgenommen und jedenfalls in die Bocche di Cattaro geleitet werden. Die Sage, dafs die ganze Ebene früher ein See war, der durch tiefe Schlünde entwässert wurde, scheint nicht grundlos zu sein, denn Ponore gibt es im Njeguško Polje (885 m) genug, und sie führen das Sickerwasser des östlichen Abschnitts in die Ebene von Cetinje [2]).

Das Cetinjsko Polje (660 m), mit 5 km Länge, 2 km Breite und 7 qkm Fläche vor der Eroberung von Grahovo und Nikšić das gröfste Kesselthal des altmontenegrinischen Karstes, stellt eine ovale Einsenkung am Fufse des Lovćen dar und wird von steilen, mit dünnem Buschholz bestandenen Kalkwänden umrahmt. Inselgleich ragen einzelne Hügel über die spärlich bebauten Konglomerate des Thalgrundes empor, die ebenfalls die Anwesenheit eines alten Binnensees oder mindestens eines sehr breiten Stroms wahrscheinlich machen. Vielleicht flofs er, nach der Gröfse der Gerölle zu urteilen, von West nach Ost, d. h. nach der Rijeka ab, fand aber nie und nimmer einen Ausweg nach den Bocche, wie Kutschbach behauptet. Noch im 15. Jahrhundert barg das Becken einen Flufs, der von Bajce kam, sich bei Humci in zwei Höhlen ergofs und mehrere Mühlen trieb. Aber infolge der sinnlosen Waldverwüstung versiegte er in Spalten und Sauglöchern, und sein Bett verfiel in dem lockern Geröllboden so schnell, dafs es heute erkennungslos verschwunden ist. Während bis zur Fertigstellung der Wasserleitung (1891) jeden Sommer ein drückender Wassermangel herrschte, verwandelt sich die Ebene im Winter, wenn anhaltende Westwinde den Schnee schmelzen, oder zur Regenzeit binnen kurzem in einen meterhohen See; aber kaum lassen die Niederschläge nach, so schluckt der poröse Boden das Wasser auf und ist wenige Stunden später wieder vollständig trocken, als wäre er nie überschwemmt gewesen. Nur am Ostrande gibt es einige sumpfige Stellen, und zu ihnen führt das breite, steinige Bett

---

[1]) Sostak und v. Scharb a. a. O., S. 9. 14. — Kapper a. a. O., S. 647. — Tietze, Montenegro, S. 44. — Schwarz a. a. O., S. 268. 272. — Ferrière a. a. O., XX, S. 80. — L. Baldacci a. a. O., I, S. 6. 37. — Chikoff a. a. O., S. 159. — Sobiesky a. a. O., S. 343. — Rovinski a. a. O., S. 75—77. 80—84. 125—127. 212. 255. 256. — Hassert a. a. O., S. 32. 37. 59. 67. 151.

[2]) Humbert a. a. O., S. 117. — Chikoff a. a. O., S. 134. — Rovinski a. a. O., S. 122.

eines Schlundflusses, der, aus dem Fels hervorbrechend, im Winter mancherlei Schaden anrichtet, zu Beginn des Mai aber bereits ausgetrocknet ist. Ferner beherbergt das Cetinjer Kloster eine geräumige Höhle, aus der zuweilen ungeheure Wassermassen mit solcher Kraft und Schnelligkeit herausquellen, dafs sie die mächtigen Quadern des Treppenhauses auseinanderreifsen und den östlichen Teil der Ebene überfluten. Fügen wir hinzu, dafs das nahe Becken von Bijeloši ebenfalls einen periodischen Höhlenflufs enthält, der noch unter Petar I. so wasserreich war, dafs er das Räderwerk einer Mühle in Bewegung setzte, so sind hiermit die hydrographischen Eigentümlichkeiten des Cetinjsko Polje erschöpft, und das gesammelte Wasser fliefst unterirdisch ab, um an den schroffen Hängen des Kesselthals von Dobrsko Selo (371 m) in Gestalt zahlreicher Quellen wieder zum Vorschein zu kommen. Zu ihnen gesellt sich unweit einer alten, zerfallenen Kirche eine tief ins Gestein hineinreichende Höhle, die schon Ebel besuchen wollte, als ein Unwetter seinen Plan vereitelte, zu dem er alle Vorkehrungen getroffen hatte. Vermutlich steht sie mit den Abzugskanälen des Cetinjer Feldes in enger Verbindung, und während der Schneeschmelze ergiefst sich ihr Wasser, dessen Rauschen man auch im Sommer vernimmt, oberirdisch ins Polje, das bei Strugari noch einen geröllerfüllten, unansehnlichen Schlundflufs aussendet. Zu Viallas Zeit bildete der Beckengrund einen zusammenhängenden Morast, auf dem grofse Inseln aus Erde und Pflanzen umherschwammen. Die Waldverwüstung blieb jedoch nicht ohne Folgen, der Sumpf verschwand bis auf den eben erwähnten periodischen Flufs, und nur im Winter stauen sich im Dobrsko Polje, das zugleich die Beckenreihe Ljubotin—Ceklin entwässert, die Fluten zu einem See auf [1]).

Noch einmal verbaut ein 3 km langes Labyrinth von Graten, Kuppen und Dolinen dem Wasser den oberirdischen Weg, bis es endlich in malerischen Fällen aus dem Schofse der Erde bricht und als Rijeka ruhigen Laufs zum Scutari-See abfliefst. In ihr vereinigen sich also die Gewässer des Lovćen-Systems, und ist auch der Flufs, den Vialla auf seiner Karte zwischen Njeguš und der Rijeka zeichnet, nicht vorhanden, so scheint ein unterirdischer Zusammenhang sicher festzustehen. Blickt man vom Küstengebirge zum Scutari-See hinab, so ist der stufenweise Abfall der einzelnen Kesselthäler unverkennbar, und die Fluten, die sich bei Hochwasser aus dem Rijeka-Schlunde ergiefsen, zeigen durch ihre schmutzige Färbung und Schlammführung an, dafs sie denselben Ursprung haben wie die entsprechend gefärbten und mit Sinkstoffen beladenen Schlundflüsse von Cetinje, Dobrsko Selo, Ceklin und Ljubotin [2]).

Hat man ein Polje gesehen, so kann man sich auch die Beschaffenheit der andern leicht vorstellen, und deshalb bietet das 14 qkm grofse Becken von Grahovo (712 m) wenig Neues. Es bildet den Mittelpunkt mehrerer Polje-Reihen (Nikšić — Grahovo — Bilek, Klenak — Grahovo — Risano, Vilusi — Grahovo — Cetinje), so dafs es sein Wasser von den entgegengesetztesten Seiten bezieht und nach den entgegengesetztesten Seiten, z. B. an einen Nebenflufs der Trebinjčica und ins Dragalj Polje, abgibt. Niedere Kalkklippen stören die vollkommene Horizontalität des Bodens, und durch die Ebene, die ein Riegel in eine östliche und westliche Hälfte teilt, windet sich längs des Gebirgsfufses der helle Geröllstreifen eines Schlundflusses, der aus Höhlen kommt und von Höhlen wieder aufgenommen wird. Unter dem Humus lagern lockere Konglomerate als letzte Zeugen eines alten Karstsees, der durch noch heute vorhandene Ponore entwässert wurde. Wegen des

[1]) Vialla de Sommières a. a. O., I, 12. 364. — Montenegro und die Montenegriner, 1837, S. 6. — Ebel a. a. O., S. 119. 128. — Boué a. a. O., I, 14. — Biasoletto a. a. O., S. 91. 92. — Malte-Brun a. a. O., S. 266. — Mackenzie and Irby a. a. O., S. 644. — Delarue, Voyage au Monténégro, S. 156. — Frilley et Vlahovitch a. a. O., S. 408. — v. Kaulbars a. a. O., S. 49. — Kutschbach a. a. O., S. 29. — Tietze a. a. O., S. 55. — Schwarz a. a. O., S. 88. 89. — Ferriere a. a. O., XX, 80. 81. — Sermet a. a. O., S. 202. 203. — Rovinski a. a. O., S. XXXIII. 123. 124.

[2]) Bolizza a. a. O., S. 295. — Vialla de Sommières a. a. O., I, 12; II, 237. — Ferriere a. a. O., S. 80. — Chikoff a. a. O., S. 135. — Lipold, Geologische Verhältnisse zwischen Cattaro und Cetinje, S. 26. 27. — L. Baldacci a. a. O., I, 5. 6. — Rovinski a. a. O., S. 130—133. 241.

ungenügenden Abflusses wird die Ebene im Winter öfters überschwemmt, und aus einer wasserführenden Höhle im Hauptorte Umac sprudelt zuweilen ein rauschender Bach hervor[1]. —

Würden keine unvorhergesehenen Störungen eintreten, so müfste das oberste Becken einer zusammenhängenden Reihe das wasserärmste sein, weil die Niederschläge, dem Gesetz der Schwere folgend, tiefere Kessel aufsuchen. Diese enthalten schon mehr Wasser, und die tiefsten Wannen, zumal die im Bereiche des Grundwassers liegenden, sind am wasserreichsten, weil sie den Überschufs sämtlicher höheren Kesselthäler aufsammeln. In der That ist das aufgeschlossene Polje des Scutari-Sees wasserreicher als das Nikšićer Feld, und dieses führt mehr Wasser als die Tröge des Vojnik, und ebenso liefert die Rijeka-Höhle Wassermassen, die man während des Sommers in den Mulden von Dobrsko Selo, Cetinje und Njeguš vergeblich sucht. Die höchsten Becken aber geradezu als trockene, die tiefsten als See-Polje und die sich zwischen beide einschiebenden als periodisch überschwemmte Kesselthäler zu bezeichnen, wie es Cvijić thut, scheint mir eine zu künstliche Gliederung zu sein, da sich die Natur keineswegs an vorgeschriebene Regeln kehrt. So müfste das Gacko Polje (960 m) nach Cvijićs Auffassung ein hochgelegenes, trockenes Becken sein, und doch sind ihm dieselben Überschwemmungserscheinungen und die gleiche Wasserfülle eigen wie dem 670 m hohen Nikšićko Polje. Das Cetinjer Feld wieder ist vollständig trocken, obwohl es viel tiefer als das Gacko Polje und in gleicher Höhe mit der Ebene von Nikšić liegt. Ferner übertrifft die Mulde Ponikvica (1404 m) die tiefer gelegenen Kessel von Trubjela (1012 m) und Gostilje (873 m) bedeutend an Wasserführung, und die Seepolje endlich werden teils im Niveau des Meeres (Skadarsko Jezero, Vrana-See auf Cherso), teils in beträchtlicher Höhe über demselben (Janina-See 500 m) angetroffen. Jedenfalls ist bei der Bewässerung der Polje viel weniger die absolute Höhe als das Verhältnis zwischen Zu- und Abflufs mafsgebend. Denn wenn der letztere stets den ersteren überwiegt, so ist das Becken wasserarm, tritt der umgekehrte und im Karste am häufigsten beobachtete Fall ein, so entstehen vorübergehend Seen und Sümpfe (Philippsons Katavothren-Seen), und liegen die Abzugskanäle zu hoch über der Thalsohle, sind sie verstopft oder fehlen sie ganz, so kann das Wasser auch in den trockenen Monaten nicht ablaufen und staut sich zu einem ständigen See oder Morast auf (Laibacher Moor, Scutari-See, Krupac und Slano Jezero). Andre Becken, die früher überschwemmt waren, werden nicht mehr unter Wasser gesetzt, weil in der Gestaltung des unterirdischen Röhrennetzes beständige Veränderungen vor sich gehen, oder sie füllen sich plötzlich wieder mit Wasser, nachdem sie jahrelang trocken waren, und das bekannteste Beispiel für diese Niveauschwankungen, die nicht regelmäfsig jeden Winter, sondern in unregelmäfsigen, unbestimmbaren Perioden eintreten, ist der lediglich von Sohlenponoren entwässerte Sumpfsee von Phonia (Pheneos). Im vorigen Jahrhundert soll er durch unaufhörliches Anwachsen eine Tiefe von 250 m erreicht haben, 1806 dagegen fand Leake den Boden trocken und wohlbebaut. 1821—1830 stieg der See wieder bis zu 50 m an, um 1833 abermals gänzlich abzulaufen. Nach wenigen Jahren verschlechterten sich die Abflufsverhältnisse von neuem, so dafs 1883 die Tiefe 30 m betrug, und als Philippson das proteushafte Gewässer besuchte, war es zum drittenmal im Abnehmen begriffen und nur noch 15 m tief[2].

Die periodische Seenbildung steht somit im engsten Zusammenhange mit den Niederschlägen und den verborgenen Abflufsrinnen und kann niemand überraschen, der die hydro-

[1] Tietze a. a. O., S. 52. — L. Baldacci a. a. O., I, 40. — Chikoff a. a. O., S. 158. 159. — Rovinski a. a. O., S. 124. 125. — Hassert a. a. O., S. 62. 63.

[2] Boblaye a. a. O., S. 320—322. — Neumann-Partsch a. a. O., S. 252. — Philippson a. a. O., S. 145 f. 490. 491. — Kraus, Sumpf- und Seebildungen in Griechenland, S. 393—397. — Kraus, Karsterscheinungen, S. 93. — M. Groller v. Mildensee, Das Popovo Polje in der Hercegovina. (Mitteil. d. K. K. Geogr. Ges. Wien, 1889, S. 80 f.) — Die Wassersnot im Karste, S. 105—107. — Gruber a. a. O., S. 3. — Urbas, Gewässer von Krain, S. 153. 154. — Cvijić a. a. O., S. 81—87. 92.

logischen Geheimnisse des Karstes kennt. Sie wurde zuerst an dem schon von Strabo als Lacus Lugens erwähnten Zirknitzer See bemerkt und galt jahrhundertelang als ein außergewöhnliches Phänomen, zu dessen Erklärung Kircher, Valvasor, v. Steinberg u. a. ein ganzes System von Höhlen, Hebern, Syphonen, Diabeten &c. zuhilfe nahmen, bis die Karstforschung unserer Zeit das Rätsel löste und zugleich feststellte, daß die gleichen Erscheinungen weit großartiger in den Kesselthälern des Dinarischen Karstes wiederkehren [1]).

Nicht das oberirdische, sondern das unterirdische Wasser verursacht die Überschwemmungen der Kesselthäler. Die aufgefangenen Niederschläge werden auf verborgenen Wegen in die Polje geleitet und dort von den Schlundflüssen, Quellen und Speilöchern ans Tageslicht gebracht. Der auffallende Regen trägt wenig zur Füllung der Becken bei, da er im Boden versinkt, sobald dieser noch nicht gesättigt ist. Daher tritt die Inundation der Polje später ein als die der normalen Thäler, denn hier läuft das Wasser von oben nach unten ab, dort muß es erst einen Umweg zurücklegen, um von unten nach oben getrieben zu werden, und unterirdisch, wie es gekommen, fließt es auch wieder ab. Solange sich Abfluß und Zufluß das Gleichgewicht halten, sind keine Überschwemmungen zu befürchten; sammelt sich aber mehr Wasser an, als die Abzugskanäle zu fassen vermögen, so staut sich der Überschuß zu einem See auf. Halten die Regengüsse tagelang an oder liefert der schmelzende Schnee überreiche Nahrung, so dauern die Überschwemmungen ununterbrochen fort und erreichen erst mit dem Aufhören der Niederschläge oder Schneefälle ihr Ende, da in den wenigen regen- oder schneefreien Tagen nur ein kleiner Teil des Hochwassers abfließen kann. Beträgt doch nach den Berechnungen Vicentinis

| | | | | | | | | | | | | | |
|---|---|---|---|---|---|---|---|---|---|---|---|---|---|
| im | Becken | von | Laas | der | Zufluß | 119 | cbm | und | der | Abfluß | 17 | cbm, |
| „ | „ | „ | Zirknitz | „ | „ | 155 | „ | „ | „ | „ | 85 | „ |
| „ | „ | „ | Planina | „ | „ | 79 | „ | „ | „ | „ | 21 | „ |

für 1 Sekunde!

Entsprechend der Regenverteilung bezeichnet in Bosnien und Montenegro die Zeit der Herbst-, Winter- und Frühlingsniederschläge die eigentliche Inundationsperiode, die gewöhnlich Ende Oktober beginnt und sich bis in den März hinein fortsetzt. In den Karstgebieten mit gleichmäßiger Regenverteilung ist die Trennung zwischen Hoch- und Niederwasserzeit weniger scharf ausgesprochen, und in Krain sind die Überschwemmungen in ihrem Eintritt und ihrer Dauer an gar keine bestimmte Zeit gebunden. Während die Kesselthäler der Dinarischen Alpen jeden Winter von Überschwemmungen heimgesucht werden, haben die Polje von Laas, Zirknitz und Planina in zehn Jahren durchschnittlich bloß einmal unter dem Hochwasser zu leiden; oft aber stellt es sich schon aller 2—3 Jahre ein oder wiederholt sich in einem Jahre mehrmals. Der berühmte Zirknitzer See, auf den wir leider nicht näher eingehen können, ist mitunter einige Jahre hintereinander überschwemmt und stand nach v. Steinberg einmal sieben Jahre lang unter Wasser. Zuweilen liegt er ebensoviele Monate trocken, und von dem beständigen Wechsel zwischen Trockenheit und Wasserbedeckung stammt das schon von Valvasor, Gruber, Hacquet und v. Hohenwarth angeführte geflügelte Wort, daß man auf dem Boden des lapnischen Sees in einem Jahre säen, ernten, jagen und fischen könnte, oder wie sich der alte Steinberg poetisch ausdrückt:

> Es zankt der Götter Schar zu Krainlands Ruhm und Ehre,
> Ob dessen Wohlfahrt nur Neptun allein vermehre.
> Dies Vorbild aber zeigt, daß auch Diana Gaben
> Auf diesem Wundersee im Überfluß zu haben.
> Da Pan durch schönes Holz sich hochgepriesen macht,
> So zeigt Ceres auch der grünen Felder Pracht.

Überhaupt bedeutet v. Steinbergs gediegene Arbeit „Gründliche Nachricht über den Zirknitzer See“ einen wesentlichen Fortschritt gegenüber dem Werke Valvasors „Die Ehre

---

[1]) Putick, Hydrologische Geheimnisse des Karstes, S. 44.

Krains &c.". Denn obwohl man aus gelegentlichen Vergleichen mit ähnlichen Erscheinungen des Auslandes, insbesondere Asiens und Afrikas, einen Überblick über die geographische Kenntnis seiner Zeit gewinnt, ist Valvasor vom Aberglauben so befangen, dafs Zaubermittel, Schlangen, der Teufel, der die Pilliche (Eichhörnchen) auf die Weide treibt, Hexen, Druden und Unholde, „deren in der Umgebung von Zirknitz in manchem Jahre mehr verbrannt werden als im ganzen Lande" &c., bei ihm eine grofse Rolle spielen. Dabei galt er als einer der aufgeklärtesten Männer seines Jahrhunderts, ein beredtes Zeugnis, wie sehr der Dreifsigjährige Krieg Bildung und Kultur untergraben hatte!

Gewaltig sind die Wassermassen, die sich zur Winterszeit in den Karstbecken zusammendrängen. Bei höchstem Stande enthält der Zirknitzer See 105 000 000 cbm Wasser, und das Hochwasser des Popovo Polje wurde 1883 auf 350 000 000 cbm geschätzt, das in 55 Tagen abflofs und zwar mit der ungeheuren Schnelligkeit von 15 m in der Sekunde (1 km in 67 Sekunden). Dafs die Abzugskanäle, also in erster Linie die Randponore, eine solche Wassermenge nur langsam abzuführen vermögen, liegt auf der Hand, und ebenso leuchtet es ein, dafs diese dank ihrer kolossalen Geschwindigkeit eine bedeutende mechanische Arbeit leistet und mächtige Trümmermassen mit fortreifst. Wurde doch das von der Trebinjčica mitgeschleppte Material im Popovo Polje auf 46 000 000 kg veranschlagt! Dann schwellen die harmlosen Bäche der Lukavica, Ponikvica und des Vojnik zu tiefen Seen an, die trügerischen Sumpfadern des Krupac und Slano Jezero verwandeln sich in ein 10 m tiefes Meer, dessen Branden und Toben bis nach Nikšić vernehmbar ist, und die trägen Karstflüsse des Nikšićko Polje treten aus ihren Ufern, sodafs der Verkehr auf der meilenweit überschwemmten Ebene aufserordentlich gehindert wird und 1881 nur mittels Kähnen aufrecht zu erhalten war. Die Brücken bei Trebinje sind nicht ohne Grund hoch über dem heimtückischen Wasser angelegt, die Rijeka von St. Kanzian steigt in den engen Naturschächten, wie Strandlinien und Flutmarken beweisen, bis zu 60 m empor, und es gewährt ein grofsartiges Schauspiel, wenn man von der Müllerburg oder der Dorfschmiede von St. Kanzian in die kochende Flut hinabblickt.

Die Überschwemmungen sind eine natürliche Folge der unentwickelten Thalbildung und der Entwaldung, und es sind die einfachsten hydrostatischen Gesetze, denen zufolge die wasserärmsten Gegenden zeitweilig von verheerendem Hochwasser heimgesucht werden. Die Dauer und Höhe der Überschwemmungen wächst von Jahr zu Jahr, weil die ohnehin engen Abzugskanäle durch Sand, Schlamm und Blockwerk verstopft werden und immer mehr den Dienst versagen, oder die Randponore liegen so hoch über dem Thalgrunde, dafs die Fluten erst bis zu deren Niveau ansteigen müssen, ehe sie abfliefsen können. Die Sauglöcher der Thalsohle kommen bei der Entwässerung kaum in Frage, da ihre schmalen Spalten von den Humusbsätzen langsam, aber sicher begraben werden und das Wasser schon jetzt nur unvollkommen aufschlucken können. Daher gehen alle Polje, die keine oder blofs wenige oder hochgelegene Randponore besitzen, zusehends der Ertränkung und Versumpfung entgegen, und so entstanden mit der Zeit die Moräste um den Scutari- und Kopais-See, die Sümpfe von Elmaly (Lykien), Lerna und Stymphalus, der Krupac und Slano Jezero, das Laibacher Moor &c.

Träte das Hochwasser nicht zur unrechten Zeit ein und wäre seine Dauer keine allzu lange, so hätte es keine nachteiligen Wirkungen, sondern übte eher einen befruchtenden Einflufs aus, indem es durch den mitgeführten Schlamm den Boden düngt. Da es aber Wochen oder Monate lang anzuhalten pflegt, so gibt die feuchte Niederung nur schlechtes Gras oder kümmerliches Getreide, und selbst der die Feuchtigkeit liebende Mais liefert keine gute Ernte. Wegen der zu kurzen Frist zwischen dem Abflufs und der Rückkehr des Wassers ist ein ausgiebiger Ackerbau unmöglich, und nicht selten vernichten die frühzeitig eintretenden Überschwemmungen die spärlichen Erträge. Ferner verbieten die bis in den Spätfrühling hinein dauernden Überschwemmungen die Aussaat von Winterfrüchten, und läuft das Wasser endlich ab, so bilden die zurückbleibenden Lachen ausgedehnte Sümpfe, deren verfaulende Stoffe die Luft verpesten und bösartige Fieber verursachen. Schon im alten Griechenland spielten die Moore von Stymphalos und Lerna als Sitze der menschenfressenden stymphalischen Vögel und der vielköpfigen Hydra von Lerna eine bezeichnende Rolle, und Mauer- und Kanalreste beweisen, dafs schon damals eine Regulierung jener gefürchteten Malariaherde versucht ward, eine Regulierung, welche die geschäftige Sage dem Wohlthäter der Hellenen, dem grofsen Heros Herkules, zugeschrieben hat. Aber nicht allein vom Standpunkte der Klimaverbesserung aus, sondern um wertloses Morastland in nutzbringende Felder zu verwandeln und den Überschwemmungen räumlich wie zeitlich ein Ziel zu setzen, erscheint eine Trockenlegung der Sümpfe und eine Verbesserung der Abflufsverhältnisse dringend geboten, und was Montenegro betrifft, so sind neben den Uferlandschaften des Scutari-Sees in erster Linie die Becken von Grahovo und Nikšić zu berücksichtigen. Dort wird der östliche Teil jeden Winter unter Wasser gesetzt, hier sind Krupac- und Slano-Sumpf die Träger lästiger Krankheiten. Zwar können beide wohl nie ganz beseitigt werden, da ihre Sohle tiefer als das Niveau der Ebene liegt, aber trotzdem wären 2000—3000 ha Land für die Kultur gewonnen, und mit dem Verschwinden der Moräste würden die Fieber von selbst aufhören[1]).

Anfangs beschränkte man sich darauf, den Überschwemmungen durch Reinigen der Randponore vorzubeugen und letztere durch ein Gitterwerk vor Verstopfungen zu sichern. Doch erwies sich dieses Verfahren als ungenügend, denn wenn die Schutzvorrichtungen fortgeschwemmt wurden, so klemmten sie sich in den Höhlengängen fest, hielten Erde und Steine zurück und vermehrten das Übel, statt es aufzuheben. Deshalb wurde seit 1881 im Krainer Karst eine neue Methode angewandt, indem man sich nicht mehr mit den Ponoren begnügte, sondern den unterirdischen Abflufsrinnen selbst zu Leibe ging. Man mufste zunächst den Zusammenhang der Polje-Reihen zu ergründen suchen, und nachdem derselbe theoretisch und praktisch nachgewiesen war, wurden die Höhlengänge an den engsten Stellen erweitert und die aufgehäuften Trümmermassen beseitigt, die unterirdischen Verbindungswege stets offen erhalten und die Randponore durch einen Einschnitt bis auf den Thalgrund geöffnet. Mit einem Worte, man erhöhte die Aufnahmefähigkeit der Ponore und verlegte die Überschwemmungen von der Oberfläche in die geräumigen Wasserhöhlen des Erdinnern. Es handelt sich also nicht darum, meilenlange Abzugsstollen herzustellen, wie Schmidl vorschlug, sondern die Entwässerungsarbeiten sind dank den natürlichen Vorbedingungen mit verhältnismäfsig geringen Kosten verknüpft. Durch Stauvorrichtungen wird der Abflufs beschleunigt, der Zuflufs verzögert und der Wasserstand reguliert, indem für die trocknen Monate genügend Vorräte aufgespeichert bleiben, während die Ausdehnung und Dauer des winterlichen Hochwassers wesentlich eingeschränkt wird. Ganz aufheben lassen sich die Überschwemmungen kaum, weil die entwaldeten Berghänge die gewaltigen Wassermengen nicht aufhalten können und weil einige Möglichkeiten, die das ganze Regulierungswerk stören können, bei der Beschaffenheit des subterranen Röhrensystems immer

[1]) Gruber a. a. O., S. 44. 45. 73. — Schmidl a. a. O., S. 150. 156. 198. — Urbas, Gewässer von Krain, S. 153. — Die Wassernot im Karste, S. 5. 50. 105—108. 144. — Tietze, Lykien, S. 339—342. — Tietze, Österreichische Küstenländer, Nr. 7. — v. Hauer, Wasserverhältnisse in den Kesselthälern von Krain, S. 8. 25. 27. — Kraus, Entwässerungsarbeiten in Krain, S. 1. — Kraus, Karsterforschungsarbeiten. (Gaea, S. 330 f.; Deutsch. u. Österr. Alpenverein, S. 3.) — Kraus, Karsterforschung, S. 144. — Kraus, Sumpf- u. Seebildungen in Griechenland, 376. 393—398. — Kraus, Karsterscheinungen, S. 93—95. 146. — Kraus, Wasserversorgung von Pola, S. 5. — Der Zirknitzer See. (Gaea, 1891, S. 1187.) — Putick, Unterirdische Flufsläufe von Krain, 1889, S. 57. — Putick, Ursache der Überschwemmungen in Krain, S. 316—319. — Putick, Katavothrons, S. 368 f. — Cvijić a. a. O., S. 76. 90—93. — Boblaye a. a. O., S. 320—323. — Neumann-Partsch a. a. O., S. 242. 250. 251. — Philippson a. a. O., S. 144 f. 440. 490. — Martel, Les Katavothres du Péloponnèse. (Revue de Géogr. 1892, S. 246. 251. 336. 338. — L. D. H., Illyrisches Gebirgsland, S. 421. — Groller v. Mildensee a. a. O., S. 80—88. — Riedel a. a. O., S. 159. 162. 170. 368 f. — Hoernes, Dinarische Wanderungen, S. 178. 295. — Boué a. a. O., I, 34. 38. — Boué, Karst- und Trichterplastik, S. 8. — Šestak und v. Scherb a. a. O., S. 14. — Rovinski a. a. O., S. 77. 82. 125. 212. 256. — Sobiesky a. a. O., S. 343.

aufser Berechnung bleiben müssen. Man mufs sich deshalb damit begnügen, den Schaden, welchen die Überschwemmungen anrichten, nach Kräften abzuwehren und das Hochwasser auf unschädliche Weise aus den Kesselthälern zu entfernen, und es ist schon ein Gewinn, wenn die Zeit zwischen Zu- und Abflufs, also zwischen Saat und Ernte, beträchtlich verlängert wird. Es wäre nicht einmal angebracht, das Wasser ganz und gar zu beseitigen, weil es dann nicht befruchtend wirken könnte und infolge seiner vermehrten Geschwindigkeit die Erde mit fortreifsen würde, ohne zum Absatze seiner eignen Sedimente Zeit zu gewinnen. Endlich mufs man durch Vertiefung des Bettes das Gefäll der trägen Polje-Flüsse beschleunigen, die jetzt nicht im stande sind, gröfsere Niederschlagsmengen eben so rasch aus der Ebene fortzuschaffen, wie sie in dieselbe gelangen. Die in den Kesselthälern des Krainer und bosnisch-hercegovinischen Karstes ausgeführten Entwässerungsarbeiten, um die sich besonders Kraus, Putick, Hrasky und Riedel verdient gemacht haben, sind der beste Beweis, wie bald die aufgewandte Mühe belohnt wurde[1]). Auf das Sumpfland des Nikšićko Polje und der Ebenen um den Scutari-See finden die in ihren Grundzügen angedeuteten Verbesserungsvorschläge in gleicher Weise Anwendung, und es wäre den Montenegrinern in ihrem eignen Interesse zu wünschen, dafs die schönen Erfolge, die der Nachbarstaat zu verzeichnen hat, ihnen ebenfalls ein Sporn zu schaffensfreudiger Thätigkeit sein möchten!

—

[1]) Gruber a. a. O., S. 73. — Schmidl a. a. O., S. 150. 156. 198. — Groller v. Mildensee a. a. O., S. 88—88. — Riedel a. a. O., S. 159—162. 170. — Die Wassersnot im Karste, S. 5. 50. 128. — v. Hauer a. a. O., S. 5. 9. — Kraus, Karsterforschungsarbeiten. (Gaea, S. 330—332; Deutsch. u. Österr. Alpenverein, S. 3—6.) — Kraus, Entwässerungsarbeiten in Krain, S. 1. — Kraus, Karsterforschung, S. 144. — Kraus, Sumpf- und Seebildungen in Griechenland, S. 397. — Kraus in: Die Österreichisch-Ungarische Monarchie, S. 287. — Kraus, Die Ursachen der Morast-Überschwemmung im Oktober 1888. (Laibacher Zeitung, 1889.) — Putick, Ursache der Überschwemmungen in Krain, S. 318. — Putick, Katavothren, S. 368—370. 374. — Putick, Unterirdische Flufsläufe von Krain, 1889, S. 58. — Putick, Über hydrologische Forschungen an den Höhlenflüssen des Karstes. (Zentralbl. f. d. gesamte Forstwesen, Wien 1890, S. 41.)

## VII. Das Klima.

Das Klima der Schwarzen Berge ist erst in den allgemeinsten Grundzügen bekannt. Meteorologische Stationen gibt es nur in Antivari und Dulcigno, und beide, die vor 13 Jahren errichtet wurden, sind dürftig ausgerüstet und dienen in erster Linie nautischen Interessen. Außerdem gewähren sie wegen ihrer Lage an der Küste für das Klima des Westens und Ostens keine Anhaltspunkte, und die Beobachtungen, die Dr. Miljanić ein Jahr lang in Podgorica, Dr. Feuvrier und Jergović, Ljepava und Baring mehrere Jahre hindurch in Cetinje anstellten[1]), sind weit davon entfernt, ein abschliefsendes Bild über Temperaturgang, Luftdruck &c. zu geben. Wohl hat Rovinski während eines Zeitraumes von 7 Jahren mit unermüdlichem Fleifse eine Menge klimatischer Aufzeichnungen gesammelt; aber wie die andern Reisenden konnte auch er blofs Bausteine zusammentragen, da es in der Natur der Sache liegt, dafs der flüchtige Wanderer nur lückenhafte, zusammenhanglose Notizen machen kann. Man mufs deshalb vielfach Rückschlüsse aus der Schneelagerung, der Quellentemperatur, der Blütezeit und den Höhengrenzen der Pflanzen ableiten, und die folgenden Zeilen wollen es versuchen, die zerstreuten Beobachtungen zu einer klimatischen Übersicht zusammenzufassen.

Das Klima eines Landes ist abhängig von der geographischen Breite und der Luftdruckverteilung und wird durch die Oberflächengestaltung, die Meereshöhe und andre örtliche Ursachen wesentlich beeinflufst. Im Sommer breitet sich über den mittlern Teil des Atlantischen Ozeans ein Luftdruckmaximum und über die stark erhitzten Landmassen Nord-Afrikas und Inner-Asiens ein barometrisches Minimum. Infolgedessen fliefsen die Winde aus den Gebieten schwereren Luftdrucks ins Bereich des leichtern Luftdrucks ab, so dafs auf der nordwestlichen Balkan-Halbinsel Westwinde vorherrschen, die von den gewaltigen Bergketten zu Nordwest- und Nordwinden abgelenkt werden. Weil sie auf ihrem Wege den gröfsten Teil ihrer Feuchtigkeit abgegeben haben, erscheinen sie in Montenegro als trockne Winde, und ihnen ist der drückende Regenmangel des Sommers wie die wundervolle Klarheit der Luft zuzuschreiben. Auf das Jahr entfallen durchschnittlich 180 helle Tage, und der Himmel ist im Küstenlande und demnächst im Karste am reinsten, so dafs er wochenlang von keiner Wolke bedeckt wird. Ja in Scutari war vom 23. Mai bis Ende September 1879 nicht ein einziges Wölkchen zu bemerken. Daher kann am Tage die Sonne ihre volle Kraft entfalten; nachts dagegen wird die Kälte empfindlich fühlbar, weil sich das kahle Gestein eben so rasch abkühlt, wie es sich erhitzt.

Die Stärke der Winde ist sehr verschieden. Bald spielen sie als laue Lüftchen mit den halbverdorrten Karststräuchern, bald sind sie als kühle Luftbewegungen willkommen oder schlagen plötzlich zu einer kräftigen Brise um. Die im Primorje häufig wehenden

---

[1]) Schwarz a. a. O., S. 393. — Rovinski a. a. O., S. 163. 168. 205. — Hann, Zum Klima von Cetinje. 1893, S. 158.

West-, Nordwest- und Nordwinde — Ponente, Maestral, Tramontana — rühren das Meer zu kurzen Wellen auf und sind nicht ohne Grund gefürchtet, da sie die kleinen Küstenfahrzeuge auf den Strand oder zwischen die Klippen treiben. Steigert sich der Wind zum Sturm, dann rast die Bora über die schutzlosen Hochebenen und stürzt als eisiger Fallwind in die Niederungen hinab. Die Verwüstungen, die sie anrichtet, spotten jeder Beschreibung, und durch ihre furchtbare Gewalt wirft sie sogar schwer beladene Lastzüge aus den Schienen. Nicht umsonst sind in Triest und in den dalmatinischen Städten längs des Bürgersteiges niedrige Pfeiler angebracht, die bei einsetzender Bora mit Tauen umwickelt werden, damit man sich an ihnen festhalten kann. Dem entsprechend sind auch die Erosionswirkungen des fessellosen Orkans, auf die schon B. Studer hinwies, von nicht zu unterschätzender Bedeutung, denn die fortgetragenen Steinsplitter reiben einander ab und wirken durch ihren kräftigen Anprall auf die Felsplatten wie ein Sandstrahlgebläse, das eine Glasscheibe binnen kurzem matt und uneben macht. Die rauhe Oberfläche der Karren ist sicherlich nicht blofs durch die Thätigkeit der Pflanzen und des Wassers, sondern auch durch die mechanische Arbeit der Kalkbröckchen entstanden, und an geschützten Stellen findet man winzige Dreikanter, die ein untrüglicher Beweis für die Wind-Erosion sind. Wie aber die Bora auf der einen Seite die Vegetation tötet, so weht sie anderseits in den Dolinen fruchtbares Erdreich zusammen, und im montenegrinischen Meere ist ihre Kraft so weit gebrochen, dafs sie dort niemals so furchtbar wütet wie in dem verrufenen Quarnero.

Die verschiedenen Ansichten über die Entstehung der Fallwinde stimmen darin überein, dafs kalte, schwere Luft von einer steilen Gebirgswand in die leichten, warmen Luftschichten des Tieflandes und der Küste hinabstürzt, sei es, dafs die Wanderung und Verteilung der barometrischen Minima oder plötzlich sich bildende Teildepressionen oder lokale Ursachen die Veranlassung hierzu geben. Die von Randgebirgen umschlossenen Karstplateaus sind die eigentliche Heimat der Bora, denn in ihnen sammelt sich die eisige Winterluft so lange an, bis sie den Rand erreicht, überfliefst und mit verheerender Gewalt zu Thal stürzt. Mit Vorliebe benutzt sie die tief eingeschnittenen Flufsrinnen als Abzugskanäle, und hieraus erklärt es sich, dafs die Pflanzenbedeckung des Morača-Thales und der Ebene von Podgorica an Üppigkeit hinter derjenigen der Zeta-Niederung zurücksteht[1].

Da die Bora als ausgesprochener Landwind aus Norden oder Nordosten kommt und sich, soweit sie durch die Luftdruckverhältnisse bedingt wird, am häufigsten im Winter und Frühling einstellt, so vermittelt sie den Übergang vom Sommer- zum Winterklima, das ein durchaus andres Gepräge trägt. Jetzt liegt ein barometrisches Maximum über den Wüsten und Steppen Afrikas und Asiens, die Luftströmungen fliefsen aus dem Innern der Kontinente nach dem Meere ab und erscheinen in Montenegro als Süd-, Südwest- und Südostwinde (Scirocco), die sich auf ihrem Wege über das Mittelländische Meer mit Feuchtigkeit beladen. Im Gegensatze zu den trocknen Sommerwinden bringen also die Winterwinde Schnee (im Gebirge) und Regen (an der Küste und im Tiefland), und dem Kontinentalklima des Sommers steht das maritime Klima des Winters gegenüber. Der Scirocco (Südost), der gewöhnlich drei Tage und drei Nächte anhält, ist für die Schiffer am gefährlichsten, weil er die höchsten, breitesten und längsten Wellen aufweist, die nach Rovinski bis 4 m hoch, 9 m breit und 33 m lang werden sollen. Nicht minder gefährlich sind die Süd- und Südwestwinde, welche die Wellen mit aller Gewalt ans Ufer schleudern, so dafs sich nur grofse, stark gebaute Fahrzeuge der Brandung aussetzen dürfen.

Wie sich im Winter Bora und Scirocco um die Herrschaft streiten, so kämpfen im Laufe des Jahres südliche und nördliche Winde miteinander, und nach einer von Frilley

---

[1]) Studer a. a. O., I, 334. — F. Seidl, Über das Klima des Karstes. (Jahrb. d. Krain. Mus.-Vereins Laibach, 1890, S. 334.) — W. Köppen, J. Hann über den Föhn in Bludenz. (Met. Ztschr., 1882, S. 167.) — Philippson a. a. O., S. 461. — Tietze a. a. O., S. 99. — Rovinski a. a. O., S. 168. 194. 197. — Supan a. a. O., S. 225.

und Vlahović aufgestellten Tabelle, die auf Genauigkeit allerdings keinen Anspruch macht, verteilen sich die Nord-, Nordost, Nordwest- und Westwinde auf 171, die Süd-, Südwest-, Südost- und Ostwinde auf 194 Tage. Neben den vorwaltenden gibt es natürlich noch eine ganze Zahl örtlicher Luftströmungen, z. B. Land- und Seewinde, Berg- und Thalwinde, da sich der zwischen Land und Meer stattfindende Luftaustausch nicht nur im Sommer und Winter, sondern auch am Tage und in der Nacht wiederholt. Bei Tage strömt die kühlere Seeluft landeinwärts, nachts kehrt sich der Vorgang um, und dadurch wird sowohl die Tageshitze wie die Nachtkühle gemildert, so daſs das Primorje zu den reichsten und gesündesten Bezirken des Fürstentums gehört. Wie ferner jeder ausgedehnte Wasserspiegel einen gewissen Einfluſs auf das Klima seiner Umgebung ausübt, so wird auch der Scutari-See von zwei vorherrschenden Winden bestrichen. Der eine ist für die aus Scutari Kommenden angenehm und heiſst Danik oder Istočnik, weil er bei Tage und aus Südosten weht (dan = Tag, istok = Osten), der andre, Noćnik oder Nachtwind (noć = Nacht), stellt sich gegen Abend ein und ist als Nordwestwind für die nach Scutari Fahrenden günstig. Von andern eigentümlichen Luftströmungen besitzen der aus Norden wehende Upor oder Smuta (= Schneegestöber) und der aus Osten kommende Murlan einen boraartigen Charakter, weil sie als schwere Fallwinde vom Gebirge herabstürzen, starke Wellen aufrühren und gefährliche Wirbel erzeugen. Mit den ab- und inlandigen Küstenwinden haben die Winde der Gebirgsthäler einige Ähnlichkeit, indem die Luft bei Tage die Berghänge hinauf, bei Nacht längs derselben nach abwärts flieſst. Auch in Montenegro kehren diese Wechselwinde wieder und werden von den Hirten nach der Zeit ihres Auftretens ebenfalls Danik und Noćnik (Tag- und Nachtwind) genannt. Zu ihnen gesellen sich noch einige lokale Winde. Im Durmitor- und Kom-Gebiet weht mitten im Sommer der Krivac, ein kalter, von heftigem Schneegestöber begleiteter Südwestwind, der Baldacci am 20. August 1891 auf dem Jablanov Vrh und mich an demselben Tage im Durmitor überraschte; und ähnliche Eigenschaften läſst ein aus der Gegend von Kolašin kommender Nordwestwind, der Kolašinac, erkennen[1]).

Die Niederschläge sind räumlich und zeitlich an die Richtung und Häufigkeit der Winde gebunden, und nach ihrer Verteilung kann man in Montenegro zwei Hauptgebiete unterscheiden. In der Crna Gora und im Primorje stehen sich die sommerliche Regenarmut und die winterliche Regenfülle des Mittelmeerklimas schroff gegenüber, während in den Brda die Niederschläge gleichmäſsig über das ganze Land verteilt sind.

Der Karst ist keineswegs regenlos, wie man wegen der Trockenheit seiner Oberfläche vermuten möchte, sondern er gehört zu den niederschlagreichsten Gegenden Europas und wird bloſs von the Stye im Seenbezirk von Cumberland übertroffen, dessen jährliche Regenmenge 4720 mm beträgt. In Cetinje erreicht sie im Jahresdurchschnitt die beträchtliche Höhe von 2934 mm, und die Messungen der neu eingerichteten Station Crkvice in der Krivošije ergaben sogar eine solche von 4293 mm[2]). Aber dieser wahrhaft tropische Regen

[1]) Wessely a. a. O., S. 95 f. 230 f. — Moser, Karst, S. 31. 32. — Seidl a. a. O., S. 333—340. — Frilley et Vlahovitch a. a. O., S. 409. — Kapper a. a. O., S. 658. — K—r a. a. O., S. 312. — Rovinski a. a. O., S. 168—171. 181. 182. 197. 207 f. — Baldacci, Altre Notizie &c., S. 50. 51. 65. 66. 69. 79.

[2]) 1888 fielen in Cetinje 2137, in Crkvice 3450 mm Niederschläge, die das Jahr darauf in der Krivošije die ungeheure Höhe von 5032 mm erreichten. Die jährliche Niederschlagssumme beträgt in Scutari 1355, Cattaro 1877, Triest 1110, Laibach 1420, Hermsdorf (Krain) 3173, Salzburg 1160 mm.

| | Regenmenge in mm. | | Jahrestemperatur in Graden C. (nicht reduziert). | |
|---|---|---|---|---|
| | Crkvice 1887/91. | Cetinje 1887/93. | Cetinje 1887/91. | Podgorica 1888/89. |
| Januar | 372 | 328 | — 2,6 | 5,5 |
| Februar | 452 | 268 | 0,7 | 6,9 |
| März | 448 | 362 | 4,7 | 8,9 |
| April | 500 | 406 | 9,7 | 15,6 |
| Mai | 163 | 147 | 15,7 | 21,3 |
| Juni | 78 | 93 | 19,6 | 24,5 |

fällt zum allergröfsten Teil während des Winters, weil zu dieser Zeit die mit Feuchtigkeit beladenen Winde aus den südlichen Quadranten vorherrschen. Auf dem rauhen Gebirge erscheint er daher als Schnee, und die gewaltigen Massen, die 6—7 Monate lang den Boden verhüllen, machen oft noch im Mai, ja in besonders schneereichen Jahren (1877/78) noch im Juni jeden Verkehr unmöglich. Verzeichnet doch Station Crkvice allein für den November 1891 1704 mm Niederschläge! In Cetinje ist deren Menge wesentlich geringer, denn für das Winterhalbjahr (November bis April) beträgt sie etwa 2700 mm, wovon auf den November, der auch hier der regenreichste Monat ist, 486 mm kommen.

Im Hochgebirge beginnen die Schneefälle Ende September, doch halten sie nicht lange vor, und erst wenn der November seine Schneemassen ausschüttet, überziehen sich Kämme und Gipfel mit einer tadellosen weifsen Haube. Auf der Sinjavina Planina ragen die Schneemauern zuweilen bis zum Giebel der niedrigen Häuser empor, deren weit über die kleinen Fenster vorspringende Dächer stark geneigt sind, damit der auflastende Schnee leichter abrollen kann und nicht durch sein Gewicht das Holzwerk eindrückt. Auf dem offnen Plateau erreicht der weifse Mantel sogar 10 m Mächtigkeit, und dann sind die Eingebornen zur Aufrechterhaltung des Verkehrs auf Schneeschuhe angewiesen. Auch im Gacko Polje breitet sich der Schnee bereits im Oktober über die Erde, und viele der auf dem weiten Plane zerstreuten Grabdenkmäler sollen der Sage nach zur Erinnerung an den Tod ganzer Karawanen und Hochzeitszüge errichtet worden sein, die durch Kälte und Schneegestöber elend zu Grunde gingen. Jeden Winter unterbinden Schneewehen den Wagenverkehr zwischen Cetinje und Cattaro, und oft kommen selbst die als gewandte, rüstige Fufsgänger bekannten Montenegriner nicht mehr fort. Treten unerwartet laue Winde ein, so wird der Schnee in kürzester Zeit weggeschmolzen, und die ungenügend entwässerten Kesselthäler verwandeln sich mit einem Male in einen See.

Bricht endlich der Frühling an, so ist das Dröhnen der Lawinen das Glockengeläute, unter dem er seinen Einzug hält. Überall lösen sich mächtige Schneemassen ab und rollen, zusehends gröfser werdend, die steilen Hänge hinab. Sie bringen dem Menschen selten Gefahr, weil sie aufserhalb des Bereiches seiner Wirksamkeit niedergehen und weil die Siedelungen durch die in den Brda weit verbreiteten Bannwälder geschützt werden. An ihnen erlahmt die Kraft der Schneestürze, doch knickt sie die schwersten Stämme reihenweise um, und die wetterfesten Fichten und Buchen des Kom sind am untern Teile ihres Stammes ausnahmslos krumm gebogen, weil durch die Lawinen schon das junge Stämmchen gebeugt ward und in dieser Lage weiterwuchs. Der Donner der niederbrausenden Schneestürze und das Krachen der entwurzelten Bäume ist im Thale Konj u he und in der Drcka-Schlucht deutlich vernehmbar, und manche Bergrücken, z. B. der Drecin Usov und Zagon, haben ihren Namen von den Lawinen erhalten.

Der Gegensatz zwischen übermäfsiger Trockenheit und Feuchtigkeit kehrt im Winter insofern wieder, als manche Tage arm und andre überreich an Niederschlägen sind, so dafs in Cetinje Regenhöhen von 100—222 mm (letztere z. B. am 29. November 1889) an einem Tage keine ungewöhnliche Erscheinung bedeuten. Im allgemeinen halten die Regen-

| | Regenmenge in mm. | | Jahrestemperatur in Graden C. (nicht reduziert). | |
|---|---|---|---|---|
| | Crkvce 1887/91. | Cetinje 1887/91. | Cetinje 1887/91. | Podgorica [illegible] |
| Juli | 78 | 20 | 21,8 | 26,3 |
| August | 56 | 28 | 21,3 | 25,6 |
| September | 223 | 200 | 17,4 | 20,0 |
| Oktober | 556 | 309 | 11,7 | 13,1 |
| November | 910 | 486 | 6,5 | 9,3 |
| Dezember | 457 | 387 | 0,4 | 5,4 |
| Jahr | 4293 | 2934 | 10,4 | 15,4 |

und Schneefälle 6—7 Monate lang an, und die Niederschlagsmenge wie die Anzahl der Regentage ist im November und April, also zu Beginn und Ende der Regenzeit, am gröfsten. Leider spendet das überreiche Nafs keinen Nutzen, da es schnell im klüftigen Kalke versickert und obendrein zu einer Zeit fällt, in der die Pflanzen längst verwelkt sind. Eher schadet es durch seinen Überflufs, da es die Ebenen überschwemmt, durch seine mechanische Gewalt die Erde fortträgt und dadurch wesentlich zur Humusentkleidung der Gehänge, der sogenannten Verkarstung oder Versteinung, beiträgt.

Was wollen aber die wenigen Regentage und die aufserordentlich geringen Niederschlagsmengen der Monate Juni bis August bedeuten? Rovinski nimmt für den Karst 110, Frilley 134 und Hann 161 Regen- und Schneetage an, von denen auf die drei Sommermonate kaum 18 Tage mit zusammen 150 mm Niederschlagshöhe kommen. Dabei sind die Niederschläge kurze, bald vom Boden aufgesaugte Gewitter- oder länger dauernde Landregen, und oft geschieht es, dafs die gesamte Niederschlagsmenge eines Monats an einem Tage zur Erde niederrauscht, während die übrigen Tage des erquickenden Nasses gänzlich entbehren. Im August 1890 fiel im Karste der Crna Gora kein Tropfen Regen, und die 2½monatliche Regenlosigkeit des Sommers 1879 wie die 4monatliche Trockenheit von 1887 sind noch in aller Munde. So kommt es, dafs von der Ergiebigkeit der Frühlingsregen das Wohl und Wehe der Karstbevölkerung abhängt. War die Niederschlagsmenge unbedeutend, so ist schon Ende Mai alle Feuchtigkeit aufgezehrt, und wenige Wochen später sind die Pflanzen verbrannt und die Quellen versiegt. Die Sommerdürre von 1887 gestaltete sich zu einer so furchtbaren, dafs kein Vogel im wasserlosen Cetinjsko Polje blieb und dafs bereits in der letzten Augustwoche die Blätter abfielen. Zusehends welkten die Feldfrüchte dahin, das Vieh mufste massenweise geschlachtet werden, weil es keine Nahrung fand, und hätte nicht Rufsland, wie so oft, Lebensmittel gespendet, so wäre diese wie manche andre Hungersnot von den verhängnisvollsten Folgen begleitet gewesen. In jenen Jahren kamen die Regenwolken aus Norden und Nordosten, so dafs sie ihre Feuchtigkeit in den hohen Gebirgen Bosniens und der Brda abgaben und als vollständig trockene Winde in die Crna Gora gelangten. Sind umgekehrt die Winter streng und schmilzt der Schnee erst spät weg, so können die Eingebornen ihre Grundstücke nicht rechtzeitig bestellen, die Ernte wird nicht mehr reif, und dann sind Hungersnöte wie diejenige des Jahres 1890 ebenfalls unvermeidlich. Kein Wunder, dafs die Wasserfrage für die schwer geprüften Karstbewohner geradezu eine Lebensfrage ist und dafs selten ein Jahr vergeht, in dem sie den Himmel nicht durch feierliche Wallfahrten zu den Grabstätten der Heiligen um Regen anflehen.

Auch das Küstenland und die Niederungen um den Scutari-See leiden im Winter unter unbehaglichen Regengüssen und im Sommer unter drückendem Regenmangel, der sich bis zur Regenlosigkeit steigern kann. Doch bieten die mit Feuchtigkeit beladenen Seewinde und der starke Nachttau reichlichen Ersatz, und deshalb ist in den gesegneten Gefilden die schaffende Natur das ganze Jahr über thätig. Schneefälle sind eine seltene Ausnahme und kehren höchstens ein Jahr ums andre bei anhaltender Bora wieder. So fiel in Dulcigno Schnee am 21. und 23. Januar 1881, um sofort wieder zu verschwinden, und die unbedeutenden Schneefälle, die am 20. Januar 1885 in Rijeka stattfanden, wiederholten sich einige Tage später (am 24. und 25. Januar) in Scutari und im Štoj. Die Ebene von Podgorica dagegen hat im Winter unter heftigen Stürmen und Platzregen viel zu leiden, da sie den rauhen Nordwinden ausgesetzt ist, der Schnee bleibt dort mehrere Tage liegen und fiel am 5. Dezember 1883 so massenhaft, dafs er 25 cm Höhe erreichte. Demnach gehen in Montenegro die Schneefälle, wenn sie im Küstenlande auch selten länger als eine Stunde andauern, bis zum Meeresspiegel hinab.

Je mehr man sich von der Adria nach Osten entfernt, um so gleichmäfsiger wird die Niederschlagsverteilung, und im Karstgebiete des Durmitor ist die Sommerdürre viel weniger scharf ausgesprochen als in der Crna Gora. Juli und August, die hier wegen ihrer Trockenheit berüchtigt sind, bringen dort ziemlich viel Wasser, die Matten bewahren ihr frisches Grün, und starke Landregen, die mich auf der Javorje Planina drei Tage lang in einer elenden Sennhütte festhielten und meine Wanderung von Kuliči nach Crkvica und Trse zu einer nicht sonderlich angenehmen machten, verraten dem Reisenden, dafs er in eine Zone eindringt, deren Klima sich immer mehr dem mitteleuropäischen anpafst. Darum ist in der Schieferlandschaft die Bewässerung ganz anders als im Karste, und die reichlich bemessenen Niederschläge in fester und flüssiger Form geben zahllosen nie versiegenden Quellen und Bächen das Leben [1]).

Mit der Regenverteilung, der mittlern Jahrestemperatur und der Oberflächengestaltung geht eine wichtige Erscheinung, die Schneelagerung, Hand in Hand. Zwar ragen die

[1]) Bobizye a. a. O., S. 318. — Riedel a. a. O., S. 161. — Wessely a. a. O., S. 95. 230—244. — Hann, Die gröfsten Regenmengen in Österreich. (Met. Ztschr., 1890, S. 145—147; 1894, S. 191—194.) — Hoernes a. a. O., S. 192. — v. Asboth a. a. O., S. 315. — Hann, Klima von Cetinje, S. 158. 159. — Boué, Recueil d'itinéraires, II, 202. — Pricot de St-Marie, L'Herzégovine, 1875, S. 52. — Frilley et Wlahovitch a. a. O., S. 407. 408. — Tietze a. a. O., S. 96. — Sermet a. a. O., S. 186. — Baring, Report on a journey in Montenegro, 1888. — Rovinski a. a. O., S. 104. 162—169. 177. 180. 188. 387. — Hassert a. a. O., S. 79. 153. — Es würde zu weit führen, die von Rovinski während eines siebenjährigen Aufenthalts gesammelten Daten über Regen-, Gewitter-, Schnee-, Wind-, Frosttage &c. (S. 183—187) aufzuzählen, und ich will mich auf meine Aufzeichnungen über Regen und Gewitter beschränken.

| Ort. | Meereshöhe in m. | 1891. | Bemerkungen. |
|---|---|---|---|
| Cetinje | 660 | 23. V. | Regen. |
| | | 25. | starker Platzregen. |
| | | 27. | Regen. |
| Podgorica | 30 | 31. | vierstündiger Gewitterregen mit Hagel. |
| Spuž | 40 | 1. VI. | starker Gewitterregen. |
| Danilovgrad | 50 | 2. | „ „ |
| Bukovica (Prekornica) | 1000 | 4. | einzelne Regentropfen. |
| Nikšić | 660 | 9. | schwacher Regen. |
| | | 11. | einzelne Tropfen; nachts Regen. |
| Presjeka | 850 | 12./13. | starker Regen. |
| | | 13. | Regen. |
| Gacko | 960 | 15. | „ |
| Čemerno | 1165 | 17. | starker Gewitterregen. |
| Gacko | 960 | 18. | zuweilen Regen. |
| Kazanci | 983 | 19. | „ „ |
| | | 22. | starker Gewitterregen. |
| Drpe | 833 | 27. | Gewitter ohne Regen. |
| Petrovići | 750 | 28. | kurze Gewitterregen. |
| Grahovo | 712 | 3. VII. | Gewitter ohne Regen. |
| Rudine | 854 | 4. | starker Gewitterregen. |
| Konjsko | 1471 | 8. | „ „ |
| Kloster Morača | 314 | 10. | „ „ (auch nachts). |
| bis Polje | 669 | 11. | sehr starker Regen. |
| Tušina | 983 | 13. | starker Regen. |
| Mokro (Vojnik) | 1092 | 14. | kurze Sprühregen. |
| Barni Do | 1462 | 18. | feiner Regen. |
| Foča | 408 | 20. | starker Gewitterregen. |
| Suha | — | 25. | „ „ |
| Grudae | 439 | 6. VIII. | Gewitter ohne Regen. |
| Komana | 436 | 7. | „ „ „ |
| Danilovgrad | 50 | 7./8. | starker Gewitterregen. |
| Kolašin | 978 | 13. | schwacher „ |
| Škrk Do | 1717 | 20. | Gewitterregen mit Hagel und Schnee. |
| Žabljak | 1515 | 23. | starker Regen. |
| Dobri Do | 1656 | 26. | feiner „ |
| Nikšić | 660 | 1. IX. | starker Gewitterregen. |
| Danilovgrad | 50 | 4. | „ „ |
| Medun | 469 | 8. | Gewitter mit feinem Regen. |
| Ubli | 500 | 9. | feiner Regen. |
| Kolašin | 978 | 16. | starker Gewitterregen. |
| Bijoče | 90 | 21. | „ „ |
| Podgorica | 30 | 22. | „ „ |
| Bijelopolje | 30 | 24. | „ „ |
| Zogranj | 11 | 4. X. | kurzer „ |
| Scutari | 10 | 5. | „ „ |
| | | 6. | starker „ |

Schwarzen Berge nicht bis zu jenen Höhen empor, wo die Niederschläge das ganze Jahr über in fester Form fallen, und es fehlt ihnen die klimatische Firngrenze, d. h. die zusammenhängende Schneedecke, die in Süd-Europa bei 3000 m ihren Anfang nimmt, während die höchsten Gipfel Montenegros nicht über 2600 m hinaufreichen. Dafür läßt sich die orographische Firngrenze, d. h. die Linie, welche die untern Ränder der dauernden Firnflecken und Firnfelder verbindet, um so sicherer nachweisen.

Im Winter zieht sich eine zusammenhängende Schneehülle bis 500 m und noch tiefer hinab, und man kann die Höhe von 1000 m als diejenige Linie bezeichnen, oberhalb deren die Berge vom November bis zum März mit einem bleibenden Winterschneemantel bekleidet sind. Sobald aber die warmen Winde und Regengüsse des Frühlings sich einstellen, verschwindet der Schnee von den durchschnittlich 600 m hohen Karstplateaus der Crna Gora überraschend schnell, während er sich in den höhern Brda entsprechend länger hält. Ende April ist West-Montenegro im allgemeinen schneefrei, auf der Sinjavina Planina und Lukavica dagegen sind Mitte Mai noch zahllose hartgefrorene Schneefelder zerstreut, die eine Länge von mehreren hundert Metern und eine ebensolche Breite besitzen. Als ich am 1. Juli 1892 die baumlose Hochebene Velja Kostica (1800 m) durchwanderte, waren die tiefern Schluchten noch bis zum Rande mit Schnee erfüllt, und beiderseits des Weges, den die Spuren von Menschen und Tieren andeuteten, breiteten sich Schneeflächen von einer Ausdehnung und Mächtigkeit aus, wie ich sie im August 1891 nicht einmal im Durmitor gesehen hatte und wie man sie nur in den Hochregionen der Alpen anzutreffen gewohnt ist. Auch die Široka Korita und das Plateau Širokar waren mit Schneeflecken besät, die aber denen der Kostica noch lange nicht gleichkamen und wie die freien Schneemassen des Durmitor spätestens im August weggeschmolzen werden. Man kann also 1800 m Meereshöhe als die tiefste Grenzlinie bezeichnen, bis zu der abwärts freie Firnlager auf der Hochebene den Sommer überdauern.

Die gleichen Vergünstigungen, deren sich die höhern Plateaus der Brda gegenüber der Crna Gora erfreuen, haben die Gebirge des Ostens vor den niedrigern Bergketten des Westens voraus. Hier zieht sich der Schnee von den sonnendurchglühten Kalkwänden zusehends in den Wald und in die Schluchten oberhalb der Waldgrenze zurück, aber auch hier sind seine Tage gezählt, und sämtliche Bergzüge West-Montenegros verlieren im Juni

| Ort. | Meereshöhe in m. | 1892 | Bemerkungen. |
|---|---|---|---|
| Kralac | 934 | 10. VI. | Regen. |
| Štitovnik | 1350 | 11. | öfters Regenschauer. |
| Njive | 246 | 21. | Gewitter mit wenig Regen. |
| Podgarica | 30 | 26. | " " " " |
| Orahovo | 860 | 29. | Regen. |
| Kostica | 1600 | 30. | " |
| Andrijevica | 791 | 6. VII. | Gewitter ohne Regen. |
| | | 11. | " " " |
| Glava (Kom) | 1662 | 12. | starker Gewitterregen. |
| Kolašin | 978 | 15. | " " |
| | | 18 19. | " " |
| Plašnica | 1000 | 19. | " " |
| Skočen (Semina Pl.) | 1618 | 19. 20. | " " |
| Javorje Pl. | 1681 | 20. | " " |
| | | 21. | ununterbrochener Landregen. Die höheren Berge überziehen sich mit Neuschnee. |
| | | 22. | |
| | | 23. | |
| Dobri Do | 1656 | 31. | zuweilen feiner Regen. |
| Kolica | 1407 | 1. VIII. | " " " |
| Crnač | 1324 | 2. | starker Gewitterregen. |
| Crkvica | 1125 | 2/3. | " " |
| bis Trsa | 1400 | 3. | Landregen tagsüber. |
| Latično | 1000 | 7. | starker Gewitterregen mit Hagel. |
| Velimje | 878 | 12. | starker Gewitterregen. |
| Grab | 636 | 22. | " " |

Insgesamt 227 Beobachtungstage, darunter 71 Regen- und Gewittertage.

die letzten spärlichen Schneereste. Nur auf dem Lovćen und Njegoš scheinen einzelne Firnfleckchen der Sommerhitze zu trotzen, und es sei an dieser Stelle erwähnt, dafs sich zwischen Lovćen und Štirovnik eine Eishöhle befindet, deren Inhalt nach Cetinje und Cattaro gebracht und dort verkauft wird[1]). Überhaupt werden Eishöhlen im Karste öfters beobachtet, und für ihre Anwesenheit spricht auch der häufig wiederkehrende Name Ledenica Pećina (led = Eis, pećina = Höhle).

Das kühle Klima der Brda bleibt auf die Schneelagerung ebenfalls nicht ohne Einflufs. Prekornica, Moračko Gradište, Kom, Vojnik, Durmitor &c. bergen ergiebige Firnmassen in ihren Klüften, bei den letztgenannten beiden Gebirgen reicht noch im Mai eine zusammenhängende Schneehülle bis zum Waldgürtel hinab, und freie Schneelager sind auf ihnen noch Ende Juli in beträchtlicher Zahl und Ausdehnung vorhanden. Ferner rückt in Nord- und Mittel-Montenegro die Grenze der den Sommer überdauernden Firnflecken bis zu 1700 m hinab und endet am Kom bei 1800 m und an der Žijovo Planina bei 1900 m, vermutlich deshalb, weil diese Gebirgsstöcke ziemlich isoliert und arm an Schluchten sind und ein milderes Klima besitzen als die massigern und viel schneereichern Massive des Durmitor und Vojnik. Trotz der Nachbarschaft der unwirtlichen Alpen Albaniens und der rauhen Kostića gelangen die warmen Luftströmungen vom Meere bis zum Kom, weil ihnen nicht wie in Nord-Montenegro vorgelagerte Gebirgswälle den Weg versperren. Pflanzen, die am Kom Anfang August schon Früchte trugen, standen auf den Plateaus bei Kolašin Mitte August kaum in Blüte, und als Rovinski im Oktober die südlichen Abhänge des Durmitor besuchte, zitterte er vor Frost, weil der über die schneebedeckten, durchkälteten Hochebenen wehende Süd als einziger Wind auftritt. An den östlichen und südlichen Abhängen des Kom dagegen ist er verhältnismäfsig mild und erzeugt sogar mitten im Winter das behagliche Gefühl der Frühlingswärme. — Jedenfalls liegt in Südost-Montenegro die orographische Firngrenze höher als in Nordost-Montenegro, während sie der niedrigeren, sonnendurchglühten Crna Gora gänzlich fehlt[2]).

---

[1]) Schwarz a. a. O., S. 306. — Rovinski a. a. O., S. 135. — van Hees a. a. O., S. 275.

[2]) Ratzel, Zur Kritik der sogenannten Schneegrenze. (Leopoldina, 1886, S. 8.) — Ratzel, Höhengrenzen u. Höhengürtel. (Zeitschr. d. Deutsch. u. Österr. Alpenvereins, 1889, S. 44.) — Vialla de Sommières a. a. O., I, 87. — Montenegro und die Montenegriner, 1837, S. 7. — Petter, Compendio della Dalmazia etc., S. 310. — Kohl a. a. O., S. 34. 37. — Lieden a. a. O., I, 236. — Dissolatto a. a. O., S. 91. — Boué a. a. O., I, 13. 16. 329. — Boué, Recueil d'itinéraires, II, 163. — Malte-Brun a. a. O., S. 260. — Die Kutschi, S. 366. — Tietze a. a. O., S. 42. 96. — Schwarz a. a. O., S. 47. 56. 63. 90. 126. 271. 285. 306. — Schwarz, Montenegro. Land und Leute, S. 212. 217. 218. — Mermier a. a. O., S. 397. — v. Déchy a. a. O., S. 5. — Baumann, (Zweite) Reise durch Montenegro, S. 9. 10. — Rovinski a. a. O., S. 41. 61. 67. 76. 95. 103. 105. — Baldacci, Cenni ed Appunti etc., S. 39. 44. 45. — Baldacci, Altre Notizie etc., S. 34—37. 48. 51—53. 60. 66. 78. — Es sei mir gestattet, im Folgenden meine Beobachtungen über Schneelagerung kurz zusammenzustellen:

| Ort. | | Datum. | Meereshöhe in m. | Bemerkungen. |
|---|---|---|---|---|
| Lovćen | | 22. V. 91<br>8. VI. 92 | 1700 | Schneeflecken. |
| Mali Žurim | Mittel-Montenegro. | 9. VII. 91<br>24. VII. 92 | 2000 | „ |
| Trebješ | | 9. VII. 91 | 1580 | einzelner Schneefleck. |
| Fufs des Zebalac | | 24. VII. 92 | 1900 | einzelne Schneeflecken. |
| Kapetanovo-See | | 24. VII. 92 | 1720 | viele „ |
| Bručko-See | | 26. VII. 92 | 1808 | „ „ |
| Oberes Stirni Do | | 25. VII. 92 | 1900 | „ „ |
| Fufs der Studenca | | 26. VII. 92 | 1800 | einzelne „ |
| Ostrog-Plateau | | 4. VI. 91 | 1060 | Schnee in geschützten Dolinen. |
| Prekornica-Plateau | | 5. u. 6. VI. 91 | 1200—1400 | „ „ „ „ |
| Prekornica-Kamm | | 4. VI. 91 | 1900 | voller Schneeflecken. |
| Kamenik | | 20. IX. 91 | 1786 | Schneeflecken. |
| Maganik | | 9. VII. 91 | 2142 | voller Schneeflecken. |
| Jablanov Vrh | | 15. VIII. 91 | 1800 | viele „ |
| Vojnik | | 6. VII. 91 | 2000 | Die Mitte Juni bis zum Wald hinabreichenden Schneebänder sind beträchtlich zurückgegangen und abgeschmolzen. |
| Vojnik-Gipfel | | 15. VII. 91 | 1774 | mächtige Schneeflecken. |

12*

Die hauptsächlichste Wärmequelle ist die Sonne, und die Temperatur müfste von den Polen zum Äquator gleichmäfsig zunehmen, wenn sie nicht durch die Meereshöhe, die Küstennähe oder Küstenferne, die Wald- und Wasserverteilung &c. beeinflufst würde. Derartige Störungen kommen in Montenegro scharf zur Geltung, und wie man landschaftlich und floristisch vier verschiedene Gebiete nachweisen kann, so lassen sich in Bezug auf die Wärmeverteilung drei Klimaprovinzen aufstellen.

Die Temperatur der Crna Gora zeichnet sich durch starke Gegensätze aus, denn einem glühendheifsen Sommer steht ein strenger Winter und einem unerträglich warmen Tage eine empfindlich kühle Nacht gegenüber[1]. Zwar sollte man das milde Klima Toscanas und Süd-Frankreichs erwarten, allein die kahlen Hochebenen strahlen die Hitze eben so rasch wieder aus, wie sie dieselben aufnehmen, das wallartig aufgetürmte Küstengebirge gestattet der Seeluft keinen Zutritt, und so besitzt West-Montenegro trotz seiner Meeresnähe ein ausgesprochenes Kontinentalklima. Sehr typisch ist für diese Thatsache der jährliche Temperaturgang von Cetinje, der bei + 10,4° C. (reduziert + 11° C.) im Jahresmittel im Sommer bis zu + 40° C. steigen und im Winter bis — 22° C. fallen kann. Der Unterschied zwischen dem wärmsten und kältesten Tage beträgt 62° C., zwischen dem wärmsten und kältesten Monat 24° C., und der Temperaturgang beschreibt eine ziemlich spitze Kurve[2]. Die Gegensätze werden während der regenarmen Monate, in denen die geringste Bewölkung herrscht, am gröfsten; doch sind in den Karstgegenden, welche die vom Meere kommende warme Nachtluft bestreichen kann, die Sommernächte warm und mild, und dann schlagen die Eingebornen ihr ärmliches Strohlager im Freien auf, um der dumpfigen Luft und dem Ungeziefer der Häuser zu entgehen.

Je tiefer man ins Binnenland vordringt, um so mehr nimmt der Einflufs des Meeres ab, das Klima wird immer rauher und die mittlere Jahrestemperatur immer niedriger, so dafs sie z. B. in Gacko nur noch + 7,3° C. beträgt. Doch sind auch hier Regenmangel

| Ort. | | Datum. | Meereshöhe in m. | Bemerkungen. |
|---|---|---|---|---|
| Hercegovinische Alpen | | 17. VI. 91<br>16. VII. 91<br>5. VIII. 91 | 1800—2400 | voller Schneeflecken. |
| Durmitor | Durmitor. | 16. VIII. 91 | 2500 | „ „ |
| Validnica Do | Durmitor. | 20. VIII. 91 | 1900—2000 | „ „ |
| Medjedi Do | Durmitor. | 20. VIII. 91 | 2000 | unterste Schneeflecken. |
| Škrk Do | Durmitor. | 21. VIII. 91<br>5. VIII. 92 | 1717 | Schneefleck.<br>grofse Schneeflecken. |
| Cirova Pećina | Durmitor. | 21. VIII. 91 | 2523 | voller „ |
| Medjed | Durmitor. | 22. VIII. 91 | 2415 | „ „ |
| Prutaš | Durmitor. | 5. VIII. 92 | 2400 | „ „ |
| Stulac | Durmitor. | 24. VIII. 91 | 1954 | viele „ |
| Shakala (Škrk Do) | Durmitor. | 4. VIII. 92 | 1515 | Schneefleck. |
| Lokvice Do | Durmitor. | 22. VIII. 91 | 2000 | Schneeflecken. |
| Todorov Do | Durmitor. | 31. VII. 92<br>5. VIII. 92 | 1900 | „ „, deren Baumann Ende Juli 1883 sehr viele beobachtete. |
| Žijovo Pl. | Südost-Montenegro. | 9. IX. 91 | 2183 | Schneeflecken. |
| Široka Korita | Südost-Montenegro. | 30. VI. 92 | 1370 | viele Schneeflecken, deren Boué noch im Juli eine ganze Zahl beobachtete. |
| Kostića | Südost-Montenegro. | 1. VII. 92 | 1800 | zahllose mächtige Schneelager *). |
| Vila, Hum Orahovski, Albanes. Alpen | Südost-Montenegro. | 29. VI.—1. VII. 92 | — | voller Schneeflecken. |
| Gornji Rikavac | Südost-Montenegro. | 1. VII. 92 | 1600 | einzelne „ |
| Širokar | Südost-Montenegro. | 2. VII. 92 | 1770 | voller „ |
| Kom | Südost-Montenegro. | 4. VII. 92 | — | „ „ |
| Vasojevički Kom | Südost-Montenegro. | 13. VII. 92 | 2460 | „ „, tief hinabreichend. |

*) Am 21. Juni überzogen sich die Albanesischen Alpen infolge eines Gewitters mit Neuschnee. Wahrscheinlich gilt dasselbe für die Kostića, da ihr Schnee (1. VII. 92) auffallend rein und weifs war. — Infolge anhaltenden Landregens überzogen sich die höhern Berggipfel des obern Morača-Gebiets am 22. Juli 1892 mit Neuschnee.

[1]) Auf eine Mittagshitze von + 30° C. folgt nicht selten eine Nacht, in der das Thermometer auf den Gefrierpunkt sinkt; doch sind die Sommernächte im allgemeinen von einer wunderbaren Frische und Klarheit.

[2]) Vgl. die Tabelle auf S. 142.

und drückende Hitze im Sommer charakteristisch, und schwere Gewitter, die sich Ende Juni 1891 fast täglich in den Banjani entluden, spendeten nur einen feinen Sprühregen, der auf dem erhitzten Kalkfels sofort wieder verdampfte. Bei eintretendem Nordwind nimmt aber die Temperatur sofort ab, und als ich Mitte Juni 1891 die Dugs-Pässe durchwanderte, überzogen sie sich nachts mit einer dünnen Schneedecke. Vereinzelte Sommerschneefälle wurden (10. August 1880) sogar am Kretac bei Njeguš beobachtet, und die in der Nachbarschaft des warmen Gračanica-Thales gelegenen Mulden Ponikvica, Štitovo und Štitovica haben noch im Sommer so unter der Nachtkälte zu leiden, daſs in einer schnee- und regenreichen Augustnacht einem Hirten von Štitovo (1584 m) 13 Stück Kleinvieh erfroren[1]).

Die unwirtlichen Karstgebiete Mittel-Montenegros bilden mit ihren kurzen, kühlen Sommern und langen, strengen Wintern den Übergang zum rauhen Klima des Hochgebirges und der Planinas und zum gleichmäſsigen Klima der ost-montenegrinischen Thäler, das durch kühle Sommer, milde Winter und eine frische, reine Luft charakterisiert ist. Wenn im Hochsommer auf den Planinas noch eine winterliche Nachtkühle herrscht, so daſs man spät abends oder früh morgens beim Verlassen der Hütten vor Kälte zittert und daſs wir unser Biwak im Dobri Do (Durmitor) bei mehreren Graden Kälte aufschlagen muſsten, wenn Schneefälle und Fröste in den wärmsten Monaten nicht selten sind, erfreuen sich die geschützten Fluſsrinnen eines milden Klimas und einer üppigen Vegetation. Wald, Wasser und Schnee, Bergwinde, Niederschläge und Meereshöhe mildern die Sommersglut, die Sonne macht in den engen, tiefen Schluchten die Kälte weniger fühlbar, und die beiden Hauptjahreszeiten, die sich im Karst und im Gebirge schroff gegenüberstanden, kommen hier einander ausgleichend entgegen. Daher haben die Thäler der Brda wohl die gleiche mittlere Jahrestemperatur wie die Crna Gora, allein der jährliche Wärmegang beschreibt keine groſsen Sprünge zwischen den höchsten und niedrigsten Temperatur-Extremen, sondern stellt eine sanft gebogene Linie dar: kurz, er weist auf ein Klima hin, das dem mitteleuropäischen in vielen Beziehungen entspricht.

Durch die reiche Oberflächengliederung erfährt das Klima der Brda naturgemäſs mancherlei Abstufungen gegenüber dem einheitlichern Klima des einfachgebauten Karstes. Da das nach Süden sich öffnende Morača-Thal von den Südwinden bestrichen werden kann, besitzt es eine so milde Temperatur, daſs Wein, Melonen und Maulbeerbäume zur Reife gelangen und daſs selbst im Oberlaufe der Schnee höchstens 14 Tage liegen bleibt. Weil die umgebenden Berge nahe an die Ufer herantreten und die rauhen Nordwinde abhalten, ist auch das Lim-Thal auſserordentlich fruchtbar, und der Schneefall bewegt sich in mäſsigen Grenzen, so daſs die Herden oft im Freien überwintern und die Weinstöcke nicht zugedeckt werden. Trotzdem steht der Lim nebst seinen Zuflüssen schon bedeutend hinter der Morača zurück, und Piva und Tara sind den kalten Luftströmungen erst recht preisgegeben, so daſs im Oberlaufe Kernobstbäume und Tabakspflanzen nicht mehr gedeihen. In harten Wintern überziehen sich beide Flüsse mit einer Eisdecke, die stark genug ist, um einen Menschen zu tragen; am Lim und an der Morača dagegen setzt sich nur bei strenger Kälte Randeis an, und auf der schnell dahinschieſsenden Drina ist bis jetzt überhaupt noch keine Randeisbildung beobachtet worden[2]).

Das Zeta-Thal, die Niederungen um den Scutari-See und die Crmnica-Ebene haben vor dem Karste die milden Winter, vor Ost-Montenegro die warmen Sommer voraus, da

---

[1]) Petter a. a. O., S. 210. — Boué, Recueil d'itinéraires, II, 202. — Pricot de St-Marie a. a. O., S. 52. — Kapper a. a. O., S. 657. 658. — Frilley et Wlahovitch a. a. O., S. 405. 406. — Kutschbach a. a. O., S. 57. — Ferrière a. a. O., XX, 39. — Schwarz a. a. O., S. 212. 213. — Schwarz, Montenegro. Reise durch das Innere, S. 394. — Sermet a. a. O., S. 112 f. 181 f. 204. — Rovinski a. a. O., S. 53. 77. 84. 101. 170—175. — Hassert a. a. O., S. 43. 60. — Leben und Treiben in Cetinje, 1881, S. 70. — v. Asboth a. a. O., S. 315. — Hoernes a. a. O., S. 192. — Seidl a. a. O., S. 310.

[2]) Schwarz a. a. O., S. 394—396. — Schwarz, Montenegro. Land und Leute, S. 219. — Denton a. a. O., S. 40. — Rovinski a. a. O., S. 62. 66. 74. 80. 106. 112. 176. 239. — Baldacci a. a. O., S. 33. 39. 44. 50. 70. — Hassert a. a. O., S. 80. 146. — Novibasar und Kossovo, S. 99.

ihre höchste Erhebung kaum 100 m (Thalschlufs der Zeta) über dem Meeresspiegel liegt. In ihnen ist die Hitze fast noch drückender als im Karste, und nur die kühlen Nordwinde oder die feuchten Südwinde schaffen einige Erleichterung. Kommt der Reisende aus dem luftigen Nikšičko Polje ins Zeta-Thal, so merkt er an der afrikanischen Sonnenglut, die ihn empfängt, und an den Temperaturgraden, die mittags im Schatten + 40° C. erreichen, dafs er in einen wahren Brutkessel von beispielloser Fruchtbarkeit eingetreten ist. Auch an der untern Morača herrscht eine wahrhaft tropische Glut, und wenn auch die von Dr. Miljanić ein Jahr lang in Podgorica angestellten Beobachtungen von Hann und Rovinski als zu hoch erklärt wurden, so geben sie für den jährlichen Temperaturgang immerhin einen Anhalt[1]. Der Unterschied zwischen dem wärmsten und kältesten Tage (Juli + 37,5° C., Januar — 3,5° C.) beträgt 41° C., derjenige zwischen wärmstem und kältestem Monat 21° C., und der Temperaturgang beschreibt eine ähnliche Kurve wie die Monatsmittel von Cetinje, nur dafs die täglichen und monatlichen Extreme nicht so bedeutend sind wie dort. Doch fehlen Kälterückfälle nicht ganz, denn am 27. März 1880 stieg die Wärme in der Sonne bereits auf + 32,5° C., während drei Wochen später, am 20. Mai, Nordwind mit Regen und Schneegestöber einsetzte. Viel milder ist der Winter in dem geschützten Rijeka, und selbst an dem kältesten Tage des strengen Winters von 1879/80, dem 20. Januar 1880, sank das Thermometer nicht unter — 2,5° C. Wenn das zwei Stunden entfernte Kesselthal von Cetinje noch unter meterhohem Schnee begraben ist, prangen hier die Flufsufer schon im Frühlingsschmuck, und daher hat sich der Fürst hier einen Palast erbaut, in dem er vor der grimmigen Kälte des Karstwinters Schutz sucht.

Der sommerliche Regenmangel des Mittelmeerklimas, der durch die Nähe des Meeres und den Nachttau einigermafsen ersetzt wird, hat für die Kulturvegetation keine nachteiligen Folgen, da die Tieflandsströme jederzeit genügendes Wasser liefern. Immerhin zeigt das Klima des Binnenlandes noch vielfache Anklänge an das Klima des Karstes, und erst das Primorje, die jüngste Erwerbung Montenegros, ist durch ein gleichmäfsigeres Klima ausgezeichnet. Man kann der Ansicht Schwarzs, das alte Piratennest Dulcigno sei ein vorzüglicher klimatischer Kurort, voll und ganz beistimmen; nur trifft seine Bemerkung, die Temperatur gehe dort nie unter + 4° C. hinab, nicht zu, da Kältegrade, wenn auch äufserst selten, dann und wann eintreten. Beispielsweise sank am 25. Januar 1880 das Thermometer auf — 7,5° C., am nächsten Tage auf — 2,5° C., und die Wassertümpel der benachbarten Ebene Štoj überzogen sich mit einer Eisdecke. Unter normalen Verhältnissen frieren die Küsten- und Tieflandseen nie zu; blofs auf der engen Wasserstrafse des Skadarsko Jezero zwischen Virpazar und Lesendra bildet sich zuweilen eine dünne Eisschicht, die beim ersten Südwind wieder verschwindet, und aufsergewöhnliche Ereignisse treten so vereinzelt auf, dafs sie lange in der Erinnerung des Volkes fortleben. So war am 21. Dezember 1885 und im Winter von 1887/88 die Rijeka und der Nordzipfel des Sees mit einer mehrere Millimeter-dicken Eiskruste bedeckt, und vor drei Jahrhunderten soll letzterer durch vier Wochen eine so starke Eisdecke gehabt haben, dafs Menschen und Tiere über dieselbe nach Žabljak wandern konnten[2].

Da meteorologische Beobachtungen nur für Cetinje, Podgorica und das Küstenland vorliegen, so ist man für Mittel- und Ost-Montenegro betreffs der mittlern Jahrestemperatur lediglich auf Schätzungen angewiesen. Doch geben die Quellen ein Hilfsmittel an die Hand, weil alle die Gesteinsschichten, die mindestens 30 m unter der Erdoberfläche liegen, eine unveränderliche Temperatur besitzen, die ungefähr dem Jahresmittel des betreffenden

[1] Vgl. die Tabelle auf S. 142.

[2] Hecquard, Histoire et description de la Haute Albanie, S. 71. — Frilley et Vlahovitch a. a. O., S. 406. — Ebel a. a. O., S. 37. — Denton a. a. O., S. 40. — Ferriere a. a. O., XX. 93. — Kutschbach a. a. O., S. 57. — Delarue, Le Monténégro, S. 22. — J. G. A. a. a. O., 1883, S. 367 f. — Schwarz, Montenegro. Reise durch das Innere, S. 331. 396. 397. — R—c. a. a. O., S. 312. — Sermet a. a. O., S. 183. — Rovinski a. a. O., S. 93. 121. 164—170. 180. 217. — Baldacci, Cenni ed Appunti etc., S. 24. 25.

Ortes entspricht. Somit sind die in den obersten Bodenschichten entspringenden Rasenquellen zur Ableitung der Luftwärme nicht geeignet, und gleiches gilt von den mächtigen Karstquellen vom Typus der Vaucluse, die den unterirdischen Abfluſs der entgegengesetztesten Gebiete in sich aufnehmen und eine Temperatur aufweisen, die oft weit unter dem Jahresmittel ihres Mündungsgebiets steht [1]). Zur Wärmebestimmung sind lediglich die sogenannten Boden- und Gesteinsquellen zu verwenden, und diese zeigten folgende Wärmegrade:

| Name. | Datum. | Meereshöhe in m. | Wasser in Graden C. | Beobachter. |
|---|---|---|---|---|
| Lovćenska Korita | 11. VI. 92 | 1393 | + 5 | |
| Dubrava (Zeta) | 3. VI. 91 | 241 | + 12 | |
| Stubica bei Jovanović | 6. VI. 91 | 486 | + 12 | |
| Šurina bei Jovanović (Zeta) | 7. VI. 91 | 445 | + 12 | |
| Orjaluka (Zeta) | 15. V. 81 | 60 | + 9 | Schwarz. |
| Osjedenica | 28. VI. 91 | 1040 | + 10,5 | |
| Gacko | — | 960 | + 6 | Boué. |
| Ugni (Crmnica) | 2. V. 81 | 480 | + 9 | Schwarz. |
| Rašena Voda (Sutorman) | 3. V. 81 | 750 | + 10 | Schwarz. |
| Čeama (Ponikvica) | — | 1400 | + 2,5 | Rovinski. |
| Seljani (Piva) | 17. VII. 91 | 969 | + 10 | |
| Rudenica (Piva) | 17. VII. 91 | 971 | + 11 | |
| Ponorska Voda (Sinjavina) | 15. VIII. 91 | 1751 | + 6,5 | |
| Lučka Gora (Kolašin) | 14. VIII. 91 | 1115 | + 7,5 | |
| Kostića | 30. VI. 92 | 1513 | + 7 | |
| Širokar | 9. VII. 92 | 1770 | + 4 | |
| Dobro Polje (Zeta) | 3. VI. 91 | 48 | + 14 | |
| Unterhalb Kloster Ostrog | 3. VI. 91 | 640 | + 10 | |
| Gradac (Vojnik) | 14. VII. 91 | 1122 | + 6 | |
| Jabuka (Tara) | 11. VIII. 91 | 1070 | + 5 | |
| Doljani | 8. IX. 91 | 278 | + 15 | |
| Carine | 10. IX. 91 | 1800 | + 3 | |

Unter Berücksichtigung der verschiedenen Jahres- und Tageszeiten, sowie der geringen Schwankungen, denen auch diese Quellen unterworfen sind, kann man für das Hochgebirge und die höhern Planinas eine mittlere Jahrestemperatur von + 2 bis + 4° C., für Piva und Tara eine solche von + 6° C., für Morača und Lim + 10° C. und für das Zeta-Thal + 14° C. annehmen.

Werfen wir nach diesen kurzen Bemerkungen einen zusammenfassenden Blick auf den Witterungsverlauf des Jahres, so liegen die Hochplateaus des Karstes und der Brda vom Januar bis zum März unter gewaltigen Schneemassen begraben, während im Flachland und an der Küste anhaltende Regengüsse, untermischt mit gelegentlichen, rasch vorübergehenden Schneefällen, den Winter bezeichnen. Die niederschlagreichsten Monate (April und November), die durch ein tosendes Durcheinander von Regen, Schnee und Hagel charakterisiert werden, zeigen den fast unvermittelten Übergang vom Winter zum Sommer bzw. vom Sommer zum Winter an, und die Überschwemmungen, die der Regen im Gefolge hat, dauern vom November bis in den Mai hinein. Zwar schmilzt der Schnee rasch ab und zieht sich schnell in die höchsten Schluchten zurück, aber nur zögernd stellt sich auf den Plateaus der Frühling ein. Im Tieflande bleiben die Wiesen auch den kurzen Winter über grün, Krokusse, Rosen und Narzissen hören niemals auf zu blühen; Ende Februar entfalten bei Rijeka die Veilchen ihre Blüten, Mitte April ist die Vegetation vollständig entwickelt, und zu Ende des Monats reifen schon die Kirschen. Auch in geschützten Karstthälern, z. B. an der Trebinjčica, bekleiden sich im April die Ufer mit frischem Grün, Weiden und Kirschbäume stehen in voller Blüte, und wenn in den tiefen Schluchten längst der heiſse Sommer herrscht (Ende Mai), ist auf den Plateaus kaum der Frühling angebrochen. In Njeguš beginnt Ende April die Kirschblüte, und noch einige Wochen vergehen, ehe auf den Karsthochebenen des Innern die Blattknospen der Waldbäume zum Vorschein kommen.

[1]) Die Wassernot im Karste, S. 110. — Boblaye a. a. O., S. 324. 325.

Als Schwarz am 16. Mai 1881 das Plateau von Gvozd besuchte, entfalteten die Buchen eben erst ihre hellgrünen Blättchen, und die Eichen hatten kaum Knospen angesetzt.

Der Gjurgjev Dan (St. Georgstag, 4. Mai) wird von den Bergbewohnern als Sommersanfang gefeiert, denn nur kurz ist die schöne Frühlingszeit, in der selbst der unwirtliche Fels ein freundlicheres Aussehen zu gewinnen scheint. Zwar treten Fröste und Kälterückfälle noch im Juni ein, aber Anfang Mai, im Gebirge Mitte Juni, beziehen die Eingebornen ihre Sennereien, um dem Wassermangel und der Hitze des Karstes zu entgehen. Doch schon nach wenigen Wochen liegt die Erde wieder tot und starr. In demselben Maße, in welchem der Schnee verschwindet, nimmt die Sonnenglut überhand, die vom wolkenlosen Himmel herniedergesandten Strahlen versengen das Gras, und wie bei uns die Pflanzen ihren Winterschlaf halten, so verfallen die Karstgewächse in einen Monate langen Sommerschlaf, aus dem sie bloſs zeitweilig ein Regenguſs aufweckt. Aromatische Kräuter und dickblätterige Zwiebelgewächse vermögen allein die dreimonatliche Sommerdürre zu überdauern; zahllose Fliegen umschwärmen Menschen und Tiere, und Millionen von Cikaden zirpen im Grase, aber nur selten läſst ein Vogel seine Weisen erschallen. Bald ist die Luft dunstig und flimmert vor den Augen des Reisenden, bald ist sie von einer wunderbaren Klarheit, so daſs sich die entferntesten Bergkämme scharf vom Horizont abheben. Doch sind die Nächte meist auffallend kühl, und die Temperaturgegensätze werden in den heiſsesten Monaten am gröſsten. Die Brda haben um diese Zeit ein gleichmäſsiges, angenehmes, die Planinas ein rauhes Klima, während im Tiefland das Thermometer bis + 40° C. steigt.

In den Uferlandschaften des Scutari-Sees hat längst die Erntezeit ihren Anfang genommen, und das Getreide ist bereits abgemäht, um einer zweiten Aussaat Platz zu machen, zu einer Zeit, in der die dünnstehende Gerste der Karstbecken von Koči bis zur Široka Korita (800—1300 m) noch ganz grün ist. Ende August werden in den Fluſsthälern Mittel- und Ost-Montenegros Roggen und Gerste abgesichelt, und wenn die Bewohner des Flachlandes die zweite Ernte einheimsen (Anfang September), ist auf den kümmerlichen Feldern von Gvozd und Gacko das Getreide in seinem Wachstum noch eben so weit wie zwei Monate früher in der Široka Korita. Im Zeta-Thale reifen die Feigen Anfang Juli, und 14 Tage später kann man in Podgorica, Danilovgrad und Nikšić Trauben, Melonen und Kernobst aller Art für einen erstaunlich billigen Preis kaufen. Im obern Morača-Gebiet gibt es Mitte Juni reife Kirschen und Ende August Melonen, Wein, Äpfel und Nüsse, im Karste von Dide und Ublice dagegen war der Wein am 23. August 1892 noch kleinbeerig und halb grün.

So wirkt die Sonne hier segensreich, dort schädigend, und während sie am Meeresstrande noch lange mit ungeschwächter Kraft herniederscheint, stellen sich im Innern die Vorboten des Winters ein. Die Bewölkung nimmt zu, die Hitze langsam ab, und im Flachlande werden die Herbsttage von wolkenbruchartigen Gewitterregen unterbrochen. Auf den Hochebenen fällt der erste Schnee, die Nachtfröste werden häufiger, und die Baumblätter, die im Gebirge schon Anfang September eine bunte Farbe erhalten, beginnen im Tara-Thal in der ersten Oktoberwoche, am Lim etwa 10 Tage später abzufallen. Noch eine kurze Spanne Frist, dann pfeift der rasende Nord durch die leeren Äste, und am St. Lukastage (30. Oktober) ist der Winter mit Macht ins Land gezogen. Bald schüttet der November seine ungeheuren Schnee- und Regenmengen aus und sucht die Niederung mit Überschwemmungen heim; im Dezember lassen die Niederschläge etwas nach, und dann breitet sich ein unabsehbares, weiſses Leichentuch über Berg und Thal[1]).

So begreift das kleine Montenegro in sich die klimatischen Eigenschaften des südlichen

[1]) Ebel a. a. O., S. 37. — Kapper a. a. O., S. 657. — Pricot de St-Marie, L'Herzégovine, S. 52. — Schwarz a. a. O., S. 57. 124. 281. — Rovinski a. a. O., S. 51. 167. 177. 178. 183. — Moser a. a. O., S. 33.

und nördlichen Himmels[1]), die Hitze Italiens und die Kälte Norwegens, den Nebel Englands und die Dürre Rufslands, die milde Luft der Adria-Gestade und die eisige Bora des Karstes. Teils unerträglicher Sonnenglut, teils empfindlicher Kälte ausgesetzt und oft ein Tummelplatz der wildesten Stürme, besitzen die Schwarzen Berge im grofsen Ganzen ein rauhes Klima, das wegen seiner Temperaturgegensätze sogar ungesund ist und ohne menschliches Zuthun die harten Gesetze des spartanischen Reformators Lykurg ausführt, indem es Schwache und Kranke einem frühen Tode überliefert und nur ein kraftvolles Geschlecht aufwachsen läfst. Viele Kinder sterben im zartesten Alter, und das kann nicht wundernehmen, wenn man sie, blofs mit einem dünnen Hemdchen bekleidet, in der Abendkühle herumlaufen sieht, wenn man die armselige Wohn- und Lebensweise und die Entbehrungen berücksichtigt, mit denen die Eingebornen von Jugend an zu kämpfen haben. Oft begegnet man im Karste abgemagerten, hohlwangigen Gestalten, von denen sich der kräftige, gutgenährte Brdaner vorteilhaft abhebt; wer aber im harten Kampfe ums Dasein nicht unterliegt, der bleibt bis ins späte Alter rüstig und gesund. Vialla lernte einen Greis von 117 Jahren kennen, der es an Ausdauer und Gewandtheit mit seinem 100jährigen Sohne, 82jährigen Enkel und 60jährigen Urenkel aufnahm, und unser Führer auf dem halsbrecherischen Pfade von Stažir nach Dobragora schritt trotz seiner 82 Jahre so hurtig aus, dafs ich Mühe hatte, ihm nachzukommen.

Von den Krankheiten, die das Klima hervorruft, sind am gefährlichsten und häufigsten die Lungenentzündung und die Schwindsucht. Der Wassermangel und die mit ihm verbundene Unreinlichkeit verursachen häfsliche Hautkrankheiten, die Feuchtigkeit, die sich zur Winterszeit in die schlecht gebauten, niedern Häuser zieht, bringt als ungebetenen Gast den Rheumatismus mit, und wegen des grellen Widerscheins der Sonne sind Augenentzündungen ebenfalls nicht ungewöhnlich. Doch sind Kurzsichtige aufserordentlich selten anzutreffen[2]).

Nicht zu vergessen ist ferner die Malaria, die im Flachland vom Meere bis ins Becken von Nikšić heimisch ist und dem sumpfigen Strande von Antivari ebensowenig fehlt wie dem fruchtbaren Polimje-Thal des Lim. In den Tieflandssümpfen und den Rückständen der Überschwemmungen, in den verfaulenden organischen Stoffen und unter dem heifsen Sonnenbrande finden die Fieber beständig neue Nahrung, so dafs sie das ganze Jahr über anhalten und während des Sommers am bösartigsten sind. Gerade die fruchtbarsten Fluren werden durch sie zu einem ungesunden Brutkessel schädlicher Miasmen, die durch ihren üblen Geruch die Luft weithin verpesten, und das Štoj ist wegen der hartnäckigen Bojana-Fieber so verrufen, dafs es nur wenige Ortschaften beherbergt, die entweder am kühlen Meere oder am luftigen Berghang angelegt sind. Chinin findet man in jeder Siedelung, denn täglich müssen die Eingebornen grofse Mengen desselben einnehmen, und täglich begegnet man Kranken, obwohl nicht zu leugnen ist, dafs deren übergrofse Angst das eingebildete Übel oft zu einem wirklichen macht. Anderseits übt das Sumpffieber auf die Leistungsfähigkeit der Bewohner sehr ungünstige Wirkungen aus, und viele montenegrinische Kolonisten, die aus ihrer Heimat ins Štoj ausgewandert waren, mufsten bald wieder in ihre Berge zurückkehren, weil die Malaria ihre Gesundheit untergrub und ihre Arbeitskraft erlahmen liefs. Erst die Anlage von Entwässerungskanälen und die Bojana-Regulierung wird

[1]) Klimatische Übersicht:
I. Küste, Tiefland: heifse Sommer, milde Winter,
II. Crna Gora: heifse Sommer, strenge Winter,
III. Hochgebirge, Planinas der Brda: kurze kühle Sommer, lange strenge Winter.
IV. Flufsthäler der Brda: kühle Sommer, milde Winter.

[2]) Ebel, Montenegro und dessen Bewohner, S. 21. — Vialla de Sommières a. a. O., I, 23. — Frilley et Wlahovitch a. a. O., S. 314. 415—419. — Denton a. a. O., S. 104. — Kapper a. a. O., S. 790. 791. — Noë, Dalmatien und die Schwarzen Berge, S. 335. — Sermet a. a. O., S. 181. 187. — Rovinski a. a. O., S. 112. — Bemerkt sei noch, dafs in abgeschlossenen, engen Thälern, z. B. im Polimje, der Kropf auftritt. 1867 wurde von Cattaro aus die Cholera in Montenegro eingeschleppt und forderte zahllose Opfer.

die lästigen Fieber einschränken, wenngleich sie ohne andre Maßregeln, z. B. die Anpflanzung von Eukalypten und Euphorbien, wohl kaum ganz verschwinden werden[1]).

In frühern geologischen Epochen scheint das Klima des Karstes milder und gleichmäßiger gewesen zu sein; in geschichtlicher Zeit aber hat es keine einschneidenden Veränderungen erfahren, und die Klimaschwankungen, die man zur Erklärung naturwissenschaftlicher Probleme heute gern heranzieht, beschränken sich auf diejenigen Erscheinungen, die der Mensch selbst veranlaßt hat. Rovinski berichtet, daß im Durmitor-Gebiet die Ruinen alter Burgen, Brunnen und Friedhöfe gefunden wurden, und knüpft hieran die Bemerkung, daß in jenen Gegenden, die jetzt wegen ihrer Kälte und Schneemassen unbewohnt oder unbewohnbar sind, einst eine dichte, auf einer ziemlich hohen Kulturstufe stehende Bevölkerung seßhaft war und daß dort noch vor 400 Jahren ein milderes Klima herrschte[2]). Ferner trug die Sinjavina nach den Mitteilungen der Eingebornen vor zwei Jahrhunderten einen zusammenhängenden Hochwald und dauernd besiedelte Ortschaften, von denen nur spärliche Überreste erhalten sind. Allerdings war in Bosnien die Kultur hoch entwickelt, allein die blutigen Religionskriege und die Eroberung der reichen Provinzen durch die Türken verminderten die Volkszahl und untergruben den Wohlstand, und so kommt es, daß die Umgebung des Durmitor heute sehr dünn bevölkert ist. Zu den Folgen des Krieges gesellten sich die unheilvollen Folgen der Entwaldung. Verheerende Brände und die Rücksichtslosigkeit des Menschen vernichteten die kostbaren Bestände, so daß Regengüsse und Stürme das lockere Erdreich forttrugen und die Hirten schließlich zum Verlassen der ertraglosen Hochebenen zwangen. Dieselben Nachwirkungen stellten sich in den übrigen Bezirken Montenegros und in allen den Karstgebieten ein, die ihren Wald verloren haben. Die durch ihre Baumarmut und ihren drückenden Wassermangel berüchtigten Fluren von Korito werden in ältern Urkunden als waldig und fruchtbar bezeichnet. Die bekannten ältesten Leute versichern, daß die Umgebung von Poik noch in den ersten Jahrzehnten unseres Jahrhunderts reichliche Ernten und prächtigen Mais lieferte, während jetzt infolge der Waldverwüstung die Ernteboffnungen oft zu schanden werden und der Anbau des Maises kaum mehr anzuraten ist. Die Cevennen endlich, die einst dicht bewaldet und wohlbevölkert waren, haben im 18. Jahrhundert ihren kostbaren Schmuck gänzlich eingebüßt und gehören heute zu den rauhesten, ödesten und am dünnsten bewohnten Landschaften Frankreichs, deren in dürftigen Verhältnissen lebende Einwohnerzahl sich durch Auswanderung immer mehr verringert.

Die Humusdecke des Waldes ist das Erzeugnis zahlloser Pflanzengenerationen, die, mit unscheinbaren Flechten beginnend, endlich bis zu hochorganisierten Gewächsen aufsteigen und durch ihre seit Jahrtausenden aufgehäuften Abfälle und Verwesungsstoffe eine schwarzbraune, krümliche Erde zustandebrachten, zu deren Bildung die Zersetzungsrückstände des Kalkes nur wenig beigetragen haben. Ausgedehnte Strecken verdanken ihre Vegetationstauglichkeit lediglich dieser Humusschwarte, und darum ist die Vernichtung ihres Erzeugers, des Waldes, gleichbedeutend mit der Zerstörung der anbaufähigen Erde und dem Zutagetreten des nackten Gesteins. Denn wie die Pflanze einerseits den härtesten Fels zersprengt, so schützt sie den weichen Boden vor der Abschwemmung, das dichte Laubdach schwächt die mechanische Gewalt der auffallenden Regengüsse ab, und die festen Stämme stellen einen natürlichen Wall gegen die vom Berghange herabstürzenden Wassermassen dar.

Sind aber die Bäume verschwunden, so hat das lockere Erdreich keinen Halt mehr und wird von den wolkenbruchartigen Niederschlägen fortgeschwemmt. Die Flüsse, die einst ständig Wasser führten, vermögen im Frühling die Fluten nicht zu fassen und schwellen zu

[1]) Frilley et Vlahovitch a. a. O., S. 279. 417. — Ferriere a. a. O., XX, 84. — Sermet a. a. O., S. 188. — Rovinski a. a. O., S. 112. 116. — Sobiesky a. a. O., S. 344. — Lelarge a. a. O., S. 178.

[2]) Rovinski a. a. O., S. 59. 61. 63. — V. a. a. O.

fessellosen Wildbächen an, die den Thalgrund verwüsten und durch ihre Überschwemmungen das Tiefland in einen ausgedehnten Fieberherd verwandeln. Die mit verdoppelter Gewalt über die schutzlosen Hochebenen fegende Bora vollendet das vom Menschen begonnene Zerstörungswerk, indem sie die stärksten Stämme umknickt, die zartern Pflanzen tötet und weite Flächen binnen wenigen Jahren in eine trostlose Felswüste verwandelt, an deren ehemaligen Reichtum an Wald und fliefsenden Gewässern nur noch die Ortsnamen, verlassene Mühlen und geröllerfüllte Trockenbetten erinnern. Und nicht blofs, dafs der eisige Sturm die Gewächse schädigt, er wühlt auch das Meer bis ins Innere auf, macht die Schiffahrt in dem verrufenen Quarnero höchst gefährlich und trägt die zerstäubten Wellenkämme als feinen Regen an die Küste. Dort überzieht er die Vegetation mit einer Salzkruste, die besonders zur Blütezeit die schlimmsten Folgen haben kann, und während die westliche Abdachung der dalmatinischen Inseln mit einem frischen, üppigen Pflanzenkleide bedeckt ist, wird die Vegetation der Ostseite jedes dritte oder vierte Jahr durch Einsalzung vernichtet. Als der Wald die Gewalt der Bora brach, stellte sich die Einsalzung höchstens aller 10 bis 15 Jahre ein, und somit hat sich die Häufigkeit und Macht des verderblichen Nordoststurmes in manchen Gegenden verdreifacht! Hält schon eine künstliche Aufforstung schwer, wieviel schwieriger kann sich der Wald von selbst wieder ansiedeln, zumal unter dem heifsen, trockenen Klima des Mittelmeer-Gebiets! Kein Wunder, dafs die Temperaturschwankungen, die früher unbedeutend waren, heute immer gröfser werden [1]. Schadenbringender Wasserüberflufs im Winter, drückender Mangel im Sommer, glühend heifse Tage, bitterkalte Nächte, furchtbare Stürme und bösartige Fieber, das sind die Veränderungen, die menschlicher Unverstand im Klima Montenegros und der gesamten Mittelmeer-Länder hervorgerufen hat. Nur eine umfassende Wiederbewaldung und Entwässerungsanlagen können dem Übel steuern; aber die mühsamen Arbeiten im österreichischen Karste zeigen zur Genüge, dafs es unendlich schwerer ist, begangenes Unrecht wieder gut zu machen, als sich vor Fehlern zu hüten.

[1] Miroslav, Der Karst. (Triester Zeitung, S. 8.) — Lorenz, Bedingungen der Aufforstung des Karstes, S. 110 f. — Stache, Landschaftsbild des Istrischen Karstes, II, 198. — Die Wassersnot im Karste, S. 136. 148. — Wessely a. a. O., S. 14. 194. — Fanges a. a. O., S. 768—770. — Herer, Karstrelief, S. 106. — Philippson a. a. O., S. 525. — L. H. B. a. a. O., S. 425. — Putick, Ursache der Überschwemmungen in Krain, S. 315. — v. Asboth a. a. O., S. 335. — G. a. a. O., S. 137. — Martel, Les Cevennes, S. 84. — Martel, Tarn-Schlucht und Alt-Montpellier, S. 3.

20*

# VIII. Die Pflanzenwelt.

Die geologische Beschaffenheit eines Landes ist nicht ohne Einfluſs auf dessen orographischen Bau, von beiden Erscheinungen und vom Klima hängt die Wasserverteilung ab, und wie das anorganische Reich die Grundlage für sämtliche Lebewesen bildet und die Gestaltung der Erdoberfläche im allgemeinen bedingt, so verleiht die Pflanzenwelt jedem einzelnen Gebiet sein besonderes Gepräge. Daher ist es natürlich, daſs sie in dem an Gegensätzen reichen Montenegro die auffälligsten Kontraste darbietet und die verschiedensten pflanzenphysiognomischen Typen — Sumpfwiese, Hutweide, Alpenmatte, Gesträuch-, Laub-, Nadelwald, Olivenhain, Weingarten, Mais, Tabakfeld &c. — besitzt. Man kann die Schwarzen Berge als ein Land auffassen, in dem sich die Flora des Orients mit der des Occidents, die heitere Vegetation des Südens mit dem ernsten Pflanzenkleide des Nordens paart, denn die Grenze zwischen dem sibirisch-europäischen Waldgebiet und der Mittelmeerzone geht mitten durch das Fürstentum hindurch, und der Osten zeigt vielfache Anklänge an die macedonisch-albanesische Flora, während der Karst untrennbar mit Dalmatien und der Hercegovina verbunden ist[1]).

Man hat schon früh versucht, die einzelnen Pflanzengebiete in Höhenregionen zu zerlegen, die nach den charakteristischsten, d. h. am häufigsten verbreiteten Gewächsen benannt wurden. So trennt Vialla die Wälder der tiefsten, höhern und höchsten Landesteile voneinander, die man treffender als Zone der immergrünen, der blattwechselnden Laubhölzer und des Nadelwaldes bezeichnen könnte. Pančić schlägt als Hauptgruppen das Bereich der Hochgebirgspflanzen, des Nadelholzes, der Alpenweiden und des Laubholzes vor; Schwarz und Rovinski sind für eine Gliederung in die hochalpine Region (über 1800 m) mit ausgedehnten Grasmatten, die subalpine Region (1800—1200 m) mit stattlichen Nadelwäldern, das Gebiet der blattwechselnden Laubhölzer (1200—400 m), zu oberst aus Mischwald, in der Mitte aus Buchen, zu unterst aus Eichen bestehend, und die Zone der immergrünen Laubhölzer (400—0 m). Dieser Einteilung schlieſst sich im groſsen Ganzen einer der gründlichsten Kenner der westlichen Balkanhalbinsel, der Botaniker A. Baldacci, an. Er unterscheidet in Übereinstimmung mit Grisebachs immergrüner Region, Region der Bergwälder und Alpenregion eine hochalpine, subalpine und adriatische Zone; doch sondert er auſserdem noch eine selbständige Dolinenflora, eine Sumpf- und Seenflora und eine Wiesenzone der Ebenen aus[2]).

Diese Gliederungen tragen hauptsächlich dem botanischen Element Rechnung und werden durch Einschaltungen noch weiter geteilt, wenn nicht künstlicher gemacht, da sich

---

[1]) Ebel a. a. O., II, 94—98. — Tietze a. a. O., S. 101. — Baldacci, Cenni ed Appunti etc., S. 8. — Baldacci, Altre Notizie etc., S. 48. — Baldacci, La stazione delle Delire, 1893, S. 149.

[2]) Vialla de Sommières a. a. O., II, 98. — Pančić a. a. O., S. VI. VII. — Schwarz a. a. O., S. 415. — Rovinski a. a. O., S. 291 f. — Baldacci, Cenni ed Appunti etc., S. 4. — A. Grisebach, Die Vegetation der Erde, 2. Aufl., 1884, I, 332.

die Pflanze keineswegs an die ihr vorgeschriebene Höhe bindet. So stellen sich Buchen, die erst von 800 m an aufwärts auftreten sollen, beim Weiler Dubovik (zwischen Njeguš und Cetinje) schon in 700 m über dem Meere ein und sind am Durmitor, Kom, Vojnik &c. noch zwischen 1400 und 1800 m ungemein häufig. Immergrüne Eichen sind im Kuči-Lande (bei Kržanje) bei 1150 m zu Hause; und blattwechselnde Eichen, denen der Höhengürtel von 400—800 m zugeschrieben ist, kommen einerseits im Štoj bei 8 m und in Danilovgrad bei 40 m über dem Meere vor, während sie am Njegoš (1100 m) und beim Han Gvozd (1400 m) ansehnliche Bestände inmitten der Buchen ausmachen, — ein Umstand, der Baldacci zu der Bemerkung veranlaßte, man solle die sogenannten Pflanzenregionen, die doch so oft durchbrochen würden, ganz fallen lassen[1]). Darum sehen wir von einer Gliederung nach Pflanzenregionen ab und unterscheiden im Anschluß an die Landschaftsformen die Pflanzenwelt des Flachlandes und der Küste, der Crna Gora, der Brda und des Hochgebirges, die durch folgende Eigenschaften charakterisiert ist:

1. Flachland, Küste: regenlose Sommer — immergrüne Gewächse. Hauptgebiet des Ackerbaus und der Volksdichte.

2. Crna Gora: regenarme Sommer — vorwiegend Eschen und Eichen (Karstweiden und Karstwälder).

3. Brda: gleichmäßige Regenverteilung — Eichen, Buchen, Nadelholz (Bergwälder).

2 und 3: Ackerbau untergeordnet, Hauptgebiet der Viehzucht. Dünne Bevölkerung.

4. Planinas, Hochgebirge: den größeren Teil des Jahres schneebedeckt — Hochweiden, Bereich des Krummholzes. Kein Ackerbau und keine ständigen Siedelungen mehr.

Die magern Grasfluren des steinigen Montenegro, die vor allem in den Banjani ausgedehnte Flächen überziehen, sind gegenüber den saftigen Matten der Schieferzone leicht daran kenntlich, daß sie wegen des Mangels an Bodenkrume keine zusammenhängende Grasnarbe tragen, sondern beständig von verwitterten Kalkrippen durchzogen werden. Wohl prangen sie zur Zeit der Frühlingsregen in sattem Grün und werden von einem reichen Blumenflor bunt durchwirkt. Doch nicht lange dauert es, so haben die Sonnenstrahlen die letzten Reste des Winterschnees weggeschmolzen, der klüftige Kalk schluckt die Niederschläge des Sommers auf und wird zum Räuber seiner eignen Gewässer, die spärlich verteilte, wenig mächtige Erdkrume vermag die Feuchtigkeit nicht lange festzuhalten, und schon im Juli sieht man nur vertrocknete, vom Vieh zertretene Wiesen, deren fahles Gras eine sehr mittelmäßige Heuernte abwirft. Stundenlang kann man über die Karsthochebenen Mittel-Montenegros und der Sinjavina wandern, ehe Buschholz oder Hochwald die Monotonie unterbricht; dagegen behalten die humus- und regenreichen Plateaus nördlich des Durmitor den ganzen Sommer über ihr frisches Grün und erinnern lebhaft an die Bergwiesen der Schieferzone. Die ausgezeichneten Weidegründe des Kom und Ključ finden nur in den feuchten Auen des Tieflandes ein würdiges Gegenstück, und der auf den Karstweiden oft eintretende Mangel, der wegen der Heuschreckenplage und der zunehmenden Verkarstung von Jahr zu Jahr drückender wird, ist dort so gut wie unbekannt. Manche Karstgegenden sind so arm geworden, daß z. B. die Einwohner von Bratonožići und Pelev Brijeg in schlechten Jahren einen großen Teil ihres Viehes schlachten oder verkaufen mußten, und die Steinfelder von Medun und Kučista liefern so spärliches Futter, daß die Eingebornen bloß eine ganz beschränkte Zahl von Schafen und Ziegen halten können[2]).

[1]) Kovinski a. a. O., S. 200. — Hassert a. a. O., S. 49. 160. — Baldacci, Altre Notizie etc., S. 80: „A mezz'ora sopra Gvozd in piena regione del faggio esiste un bosco di quercie e ciò dimostra come evidentemente le regioni botaniche che hanno per fondamento la presenza di una o di un'altra specie arborea non siano ragionevolmente da prendersi sul serio. La mia idea è di abbattere tutta la vasta serie delle così dette regioni del faggio, della quercia ecc."

[2]) Schwarz a. a. O., S. 183. 282. 306. — Kovinski a. a. O., S. 46. 49. 52. 55. 66 f. 92. 105. 111. 237. 243. — Baldacci, Cenni ed Appunti etc., S. 32. 44. — Baldacci, Altre Notizie etc., S. 40 f. 60. 63. 71. — Tietze a. a. O., S. 46. 95.

Jedenfalls mufs man darauf bedacht sein, durch ein streng geregeltes Verfahren dem Vieh die erforderliche Nahrung zu verschaffen und einen kleinen Heu- oder Blättervorrat für den Winter zurückzulegen. Damit das zerstampfte Gras wieder nachwachsen und sich erholen kann, findet zu gewissen Zeiten ein Weidewechsel statt, indem die Kuči von Medun mit ihren Herden bis zum Frühsommer am Rikavac-See verweilen und dann die Matten des Kom aufsuchen, während die Hirten des Ostrog im Hochsommer in die quellenreiche Mulde Ponikvica und auf die Sinjavina übersiedeln. Wenn die Plateaus nicht genug Nahrung geben, scheut man sich nicht, in abgelegene, schwer zugängliche Hochgebirgsthäler einzudringen, und man kann deshalb nie mit Sicherheit darauf rechnen, in den einsamen Schluchten stets Menschen zu treffen. Beispielsweise diente das Škrk Do 1891 einigen Familien zum Sommeraufenthalt, bei meinem zweiten Besuche dagegen (1892) war es vollkommen unbewohnt. Bei den Wanderzügen achtet man streng darauf, dafs jede Gemeinde lediglich die ihr zukommenden Weiden benutzt und sich nicht am Gebiete des Nachbars vergreift. So zerfällt die Sinjavina Planina in eine Reihe von Abschnitten, die den Eingebornen des Tušina-, Piva-, Zeta-Thales &c. gehören, die Fluren um den Kapetanovo und Brničko Jezero sind ausschliefsliches Eigentum der Hirten von Rovca, und die Bewohner von Kolašin geraten wegen der Waldwiesen der Bjelasica oft mit ihren türkischen Nachbarn ins Handgemenge. Grenzstreitigkeiten der Gemeinden unter sich sind an der Tagesordnung und hatten in den Zeiten des Faustrechts die erbittertsten Kämpfe zur Folge, die jahrelang andauerten und durch die Blutrache immer neue Nahrung erhielten. Wie der Sutorman-Pafs seit alters ein Zankapfel zwischen Arnauten und Crnogorcen war, so durften die Senner von Borkovići und Nikolin Do ihre Herden höchstens eine Stunde weit über ihre Ortschaften hinaustreiben, wollten sie nicht Gefahr laufen, dafs ihnen die feindlichen Drobnjaker ihren kostbaren Besitz raubten. Die grasigen Fluren des Kom führten zu unaufhörlichen Zusammenstöfsen zwischen den Kuči, Vasojevići und Maljsoren, und um die magern, wasserarmen Hutweiden des Karstplateaus Lastva fochten die Montenegriner und die mohammedanischen Serben von Nikšić so viele Scharmützel aus, dafs die öden Kalkberge in den Volksliedern allgemein das Blutland heifsen[1]).

Obgleich die Eingebornen ihren Weidegründen insofern eine gewisse Schonung angedeihen lassen, als sie dieselben möglichst wechseln und ihre Benutzung ausschliefslich den Mitgliedern des eignen Clans gestatten, so können sie doch nicht eher reichlichere Heuvorräte und kräftigeres Gras gewinnen, als bis sie die Schonung nicht blofs auf mehrere Monate, sondern auf ebensoviele Jahre ausdehnen. Das selten besuchte Škrk Do ist ein trefflicher Beweis, wie schnell sich der Boden mit einer üppigen Grashülle überziehen kann, und es wäre angebracht, die Weiden in bestimmte Gebiete zu teilen, von denen jeden Sommer nur eins benutzt werden darf, während man auf den andern das Gras abmäht und mehr als bisher Versuche mit Stallfütterung macht. Ferner sind auf den Karstweiden die massenhaft herumliegenden Steine aufzulesen, weil dadurch mehr Erdkrume und somit auch mehr Gras gewonnen wird.

Eine nicht minder wichtige Rolle als die Weiden spielt der dem Karst so eigentümliche Strauch- und Halbgesträuchwald, der sich in den Ritzen des Gesteins einnistet und den von keiner Humusdecke überzogenen Kalk wohlthuend verbirgt. Wo etwas Erde vorhanden ist, wuchert üppiges Buschwerk, das in den wärmern Gegenden der Macchie-Formation angehört und in den kühlern Regionen vorwiegend aus immer- oder sommergrünen Eichen und Perrückenbäumen (Rhus cotinus) besteht. Letztere, die in den trostlosen Steinwüsten der Lješanska und Katunska Nahija gut gedeihen, sind Staatsmonopol, und der Wert ihrer jährlichen Ausfuhr wird auf 250000 Mark geschätzt. Nicht minder charakte-

[1]) Hecquard, Histoire et description de la Haute Albanie, S. 39. — Blau a. a. O., S. 78. — Rovinsk; a. a. O., S. 48. 109.

ristisch ist die Hasel- und Lambertsnufs, und wahrhaft unverwüstlich, mit dem schlechtesten Boden vorliebnehmend und gegen das Klima unempfindlich sind Wacholder (Juniperus), Hopfenbuche (Ostrya), Zürgelbaum (Celtis australis), Judendorn (Paliurus) und Esche (Fraxinus Ornus), zu denen sich in höhern Lagen dichtes Rotbuchengestrüpp gesellt. Die kurz erwähnten Gewächse sind die einzigen, die auf dem ungastlichen Kalkboden gut fortkommen und in dem harten Kampfe ums Dasein andre Pflanzen nicht neben sich aufkommen lassen. Denn nur sie vermögen das spröde Gestein in dem Mafse zu zersprengen und zu zersetzen, dafs sie dessen wenige nahrhafte Mineralbestandteile aufnehmen können. Wenn man dieses Pflanzenkleid, das den Kalk bald meilenweit überzieht, bald in dunklen Flecken von dem hellen Untergrunde absticht, kurzweg einen Wald nennt, so darf man nicht vergessen, dafs es ein Karstwald ist, aus dessen ästigem Gesträuch nur selten einzelne Bäume höher emporragen. Er ist mit den Karstweiden oft so eng vergesellschaftet, dafs man beide schwer voneinander trennen kann; und durch ihr Zusammenwirken rufen sie eine charakteristische Landschaftsform hervor, die in Süd-Montenegro und der Schieferzone am ehesten der Parklandschaft entsprechen würde[1]).

Der lichte Buschwald war einst nicht so ausgedehnt wie jetzt, sondern statt seiner grünte ein hochstämmiger Urwald, der sich heute auf die entlegensten Teile des montenegrinischen Karstes — Zentralmassiv, Ledenica, Pusti Lisac, Vojnik, Hochebenen beiderseits der Piva — beschränkt. Ferner finden sich ausgedehnte Waldungen im Bereich der ältern Schiefer, vor allem längs der Flüsse Tara und Lim, die fast jeden Berg von der Sohle bis zum Scheitel überziehen und nur eine nackte Felskuppe oder eine magere Hochweide frei lassen. Somit umgeben die Hochwälder, die als gemeinsame Eigenschaft den auffallenden Mangel an Eichen besitzen, das Fürstentum in einem weiten, nach dem Meere zu offnen Bogen, und die Südgrenze des sibirisch-europäischen Waldgebiets wird, soweit sie Montenegro schneidet, durch die Linie Čemerno—Pusti Lisac—Ostrog—Orahovo bestimmt. In frühern Jahrhunderten war sie höchstwahrscheinlich viel mehr nach Westen vorgeschoben, bis sie durch die fortschreitende Abholzung binnenwärts zurückgedrängt wurde.

Schon aus der Ferne hebt sich das finstere Dickicht als schwarzer Punkt von dem weifsgrauen Kalke ab, das Strauchwerk wird zusehends dichter, und schliefslich nimmt uns die feierliche Stille eines erhabenen Urwaldes auf. Stundenlang kann man unter den mächtigen Wipfeln, die das Sonnenlicht dämpfen, dahinwandern, ohne auf eine Lichtung zu stofsen. Hier stehen die gigantischen Stämme, die oft 30 m Höhe und 8 m Umfang erreichen, noch fest und ungebrochen, dort liegen sie verfaulend am Boden und verleihen ihm durch ihren Untergang Kraft zur Entwickelung eines neuen Nachwuchses, der unter dem Schutze der Baumriesen rasch und üppig emporschiefst. Wenn Carteron den Flächeninhalt des Urwaldes zwischen der Golija und den Duga-Pässen auf 5000—6000 ha und seinen Bestand auf 600000 Buchen und ebensoviele Tannen und Fichten schätzt, wieviele Millionen Bäume bergen dann die Wälder des Ostens? Aber unter den abgefallenen Blättern und Nadeln, die den Grund mit einer meterhohen Hülle überkleiden, lagert im Karste der zerfressene, nackte Kalk, und diese Thatsache weist darauf hin, dafs Kahlheit des Landes und Karstbildung keineswegs dasselbe sind.

Man denkt bei der Erwähnung des Namens Karst gewöhnlich an vegetationsarme Steinwüsten, ohne zu beachten, dafs der Begriff Karst eine merkwürdige Ausbildungsweise der Erdoberfläche und des Erdinnern bezeichnet, die unter gewissen Voraussetzungen in jedem Kalkgebiet eintreten und, wie die Schwemmland-Dolinen und geologischen Orgeln darthun,

[1]) Vialla de Sommières a. a. O., II, 91—97. — Ebel a. a. O., S. 11. 96. — Lindau a. a. O., I, 236. — Stieglitz a. a. O., S. 95. — Denton a. a. O., S. 42 f. — Frilley et Wlahovitch a. a. O., S. 409. — Sernet a. a. O., S. 193 f. — Schwarz a. a. O., S. 413. 416. 418. — Rovinski a. a. O., S. 42. 52. 91. 95. — Baldacci, Cenni ed Appunti etc., S. 16. — Baldacci, Altre Notizie etc., S. 8. 78. 81. — Wessely a. a. O., S. 105—111. — Lorenz, Bedingungen der Aufforstung des Karstes, S. 110 f.

auch unter einer Humusschicht vor sich geben kann. Die Verkarstung jedoch, die man besser Versteinung oder Verwüstung nennen sollte, ist eine Folge der Entwaldung, und die Vorbedingungen für ihre Entstehung sind nur insofern gegeben, als in einem regenarmen Lande die Erde nach dem Verschwinden der Bäume fortgetragen wird, so daſs der rauhe Fels zum Vorschein kommt, während unter dem feuchten Klima Englands, Mährens und Nord-Montenegros der entwaldete Boden seine Humusdecke behält und reiche Erträge liefert. Es leuchtet ein, daſs im Gegensatze zum Karstprozeſs die Verkarstung nicht ausschlieſslich auf den Kalk beschränkt ist, sondern in trockenen Landstrichen bei jedem andern Gestein wiederkehren kann, und in diesem Sinne spricht Franges von dem verkarsteten, d. h. seiner Erde und seines Waldes beraubten Sandstein zwischen Triest und Capo d'Istria. Die Versteinung einer Gegend genügt aber noch nicht, um sie als Karst aufzufassen, wenn sie nicht gleichzeitig die dem Karst eigentümlichen Reliefformen aufweist[1]).

Eben so unrichtig ist es, die Karstwälder als Quellenerzeuger und Regulatoren des unterirdischen Zuflusses anzusprechen, denn das Dickicht des montenegrinischen Karstes ist gegenüber den quellenreichen Wäldern der Schieferzone fast vollständig wasserlos. Wohl hält das dichte Laubdach und nicht minder die Humusdecke des Bodens die Feuchtigkeit längere Zeit fest, aber der bei weitem gröſste Teil der Niederschläge wird sofort vom durchlöcherten Gestein aufgeschluckt. Die Quellenarmut des Karstes hat also mit der Abholzung nichts zu thun, sondern sie ist die natürliche Ursache der auſserordentlichen Durchlässigkeit des Kalkes, und man darf sich nie der Hoffnung hingeben, daſs die Aufforstung der kahlen Flächen mit einer Neubelebung der Wasseradern und der Neuentstehung von Quellen verbunden sei. Das eine aber steht fest und ist durch neuere Beobachtungen in den Waldstationen Österreichs bestätigt worden, daſs die Niederschläge im Walde um 12 Proz. reichlicher sind als im freien Lande, und diese Zahl ist ein wertvoller Beleg für den Rückgang der Niederschlagsmenge in stark entforsteten Gegenden[2]).

Bei der Schilderung des Waldes drängt sich von selbst die vielumstrittene Frage auf, ob der Karst einst dichter mit Hochwald bestanden war oder ob die Gegenden, die heute öde und unfruchtbar sind, ursprünglich eben so unwirtlich und holzarm waren. Urhas, Kramer, Ströhr und Miroslav behaupten unter Hinweis auf die ungünstigen Klima- und Wasserverhältnisse des Karstes das letztere, und ihre Ansicht mag für die von ihnen untersuchten Landstriche, zumal für diejenigen, die schon Strabo (VII, 218) wüst nennt, zutreffen. Die Vermutung jedoch, der Karst habe wohl einen ausgedehnten Niederwald, nie aber einen stattlichen Hochwald besessen, findet keine Bestätigung, denn die Urwälder Montenegros gehören dem wildesten Karste an, dessen Humusschwarte erst durch das abfallende und verwesende Laub geschaffen wurde. Der Eichenwald von Lipizza, auf den sich Miroslav beruft, kann trotz seiner sorgfältigen Hütung und seiner 600- bis 800jährigen Stämme kein brauchbares Schiffsbauholz liefern, weil infolge der Verwüstungen, die schon vor Christi Geburt ihren Anfang nahmen, das Wachstum und die Lebenskraft der Bäume durch die rauhen Winde wesentlich beeinträchtigt wurden.

Kramer glaubt aus den in den Höhlen massenhaft gefundenen Knochen tertiärer Pflanzenfresser schlieſsen zu dürfen, daſs der Karst keinen Hochwald, sondern einen üppigen Graswuchs trug. Anderseits machen aber die nicht minder häufigen Überreste von Bären und Hirschen, also von Tieren, die mit Vorliebe im finstern Dickicht hausen, wahrschein-

[1]) v. Sooklar a. a. O., S. 102. — v. Mojsisovics a. a. O., S. 111. — Wessely a. a. O., S. 2. 147. 158. — Kramberger a. a. O., S. 22. — E. Kramer, Zur Bodenkunde des Karstes. (Zentralblatt f. d. gesamte Forstwesen. Wien 1890, S. 19—21.) — v. Hötzendorf a. a. O., S. 11. — Riedel a. a. O., S. 163. — Supan a. a. O., I. 289. — Schmidl a. a. O., S. 159. — Noë, Aufbau des Karstes, S. 397. 398. — Franges a. a. O., S. 768. 772. — Kraus, Karsterscheinungen, S. 145. — Kraus, Karsterscheinungen am Dachstein, S. 325. — Cvijić a. a. O., S. 13. — H. v. Guttenberg, Der Karst und seine forstlichen Verhältnisse mit besonderer Berücksichtigung des österreichischen Küstenlandes. (Ztschr. d. Deutsch. u. Österr. Alpenvereins, 1881, S. 83.)

[2]) Die Wassernot im Karste, S. 120. 121. 148. — Nach Tageblättern 1894. — Lelarge, Voies de communication du Monténégro, S. 120.

lich, dafs er sich auch eines kräftigen Baumwuchses erfreute; und aus geschichtlicher Zeit liegen untrügliche Zeugnisse vor, nach denen das trostlose Kalkgebirge in nicht allzu ferner Vergangenheit dichter bewaldet war als in unsern Tagen. Nicht übermächtige Naturgewalten, sondern die Menschen haben den Karst seines schönsten Schmuckes und seines kostbarsten Gutes beraubt!

Zur Römerzeit gab es an der Liburnischen Küste keinen nackten Karst; aber die Venetianer, die illyrischen und slavischen Hirtenstämme, die Verwüstungen seitens der Türken und die ewigen Kriege, infolge deren sich viel Volks an der sichern Küste zusammendrängte, haben die wertvollen Bestände von Grund auf zerstört. Die allgemeine Annahme jedoch, dafs lediglich die Venetianer den heutigen Zustand der ostadriatischen Küstenländer verschuldet haben, ist irrig. Zwar sind sie betreffs Dalmatiens von diesem Vorwurfe nicht freizusprechen, in Istrien dagegen erliefsen sie eine Anzahl von Waldschutzgesetzen, und der istrisch-venetianische Karst trug stattliche Eichenwälder, während der kroatische und Triestiner Karst, die nie den Venetianern gehört haben, bereits abstofsende Einöden waren. Ferner ist es sehr fraglich, ob man die stolze Republik für die Verheerung des dinarischen Karstes verantwortlich machen darf, aus dessen weglosem Innern stärkere Stämme ohne ungeheure Kosten wohl kaum ans Meer geschafft werden konnten. Wenn die Handelsherren von San Marco ihr Bauholz wirklich aus dem Karste bezogen, so entnahmen sie es nur den unmittelbar an der Adria gelegenen Abhängen, und die Entwaldung des Binnenlandes ist einzig und allein der sinnlosen Wirtschaft der Eingebornen zuzuschreiben. Aus Urkunden der Archive von Adelsberg und Wippach geht hervor, wie die schönen Forste allmählich niedergeschlagen wurden. Schon 1620 soll es vom Gestade bis hinauf nach Adelsberg kein Schiffsbauholz mehr gegeben haben, und vor 300, ja teilweise erst vor 150 Jahren begann die Zerstörung der ausgedehnten Urwälder, die bis ins 18. Jahrhundert hinein den Monte Maggiore und den kroatischen Karst bedeckten [1]).

Auch die Schwarzen Berge waren vor Zeiten wohl bewaldet, denn woraus wollte man sonst die Erscheinung erklären, dafs die sonst völlig baumlose Sinjavina einige prächtige Hochwälder beherbergt? Allerdings liegt ein Teil des Plateaus schon oberhalb der Waldgrenze; begegnet man jedoch einem schier undurchdringlichen Dickicht an einer Stelle, welche die gleichen orographischen und klimatischen Bedingungen wie die benachbarten Hochebenen aufweist, so gewinnt man die Überzeugung, dafs die kahlen Flächen vordem ebenfalls mit Bäumen bewachsen waren; und in der That führen die Hirten die Waldarmut der Sinjavina auf verheerende Brände und übermäfsige Abholzung zurück. Auch die Ortsnamen geben mancherlei Aufschlüsse. Gegenden Namens Bukovica deuten auf ehemalige Buchenbestände, und im Han Gvozd (Urwald) lebt die Erinnerung an einen Hochwald fort, der bis auf einen kleinen Hain 100jähriger Buchen verschwunden ist. Dafs die Crna Gora ebenfalls mit stattlichen Wäldern bedeckt war, dafür sprechen die umfangreichen Überreste auf dem Lovćen, am Bratagos, Njegoš und das von Vialla durchwanderte Dickicht zwischen Cetinje und Dobrsko Selo, dessen Grund die Sonnenstrahlen kaum erhellten und von dem bis auf lichtes Unterholz keine Spur mehr vorhanden ist. An der Grenze endlich legten die Türken den Wald absichtlich nieder, um vor den Überfällen der Crnogorcen sicher zu sein, und Augenzeugen berichten, dafs im Umkreise von Nikšić mitunter an mehreren

[1]) Gruber a. a. O., S. 135. 136. — B. Hacquet, Oryctographia Carniolica oder physikalische Erdbeschreibung des Herzogtums Krain, Istrien und zum Teil der benachbarten Länder, 1778 79, III, 96. — Hlubek a. a. O., S. 9—15. — Lorenz a. a. O., S. 184. — Stache, Landschaftsbild des Istrischen Karstes, II, 190. — v. Pannewitz, Der Karst, eine Wüste oder ein Steinmeer bei Triest. (Forstliche Blätter, 1860, S. 79.) — Wessely a. a. O., S. 2—5. 9. 37. — Urbas, Die oro- und hydrographischen Verhältnisse Krains, S. 298. 299. — v. Sonklar a. a. O., S. 102. — Miroslav, Der Karst. (Triester Ztg., Nr. 3—6 [s. a.].) — Fruges a. a. O., S. 767—772. — v. Guttenberg a. a. O., S. 33—39. — L. B. B. a. a. O., S. 424. — Kramer a. a. O., S. 19—21. — Ströhr, Bosnisch-hercegovinische Grenze, 1881, S. 137. — v. Asboth a. a. O., S. 333. — Supan a. a. O., I, 289.

Stellen zugleich Rauchsäulen aufstiegen, welche die Gegenden verrieten, in denen die türkischen Soldaten ihr Zerstörungswerk ausübten. Aus demselben Grunde wurden die Sučeska-Enge, die Duga-Pässe und der Saumweg von Antivari auf den Sutorman des Waldes beraubt, und als im letzten Kriege mehrere tausend Montenegriner den Sutorman-Pafs besetzt hielten, wurde die gröfsere Hälfte seiner Buchen und Eichen abgeholzt, um in den bitterkalten Herbstnächten als Feuermaterial zu dienen.

Zu den Verwüstungen, die der Krieg mit sich brachte, gesellten sich diejenigen, welche der Mensch anrichtete oder notgedrungen anrichten mufste; und wie einerseits der Hochwald seinem Untergange entgegenging, so wurde anderseits das heranwachsende Buschholz vernichtet, das auf dem steinigen Boden und unter dem unfreundlichen Klima doppelter Schonung bedurft hätte. Da man in vielen Karstgebieten wegen des mangelnden Heues die trockenen Zweige als Viehfutter verwenden mufs, so können die verschnittenen und verstümmelten Stümpfe sich nie zu kräftigem Walde entwickeln und gehen schliefslich ganz ein. Beispielsweise liefs die französische Behörde zur Zeit Bonapartes die Bäume eines Eichenwaldes bei Triest am Wipfel köpfen, um recht starke Stämme zu erzielen, und die Folge war, dafs sämtliche Bäume durch diese Mifshandlung und das auffallende Regenwasser kernfaul wurden und abstarben. Dieser traurigen Erscheinung begegnet man in den montenegrinischen Wäldern leider nur zu oft; denn statt mit Mäfsigung vorzugehen, schlägt man die Bäume oft blofs der Äste wegen um und läfst die schweren Stämme, die man nicht wegschaffen kann, unbenutzt verfaulen. Dieses rücksichtslose Vorgehen wird durch die ungeregelten Besitzverhältnisse begünstigt, indem jedermann sein Eigentum schont und dafür die Gemeindewälder um so schonungsloser ausbeutet. Möchten doch die Eingebornen die goldenen Worte beherzigen, die der verständige Referent der Carteronschen Arbeit am Schlusse seiner Besprechung (Glas Crnogorca, 12. XII. 1892) ihnen zuruft: „Malo naš narod cijeni svoje blago, nemilice uništavajući goru, a ne misleći ni najmanje o njenom gajenju i čuvanju. Ono što pametni strani ljudi cijene na milione, a mjere na santimetre, mi sakatimo, trošimo i uništavamo kao stvar bez ikakve vrijednosti!“ (Wir, d. h. die Crnogorcen, achten unsern Waldreichtum viel zu wenig und vernichten ihn schonungslos, ohne an Pflege und Hütung zu denken. Das, was vernünftige fremde Leute nach Millionen schätzen und nach Centimetern messen, verwüsten wir, als ob es vollständig wertlos wäre!)[1])

Die zahllosen Ziegen, die mit Vorliebe die zarten Triebe und Knospen fressen und dadurch die gefährlichsten Feinde des Jungwaldes werden, unterstützen den Menschen getreulich bei seinem Zerstörungswerke. In den grasarmen Fluren nagen sie jeden erreichbaren Strauch ab und verzehren im Winter die dünnen Äste und selbst die Rinde. Wollte man die junge Vegetation vor derartigen Angriffen schützen, so würde sich in vielen Fällen eine Wiederbewaldung von selbst ergeben, und um sie zu ermöglichen, ordnete die österreichische Regierung schon um die Mitte des vorigen Jahrhunderts förmliche Treibjagden auf die verwilderten Ziegen an. Aber die stumpfsinnigen Karstbewohner lehnten sich gegen diese und gegen andre Mafsregeln auf, und es bedurfte aller Anstrengungen, ja der Gewalt, um der immer mehr wachsenden Plage ein Ziel zu setzen[2]).

So ist der west-montenegrinische Karst heute mit wenigen Ausnahmen des Hochwaldes gänzlich bar, und nicht viel günstiger stellt sich das Verhältnis zwischen Wald und Weide in Österreich-Ungarn. Zwar gibt es im Krainer und kroatischen Karste noch immer an-

[1]) Bolizza a. a. O., S. 295. — Vialla de Sommières a. a. O., I, 293. 294. 336. — Mackenzie and Irby a. a. O., S. 576. — Boué, Die Europäische Türkei, I, 15. — Ascherson a. a. O., S. 328. — Tietze a. a. O., S. 97. — Rovinski a. a. O., S. 41. — Lelarge a. a. O., S. 120. — Schwarz a. a. O., S. 124.

[2]) Ascherson a. a. O., S. 334. — Mackenzie and Irby a. a. O., S. 576. — Minchin a. a. O., S. 27. — Ströhr a. a. O., S. 133. — Baumann, [Zweite] Reise durch Montenegro, S. 5. — Rovinski a. a. O., S. 43. 46. 53. 92. 109. 123. — Hann, Gröfste Regenmengen in Österreich, S. 190. — Beyer, Karstbilder, S. 930. — v. Hauer, Die Geologie und ihre Anwendung, S. 520.

sehnliche Forste, der zur Adria abfallende Seekarst dagegen ist völlig kahl, und ebenso besitzt Dalmatien bis auf einige unbedeutende Bestände keinen Hochwald mehr. Verminderte sich doch sein Gemeindewald in 34 Jahren (1838—1872) um 47 %, während der Privatwald nur um 10 % zunahm! Überhaupt entfallen von der Gesamtoberfläche des österreichischen Karstes (1881) auf den Hoch- und Niederwald 27,9 %, die nackte oder mit Buschwerk bedeckte Hutweide 49,3 % und das Kulturland 22,8 %, und in Dalmatien kamen um dieselbe Zeit auf den Wald 15 %, die Weide 66 % und das bebaute Land 19 % der Bodenfläche [1]).

Der unheilvollen Nachwirkungen, die eine übermäßige Ausrodung der Wälder notwendigerweise nach sich ziehen muß, haben wir bereits gedacht (vgl. Kap. VII, S. 154), und es war natürlich, daß einsichtsvolle Männer seit Jahren ihre warnende Stimme gegen das Unwesen erhoben, bis der österreichische Staat die Wiederaufforstung des Karstes in die Hand nahm. Allerdings stieß dieser Plan, um dessen Verwirklichung sich vor allem Wessely, Hlubek und v. Guttenberg verdient gemacht haben, vielfach auf Zweifel und Kopfschütteln, ja die einfältige Karstbevölkerung wollte von den Neuerungen nichts wissen und zerstörte einige Male die jungen Kulturen. Mit wachsender Einsicht bot sie jedoch selbst ihre Hilfe an, und durch die gemeinsame Arbeit von Staat und Gemeinden sind schon beachtenswerte Resultate errungen worden. Trotzdem meinte Kramer noch vor wenigen Jahren, die Wiederbewaldung sei sehr in Frage zu ziehen, da der einstige Wald nicht auf dem Verwitterungsboden des Kalkes, sondern auf abgeschwemmten und abgerutschten thonigen und mergeligen Tertiär-Ablagerungen stand. Zugegeben auch, daß der Kalk wenig Zersetzungsrückstände liefert und daß der Wald sich seine Humusdecke selbst schafft, so enthalten die Gesteinsfugen noch immer so viel Erde, wie zur Einsetzung junger Holzpflanzen erforderlich ist; und hat der Baumwuchs eine gewisse Höhe erreicht, so wirkt das Material gelungener Aufforstungen an sich schon bodenbildend. Abgesehen von diesen Erwägungen sollte sich Kramer durch die erfolgreichen Versuche belehren lassen, die seit 1842 im österreichischen Karste angestellt worden sind. Sämtliche Kiefernwäldchen in der Umgebung von Triest sind seit den letzten drei Jahrzehnten entstanden; im Seekarst waren bis 1881 1000 ha Ödland aufgeforstet und ausgedehnte Gebiete in Hege und Bann gethan, d. h. durch Schutzeinrichtungen und Weideverbote in ihrer Entwickelung wesentlich gefördert. Die längs der Bahndämme angelegten Kiefernhaine leisten trotz ihres jugendlichen Alters Stürmen und Schneeverwehungen viel besser Widerstand, als die aus Holz und Steinen erbauten Bora-Wände, und je mehr der Wald an Umfang gewinnt, um so sicherer wird die Gewalt der Winde gebrochen, der Untergrund durch neue Krume bereichert und die traurige wirtschaftliche Lage der Eingebornen gebessert [2]).

Für den montenegrinischen Karst ist eine Aufforstung, wie sie 1880 in kleinem Maße nördlich der Cijevna ausgeführt wurde, notwendig und aussichtsvoll zugleich. Notwendig, weil sonst die schlimmen Folgen der Abholzung immer fühlbarer werden, aussichtsvoll, weil der Hochwald und die durch ihn geschützten Weiden eine ganz andre Ausnutzung erlauben als der Gestrüppwald und die kümmerlichen Hutweiden. Die Wiederkultur muß deshalb beide in gleicher Weise berücksichtigen, denn der Karst ist von Natur aus ein Wald- und Weidegebiet; und sie gliedert sich in 1) die Neuschaffung von Humus und Vegetation, 2) die Schonung und Aufbesserung der vorhandenen Bestände und 3) die Erhaltung und Sicherung der gewonnenen Erd- und Pflanzendecke.

---

[1]) Dabei wurden viele Strecken zum Wald gerechnet, die eigentlich bloß Weideland mit Gestrüpp und Baumgruppen waren. Wessely a. a. O., S. 13. 356. — Franges a. a. O., S. 770—772. — v. Guttenberg a. a. O., S. 29. 30. — Supan a. a. O., I, 288.

[2]) Kramer a. a. O., S. 32. — Wessely a. a. O., S. 18. — Hlubek a. a. O., S. 27. — Moser, Karst, S. 38. — v. Guttenberg a. a. O., S. 43—47. — v. Guttenberg. Die Karstaufforstung. (Mitteil. d. Deutsch. u. Österr. Alpenvereins, 1893, S. 113.) — Die Aufforstung des Karstes. (Ausland, 1880, S. 680.) — Die Bewaldung des Karstes. (Ztschr. d. Ges. f. Erdk. Berlin, 1866, S. 73.)

Da in den Waldungen, die als Gemeindebesitz oder Allgemeingut jedermann zur freien Verfügung stehen, die Verwüstung erfahrungsgemäfs am gröfsten ist, so mufs der Staat den Karst übernehmen oder durch strenge Gesetze den Mifsbrauch unterdrücken. Die Weidegründe beherbergen in den durch Viehbifs und Hacke zu kümmerlichem Halbgesträuch verkrüppelten Holzgewächsen sehr viele Waldelemente, die durch ein geregeltes Verfahren, insbesondere durch das Fernhalten der Herden, wenigstens zu einem leidlichen Niederwalde heranwachsen können. Beraubt man ferner in den Gegenden, in denen man auf das Laubfutter angewiesen ist, die Bäume nicht jedes Jahr ihrer Äste oder schneidet man nur einen Teil derselben ab, so kann man in einigen Jahren kräftige Stämmchen erhalten, und schont man nach Fällung eines Baumes den neu hervorbrechenden Wurzelausschlag, so vermag er sich ebenfalls binnen kurzem zu üppigem Buschholz zu entfalten. Wirklich sind überall dort in Montenegro die Anzeichen für eine natürliche Wiederbewaldung zu bemerken, wo die Eingebornen blofs soviel Bäume niederschlagen und soviel Zweige abhauen, als unumgänglich erforderlich sind; und die stattlichen Bäume wie die saftigen Wiesen des dem Fürsten gehörenden Stožki Put (Duga-Pässe), den kein Montenegriner betreten darf, sind der beste Beweis, wie sehr eine vernünftige Schonung das Wachstum begünstigt. Alle Vorsichtsmafsregeln und Verbesserungsvorschläge würden aber umsonst sein, wenn man nicht die Weiden auf genau bestimmte Fluren beschränkt, aufserhalb deren kein Vieh frei herumlaufen darf. Vor allem ist es ein dringendes Gebot der Notwendigkeit, mit allen Mitteln auf die Abschaffung der Ziegen und die Einführung der weit lohnendern Rindviehzucht hinzuarbeiten. In dieser Beziehung ist das Vorgehen Österreichs nur zu billigen, das in seinen Karstländern die Ziegen aufserordentlich hoch besteuert und dadurch bereits eine wesentliche Verminderung jener Dämonen des Jungwaldes erzielt hat.

Viele Karstgebiete sind aber so verödet, dafs eine freiwillige Wiederbewaldung ausgeschlossen ist. Dort verspricht einzig und allein die künstliche Aufforstung Erfolg, und wo sie versucht wird, mufs sie nach einem einheitlichen, grofsangelegten Plane in Angriff genommen werden, weil zu kleine Anpflanzungen gegen die Unbilden des Klimas keinen ausreichenden Widerstand bieten, während ein umfangreicher Wald in sich selbst schon einigen Schutz findet. Der Karst begünstigt diese Arbeiten insofern, als es vielfach noch kräftiges Buschholz gibt, das durch den sogenannten Flickanbau, d. h. durch Aufforstung der kahlen Stellen zwischen den bewachsenen Flächen, zu einem zusammenhängenden Wald erweitert werden kann. Enthält der Felsgrund etwas Humus, so stöfst das Einsetzen der jungen Pflanzen auf keine allzu grofsen Schwierigkeiten; doch ist oft eine künstliche Anhäufung von Erdreich und fleifsiges Begiefsen unerläfslich. Durch Steinmauern, die thunlichst senkrecht zur Bora-Richtung verlaufen müssen und zu deren Bau die massenhaft umherliegenden Steine dienen, ist die Vegetation vor den rauhen Stürmen und die Erde vor Abschwemmung zu sichern. Kurz, die Aufschüttung und sorgfältigste Pflege des nackten Karstes ist die Grundbedingung seiner Wiederkultur, und man mufs die Aufforstung mit allen Mitteln unterstützen, da die natürliche Selbstbewaldung des wildverkarsteten, humusarmen Ödlandes wegen der Erschöpfung oder Vernichtung der Bodenkrume unendlich lange Zeiträume in Anspruch nehmen würde [1]).

Bei den Anpflanzungen haben sich Eiche und Buche, Pappel und Akazie, Lärche und Tanne gut bewährt; aber sie alle übertrifft die Schwarzkiefer, die eine besondere Vorliebe für den Kalk hat und durch ihre dichte, reichliche Benadelung sehr schnell eine Humusdecke schafft. Im wirtschaftlichen Leben der Karstbewohner spielen Buche und Eiche die wichtigste Rolle, denn sie fördern durch ihre Früchte die Schweinezucht, ihr Laub dient

[1]) Wessely a. a. O., S. 18. 27. 29. 85. 89. — v. Pannewitz a. a. O., S. 82. 85—91. — v. Guttenberg. Der Karst und seine forstlichen Verhältnisse, S. 34. 35. — Hlubek a. a. O., S. 10—14. 18. — Heyer a. a. O., S. 930. — Franges a. a. O., S. 767. — Die Wassernot im Karste, S. 136. — Riedel a. a. O., S. 163. — Ströhr a. a. O., S. 137. — Minchin a. a. O., S. 27. — Lelarge a. a. O., S. 120.

als Winterfutter, das Reisig als Brennholz, und die Stämme sind ein vortreffliches Baumaterial[1]).

Somit haben wir die vornehmsten Charakterbäume des Karstes und des montenegrinischen Hochwaldes erwähnt, der ebenso einförmig wie der Wald der gemäßigten Zone ist, da die Bestände nur von wenigen Baumarten zusammengesetzt werden, die selten untereinandergemischt, sondern nebeneinander vorkommen. In den untern Regionen waltet die Eiche, in den mittlern die Buche und in den obern das Nadelholz vor, und dazwischen schieben sich als Misch- und Endtypen der Eichen-Buchenwald, Buchen-Nadelwald und das Krummholz. Soweit der Wald dem Karst angehört, kann man ihn als quellenlosen Karsthochwald oder wegen seiner Unabhängigkeit vom fließenden Wasser als Regenwald bezeichnen. Ihm steht der wiesen- und quellenreiche Bergwald gegenüber, und das Nadelholz hat mit seinen vom Sturm zerzausten Kronen und den gebleichten, flechtenbehangenen Stämmen vielfach die Eigenschaften des Hochgebirgswaldes.

Die sommergrüne Eiche nimmt in erster Linie die verkarsteten Hochebenen der Crna Gora ein, wo sie lichte Buschholzbestände bildet und selbst in den höhern Gebirgen, z. B. dem Lovćen, durch verkrüppeltes Gestrüpp das Knieholz ersetzt. Doch tritt sie, sei es aus klimatischen Gründen oder infolge der Entwaldung, noch lange nicht in dem Maße wie in Griechenland als Waldbaum auf, und hochstämmiger Eichenwald, der das landschaftliche Bild entschieden beeinflußt, findet sich nur am Grunde und auf den Gehängen des Zeta-Thales, am Sutorman und in der Umgebung von Andrijevica und Kloster Morača. Während die Eiche im Westen bei 1100 m über dem Meere noch gut gedeiht, endet sie im Kuči-Lande bei 1000 m (Kržanje), im Lijeva Rijeka-Thale und am Lim bei 900 m, und am Vojnik, an der Morača und der Tara-Mündung geht sie rasch in Mischwald über oder macht ohne weiteres der Buche Platz. Selbst inmitten des Bereichs der Mittelmeerflora fehlt sie nicht; und wo, wie im Štoj und längs der Bojana, der Boden feucht genug ist und den blattwechselnden Gewächsen die Möglichkeit gibt, den heißen, regenlosen Sommer ohne Schaden zu überdauern, schließt sie sich mit Ulmen und Pappeln zu ansehnlichen Hainen zusammen, die durch ihre düstere Färbung auffallend von den glühenden Farben der südlichen Pflanzen abstechen und stets ein sicheres Anzeichen für die Anwesenheit von Grundwasser sind[2]).

Die Rotbuche (Fagus silvatica) ist der eigentliche Charakterbaum des montenegrinischen Hochwaldes. Weil sie von der Höhenlage weniger abhängig ist als die Eiche und auf dem Kalk nicht minder gut fortkommt als auf dem lockern Boden der Eruptivgesteine und ältern Schiefer, setzt sie nicht bloß die zerstreuten Waldungen des Westens, sondern hauptsächlich die Bergwälder der Brda zusammen. Im kühlen Hochgebirge erscheint sie als mehr oder minder kräftiges Gebüsch, oder das Nadelholz dringt weit in die Zone der Buchen vor, und zu den gemischten Wäldern dieser Art, denen die Eiche fremd ist, gehören die menschenleeren Dickichte des Latično, Vojnik, der Prekornica und des Kom.

Gegenüber der Eiche und Buche treten die übrigen Laubbäume merklich zurück; doch kommt hierbei das Gesetz zur Geltung, daß die Wälder der tiefern Regionen reicher an Arten als die der höhern Regionen sind. Zuweilen begleiten die Buchen kleine Gruppen von Birken (Prekornica), Ahorn (Sušica-Cañon, Kom) und Linden (Tušina, Pusti Lisac), und Erlen oder Weiden zieren die Ufer der stehenden und fließenden Gewässer. Die Pappeln sind nur im Süden heimisch, und die Kastanie (Castanea sativa)[3]), die man in Dalmatien

---

[1]) Wessely a. a. O., S. 105—111. — Hlubek a. a. O., S. 15. 18. — v. Panrewitz a. a. O., S. 86. 88. — v. Guttenberg a. a. O., S. 31. 51—54. — v. Guttenberg, Karstaufforstung, S. 148.

[2]) Boué, Recueil d'itinéraires, II, 193. 196. — Tietze a. a. O., S. 42. 95. — Baldacci, Cenni ed Appunti etc., S. 52. 58. — Baldacci, Altre Notizie etc., S. 31. 59. 61. — Rovinski a. a. O., S. 52. 95. 107. — van Hees a. a. O., S. 275.

[3]) Ascherson a. a. O., S. 324. — Rovinski a. a. O., S. 296. — Baldacci a. a. O., S. 15. — Hassert a. a. O., S. 197.

und in der Rumija (bei Mikulići und Murić) selten antrifft, gewinnt erst südlich von Scutari als Waldbaum größere Bedeutung.

Der Nadelwald beschränkt sich auf die höhern Plateaus und Gebirge und steht deshalb beträchtlich hinter dem Laubwald zurück. Dem entsprechend ist er in der Crna Gora, deren Berge nirgends 2000 m Meereshöhe erreichen, nur am Lovćen und Pusti Lisac, bei Grahovo und vereinzelt in der Katunska Nahija anzutreffen. Dafür überzieht er die Kämme und Planinas des Durmitor-, Kom-, Žijovo- und Prekornica-Gebietes mit einem schwarzgrünen Mantel und ist in allen den Gegenden vertreten, die 1600 m über der Adria liegen. Doch stellen sich in den tiefen Thalschluchten der Bergflüsse und in den Cañons umfangreiche Nadelholzbestände schon von 1300 m an aufwärts ein. Um einige Beispiele anzuführen, endet der Buchen- und beginnt der Nadelwald an der obern Komarnica bei 1500 m, am Borovnik bei 1700 m, am Jablanov Vrh bei 1750 m, und auf der Somina und Sinjavina werden in 1650 m über dem Meere die Buchen von Aleppokiefern verdrängt[1].

Im Gegensatz zu dem abwechselungsvollen, im Herbst bunt schattierten Laubwald trägt der Nadelwald ein unendlich eintöniges Gepräge. Stets kehren dieselben schlanken Stämme und die regelmäßig angeordneten Zweige wieder; statt des Unterholzes verhüllen Heidekraut und Blaubeerengesträuch, dicke Moospolster oder ein glatter Teppich abgefallener Nadeln den feuchten Boden, und von den gefiederten Bewohnern der Luft ist bloſs der Specht ein häufiger Gast.

Die Palmen des Nordens, wie man die Nadelbäume sinnig genannt hat, bestehen in Montenegro vorzugsweise aus Tannen (Abies pectinata und excelsa), z. B. am Jelenak, dem „Tannenberg", Fichten (Pinus picea und mughus), z. B. am Borovnik und Borovac (bor = Fichte), Lärchen und Schwarzkiefern (Pinus Laricio). Auf der Sinjavina und Somina begegnet man der Aleppokiefer (Pinus Halepensis)[2], am Kom, Treskavac und in den Široka Korita wächst die Zirbelkiefer (Pinus Cembra), und auf den Grenzgebirgen Zelentin und Sjekirica grünt die in Europa nur noch auf dem Peristeri beobachtete Pinus Peuce, die Molika der Eingebornen[3].

Die Verbreitung der Lebewesen ist von dem Oberflächenbau und dem Klima abhängig. Jede Pflanze bedarf zu ihrer gedeihlichen Entwickelung eines bestimmten Maſses von Wärme, und wo es nicht zur Verfügung steht, ist ihrem Dasein ein Ziel gesetzt. Darum kommen die Gewächse der Tropen unter unserm Himmelsstrich nicht mehr fort, und ebenso gebietet die zunehmende Meereshöhe der Vegetation Halt. Die Höhengrenzen laufen indes den Höhenschichtlinien eines Gebirges nicht parallel, sondern sie dringen auf den geschützten Hängen weiter vor als auf der Wetterseite und senden in den tiefen Schluchten Ausläufer ein gutes Stück bergaufwärts. Neben den Wirkungen des allgemeinen Gesetzes um mit Ratzel zu reden, d. h. der Wärmeabnahme mit der Höhe, bedingen demnach örtliche Ursachen die gekrümmte Linie mit ihren ein- und ausspringenden Winkeln, die infolge säkularer Klimaänderungen und je nach dem Schaden, den Lawinen und Steinströme anrichten, unaufhörlich hin- und herschwankt. Zur Untersuchung der Höhengrenzen, deren Festlegung natürlich nicht eine, sondern eine ganze Reihe von Messungen erfordert, sind allseitig steil abfallende, geschlossene Bergketten, wie der Durmitor, am geeignetsten. Die Laub- und Nadelwälder, die seinen Ostfuſs und die Felswände bekleiden, wenn sie nicht gar zu schroff sind, verschwinden mit einem Male, sobald sie den sturmumtosten Kamm erreichen und räumen dem Knieholz und den Firnflecken das Feld. Wald- und

---

[1]) Boué a. a. O., II, 193. — Hecquard a. a. O., S. 96. — L. Baldacci a. a. O., I, 39. — Schwarz a. a. O., S. 271. — Baldacci a. a. O., S. 32. 33. 42. 72. — Baldacci, Cenni ed Appunti etc., S. 55. 56. — v. Kaulbars a. a. O., S. 44. 48. — Lejarge a. a. O., S. 120. — Vukomanović a. a. O. — Rovinski a. a. O., S. 46. 48. 58. 64. 75—77. 82. 88. 91. 107. 106. 291. 302.

[2]) Schwarz a. a. O., S. 308. — Rovinski a. a. O., S. 66. — Hassert a. a. O., S. 123.

[3]) Rovinski a. a. O., S. 292. — Baldacci, Cenni ed Appunti etc., S. 55. 80. — Baldacci, Altre Notizie etc., S. 57.

Firngrenze fallen also zusammen oder durchkreuzen sich, indem diese von oben nach unten, jene von unten nach oben vordringt, und während der mit kräftigem Gebüsch vermischte Wald im Lokvice- und Vališnica Do bei 1960 m, am Stulac bei 1950 m und im Škrk-Thal bei 2060 m endigt, setzen die ersten Firnflecken und Legföhren (Pinus pumilio) bei 2000, bzw. 1950 und 1717 m ein. Auch am Kom und an seinen Nachbarbergen reicht der geschlossene Wald bei Štavna und Carine bis 1800 m hinauf, um unmittelbar mit dem obern Plateaurande abzuschneiden und in Hochweiden und dichtes Juniperus-Gestrüpp überzugehen. Am Vojnik mischt sich schon bei 1700 m über dem Meere vielästiges Krummholz unter die Buchen und Fichten und gewinnt nach oben zusehends die Oberhand.

Nahm am Kom und am Westabhang des Durmitor der Wald ein Ende, ohne erst noch zerstreute Vorposten vorzuschicken, so ist auf der Sinjavina und Kostića neben der Waldgrenze, d. h. der Grenze dichten Baumwuchses, noch eine Baumgrenze zu unterscheiden. Beide gehen auf den offenen Plateaus tiefer hinab als in den durch ihren Bau besser geschützten Gebirgen, denn die Urwälder der Sinjavina, die letzten Reste einer einst zusammenhängenden Walddecke, verschwinden zwischen 1650 und 1700 m, worauf Aleppokiefern in einzelnen Bäumen oder kleinen Gruppen bis 1900 m hinaufreichen und dann strauchlosen oder mit Latschen besetzten Hochweiden Platz machen.

Noch eher erhält das Pflanzenkleid der unwirtlichen Kostića (1850 m) ein alpines Aussehen. Zwar begleiten uns undurchdringliche Buchenwälder bis 1600 m; allein schon in den Korita (1350 m) stellen sich zahlreiche Zirbelkiefern ein, und bei 1750 m enden die letzten Bäume des immer dünner und lichter werdenden Laubwaldes. Erst im Kessel von Rikavac (1355 m) hat sich wieder hochstämmiger Buchenwald angesiedelt, der bis zur Karstmulde Širokar hinaufreicht und dort ebenfalls scharf mit dem Plateaurande abschneidet[1]).

Völlig baumlos aus klimatischen Gründen oder infolge der übermäßigen Abholzung und nur stellenweise mit Gesträuch oder Legföhren bedeckt sind die Hochebenen Mittel-Montenegros (Lukavica, Lola, Javorje, Krnovo), viele Teile der Sinjavina und Somina, das Plateau zwischen Komarnica und Durmitor, Širokar, Kostića &c., so daß die Hirten stundenlang nach Brennholz gehen und getrockneten Dünger zur Feuerung verwenden müssen. Jedenfalls können wir unsre kurzen Erörterungen dahin zusammenfassen, daß in Montenegro die Wald- und Baumgrenze zwischen 1750 und 2050 m liegt und daß sie in Übereinstimmung mit dem orographischen Bau der Ost- und Westhälfte nur in den höhern Regionen der Brda zu beobachten ist.

Doch wir verlassen nun die wenig einladenden Planinas, durchmessen den Nadel- und Laubwald und wandern im Morača-Thale nach Süden. Saftige Wiesen schmücken die Flußterrassen, Kernobstbäume aller Art — Äpfel, Birnen, Pflaumen, Kirschen und Herlitzen —, die auch am Lim und in den geschützten Weitungen der untern Tara und Piva wiederkehren, bilden ein dichtes, grünes Dach, und unweit des Klosters Morača vereinigen sich zahllose Walnußbäume zu einem unübersehbaren Walde. Sie sind für die Morača eben so charakteristisch wie die Feige für die gluterfüllte Zeta, und außerdem darf man sie als die ersten Vorboten einer südlichen Vegetation begrüßen. Überhaupt wird das Wachstum nach Süden immer üppiger, doch mit dem Gesetz, daß die vom Nordwind bestrichenen und der Sonne abgekehrten Gehänge viel besser bestanden sind als die der sengenden Sonne zugekehrten Thalwände[2]).

An der Küste und im Flachlande ist die Mittelmeer-Flora typisch entwickelt. Verschwunden ist die magere Grasnarbe der Hochebenen, verschwunden sind die düstern

---

[1]) Ratzel, Höhengrenzen und Höhengürtel. (Ztschr. d. Deutsch. u. Österr. Alpenvereins, 1889, S. 5 f.) — Nach Tietze (a. a. O., S. 90) ist Pinus pumilio am Kom nicht vertreten; dafür kommt Juniperus nana um so häufiger vor, und am Ostabhange des Vasojevički Kom besteht das Krummholz aus verkümmerten Zirbel- und Schwarzkiefern (Rovinski a. a. O., S. 103. 108.)

[2]) Pittier et Vlahovitch a. a. O., S. 409. — Schwarz a. a. O., S. 104. 414.

Fichten und die eintönigen Laubwälder. Man glaubt gar nicht mehr in den als vegetationsarmes Felsenland verschrieenen Schwarzen Bergen zu sein, denn eine ganz andre Pflanzenwelt empfängt uns, anders in ihrem Äufsern und ihren Lebensbedingungen, abwechselungsvoll durch die Fülle ihrer Arten, bezaubernd durch das Heer der bunten Blüten. Das zerfallene Gemäuer und das kahle Gestein überwuchert ein immergrünes Pflanzenkleid, das zum Schutze gegen den regenlosen Sommer dicke, lederartige Blätter besitzt und gegen die Angriffe des Weideviehs oft mit Dornen und Stacheln bewehrt ist. Rosen und Narzissen, Mandeln und Goldregen zieren den Rasenteppich, ernste Cypressen und schlanke Pinien mit ihrem dunklen Nadelschirm beschatten die Grabstätten der verwahrlosten türkischen Friedhöfe, auf der Bijela Gora bei Dulcigno gedeihen Agave und Stecheiche (Stechpalme, Ilex aequifolium), und doch vermissen wir einen Charakterzug der nordischen Flora, der uns trotz aller Einförmigkeit lieb und wert war, den Hochwald. Das heifse, regenarme Mediterran-Klima ist dem Baumwuchs nicht günstig, und nur wo das Grundwasser genügende Nahrung aufspeichert, verwandeln stattliche Pappeln, Eichen und Erlen den Wiesenplan in eine freundliche Parklandschaft. Sonst macht sich überall verworrenes, weitständiges Buschholz breit, das den Kalk bald meilenweit, bald fleckenweise überzieht, ohne dem Untergrunde Feuchtigkeit, Schatten oder Humus zuzuführen, und im landschaftlichen Bilde der Mittelmeer-Länder als Macchie- oder Dumeten-Formation eine hervorragende Stelle einnimmt.

Unter den Macchieen versteht man dichte Hecken von Oleander-, Lorbeer-, Myrten-, Phylliräen-, Erika-, Spartium- und Eichengebüsch, die vom lichten Karstwalde wohl zu trennen und hauptsächlich den untern Gehängen des Küstengebirges eigentümlich sind. Mit wachsender absoluter Höhe und landeinwärts werden die Strauchwälder ärmer an Arten und dürftiger an Wuchs. Granate, Lorbeer und Myrte erscheinen auf den Inselklippen des Scutari-Sees nur noch als verkrüppeltes Gestrüpp, und im mittlern Zeta-Thale verschwindet die Granate, die im Morača-Thale bis zum Kloster Dugs und nach Hecquard im Becken von Gusinje (850 m) auftritt. Die Erika dagegen bildet 600 m über dem Meere noch ansehnliche Bestände, und immergrüne, stachelblätterige Eichen (Quercus Grisebachi und coccifera) dringen im Kuči-Lande, in Bratonožići und bei Bogetići tief ins Bereich des sommergrünen Karstwaldes vor [1]). Da nun durch verschiedene Pflanzenfamilien der Macchieen, durch eine Reihe südlicher Gewächse — Oliven, Feigen, Granaten, Mandeln &c. — und durch das Fehlen des Hochwaldes eine enge Verbindung zwischen der Mediterran- und Karstflora bewirkt wird und da das Klima des Karstes durch seine heifsen, regenarmen Sommer vielfache Anklänge an das Mittelmeer-Klima zeigt, so ist Baldacci geneigt, den Karst trotz seiner strengen Winter aus pflanzengeographischen Gründen zum Mittelmeer-Gebiete zu rechnen [2]).

War der Karstwald die eigentliche Vegetationsform des Westens, der Hochwald diejenige des Ostens, so ist der Garten- und Ackerbau die wesentlichste Kulturform des Südens. Nur das Tiefland nebst der Küste verdankt sein Gepräge in erster Linie der Thätigkeit des Menschen; sonst ist Montenegro wegen seiner Gebirgsnatur und des Mangels an Verwitterungsboden dem Anbau wenig günstig, und da die natürliche Pflanzendecke viel mehr durch die Waldverwüstung als durch die Kultur verdrängt wurde, so sind die bebauten Flächen lückenhaft über die Schwarzen Berge verbreitet, und die Kulturpflanzen stehen entschieden gegen die wilde Vegetation zurück. Im Karst stellen die Polje und gröfsern Dolinen, in den Brda die Flufsthäler fleifsig bebaute Oasen dar, aber die intensivste Boden-

[1]) Vialla de Sommières a. a. O., I, 165. — Stieglitz a. a. O., S. 142. — Ebel a. a. O., S. 85. 93. 98. 104. 107. — Wingfield a. a. O., S. 173. — Hecquard a. a. O., S. 96. — Tietze a. a. O., S. 99. 100. — Schwarz a. a. O., S. 126. 130. — Rasch a. a. O., S. 168 f. — Rovinski a. a. O., S. 95. 167. 269. 296. 297. — Baldacci, Stazione delle Doline, S. 145. 148. — Hassert a. a. O., S. 182. — Philippson a. a. O., S. 532 f.

[2]) Baldacci a. a. O., S. 138 f. 147. — Baldacci, Cenni ed Appunti etc., S. 4. — Baldacci, Altre Notizie etc., S. 17. 21. 24 f.

bewirtschaftung drängt sich im Alluvialgebiet des Südens und am schmalen Meeresstrande zusammen.

Die wichtigste Nutzpflanze, jedenfalls die wichtigste Ölpflanze der Mediterran-Zone, die Olive (Olea europaea), ist der Waldbaum des montenegrinischen Primorje, und die knorrigen, grauen Stämme, deren schmale, silbergrüne Blätter sich stimmungsvoll vom blauen Meere und vom wolkenlosen Himmel abheben, bilden auf dem Wege von Antivari nach Dulcigno umfangreiche Bestände. Ferner zieren kleine Gruppen des genügsamen Baumes, der wenig Wasser bedarf und bei einiger Abwartung reiche Erträge gibt, die felsigen Ufer und Inseln des Scutari-Sees. Auf Vranina sind spärliche Reste von Olivenplantagen erhalten, der Brigadier J. Lipovac hat in seinem musterhaft gepflegten Weinberge bei Gradjani junge Ölbäume mit gutem Erfolg eingebürgert; und wie sie den steinigen Gehängen der Crmnička und Riječka Nahija nicht fehlen, so würden sie sich auch in dem warmen Zeta-Thal ohne grofse Mühe und Kosten anpflanzen lassen [1]).

Einer weitern Verbreitung als die Olive erfreut sich die Feige (Ficus carica), die in den östlichen Mittelmeerländern überall einheimisch ist und vielfach in verwildertem Zustande oder als Zaungewächs angetroffen wird. Ihre Grenze fällt ungefähr mit derjenigen der Alluvial-Landschaft zusammen, und sie gedeiht beim Kloster Ostrog, bei Dobrsko Selo, Pelev Brijeg und Ubli (Kuči-Land) noch in 500 m, am Sutorman sogar noch in 1100 m Meereshöhe [2]).

Ein drittes Gewächs, das weder künstliche Bewässerung, noch gute Pflege verlangt, ist der um seiner Blätter willen häufig angepflanzte Maulbeerbaum (Morus alba). Mit dem magersten Boden vorlieb nehmend und gegen das rauhe Klima gefeit, kommt er nicht blofs im Tieflande vor, sondern er gedeiht auch in den Thälern des Lim-Gebiets, im Becken von Gusinje (850 m) und in der Rumija (1200 m), und Rovinski erwähnt, dafs inmitten der Buchen- und Nadelwälder des Pusti Lisac (1400 m) die meisten Maulbeerbäume von ganz Montenegro wachsen [3]).

Neben der Olive spielt der Wein die hervorragendste Rolle. Hauptsächlich im Tieflande heimisch, ist er wegen seiner Widerstandsfähigkeit in den Thälern der Bergflüsse ebenfalls zu Hause und reicht in den Karstbecken von Njeguš und Bijelica bis 900 m Meereshöhe empor. Für die Rebenkultur sind die Randberge der Crmnica am geeignetsten, und der feurige rote Crmnica-Wein geniefst im Auslande einen wohlverdienten Ruf. Auch die Geröllfelder von Podgorica sind dem Weinbau dienstbar gemacht worden, und der weise Befehl des Fürsten, dafs jeder Crnogorce je nach der Beschaffenheit des Landes und nach seinem Vermögen eine bestimmte Anzahl Reben und Ölbäume pflanzen mufste, hat reiche Früchte getragen. Kann man sich erst dazu entschliefsen, den Wein durch ein geeignetes Verfahren exportfähig zu machen, so wird er im montenegrinischen Handel sicher eine bedeutsame Stellung einnehmen [4]).

Dasselbe gilt vom Tabak, der in ungeheurer Menge angebaut wird, bisher aber kaum als Ausfuhrgegenstand Wert hatte, da der Eingeborne selber ein leidenschaftlicher Raucher ist. Der Tabak ist für ihn geradezu unentbehrlich, um seinetwillen gibt der Ärmste seinen letzten Kreuzer hin, und in den weltabgeschiedenen Sennereien kann man unbedingt auf eine gastliche Aufnahme rechnen, wenn man den Hirten einige Cigaretten schenkt. Das Hauptgebiet des edlen Krautes sind die Ebenen um den Scutari-See und die Küste; doch

---

[1]) Ebel a. a. O., S. 90. — Stieglitz a. a. O., S. 109. — Wingfield a. a. O., S. 178. — Hasch a. a. O., S. 153. — Schwarz a. a. O., S. 466. — Rovinski a. a. O., S. 177. 269.

[2]) Rovinski a. a. O., S. 95. 161. 162. — Baldacci, Stazione delle Doline, S. 144.

[3]) Hecquard a. a. O., S. 95. — Baldacci a. a. O., S. 143. — Rovinski a. a. O., S. 48.

[4]) Vialla de Sommières a. a. O., I, 165. 294. — Ebel a. a. O., S. 117. — Stieglitz a. a. O., S. 109. — Boué, Die Europäische Türkei, I, 275. — Baldacci a. a. O., S. 144. — Baldacci, Altre Notizie etc., S. 57. — Rovinski a. a. O., S. 58. 72. 92. 95. 161. — Revue française de l'Étranger et des Colonies, XIII, 1891, S. 56. — Vukosavović a. a. O. — Jovičević, Nješto o Zeti, 1894.

umschliefsen auch die Riječka und Lješanska Nahija ausgedehnte Tabakfelder, und ebenso wird im Nikšićko Polje, in Piperi, in den Thälern der Brda und hier und dort in den Banjani (Duboćke) der Tabaksbau betrieben. Da Behandlung und Verarbeitung mancherlei zu wünschen übrig lassen, verlieren die getrockneten Blätter viel von dem aromatischen Geruche, der den nicht mit Unrecht berühmten Scutariner Tabak auszeichnet.

Nachdem von 1892 her ein nicht unbeträchtlicher Vorrat übriggeblieben war, suchte man für denselben auf Anregung des Fürsten einen ausländischen Käufer und fand ihn in der österreichischen Tabaksregie, die sich zugleich erbot, den Überschufs auch in Zukunft abzunehmen. Schon 1893 konnten gegen 200 000 kg, das Kilo zu 0,50—2,50 Mark, abgeliefert werden, und dieser aussichtsvolle Anfang sollte für die Montenegriner ein Sporn sein, dem Anbau und der Pflege des Tabaks mehr Beachtung zu schenken[1]).

Allein die vornehmste Nahrungs- und Erwerbsquelle eines Landes ist der Ackerbau, und bedenkt man, dafs in den leicht zugänglichen, nahe am Meere gelegenen Niederungen neben ihm auch Handel und Industrie in verhältnismäfsig hoher Blüte stehen, so gestatten die gesegneten, dicht bewohnten Gefilde die mannigfachsten Erwerbsquellen und sind nicht ohne Grund das Herz, der Garten oder die Kornkammer Montenegros genannt worden. Wohl werfen die Feldfrüchte in den geschützten Flufsrinnen des Ostens ebenfalls reiche Erträge ab; doch bieten die schmalen Thalsohlen und steilen Gehänge für gröfsere Äcker wenig Platz, so dafs der Eigenbau den Bedarf nicht deckt und die Zufuhr von aufsen her, besonders aus den ergiebigen Fluren von Peć (Ipek) notwendig macht. Der Karst endlich ist eine der Kultur hinderliche oder feindliche Steinwüste, welche mitunter kaum genug Futter bietet und die dünnste Bevölkerung besitzt. Gerade der politische Mittelpunkt des Fürstentums, die Katunska Nahija, gehört wirtschaftlich zu den zukunftslosesten Gebieten montenegrinischer Erde und war, wie der Name Katun (Sennerei) andeutet, vor der Einwanderung der flüchtigen Serbenscharen wahrscheinlich gar nicht dauernd bewohnt. Der Süden, der das ganze Land mit Brotkorn versorgen mufs, gibt regelmäfsig zwei Ernten, die Schieferzone eine Ernte im Jahre; im Karste dagegen heimst man kaum das Fünffache der Aussaat ein, und es vergeht selten ein Jahr, in dem nicht ein Teil der Früchte gänzlich mifsrät.

Wenn die Niederungen nicht zu lange unter Wasser stehen, sind sie der beste Boden für den Mais, der durch sein staudenartiges Wachstum, die breiten, langen Blätter und die gelben Fruchtkolben der Landschaft ein wesentlich andres Aussehen verleiht als die übrigen Getreidearten mit ihren dünnen Halmen und spärlichen Blättern. Im allgemeinen reicht der Mais bis zu 900 m Meereshöhe empor, und kleine Maisfelder sah ich noch im Barni Do (1400 m). Doch kommt er schon in den Banjani (1100 m) und auf den rauhen Hochebenen Mittel-Montenegros nicht mehr recht fort, und noch früher, bei 800 m, endet der Weizen, der überhaupt unter sämtlichen Getreidearten zuerst verschwindet. Immerhin ist er im Tušina-Thale (1000 m), auf dem Plateau von Dolnja Crkvica (1150 m) und sogar in geschützten Mulden des Bezirks Drobnjak (1400 m) anzutreffen; aber die Bewohner der Hochebenen sind in erster Linie auf Gerste, Hafer und etwas Roggen angewiesen[2]), und wo auch diesen die Existenzmöglichkeit entzogen ist, wächst noch die bekannteste Nahrungspflanze der nordischen Völker, die Kartoffel. Obgleich sie bereits im 16. Jahrhundert in Europa eingeführt war, gelangte sie erst im 19. Jahrhundert zu vollkommener Anerkennung; und seitdem Vladika Petar I. das dankbare Gewächs 1795 aus Rufsland mitgebracht hatte, verbreitete es sich sehr rasch über das ganze Land und bildet heute eins der wichtigsten Nahrungsmittel[3]). Da das rauhe Klima der Planinas ihr Wachstum wenig zu be-

[1]) Frilley et Vlahovitch a. a. O., S. 410. — Sernet a. a. O., S. 195. — Glas Crnogorca 27. XI. 1893.

[2]) Hirse wird sehr selten, z. B. in den Banjani, angebaut (Rovinski a. a. O., S. 53); Reisfelder gibt es in der sumpfigen Umgebung von Scutari.

[3]) Petter, Compendio della Dalmazia etc., S. 239. — Ebel a. a. O., S. 46. — Stieglitz a. a. O., S. 7. —

einträchtigen scheint, wandten sich die Eingebornen in den Gebieten, die nicht genug Viehfutter abwarfen, dem Anbau von Erdäpfeln zu, und die Bewohner von Trmanje und Mokro (Širokar) waren mit den angestellten Versuchen so zufrieden, daſs sie einen groſsen Teil ihrer Weiden in Kartoffelland umzuwandeln beabsichtigten.

So nehmen die Kulturpflanzen mit der Höhe rasch an Arten und Üppigkeit ab, und wenn sich auch für die einzelnen Gattungen keine bestimmten Höhengrenzen feststellen lassen, so kann man immerhin folgende Kulturgürtel unterscheiden:

0—500 m: Weizen, Mais, Roggen, Gerste, Hafer, Kartoffel, Olive, Feige, Wein, Kernobst, Tabak;

500—1000 m: Mais, Roggen, Gerste, Hafer, Kartoffel, Wein, Kernobst, Tabak;

1000—1500 m: Gerste, Hafer, Kartoffel;

über 1500 m: Kartoffel.

Wie die Lebensbedingungen der Eingebornen auf den Hochebenen von der Viehzucht abhängen, so ist in den Niederungen der Ackerbau die wichtigste Beschäftigung, und man kann, der landläufigen Meinung zum Trotz, behaupten, daſs die Schwarzen Berge in bezug auf die Ausnutzung des verfügbaren Landes zu den bestbebauten Ländern Europas gehören. Berücksichtigt man die Schwierigkeiten, die der Karst bereitet, so muſs man den ausdauernden Fleiſs seiner Einwohner bewundern, die oft stundenweit nach ihrem kleinen Feld zu gehen haben und dabei das zum Begieſsen der verschmachtenden Saat notwendige Wasser mitschleppen müssen. Schon auf dem Wege von Njeguš nach Cetinje hat man vollauf Gelegenheit, die sorgsam gepflegten Äckerchen in den Dolinen zu betrachten, die zum Schutze gegen Tiere und Winde mit niedern Steinmauern umgeben sind, und treffend sagt Lady Strangford: „On a ledge of rock, in a little depression between two rocks, in a niche, in a mere crevice, in short everywhere within possibilities a little field has been made. The stones picked off, the rocks torn out and perhaps earth added artificially and behold a patch of potatoes or of maize." Aber trotz aller Arbeit enthält die magere, zuweilen kaum fuſshohe Erdschicht mehr Steine als Krume, und oft vernichtet ein zur Unzeit eintretender Frost die kärglichen Erträge.

Nicht genug, daſs die Bestellung der Felder mühsam ist, sie wird auch vielfach unrationell betrieben, und eine Düngerverwertung kennen nur die Wenigsten. Der in dürftigen Verhältnissen lebende Eingeborne kann sich keine teuren Ackergeräte anschaffen und muſs sich schon deshalb der einfachsten Instrumente bedienen, weil in dem pfadlosen Felslabyrinth und auf den winzigen, mitunter kaum 5 m im Durchmesser haltenden Feldern die Verwendung von Egge und Pflug ausgeschlossen ist. Daher benutzt man zugeschärfte und an einem Stocke befestigte Eisenstücke als Hacke und Grabscheit. Die plumpen, zweiräderigen Karren des Tieflandes, die der Federn entbehren und deren Räder aus rohgearbeiteten Holzscheiben bestehen, werden auf den Plateaus durch rohgezimmerte Schlitten ersetzt, oder Tragtiere schaffen die Gras- und Getreidevorräte nach Hause, und solch ein wandelnder Heustadel gewährt einen sonderbaren Anblick. Sehr häufig findet man noch den primitiven Pflug, der bloſs eine Handhabe hat und eine hölzerne Pflugschar mit langen, geneigten Backen besitzt, die bis an die Handhabe reichen und einen sehr stumpfen Winkel mit dem horizontalen Fuſse bilden. Nur langsam verdrängen unsere mitteleuropäischen Geräte im Binnenlande die einheimischen, und es werden noch Jahre vergehen, bis man Montenegro nicht allein ein gut ausgenutztes, sondern auch ein gut, d. h. rationell bebautes Land nennen kann.

In den Tiefebenen ist jedoch der Ackerbau hoch entwickelt und hat sich dort zum Ackerbau in unserm Sinne und zum Gartenbau aufgeschwungen, der selbst in den Haupt-

Biasoletto a. a. O., S. 108. — Hecquard, Le Monténégro, S. 312. — Pašić und v. Scherb a. a. O., S. 32. — Denton a. a. O., S. 41. — Gopčević a. a. O., S. 132. — Perrière a. a. O., XX, 96. — Baldacci, Altre Notizie etc., S. 74.

ländern des europäischen Gartenbaues, in Italien und Süd-Frankreich, Aufmerksamkeit erregen würde. Überall durchkreuzen Wassergräben die wohlgepflügten und gedüngten Felder, allerorts sind Bäche und Flüsse für Bewässerungszwecke dienstbar gemacht worden, und das kalte Wasser der Suterman-Quellen wird erst in Zisternen gesammelt und erwärmt, ehe man es in die Getreidefelder, Gemüsegärten und Obstbaum-Plantagen leitet. Eine jedes Fleckchen Erde und die entspringenden Quellen ausnützende Terrassenkultur steigt an den Randbergen der Crmnica hoch hinan, und mit Hilfe von Mauern und Hecken fängt man den Regen samt den mitgeführten erdigen Bestandteilen auf, um aus ihnen mit der Zeit neue Äckerchen zu schaffen. Selbst den Flüssen hat man hier und dort ein Stück Land abgerungen, und die Rieselfelder bei Podgorica und an der Cijevna, an der Gračanica, Plužinje, Morača und dem Lim zeigen, daſs bei guter Wartung auch der trockene Konglomeratboden reiche Ernten gibt.

Bewundernswert sind die Fortschritte, die der Ackerbau in dem neuerworbenen Gebiete gemacht hat. Die gesegneten Gaue von Spuž und Podgorica, die wegen des ewigen Kriegszustandes und der unaufhörlichen Überfälle immer mehr verödeten, fanden Schwarz (1881) und Baumann (1883) wenig bebaut, weil erst die Besitzansprüche geregelt und die Felder von dem üppig wuchernden Unkraut gesäubert werden muſsten. Als aber Baumann 6 Jahre später das Zeta-Thal zum zweiten Male besuchte, glich es einem Garten von unbeschreiblicher Fruchtbarkeit, während die in türkischer Hand verbliebenen Ebenen, die vor 50 Jahren nach den Berichten des französischen und preuſsischen Konsulats dürftig bestellt waren, sich noch heute in diesem traurigen Zustande befinden. Wohl ist nicht zu leugnen, daſs die Montenegriner mehr als bisher den ihnen zugefallenen Grund und Boden ausnützen könnten; doch fehlt es einerseits an Arbeitskräften, und andererseits ist es für ein Volk, das Jahrhunderte lang vom Kriegshandwerk lebte, nicht leicht, sich rasch an eine friedliche Beschäftigung zu gewöhnen. Wer aber die vielgeschmähten Crnogorcen in ihrer ganzen Regsamkeit kennen lernen will, der darf sich nicht auf einen Besuch der Residenz Cetinje beschränken, wo allerdings ewiger Feiertag zu herrschen scheint, sondern er muſs das Crmnica- und Zeta-Thal durchwandern und beide mit den verwahrlosten Fluren von Türkisch-Albanien vergleichen [1]).

Leider beschränkt die Oberflächengestaltung das Bereich des Ackerbaues auf einen Bruchteil des gesamten Fürstentums, und der zur Landwirtschaft taugliche Boden würde ganz unbedeutend sein, wenn der Raum, den das tief ins Innere vordringende Flachland einnimmt, ebenfalls von Gebirgen erfüllt wäre. Der weitaus gröſste Teil der Montenegriner ist somit auf die Viehzucht angewiesen, und die Schwarzen Berge sind in erster Linie ein Land der Viehzucht, in zweiter Linie ein Land des Waldes und erst in dritter Linie ein Land des Ackerbaues. Der Wald aber, der bei dem Mangel an mineralischen Bodenschätzen unter den natürlichen Reichtümern nach den Erzeugnissen der Viehwirtschaft die wichtigste Stelle einnimmt, ist zur Zeit völlig wertlos, weil er sich auf die entferntesten Teile des Nordens und Ostens beschränkt und ohne geeignete Verkehrsmittel dem Auſsenhandel niemals zugänglich gemacht werden kann. Die Gegenstände, die bei der Ausfuhr

[1]) Vialla de Sommières a. a. O., II, 110 f. — Montenegro und die Montenegriner, 1837, S. 62. — Petter a. a. O., S. 238. 245. — Stieglitz a. a. O., S. 6. 31. 38. 142. — Ebel a. a. O., S. 37. 64. 90. — Ebel, Montenegro und dessen Bewohner, S. 25. — Lindau a. a. O., I, 250. — Robert a. a. O., I, 112. 121. — Neigebaur a. a. O., S. 62. — Wingfield a. a. O., S. 195. — Hecquard a. a. O., S. 314. — Hecquard, Histoire et description de la Haute Albanie, S. 71. 92. 94. — Boué, Recueil d'itinéraires, II, S. 166. — Delarue, Le Monténégro, S. 8. — Delarue, Voyage au Monténégro, S. 154. — Das Paschalik von Scutari, S. 428. — Lady Strangford, The eastern shores of the Adriatic, 1864. — Frilley et Wlahovitch a. a. O., S. 114. 118. 407. 409. — Denton a. a. O., S. 15. 43. — Sectistori a. a. O., S. 59. — Kapper, Das Fürstentum Montenegro, S. 901. — Hasch a. a. O., S. 133. 168. 235. — Denizet, Nicolas Ier et le Monténégro, 1877, S. 165. — M. P. a. a. O., S. 168—170. — Baldacci, Le Bocche di Cattaro, S. 36. — Chiudina a. a. O., S. 38. — Marmier a. a. O., S. 333. 397. — Tietze a. a. O., S. 95. 98. 100. — Kreull a. a. O., S. 295. — Schwarz a. a. O., S. 100. 123. 245. 255. 258. — Sarmet a. a. O., S. 105. — Baumann a. a. O., S. 5. — Ferrière a. a. O., XX, 86. — Vannutelli a. a. O., S. 16. 55. — Rovinski a. a. O., S. 40. 109. 262. 273. 286. 303. — Sobiesky a. a. O., S. 339.

ernstlich in Frage kommen, sind Schlachtvieh, Häute, Wolle, Käse, Fische, Bauholz und Sumach. Die lebenden Tiere können auf den landesüblichen Wegen bis zum Meere getrieben werden; der Transport der tierischen Produkte dagegen stöfst auf mancherlei Schwierigkeiten, und derjenige der schweren Stämme ist ganz unmöglich. Montenegro ist durch seine Naturbeschaffenheit und Geschichte lediglich auf die Erzeugung von Rohstoffen angewiesen, allein bei der geringen Anzahl guter Strafsen kann es auch diese nur zum kleinsten Teile verwerten, und die Regierung ist zu der Einsicht gelangt, dafs dem Übel blofs durch den Bau einer Eisenbahn abgeholfen werden kann.

Schon 1884 sprach man nach einer Bemerkung des „Globus“ von der Anlage eines Schienenstranges zwischen Plavnica und Nikšić. Doch scheint diese Nachricht verfrüht gewesen zu sein, denn erst 1891 bereiste im Auftrage des Fürsten der französische Ingenieur Lelarge die Crna Gora und steckte die Linien Plavnica — Podgorica — Nikšić und Podgorica — Kolašin — Trepča (bei Andrijevica) ab. Die Bahn soll schmalspurig nach dem System Decouville erbaut werden und längs der Landstrafse laufen, um gleichzeitig dem Fern- und Nahverkehr zu dienen. Wo daher noch keine Fahrstrafsen vorhanden sind, wie auf der Strecke Podgorica — Trepča, soll ihr Bau mit demjenigen der Bahn Hand in Hand gehen, und die Gesamtkosten des Unternehmens werden auf 2—2½ Millionen Francs veranschlagt. Nun handelt es sich darum, die in Plavnica aufgestapelten Vorräte entweder mittels Dampfer-Remorqueuren über den Scutari-See und die Bojana nach der Küste zu bringen, wobei eine Regulierung der Wasserstrafsen unerläfslich wäre, oder man müfste die Eisenbahn über Virpazar nach Antivari verlängern, wodurch die Bojana-Korrektion überflüssig und der montenegrinische Handel unabhängig vom türkischen Gebiet würde.

Da das Fürstentum zu arm ist, um die Bahn auf eigene Kosten bauen zu können, so wurden mit einer Pariser Bankgruppe Unterhandlungen wegen einer Anleihe angeknüpft und ihr die Wälder als Garantie angeboten. Um deren Wert zu prüfen, wurde eine Kommission entsandt, und ein Mitglied derselben, E. Carteron, sprach sich in einem kurzen Bericht nicht ungünstig über die Waldungen und über den Bahnbau aus. Wenn Carteron jedoch meint, man solle zunächst die Wälder nördlich von Nikšić ausbeuten, so halte ich es entschieden für gewinnbringender, mit den Urwäldern von Vasojevići zu beginnen. Im erstern Falle müfste man unter grofsen Opfern eine Fahrstrafse von Nikšić, dem Endpunkte der Bahnlinie, bis zur Golija anlegen und kostspielige Fabriken mit Dampfbetrieb errichten, da der Karst wasserlos ist und auch im Nikšićko Polje keine genügenden Wasserkräfte zur Verfügung stehen. Die Wälder des Ostens dagegen werden mitten von der Bahn durchschnitten, und zahllose Flüsse liefern das zum Betrieb von Sägemühlen notwendige Wasser. Aufserdem hat man keine meilenlangen Strafsen zu bauen, um das Holz von seinem Ursprung zum Bestimmungsorte zu bringen, sondern es genügen gewöhnliche Waldwege, und den Transport nach den Bahnstationen besorgen die Bäche und Flüsse, die sich, wenigstens im Frühjahr, zur Flöfserei eignen, von selbst. Dazu kommt, dafs der Osten nicht blofs überreich an Holz, sondern auf türkischem Gebiete auch reich an Obst und Getreide ist und nach Eröffnung der Bahn leicht einen Teil des türkisch-serbischen Handels an sich ziehen könnte. Die Umgebung von Nikšić dagegen ist steiniger, unfruchtbarer Karst, dessen Wald an Ausdehnung weit hinter dem des Schiefergebiets zurücksteht[1].

Bis in die neueste Zeit waren die Montenegriner ausschliefslich ein kriegerisches Volk dessen Kraft und Dasein in ununterbrochenen Kämpfen gegen die Türken und in der Erhaltung seiner Selbständigkeit aufging. Erst nach dem Berliner Vertrage konnte es der arg vernachlässigten Heimat seine Aufmerksamkeit zuwenden, und wenn man die geringen

[1]) Fortschritte in Montenegro. (Globus, Bd. 46, 1884, S. 271.) — Glas Crnogorca 12. XII. 1892. — Carteron, Exploitation forestière du Monténégro, 1892.) — Sobiesky a. a. O., S. 353. 354. — Lelarge a. a. O. S. 120—122. — Lelarge, Le Lac de Scutari et la Boiana, S. 180. 181.

Mittel berücksichtigt, die ihm zu Gebote stehen, so mufs man anerkennen, dafs es in den letzten 15 Jahren gewaltige Kulturfortschritte gemacht hat. Leider liegt es in der Natur der Dinge, dafs aufser der russischen und österreichischen Unterstützung fremdes Kapital sich dem armen Lande nur zögernd anbietet; und die Vorurteile, die man noch immer gegen die Crnogorcen hegt, sind ihrer Wohlfahrt nicht sonderlich günstig. Besonders die österreichische Presse arbeitet in geradezu unverantwortlicher Weise dahin, dafs die guten Absichten der fürstlichen Regierung verkannt, bezweifelt oder verspottet werden, und so ist der montenegrinische Bahnbau, sowie der Plan der Bojana-Regulierung wieder ernstlich in Frage gekommen. Bedauerlicherweise gilt die Wiener Presse in Sachen des Orients als mafsgebende Quelle, und ihre teils unzutreffenden, teils übertriebenen Behauptungen gehen als Thatsachen in die Tagesblätter Mittel-Europas über. Der gedeihliche Aufschwung, der überall zu bemerken ist und langsam, aber sicher fortschreitet, straft am besten die unwahren Nachrichten Lügen, und es wäre an der Zeit, mit den falschen Ansichten, die wohl für das alte Montenegro Geltung hatten, auf das neue Montenegro aber nimmermehr anwendbar sind, endlich zu brechen und den Bestrebungen des kleinen Fürstentums etwas mehr Wohlwollen entgegenzubringen.

Druck der Engelhard-Reyherschen Hofbuchdruckerei in Gotha

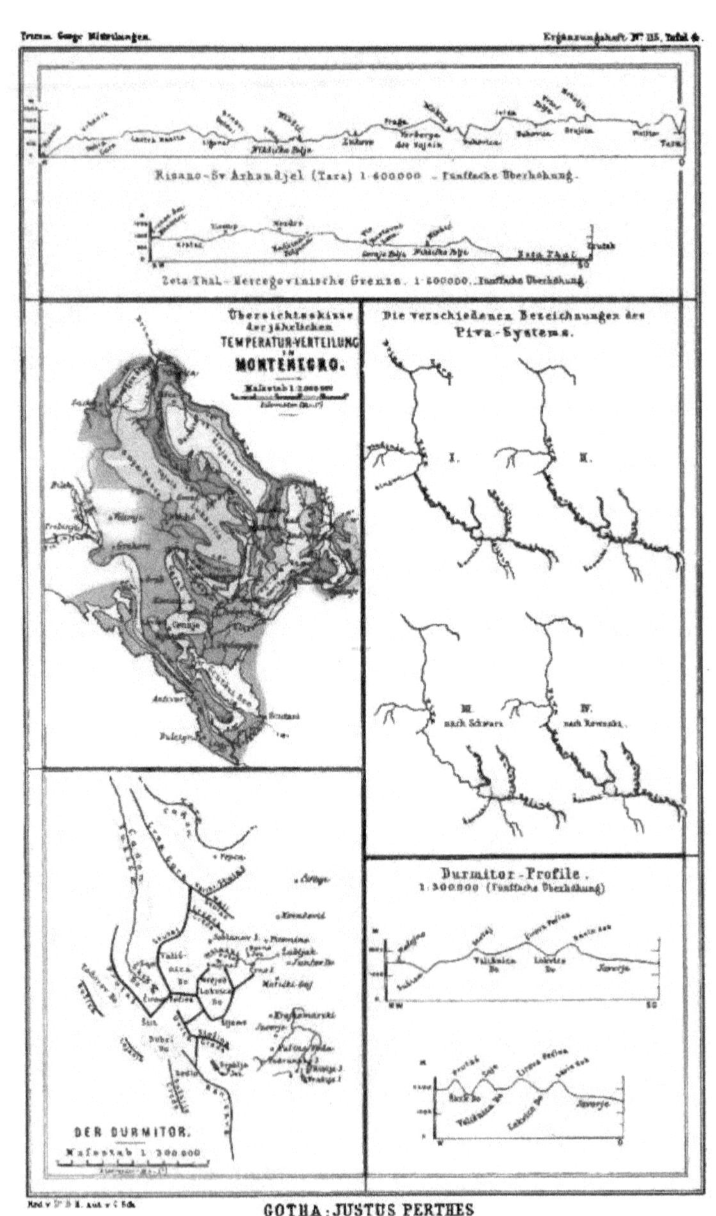
Risano–Sv Arhandjel (Tara) 1:600000 – Fünffache Überhöhung.
Zeta Thal – Hercegovinische Grenze. 1:600000. Fünffache Überhöhung.
Übersichtsskizze der jährlichen TEMPERATUR-VERTEILUNG in MONTENEGRO.
Die verschiedenen Bezeichnungen des Piva-Systems.
Durmitor-Profile.
DER DURMITOR.
GOTHA: JUSTUS PERTHES

# Als Ergänzungshefte zu den „Mittellungen"

sind erschienen:

Nr. 1. **Vibe**, *Küsten und Meer Norwegens.* 1 M.
Nr. 2. **Tschudi**, *Reise durch die Anden von Süd-Amerika, 1858.* 1 M.
Nr. 3. **Barth**, *Reise durch Kleinasien, 1858.* 3 M.
Nr. 4. **Lejean**, *Ethnographie der Europäischen Türkei* (deutscher und französischer Text). 2 M.
Nr. 5. **Wagner, M.**, *Physikalisch-geographische Skizze des Isthmus von Panama.* 1 M.
Nr. 6. **Petermann und Hassenstein**, *Ost-Afrika zwischen Chartum und dem Roten Meere.* 80 Pf.

Heft 1—6 bilden den I. Ergänzungsband (1860—1861). 8 M. 80 Pf.

**Petermann und Hassenstein**, *Inner-Afrika*:
Nr. 7. „ „ „ *Beurmanns Reise 1860, Kotschy 1836, Brun-Rollet 1856.* 2 M.
Nr. 8. „ „ „ *Behm, Land und Volk der Tebu. Beurmanns Reise nach Murzuk 1862.* 3 M.
Nr. 10. „ „ „ *Antinoris Reise zum Lande der Djur 1860 und 1861, Beurmanns Reise nach Wau.* 2 M.
Nr. 11. „ „ „ *Mémoire zu den Karten: Reisen von Heuglin, Morlang, Harnier.* 4 M. 60 Pf.

Heft 7, 8, 10, 11 bilden den II. Ergänzungsband (1862—1863). 12 M. 60 Pf.

Nr. 9. **Halfeld und Tschudi**, *Minas Geraes.* 2 M.
Nr. 12. **Kořistka**, *Die Hohe Tatra in den Zentral-Karpathen.* 3 M.
Nr. 13. **Heuglin, Kinzelbach, Munzinger, Steudner**, *Die Deutsche Expedition in Ost-Afrika, 1861 und 1862* (Sudan und Nord-Abessinien). 4 M. 60 Pf.
Nr. 14. **Richthofen**, *Die Metallproduktion Kaliforniens und der angrenzenden Länder.* 1 M. 60 Pf.
Nr. 15. **Heuglin**, *Die Tinnesche Expedition im westlichen Nil-Quellgebiet, 1863 und 1864.* 2 M.

Heft 8, 12—15 bilden den III. Ergänzungsband (1863—1864). 13 M. 20 Pf.

Nr. 14. **Petermann**, *Spitzbergen und die arktische Zentral-Region.* 2 M.
Nr. 17. **Payer**, *Die Adamello-Presanella-Alpen.* 2 M.
Nr. 18. **Payer**, *Die Ortler-Alpen, Suldengebiet.* 2 M.
Nr. 19. **Behm**, *Die modernen Verkehrsmittel: Dampfschiffe, Eisenbahnen, Telegraphen.* 2 M. 60 Pf.
Nr. 20. **Tschihatscheff**, *Reisen in Kleinasien und Armenien, 1847—1863.* 4 M. 60 Pf.

Heft 16—20 bilden den IV. Ergänzungsband (1865—1867). 13 M. 20 Pf.

Nr. 21. **Spörer, J.**, *Nowaja Semlä in geographischer, naturhistorischer und volkswirtschaftlicher Beziehung.* 5 M. 60 Pf.
Nr. 22. **Fritsch**, *Reisebilder von den Canarischen Inseln.* 1 M. 80 Pf.
Nr. 23. **Payer**, *Die westlichen Ortler-Alpen (Trafoier-Gebiet).* 2 M. 40 Pf.
Nr. 24. **Jeppe**, *Die Transvaalsche Republik.* 2 M. 80 Pf.
Nr. 25. **Rohlfs**, *Reise durch Nord-Afrika von Tripoli nach Kuka.* 2 M.

Heft 21—25 bilden den V. Ergänzungsband (1867—1868). 14 M. 20 Pf.

Nr. 26. **Lindeman**, *Die arktische Fischerei der deutschen Seestädte 1620—1868.* 2 M. 40 Pf.
Nr. 27. **Payer**, *Die südlichen Ortler-Alpen.* 2 M. 80 Pf.
Nr. 28. **Koldewey und Petermann**, *Die Erste Deutsche Nordpolar-Expedition, 1868.* 2 M.
Nr. 29. **Petermann**, *Australien in 1871.* Mit geographisch-statistischem Kompendium von Meinicke. 1. Abt. 2 M. 40 Pf.

Heft 26—29 bilden den VI. Ergänzungsband (1869—1871). 15 M.

Nr. 30. **Petermann**, *Australien in 1871.* Mit geographisch-statistischem Kompendium von Meinicke. 2. Abt. 2 M. 40 Pf.
Nr. 31. **Payer**, *Die zentralen Ortler-Alpen, Martell etc.* 2 M.
Nr. 32. **Senoner**, *Die Zillerthaler Alpen.* 3 M. 60 Pf.
Nr. 33. **Behm und Wagner**, *Die Bevölkerung der Erde. I.* 3 M. 60 Pf.
Nr. 34. **Rohlfs**, *Reise durch Nord-Afrika von Kuka nach Lagos.* 4 M. 60 Pf.

Heft 30—34 bilden den VII. Ergänzungsband 1871—72. 17 M. 40 Pf.

Nr. 35. **Behm und Wagner**, *Die Bevölkerung der Erde. II.* 6 M.
Nr. 36. **Dr. G. Radde**, *Vier Vorträge über den Kaukasus.* 4 M.
Nr. 37. **Mauch**, *Reisen im Innern von Süd-Afrika, 1865—1872.* 2 M. 80 Pf.
Nr. 38. **Wojeikof**, *Die atmosphärische Zirkulation.* 3 M.

Heft 35—38 bilden den VIII. Ergänzungsband (1873—1874). 14 M. 60 Pf.

Nr. 39. **Petermann**, *Die südamerikanischen Republiken Argentina, Chile, Paraguay und Uruguay in 1875.* Mit einem geographischen Kompendium von Burmeister. 4 M. 20 Pf.
Nr. 40. **Waltenberger**, *Die Rhätikon-Kette, Lechthaler und Vorarlberger Alpen.* 4 M. 40 Pf.
Nr. 41. **Behm und Wagner**, *Die Bevölkerung der Erde. III.* 4 M. 40 Pf.
Nr. 42. **N. Sewerzows** *Erforschung des Thian-Schan-Gebirgs-Systems 1867.* I. Hälfte. 4 M. 40 Pf.

Heft 39—42 bilden den IX. Ergänzungsband (1875). 17 M. 40 Pf.

Nr. 43. **N. Sewerzows** *Erforschung des Thian-Schan-Gebirgs-Systems 1867.* II. Hälfte. 4 M. 40 Pf.
Nr. 44. **Černiks** *technische Studien-Expedition durch die Gebiete des Euphrat und Tigris.* I. Hälfte. 4 M.
Nr. 45. **Černiks** *technische Studien-Expedition durch die Gebiete des Euphrat und Tigris.* II. Hälfte. 4 M.
Nr. 46. **Bretschneider**, *Die Pekinger Ebene und das benachbarte Gebirgsland.* 2 M. 80 Pf.
Nr. 47. **Haggenmachers** *Reise im Somali-Lande.* 1 M. 80 Pf.

Heft 43—47 bilden den X. Ergänzungsband (1875—1876). 16 M. 40 Pf.

Nr. 48. **Czerny**, *Die Wirkung der Winde auf die Gestaltung der Erde.* 2 M. 20 Pf.
Nr. 49. **Behm und Wagner**, *Die Bevölkerung der Erde. IV.* 6 M.
Nr. 50. **Zöppritz**, *Pruyssenaeres Reisen im Nilgebiete.* I. Hälfte. 2 M. 80 Pf.
Nr. 51. **Zöppritz**, *Pruyssenaeres Reisen im Nilgebiete.* II. Hälfte. 3 M.
Nr. 52. **Forsyth**, *Ost-Turkestan und das Pamir-Plateau.* 4 M.

Heft 48—52 bilden den XI. Ergänzungsband (1876—1877). 17 M.

Nr. 53. **Przewalskys** *Reise an den Lob-Nor und Altyn-Tag 1876—1877.* 2 M.
Nr. 55. *Die Ethnographie Rußlands*, nach A. F. Rittich. 6 M.
Nr. 56. **Behm und Wagner**, *Die Bevölkerung der Erde. V.* 5 M.
Nr. 54. **Credner**, *Die Delta's.* 4 M.

Heft 53—56 bilden den XII. Ergänzungsband (1877—1878). 16 M.

Nr. 57. Soetbeer, *Edelmetall-Produktion.* 5 M. 60 Pf.
Nr. 58. Fischer, *Studien über das Klima der Mittelmeerländer.* 4 M.
Nr. 59. Rein, *Der Nakasendō in Japan.* 3 M. 20 Pf.
Nr. 60. Lindeman, *Die Seefischerei.* 5 M.
Heft 57—60 bilden den XIII. Ergänzungsband (1879—1880). 17 M. 80 Pf.

Nr. 61. Rivoli, J., *Die Serra da Estrella.* 2 M.
Nr. 62. Behm und Wagner, *Die Bevölkerung der Erde.* VI. 5 M.
Nr. 63. Mohn, *Die Norwegische Nordmeer-Expedition.* 2 M.
Nr. 64. Fischer, *Die Dattelpalme.* 4 M.
Nr. 65. Berlepsch, *Die Gotthard-Bahn.* 4 M. 60 Pf.
Heft 61—65 bilden den XIV. Ergänzungsband (1880—1881). 17 M. 80 Pf.

Nr. 66. Dr. P. Schreiber, *Die Bedeutung der Windrosen.* 2 M. 20 Pf.
Nr. 67. Blumentritt, Ferd., *Versuch einer Ethnographie der Philippinen.* 5 M.
Nr. 68. Berndt, G., *Das Val d'Anniviers und das Bassin de Sierre.* 4 M.
Nr. 69. Behm und Wagner, *Die Bevölkerung der Erde.* VII. 7 M. 40 Pf.
Nr. 70. Bayberger, *Der Inngletscher von Kufstein bis Haag.* 4 M.
Heft 66—70 bilden den XV. Ergänzungsband (1881—1882). 22 M. 60 Pf.

Nr. 71. Obrutschew und v. Stein, *Die russischen Kosakenheere.* 2 M. 20 Pf.
Nr. 72. Juan Maria Schuver, *Reisen im oberen Nilgebiet.* 4 M. 40 Pf.
Nr. 73. Dr. Carl Schumann, *Kritische Untersuchungen über die Zimtländer.* 2 M. 80 Pf.
Nr. 74. Dr. Oscar Drude, *Die Florenreiche der Erde.* 4 M. 60 Pf.
Nr. 75. Dr. R. v. Lendenfeld, *Der Tasman-Gletscher und seine Umrandung.* 6 M. 40 Pf.
Heft 71—75 bilden den XVI. Ergänzungsband (1883—84). 19 M. 40 Pf.

Nr. 76. Dr. Fritz Regel, *Die Entwickelung der Ortschaften im Thüringerwald.* 4 M. 40 Pf.
Nr. 77. F. Stolze und F. C. Andreas, *Die Handelsverhältnisse Persiens.* 4 M.
Nr. 78. Dr. H. Fritsche, *Ein Beitrag zur Geographie und Lehre vom Erdmagnetismus Asiens und Europas.* 5 M.
Nr. 79. Prof. H. Mohn, *Die Strömungen des europäischen Nordmeeres.* 3 M. 60 Pf.
Nr. 80. Dr. Franz Boas, *Baffin-Land.* Geographische Ergebnisse einer 1883 und 1884 ausgeführten Forschungsreise. 5 M.
Heft 76—80 bilden den XVII. Ergänzungsband (1885—1886). 21 M. 40 Pf.

Nr. 81. Franz Bayberger, *Geographisch-geologische Studien aus dem Böhmerwalde.* 4 M.
Nr. 82. Robert v. Schlagintweit, *Die Pacifischen Eisenbahnen in Nordamerika.* 3 M. 60 Pf.
Nr. 83. Dr. Gustav Berndt, *Der Alpenföhn in seinem Einfluss auf Natur und Menschenleben.* 3 M. 60 Pf.
Nr. 84. Alexander Supan, *Archiv für Wirtschaftsgeographie. I. Nordamerika, 1880—1885.* 6 M.
Nr. 85. Gustav Radde, *Aus den Daghestanischen Hochalpen, vom Schah-dagh zum Dulty und Bogos.* 4 M. 40 Pf.
Heft 81—85 bilden den XVIII. Ergänzungsband (1886—1887). 19 M. 60 Pf.

Nr. 86. Dr. Rudolf Credner, *Die Reliktenseen.* I. Teil. 6 M. 60 Pf.
Nr. 87. Dr. R. v. Lendenfeld, *Forschungsreisen in den Australischen Alpen.* 3 M.
Nr. 88. Dr. J. Partsch, *Die Insel Korfu.* 3 M. 40 Pf.
Nr. 89. Dr. Rudolf Credner, *Die Reliktenseen.* II. Teil. 5 M. 40 Pf.
Heft 86—89 bilden den XIX. Ergänzungsband (1887—1888). 17 M. 40 Pf.

Nr. 90. M. Blanckenhorn, *Die geognostischen Verhältnisse von Afrika.* I. Teil. 4 M.
Nr. 91. Hermann Michaelis, *Von Hankou nach Su-tschou (Reisen im mittleren und westlichen China 1879—1881).* 4 M.
Nr. 92. Dr. W. Junkers *Reisen in Zentralafrika 1880—1886.* Wissenschaftliche Ergebnisse. *I.* 4 M.
Nr. 93. Dr. W. Junkers *Reisen in Zentralafrika 1880—1886.* Wissenschaftliche Ergebnisse. *II u. III.* 4 M. 80 Pf.
Nr. 94. W. v. Diest, *Von Pergamon über den Dindymos zum Pontus.* 4 M. 40 Pf.
Heft 90—94 bilden den XX. Ergänzungsband (1888—1889). 22 M. 80 Pf.

Nr. 95. Dr. J. Partsch, *Die Insel Leukas.* 2 M. 40 Pf.
Nr. 96. Max Beschoren, *São Pedro do Rio Grande do Sul.* 5 M.
Nr. 97. Dr. Karl Dove, *Kulturzonen von Nord-Abessinien.* 3 M. 60 Pf.
Nr. 98. Dr. Joseph Partsch, *Kephallenia und Ithaka.* Eine geographische Monographie. 6 M.
Nr. 99. v. Höhnel, *Ostäquatorial-Afrika zwischen Pangani und dem neuentdeckten Rudolf-See.* 4 M. 20 Pf.
Nr. 100. Dr. Gustav Radde, Karabagh. 4 M.
Heft 95—100 bilden den XXI. Ergänzungsband (1889—1890). 24 M. 40 Pf.

Nr. 101. Wagner und Supan, *Die Bevölkerung der Erde.* VIII. 10 M.
Nr. 102. Johannes Walther, *Die Adamsbrücke und die Korallenriffe der Palkstrasse.* 3 M. 80 Pf.
Nr. 103. Dr. Paul Schnell, *Das marokkanische Atlasgebirge.* 5 M.
Nr. 104. Dr. Alfred Hettner, *Die Kordillere von Bogotá.* 8 M.
Heft 101—104 bilden den XXII. Ergänzungsband (1891—1892). 25 M. 60 Pf.

Nr. 105. Mohn und Nansen, *Wissenschaftliche Ergebnisse von Dr. F. Nansens Durchquerung von Grönland 1888.* 4 M.
Nr. 106. Dr. Sophus Ruge, *Die Entwickelung der Kartographie von Amerika bis 1570.* 5 M.
Nr. 107. Wagner und Supan, *Die Bevölkerung der Erde.* IX. 7 M.
Nr. 108. Dr. Edmund Naumann, *Beiträge zur Geologie und Geographie Japans.* 4 M. 80 Pf.
Nr. 109. Dr. Gerhard Schott, *Wissenschaftliche Ergebnisse einer Forschungsreise zur See.* 9 M.
Heft 105—109 bilden den XXIII. Ergänzungsband (1893). 29 M. 60 Pf.

Nr. 110. Dr. Alois Bludau, *Die Oro- und Hydrographie der preußischen und pommerschen Seenplatte.* 6 M.
Nr. 111. Dr. Oscar Baumann, *Die kartographischen Ergebnisse der Massai-Expedition des Deutschen Antisklaverei Comités.* [illegible]
Nr. 112. Radde und Koenig, *Das Ostufer des Pontus und seine kulturelle Entwickelung im Verlaufe der letzten 30 Jahre.* [illegible]
Nr. 113. Dr. Carl Sapper, *Grundzüge der physikalischen Geographie von Guatemala.* 4 M. 10 Pf.
Nr. 114. v. Flottwell, *Aus dem Stromgebiet des Qysyl-Yrmaq (Halys).* 5 M.
Heft 110—114 bilden den XXIV. Ergänzungsband (1894—1895). 30 M. 80 Pf.

Druck der Engelhard-Reyherschen Hofbuchdruckerei in Gotha.

CPSIA information can be obtained
at www.ICGtesting.com
Printed in the USA
BVHW031419130819
555775BV00004B/349/P